庖丁解牛，通過不知
消解了

黃藝卿
於 2003.10.15
[illegible]

唐君毅全集 卷十四

中國哲學原論 原道篇卷一

——中國哲學中之「道」之建立及其發展——

臺灣學生書局印行

目錄

中國哲學原論——原道篇（一）

——中國哲學中之「道」之建立及其發展

導論下——孔子所承中國人文之道……四八

第一篇

第一章　孔子之仁道（上）……七三

附論　韓非子解老喻老及管子心術內業中之道家言……四二七

第十三章　荀子之成人文統類之道（上）……四三七

中國哲學原論原道篇（一）

——中國哲學中之「道」之建立及其發展

本書共三册，於一九七三年五月由新亞研究所初版，一九七六年、一九七七年學生書局修訂再版。全集所據爲再版本，並經全集編輯委員會校訂。

中國哲學原論——原道篇

原道篇自序——述作緣起、宗趣、內容之限極，與論述之方式

一　緣起

以本書之緣起而言，可謂事出偶然。蓋自七年前，吾母逝世，吾卽嘗欲廢棄世間著述之事。後勉成原性篇，于此篇自序言吾今生之著述，卽止于是。旋卽罹目疾，乃不遠秦楚之路，求醫異域，幾于不讀書者，半載有餘。病中唯有如莊子所謂「視乎冥冥，聽乎無聲。冥冥之中，獨見曉焉；無聲之中，獨聞和焉」；更念佛家五眼之說，聊以自娛。五眼中，肉眼之外之天眼、佛眼，非吾所敢望。然佛家之慧眼、法眼在中國固有之名，卽是道眼，則吾意人皆有之，吾亦非無。不必如佛家之謂唯二乘與菩薩，方能有之也。吾于病中，卽依此人人本有之法眼、慧眼或道眼，以與起種種思，種種見。吾亦不以此皆爲天臺宗所謂見思惑。蓋吾人平日之視而不見，見而實不知者，唯于不視之時，方能更如實知見。吾所知見者，是天地間實有運于至變至動，生滅無常之中，而又至常至靜，悠久不息之道或

種種之道在。循此道，則可徹幽明之隔、通死生之變、貫天人之際。此原為古今東西之聖哲所同有之契向。吾初為學，卽已慕此哲人之言，有此契向。吾年三十左右，寫人生之體驗之心理道頌一篇時，卽言當循此契向，以寫一書。然以種種問題未能解決，于道所見者，不眞不切，故因循未就。然在此病目之時，平日所見之不眞不切者，于廢書不讀之際，乃漸宛然在目，時有思維之「徑路絕而風雲通」之境，更無不決之疑。當時慮吾之目疾，不能復愈，意欲仍仿心理道頌之體裁，以四言韻語，抒吾所見。然亦未嘗不念此道之昭昭然在天地間，乃人所能共知見，不以吾之言與不言，而增損也。不意天假以明，後仍有一目可用。乃于此五六年中，以教課辦公之餘，先寫一書，擬定名為生命三向與心靈九境。其大旨是由吾人現有生命心靈之前後向之順觀、內外向之橫觀，上下向之縱觀或豎觀，以開出九境；九轉還丹，而導向于上述之澈幽明、通死生、貫天人之一境。然此書無異自抒其平生求道之歷程，未出吾一人之所見。在吾今生，或當可于此道，更有所窺，亦暫不擬問世，以免自誤誤人。此道既昭昭然在天地間，乃人所能共知見，悟者同悟，迷者自迷，亦原無秘密可言。此與修道工夫，舉足便是深密者，亦不相悖。吾書之歸趣不出于立三極、開三界、成三祭。此可概括吾數十年來一切所思，亦蓋非吾今後之所能踰越者。所謂三極者，卽吾于二十年前，寫中國文化精神之價值中，所謂人極、太極、與皇極。此三名太古老。所謂三界者，人性世界、人格世界，與人文世界。吾意人性直通于天命與太極。人格之至為聖格，卽所以立人極。全幅人文之大化成于自然之天地萬物，而不以偏蔽全，是為皇極。皇者，大也；極者，不偏之中也。此三界之名，較易為今世所接納，而涵義亦更弘遠。至于成三祭者，則專是為徹幽明、通死生、貫天人而設。此是本儒家之禮教，以開攝未來世界之宗教。三祭中祭父母祖先者，是通吾個人之人格所自生之原。祭聖賢與有功德之人者，是通社會人文所自生之原。祭天地者，是通人之性，與有情眾生之性之原。此所謂天地，乃張橫渠所謂稱父稱母之乾坤。乾坤卽宇宙生命，或宇宙精神，或宇宙存在之道，而與佛家之一眞法界，一神教之梵天上帝之義，相通攝者。然此三祭之有形者，屬于宗教，宗教只中國之禮教之一端，亦只人文之一端。三祭之無形者，卽存于人之德性與智慧之一念契會之中。祭者，契也；故當下具足，不待他求。至一般人文之基層，則仍在人對自然物之生產技術之事，人類社會之相生相養之經濟、政治、與人倫日用之事。科學、哲學、文學、藝術之學，則為人文之中心。三祭之事，乃所以由此更向上，充達人之至情至性之量，以完滿人之所以為人，而使人文不只大化成天下之人間，亦大化成于天上之神明；以澈幽明，而成大明；通死生，而超死生；貫天人，而人卽天者。此三祭之事，非志在求福，唯是人義之所當為，以順盡人之性情，而立人道之至極。固非如已往之宗教，未脫巫道，恒志在求福，不免使人道倒懸于神道，而以宗教凌駕于人文世界之上之外者也。凡此等等，皆吾之生命三向與心靈九境一書之歸趣所存，此外別無高論。但因其皆由對所關聯之種種純哲學之義理，先為判教之功，多辨析西哲之說，故較昔年吾于此所述著，皆大為複雜，而論述之道路，亦更悠阻而多曲折耳。

吾旣寫上所述之書，復自顧吾之所知所見，則點點滴滴，仍皆由吾幸生而爲中國人，得接前哲之餘緒之故。吾書之有無價值，尙未可定，然前哲之所知所見者，其價值所在，已多有一定而永定者。吾書多針對西哲立論，所論述之問題，自與古人有異，亦自有發古人所未發者。然不識吾書之淵原所自者，亦不能知其所發古人所未發者在何處，抑亦解人難遇于當今之世。故還爲此原道篇，以廣述此中國前哲對此道之所發明，以報前哲之恩我，亦如陸象山之以六經還注我。吾初意原只欲寫孔老墨之言道者三篇，以補吾昔著原性篇於孔老墨之言，因限於體例，而未能及之之憾。三篇旣完，方覺責不容已，遂論及其後之哲人所言之道。吾昔年所爲之中國哲學史稿（註）與讀書之隨手抄記，原只堪覆瓿者，多可供我自由取用之資。然因慮目疾延及右眼，故多急就之章，對前哲之旨，或終成孤負。唯在行文之際，亦時有程伊川所謂「思如泉湧，吸之愈新」之感；恒能「濯去舊見，以來新見」。自謂差有進于前此之論述。吾行文不欲崖岸自高，以使人望而生畏，以遠離斯道；亦不能故爲謙退，而使人掉之以輕心，還屈斯道。吾以不肖，而傷及吾父母之遺體，盲其一目，而今之天下則半在晦盲否塞之中；亦幸尙留一目，覩另一半之世界于陽光普照之下，兼得成此二書。此皆事出偶然，而亦莫非天賜。又吾此二書寫成以後，字若塗鴉，吾亦苦難自識。若非李君武功，耐心鈔正，此二書亦將長埋

註：吾三十年前有中國哲學史稿未正式出版，但來港後曾在二大學暫油印爲講義。世如有存此講義者，務須全部毁棄爲要。

天地。上兼述此二書之緣起竟。今更回顧本書之宗趣、內容之限極，及論述之方式如下，以便讀者之觀覽焉。

二　宗　趣

㈠以本書之宗趣而言，要不外對唐以前中國前哲所開之諸方向之道，溯其始於吾人之生命心靈原有之諸方向，而論述其同異與關聯之際，爲宗趣。故其性質在哲學與哲學史之間。其大體順時代之序而論述，類哲學史；其重辨析有關此諸道之義理之異同及關聯之際，則有近乎純哲學之論述，而亦有不必盡依時代之先後而爲論者。

㈡本書與拙著中國哲學原論中原理、原心、原名、原辯、原致知格物、原命與原性諸篇，乃分別寫成。此道之名之義，原可攝貫此理、心、性、命等名義，而爲其中心。然直對此中心之道而論，其詳略輕重，又自不同。如一中心之圓，與其旁之數圓交切，其間雖有共同之切面，其形仍非一。此書所論，宜與吾前此之所述者，相觀而善。譬諸建築，吾前此於中國哲學所論，皆爲立柱，此書方爲結頂。其於同一之論題，偶有互相違異者，此書皆有交代，亦應以此書爲準。

㈢此書言道雖亦及於天道、物道、佛道二家之教中之出世超世道，然其始點，則在人之生命心靈之活動所共知所共行之道。蓋此人之生命心靈之活動，沿其向上或向下，向前或向後，向內或向外之諸方向進行，卽原可開出種種道路，以上及於天，下及於物，內通於己，外及於人；以使其知、其行，據後而向前；由近而無遠不屆，由低而無高不攀，由狹而無廣不運；而成己成人，格物知天；以至如程明道詩所謂「道通天地有形外」，仙家之游於太清，一神教徒之光榮上帝，佛徒之莊嚴佛土，普度眾生，皆可實有其事。然此一切高妙之境，其起點與根原，仍只在吾人之眼前當下之生命心靈之活動，原有此種種由近至遠，由低至高，由狹至廣之道路在。至其有關之義理，則多爲前哲所明，學者可循其義理之序而知者。故本書之論述前哲所明之道，亦特重此義理之序。故於一家所明之道之義理之論述，亦大率皆是先近後遠，先低後高，先狹後廣，循下學而次第上達之序而進。此與世之論先哲之道者，或重類別義理之型態，加以比對排列，而不依義理之次序爲論，以見其會通者，則頗有不同。

㈣吾所謂眼前當下之生命心靈活動之諸方向，其最切近之義，可直自吾人之此藐爾七尺之軀之生命心靈活動以觀，卽可見其所象徵導向之意義，至廣大，而至高遠。吾人之此身直立於天地間，手能舉、能推、能抱、能取；五指能指；足能行、能遊、能有所至而止；有口能言；有耳能聽；有目能見；有心與首，能思能感，卽其一切生命心靈之活動之所自發。中國哲學中之基本名言之原始意義，亦正初爲表此身體之生命心靈活動者。試思儒家何以喜言「推己及人」之「推」？莊子何以喜言「

遊於天地」之「遊」？墨子何以喜言「取」？老子何以言「抱」？公孫龍何以言「指」？又試思仁何以從人？義何以從我？性、情、意、志、思、念、忠、恕之名，何以皆從心？認、識、誠、信之字，何以皆從言？知字何以從口？聖字何以從耳？德行之行從彳于，初豈非兩足之事？止善之止，初豈非足之止？再思德何以從目、從心？道何以從首？由此便知卽吾人當下現成之渾然一身，其生命心靈之活動，所象徵而導向之意義，卽至廣、至大、至高、至遠。中國之哲學義理，表現在中國之文字。中國文字之字原，今猶多保存於字形，故其字形直狀吾人身體之生命心靈活動者，今猶可觸目而見。此卽中國文化與其哲學中之一無價之寶，足使人得恆不忘中國人之文化與哲學智慧之本原，卽在吾人此身之心靈生命之活動者。誠然，字之原義，不足以盡其引申義，哲學之義理尤非手可握持，足所行履，亦非耳目之所可見可聞。然本義理以觀吾人之手足耳目，則此手足耳目之握持行履等活動之所向，亦皆恆自超乎此手足耳目之外，以及於天地萬物。此卽手足耳目所以爲手足耳目之義理。此義理之爲人之心知所知，卽見此手足耳目，亦全是此「義理」之流衍之地。故眞知手之「推」，亦可知儒者之推己及人之「推」。眞知足之「遊」，亦可知莊子之遊於天地之「遊」。充手之「抱」，至於抱天地萬物，而抱一、抱樸，卽是老子。盡手之取，至於恆取義，不取不義，利之中恆取大，害之中恆取小，卽是墨子。窮手之指，至於口說之名，一一當於所指，卽公孫龍也。

㈤此中國哲學之以吾人當下之活動爲根，亦自中國古代之原始政治社會文化中，生長而出。

中國之原始之政治社會文化，則直接自生活於此綠野神州之華族生命中生長而出。此華族之生命，初又原是樸實無華。故不同於希臘民族之自始有美麗凄艷之神話者；亦不同於猶太民族之屢經亡國於「天蒼蒼、野茫茫，風吹草低見牛羊」之地上，而寄望於救主天國之來臨者；又不同於征服土民，而創造印度文化之雅里安民族，初不知下民之疾苦，而重自禱於其神祇爲事者。此古代之華族生命，蓋先平水土，裂山澤，而成爲「大地之子」或地上之勞働者，然後聚宗族，成邦國。故傳說中之聖王如伏羲、神農、黃帝等，並是發明民生日用之器物之人。哲之一字，先用於聖王之負社會政治責任者，而有哲王之名。此中國哲學智慧，乃中國古人在一沈重之「對羣體生命之存在」之「責任之負擔」之下，寅畏戒愼之情之中，次第生起，而緩步前進。故其哲學思想，不如希臘哲學思想，初起於殖民地之不負實際社會政治責任之哲人之仰觀俯察者之輕靈活潑，而多姿多采；亦不如印度之吠陀與奧義書中思想，初起於主祭祀之僧侶之閉目冥想者之幽深玄遠，而如夢如醉。復亦不如猶太民族思想之初起於其民族之先知之嘆往希來者之憂思輾轉，而如怨如慕。然此中華民族之哲學智慧，則可謂爲此民族之社會政治文化之「舉體俱運」之產物，其思之所及，亦恆爲其行之所能及，而穩步前進。遂由樸實無華之生命以次第開出，與「日月光華，旦復旦兮」相輝映之哲學智慧。此則時在春秋之際，有管晏子產諸賢，及孔子之出世。孔子之自言其一生爲學，乃由「十五而志於學，三十而立，四十而不惑，五十而知天命，六十而耳順，七十而從心所欲不踰矩」，亦爲一穩步而次第升進之歷程。史記孔子世家記孔子幼而「嬉戲常陳俎豆」，乃以習禮始。其歿則禮記載其「詠歌而卒」，即以爲樂終。此明不同於蘇格拉底之終服藥自殺，釋迦之初從外道出家，耶穌之嘗經魔鬼試探，其生命歷程，皆顯見有波瀾起伏，而多跌蕩，未能平流順進者。吾觀整個中國哲學智慧之次第升進，亦以爲大體是一平流順進之歷程。至少不同西方印度哲學思想之發展，其起伏跌蕩之幅度之大。然其平流順進，如江河之宏納眾流，而日趨浩瀚，亦非不進。此亦正可以孔子一生爲學之歷程，爲一象徵也。

吾之此書，視中國哲學爲一自行升進之一獨立傳統，自非謂其與西方、印度、猶太思想之傳，全無相通之義。然此唯由人心人性自有其同處，而其思想自然冥合。今吾人論中國哲學，亦非必須假借他方之思想之同者，以自重。故吾在論此中國哲學之傳統時，即柏拉圖、亞里士多德、奧古斯丁、多瑪斯、康德、黑格耳之思想，亦不先放在眼中，更何況馬克思、恩格斯與今之存在主義之流？此固非謂必不可比較而觀其會通。然要須先識得此獨立傳統之存在，然後可再有此比較之事。大率中國之哲學傳統，有成物之道，而無西方唯物之論；有立心之學，而不必同西方唯心之論；有契神明之道，而無西方唯神之論；有通內外主賓之道，而無西方之主觀主義與客觀主義之對峙。則此比較亦非易事。至若如近人之唯以西方之思想爲標準，幸中國前哲所言者與之偶合，而論中國前哲之思想，則吾神明華胄，降爲奴役之今世學風也。吾書宗趣，亦在雪斯恥。

三　內容之限極

㈠以本書之內容而言，其導論上，乃論道之名義及類比。此言道之名義，乃重在指出此道之名，在西方及印度之哲學之名言中，可說無全相當者；其所涵之義之廣大豐富，亦其他中國哲學之諸名言，所不能及。此導論上文，言道之類比，則要在以人行之道路爲類比，以使人先對「道」作一圖像的思考。此圖像的思考，吾不如今之西哲之或加以輕視。吾以爲凡人所思考之義理之有種種方向者，其方向皆可加以直觀，而以圖像表之，吾亦嘗欲於此書所說，皆爲之畫圖。唯圖像亦須用文字加以解釋，旣有文字之解釋，善觀者亦皆可自形成此種種圖像，故不復畫。至於在導論下，則吾略論孔子以前之諸哲學性之名言，如天命、德、心、性、禮、天道、地道、人道、道等之次第出現。此所據者，唯限於就尚書及詩經與左傳國語數書之哲王哲臣之言而論，以見孔子所論之道，亦淵原有自耳。

㈡本書自論孔子以降，爲本書之正文。第一編論周秦諸子之哲學中之道。此中，吾首論孔子之仁道，於此仁道，吾以生命心靈之感通說之。此感通卽兼具一己之生命心靈之「前後之度向」中之感通，人我生命心靈之「內外之度向」中之感通，及人與天命鬼神之「上下之度向」中之感通。孔子後有墨子言義道，爲一普遍橫通之道。孟子承孔子，辨人禽之別，而言人之心志之向上興起，要在立人自下而上之縱通之道及自近而遠之順通之道，以拒墨子之只知橫通之道。于道家之流，則吾分其型態爲三：愼到、田駢、彭蒙，乃順物勢以成其外通之道。老子由法地、法天、法道，以成其由外通而內通之道。莊子內篇則重在言由調理人之生命與心知之關係以成眞人、至人、聖人之道。此則能「徇耳目內通」以「調適上遂」之道也。至莊子外雜篇，韓非之解老、喻老，及管子心術內業，則同屬道家之流，亦皆有其言道之新義。今皆於論莊子之道之後，附及之。至於荀子之道，則吾以由內心之知統類，以外成人文統類之道標之，以見其別於道墨二家之道，與孟子之偏重人之內在心志之興起以立人道者。孟、荀皆儒學之大宗。韓非學於荀子，沿荀子之「知通統類」之聖王，而下流，以慕「用智刻深，運法術勢以爲政」之「明君」。韓非之智，亦限於知此明君之爲政之道。韓非之言，可稱爲一標準之法家言。周秦思想至韓非，而儒墨道法之學派皆立。然實皆循思想發展之流，而次第衍成，此爲本書所最重。故吾不先持漢人六家九流之說以爲據。九流之說，以九流一一皆出一王官，只見學派之分，而實未見其如何流行而成派也。至於世傳之管子書，則其論及政法者，蓋韓非後法家之流之著，而足補韓非所見之偏，以求上達之政道者，今附及之於論韓非文之後。世傳之禮記易傳之書，蓋皆屬孟荀後之儒學之流。此與莊子外雜篇及管子書，蓋一時代之著。今由道家之莊子天下篇之言內聖外王，禮記中之大學之言內自明其德，而外新民，中庸之言內成己，而外成物，及管子書之除論及政法者外，兼有內業之篇之編入；卽見晚周儒道法之流，同趣向在言內聖外王之道，亦遙契孔子言仁道之兼具修己與治人之旨。此中以中庸為最能言「人性上通天命，合內外，而成終始」之道。禮記中之言禮樂，與孝經之言孝，亦為儒學之傳之所獨。至於易傳之通天人以為道，則上接其前學者之言通天人之道之旨。易傳之特色，則蓋在循卜筮中之「感應之神」之義，更契於孔子之言天命之義，以見神之無方而遍運。此上所及之管子、莊子外雜篇，禮記諸篇及易傳諸書，其成書亦或有在漢世者。如禮記樂記，傳為河間獻王所獻；禮記王制，傳為漢文帝時博士著；禮記之大學、學記亦有謂其由有漢之太學後人所著者。莊子外篇有十二經之言，更當是有六經、六緯後之語。然吾則併視為晚周至秦之儒道法之流之著，而不以之代表漢世之思想。此則由於漢世思想之特色，別有所在之故。此上諸書，縱成書有在漢世者，亦當說為挹晚周至秦之思想之流而成。至於周秦諸子之對名言辯說之道，則吾前之原論中已有論荀子正名與名學三宗，及墨子小取篇論辯，及孟墨莊荀之論辯三篇，以見中國古代之名辯之學。今則更補以周秦諸子之用名對名之道上下章，於論韓非子之法家言之後。此乃總論周秦思想中環繞於中國所固有之「名」之一名之思想之發展，而於人之名字、名謚、名位、名教、名義、名聞、名譽、名實、形名之名，皆統而觀其有關思想之如何次第衍生。于惠施公孫龍之名實之論，世所視為屬邏輯知識論之問題者，今則視之為一更廣大之對名之道中之一節，其前有所承，後有所歸，皆在此一道上。而世之於其言視為怪說詭辭，異釋紛披者，今皆絜裘而振之，以歸其宗趣於至簡，以見其實為此廣大之對名之道上之一節，中國之名言哲學之一隅；更無如在西方哲學中之邏輯知識論在哲學中居優先地位之情形。旨在使彼苛察繳繞之小言，涵攝于今玆所重之大道。至於吾之釋惠施公孫龍之遺文，與他人所釋之同異得失，則非今所暇辨也。

㈢第二編論兩漢經子之哲學中之道。此兩漢思想之主流，自亦有承先秦思想而來者。如陰陽家是。此陰陽家思想之流，在晚周已盛，其五德終始之說，並影響及秦之政治。然必至漢代，此陰陽之思想，乃遍注遍流，而無孔不入，幾爲一切學者，所不能外。陰陽家之道，吾名之爲順天應時之道。呂氏春秋、管子、淮南子、董仲舒之春秋繁露等書，同言此順天應時之道。此順天應時之道，其涵義可通及於人之瞻往察來，求開一歷史上之新時代之其他種種道，皆爲前此所未有者也。吾論漢代之哲學思想中之道，除一爲上述之順天應時之道之外，二爲成就學術之類別與節度之道，三爲法天地以設官分職之道及對人之才性之品類之分辨、對人物之品鑒之道，四爲道教之鍊養精氣神之道，五爲春秋學中之褒善貶惡之道，亦卽今所謂對人事作道德的或政治的價值判斷之道，六爲漢代易學中之象數之道，亦卽今所謂爲存在事物之普遍範疇之道。于此六者，吾皆通貫漢代思想之要義而論，而無意於一一學者之思想，分家而備述之。此則由於吾唯視此上之六者爲漢代學者所開之新道，爲昔所未有，宜通貫諸學者之所言以併論，而後顯。合此六者，卽可說漢人之觀「宇宙」之「節度」，而鍊養精神，以成就人之「日常生活、學術人文、政治社會與其價值判斷」之「節度」之道，乃其有進于周秦學者之言道者也。

㈣第二編中、後論魏晉至六朝之玄學及文藝之哲學中之道。魏晉至六朝承中國固有學術之流，而開之新道，一爲王弼之通易與老之玄學之道，二爲郭象之注莊中之玄學之道。吾論王弼之易學重說其與漢易同而異之處，吾論王弼之老學與郭象之注莊，亦重其與老莊之學之同而異之處。皆意在觀其所開之觀照玄理之新道，果何所似。三爲文學之道，本文以陸機、劉勰之若干文學之論，通於玄學儒學之論者爲代表。四爲藝術之道，本文以阮籍、稽康之論音聲之道，宗炳之論畫道爲代表。此魏晉人之成其文藝之道，要在通過「虛無寂寞」，以成其對意象之觀照。此與對玄理之觀照，亦可視爲同在一道上。此魏晉六朝之文學藝術之道旣開出，而中國之人文世界各方面之道，卽皆已全部開出。依道眼而觀諸道，亦皆一成而永成矣。至於吾之論此魏晉以後之文學藝術中之道，則亦如吾之論漢人之易春秋之經史之學中之道，皆不同世之專家之所爲。其旨唯在指明其各自爲一方向之道，而亦自有其獨特之哲學意義爲止；乃所以見中國之哲學之思想，不只存於四庫之子部之著述之中；卽中國之經史之學文藝之學，亦不能自位於具哲學意義之「道」之外，然後可免於「道術將爲天下裂」。過此以往，亦非我所及知者也。

第三編論由魏晉至隋唐之佛家之哲學中之道。漢末至魏晉六朝爲印度之佛法，陸續傳入中國之時。下及隋唐，而佛家之大宗派皆立。佛法乃宗敎，佛敎之高僧大德之講經論，重在起信成修；故一般經論之義疏，亦爲此而著。然吾今之所重者，則限在言佛道中哲學義理之發展。一般之佛敎史，恆不足以應我之所需。故後文所論，亦大皆只就個人之直接讀中國佛書典籍，而述其所見。佛書之爲翻譯者，其與印度之原典之文義，是否相合，非我所及知。然吾據中國之翻譯之文，以論中國佛學中之道，亦可暫不問其與印度之原典之文義，是否相合。考其相合與否，應別為一專門之學。卽全不相合，吾所論者，亦仍是中國佛學中之道也。

按自佛教入中國後，中國學者自始多兼通儒道之學與佛家之學。若牟子理惑論，果為漢末之著，則其書已通三教為言。上述之宗炳論畫，劉勰之論文學，固皆純本於中國固有之儒道思想，然其人則皆兼擅佛學。在魏晉時初講佛學者，亦恆以中國固有之學之義與佛家之義，相比格而論。如竺法雅之依格義講佛學是也。佛家之「佛」，原為「得菩提或智慧者」之稱。然據宋法雲所編翻譯名義集卷五謂，羅什弟子僧肇，嘗言菩提之一名，初卽譯為道，亦卽道之極。晉孫綽喻道論言「夫佛也者，體道者也」智顗摩訶止觀亦言「菩提者，天竺音也此方稱道。」羅什弟子多兼善老莊。僧肇之論般若學，亦以老莊與孔子之言與佛理互證。今觀僧肇之言所表之理境，實與玄學家如王弼、郭象之理境，正相契合。羅什弟子之道生，則蓋承中國孟子言「人皆可以為堯舜」之義，以言人皆有佛性。唯佛學傳自印度，其初之目標在出世，亦有其自印度帶來之一套與哲學義理有關之特殊問題。僧肇、道生等亦不能不多少對應此套特殊問題，以成其論；故其論所及之義，亦多溢出於中國固有哲學義理之外耳。

(五)吾書之論中國佛學中之道，首重其與中國固有之學中之道之同異之際。唯吾論印度大乘般若學，則不能不多少持之與西方哲學之若干義理，對比而觀。蓋此佛學與西方哲學，皆原出自雅里安之文化。梵文與西方文字固同原。故其哲學問題，亦有相類者。然西方哲學之大流，皆重一般知見，而佛學之般若宗，則正以掃蕩一般知見以證空為學，遂與西方哲學之大流，正相對反。以中國固有之學，亦原非只重一般知見，故般若宗之歸旨，與中國固有之思想之歸旨，亦易相契合。然中國固有思想中，卻又無般若宗之所用以掃蕩知見之種種論辯。此種種論辯之傳入中國，亦大開一哲學思想之天地。至於印度佛學中之唯識法相宗之流，則雖未嘗不歸于證空，而有其所掃蕩之知見；然亦以成就人對種種之法相之知見始，遂更能補中國思想之所缺。至印度之法相唯識宗之所以不能大盛於中國，印度所傳般若學，亦不為後之為佛學者所視為至極，則蓋由中國佛學之次第發展，而更自開之佛學宗派，其立義亦自有進於印度所傳之大乘佛學之故耳。

此中國佛學之發展，其由般若學而天臺宗之學，蓋以南朝之成實學及吉藏之般若三論學，為其過度。然國人為中國佛學史者，或忽此成實學及吉藏學之貢獻，則由僧肇道生至天臺之智顗間之佛家思想義理之次第發展，尙不得而明。吾今玆所論，則自謂可差補此缺。由此以觀智顗之天臺學之新義，亦更得昭顯。智顗之學，除以法華涅槃之教義，為其根本外，亦言禪觀，重戒律，而信淨土。其學弘深濶大，立義亦更有進於吉藏。要之，中國佛學至吉藏及智顗之時代，已如日之中天。故吉藏、智顗，以及時稍後之玄奘，皆輕視中國固有之學。此則與僧肇之尙以孔子、老、莊，與佛家言互證，大不同者也。

至於印度法相唯識宗一流之傳入中國，則始于南北朝時有攝論地論二宗。陳隋之際，有大乘起信論一書之出。玄奘自印度歸，而弘揚印度之法相唯識學。其時之法藏，則遙承地論宗之學，本大乘起信論之義，以判玄奘所傳之法相唯識學、爲始教，謂其立義，尙不如起信論之爲終教，更於起信論之終教之上，立一頓教，以通於華嚴經所啟示之圓教義。由此中國佛學之次第發展，而印度傳來之般若學，爲天臺學之光輝所掩；印度傳來之法相唯識學，亦終爲由法藏至澄觀、宗密之華嚴宗之學之光輝所掩，唐以後遂衰矣。

法藏之言頓教義，以絕言會旨爲說，原與禪宗之義通。而法相唯識宗所宗之楞伽經，原有說通與宗通之別。般若宗及天臺宗，亦皆有禪觀之學。數者會流，至唐而禪宗盛興。禪宗之教，簡易直截，人得其旨，則當下有所受用。華嚴宗之宗密原學於神會，更爲華嚴宗四祖澄觀之弟子，遂爲書以會通禪教，而宗下與教下，可並行不悖之旨亦彰矣。

於中國佛學，吾書所論者即止於宗密。此佛學諸宗大師之學，皆如深山大澤，著述等身。論一家之全部義理，亦可成一生之專門之業。吾之所論，則亦要在明其能開一佛學新方向之義理而止，自不免掛一漏萬之譏。然吾所掛之一，亦非苟說，多是反復觀其異同之際，然後爲之。吾之所以止於宗密者，則由至宗密之時期，而中國佛學之諸宗皆立。然於中國佛學中所謂淨土宗、律宗、及密宗或眞言宗之義，則吾全未特標出之以爲論。蓋吾意此諸宗所言之哲學義理，大體實不出法相、唯識、般若、天臺、華嚴與禪宗之所說。吾意法相唯識如佛學中之荀學，般若如老莊，天臺如佛家之中庸，華嚴如佛家之易教，道生之頓悟及惠能之言本心卽佛，則佛家中之孟學也。至於密宗之於諸宗所言之心之上，更言一秘密莊嚴心，雖似更有進，然吾亦可說一切佛心，無不秘密莊嚴。又密宗之原，乃印度教與佛教之合流，其重身、口、意三密與種種儀軌，重在修行佈教。吾書只重言佛法中之哲學義理或道，則可存之而不論。此外於律宗之戒律之學，淨土宗之言有種種淨土，若將佛學作宗教而觀，其意義皆至爲重大，吾書亦存之而不論。此皆非忽其言宗教之修持工夫與其在佈教上之價值之謂也。

㈥吾此書之論述佛學，卽暫止於唐。此中國之佛學，前接中國玄學家之義，其次第發展，亦卽其次第攝入於中國學術思想自身之發展之流之中。故吾之論述中國佛學之所止，亦卽吾之論中國哲學思想中之道之所止。吾之止於是，固因時間精力之所限。然吾亦可謂自中國哲學之道之諸大方向之開拓言，至唐而至於極。亦如中國之國力，自上古歷漢至唐，而及於世界，其人文亦化及於世界，而極其盛。盛極而衰，由五代宋明至今之中國，則大體上只爲一自固自守其民族與人文之局面，於哲學中之道之大方向，唯循前人所定而進，學者要在以辨道而守道行道自任。或道之大方向，已盡於此唐以前人所開拓者，亦未可知。故吾人今亦不能不懷念漢唐前人開拓之功。今斷至唐以爲吾書，亦可一醒耳目。然開拓固難，守成亦不易。江山不老，代有賢才，中國哲學慧命相續，自五代宋明至今，吾亦未見有全然斷絕之時。宋以後儒佛諸家之學者，爲守道行道，而辨道，亦恆更能至於義理之精微，有非唐以前之學者所及者。宋以後之學者，在承繼昔人所言之道，而付之於個人之身心性命之實踐，及社會政治教化之實踐，而切實行道之精神，亦有大非唐以前之學者所能及者。吾於此書之最後一章，一方略說南北朝至隋唐時期之佛學以外之學術思想，一方略說此五代宋明至今中國學術思想，其以辨道、守道、行道，勝於前世者在何處，以見此道之千古常新，卽以暫結束本書。對此五代至宋明以後學者之言道，友人及時賢之論述不少。吾前所述作，亦有數十萬言，則大皆以觀學者之如何辨道爲中心。俟稍整理，另册刋行。但欲對此中全幅辨道之論，舉而述之，尚不能及。此上述本書之內容之限極竟。

四 論述方式

(一)本書論述之方式，不能離此書之宗趣而說。前已言此書乃以對唐以前中國之前哲思想中諸方向之道，溯其始於吾人生命心靈活動原有之諸方向，而論述其同異與關聯之際，爲宗趣。故吾書未嘗必求於此一一方向之道，皆窮至其極，而加以盡論。如吾之述儒家之學，未論聖賢氣象，論佛學而不及佛果等是也。然吾亦以爲循一一方向之道，窮至其極而論之，乃似可能而又實不可能之事。因凡道皆以無極爲極故，亦非必窮至其極，乃得知其會通之處故。論道之要，要在於諸方向之道，知其皆始於吾人生命心靈活動諸方向，如星魚六爪，出於一體。則其始點原自會通。又既論述其同異與關聯，卽同時使人得緣其同異與關聯之處，以往復周行於其中，而無不通。故論道之著述方式，要在使所論述者能互相配合照映，以形成一全體之理境。此理境所包涵之義理之成份，可多可少，然必由配合照映，而見其相涵相攝，互容互讓，以合成一全體，具足圓成，無歉無餘。有如碎蛋殼而注蛋於碗中，一蛋可成一全體，二蛋相對如雙目，三蛋成品字形，四蛋成四方形，五蛋成梅花形……皆各成一全體。此皆由其能相涵相攝，互容互讓而致。然論述種種義理之文，至於如此，其事實難。吾慕之而愧未能達。然亦望讀者得會此意，以觀吾書為幸。

㈡一般之見，以中國哲學思想之著述，為缺乏形式系統，故吾人須選取編集其言，以成一形式系統，而論述之。吾意則以為今若以一著述，必先自對其所用一一名言，一一與以一指定之定義，並將其所述之內容，加以類分，使綱目具足，方為有形式系統；則中國哲學思想之著述，其形式系統，誠不如西方哲學思想著述之顯明。然一名言不必只有一指定之定義，而可有各方面之義，同以此名言，為其輻輳之中心。又一系統，可由類分而使綱目具足以成，亦可唯由此系統中之諸義理之依次序先後、或層位高下之連結而成。系統更至少有直線系統、與圓周系統之分，及單一系統與交攝系統之分。系統若為唯依次序先後，層位高下而結成者，或若為一圓周系統或交攝系統者，皆不能只對其義理加以類分，使綱目具足之道為之。中國哲學之著述，對其所述義理，缺乏「類分使綱目具足」之系統形式，然亦非無依義理之次序、層位等，加以編次之系統形式。以先秦之著述而論，如論語、孟子之書，因其原是答問之語之結集，故原缺系統性。然論語孟子經後人編次，亦非全無依序、依類相從之義，今暫不及。至於墨子書，則除墨辯諸篇外，皆各以其主旨名其篇，其論說亦有法度，則不能謂無系統之形式。吾觀莊子內七篇其諸篇之義，實大皆次第相從。荀子亦然。漢儒之著，如董子春秋繁露、揚雄太玄等，魏晉時王弼之周易略例之書，及後之佛家之書，如僧肇、吉藏、智顗、法藏之書，皆顯具系統之形式。近人因先存中國哲學思想著述無系統之心，故論述其中國先哲之學者，恆於諸篇章之文，任意割裂，加以去取，以代編造一系統為事。故於其書之最原無系統者，如墨辯之經與經說上下禪宗宋明儒語錄之類，則最為近人所喜論，因其更可容人任情取捨，以騁其編造系統之能也。近人之論一家哲學者，或又以為必先其名學、知識論，再至其宇宙觀或形上學，更至其人生文化政治社會之哲學，方足成一系統之論述。此乃以通俗西方之哲學概論書之系統為標準，以論述中國哲學之系統。吾昔年之寫哲學概論，及寫中國哲學原論之第一册，而以原名、原辯、原致知格物為先，亦未能免俗。然實則人之哲學思想，其次序進行，以成系統，儘可以任何哲學觀念為始點。依中國哲學之傳統而觀，則正當以有關人生之事之學之觀念為始點。故編論語者，則以學而章之弟子之入孝、出弟為先。荀子書亦以勸學禮義為先，而將天論之論宇宙，解蔽之論心知，正名之論名者，列於其後。莊子則以逍遙遊之論聖人、至人、神人為先，以齊物論之論是非之知者為後。人固先有其學為人之事，而有其人生之觀念；再有對其生活所在之宇宙之觀念，更有其若干對宇宙之知識，而有宇宙論；方有對其知識之反省所成之知識論，及其知識表於名言之方式之反省所成之名學。則哲學之論述，又豈必須以名學知識論爲先？故論中國哲學中之道，而謂必依一名學、知識論、宇宙論、人生哲學之序以論之，最爲吾此書所不取。吾今之論述中國前哲之思想，嘗儘量求依其原著之編次，扼要論述其所陳之義理之次序、層位等，而不任情爲取捨，以合於吾一人之主觀所代爲編造之系統。而其結果，則吾所發見之中國前哲之思想中之義理，其依次序層位等相結，以具系統性者，或反較世之論者爲多。唯凡吾書之扼要論述者，皆宜與原書互觀，方更能識得前哲之旨之全耳。

㈢吾書論述中國前哲之思想，而吾爲今世之人，自不能不用若干今世流行之名言。此名言亦恒有爲西方哲學之譯名，其義由西方哲學而規定者。然吾仍以中國哲學之名言，乃自成一套，雜以譯名，初不甚調和。故讀者宜於觀名用名之時，知新成之譯名之義與舊名之義之別。卽以哲之一名而言，西方哲學 Phi losophy 爲愛智之義，中國之哲，則爲有智之人。愛智則智可爲所愛、所求，而未得者。只此去愛、去求之事，卽哲學之事。以有智之人爲哲人，則只知對智去愛去求者，尚不足以爲哲。此外，如本體之名，或以 Substance 爲之譯名。此 substance 之名，原自希臘哲學，初指「客觀的站立於下」者。故言 substance 恒指一客觀存在之實體。然在中國，則「本初指枝葉之本」，爲枝葉之生長或生命之原者。「體」初指人之身體，爲人之視聽言動之活動所自出者。合爲哲學中之本體之一名，卽恒指吾人之生命心靈之主體，而此主體卽表現於生命心靈之種種活動或用，如體驗、體會、體貼、體悟、體達等之中。故於「體用合一」之義，以中國文字之「體」「用」之字表之，最易明白。今如以西方 substance 指主體之生命心靈，更言與其用如 Function 或 activity 之合一，或先想着西方哲學之本體問題，再以中國哲學中之體用之論，爲其答案；則須經一曲折支離之論，而或使人偏向於此體之形上學的客觀義，而忽略在中國哲學中，此體之主體義乃本義，客觀義只是末義。至於譯中國之本體爲 Reality 者，則當知西方之 Reality 乃與現象或幻象對。此與中國之本只與末對，體只與「用」或「相」對，而不與幻象對者，亦有不必同。此外之例，不可勝舉。要之，中國哲學，自原有其一套名言。佛學入中國，其譯名又成一套。今之西方哲學之譯名，再成一套。中國哲學有此種種套之新名言，固皆爲豐富中國之學術思想之事，然併用之，又實最易形成種種思想之混亂。吾今爲免於混亂計，於論中國哲學時，仍儘量求少用新名。不得已而用之時，讀者亦務須知其義之不同其名之舊義爲幸。

(四)吾之此書，初嘗欲以語體文爲之，以便初學。然吾之論述，多將所徵引之文句與吾之解釋，一齊俱滾，罕將此二者，離裂而成文。若用語體爲解釋，則文氣不順，故仍用淺近之文言。語體與文言，乃文字體裁之別，各有所長，難分優劣。大率中國語體之文，近乎口語。因中國之字多形異聲同，則在口語中，恒於一字，更加上一字，方能使聞者得解。語體之文，亦如將所說者，加以拉長而說之，故易見條理淸晰暢達。又語體近於口語，觀者易對所說之事理，有親切之感。讀文言之文，則形聲並觀，耳目並用，在口語中須二字者，文言中一字卽足。此卽如將所說者，加以凝聚說之，而少廢辭，故宗旨凸出易明。又文言遠於日常生活中之口語，觀者易對所說之事理，起莊嚴之感。然無論語體文言，其表意表義，皆有一文字之技巧，或佛家所謂文字般若。吾於此皆未嘗眞用功夫。吾之爲文，恆一任氣機鼓盪，泥沙並下，故不能醇雅。又時有冗長之句，使人厭倦，初學或更感艱難。然吾於吾心意之所之，所見之義理之所往，則尚未見有必不能用吾文，加以表達者。其時有冗長之句，亦恆由其所說之義理，須迂迴而達之故，有如登山者之或須環山而進。憶康德似嘗言，其書之長句，如皆化爲短句，則其文當更長。吾亦恆有同感。又文字所表之義理，本有其高下、淺深、廣狹、與遠近，如合爲一立體；而紙上之文字，則皆一樣大小，以平鋪紙上。故人若不能將平鋪之文字，前後重疊貫通而觀之，使此如一立體之義理，宛然在目，亦不能對此所表達之義理，有如實之知見。再義理之高者、深者、遠者、大者，曲者，亦本自難見，不思則不得。此不必皆與文字之表達有關。此則吾自爲吾書之行文，更作辯解之語。然亦非自諱其於文字之技巧，及文字般若，未嘗眞用功夫也。

五　餘言

上述本書之宗趣內容之限極，及論述方式竟。今更有餘言，以敬告讀吾此書者，以結束此長序。吾對中國哲學思想之全體，恆有一整個之觀感。卽其雖沿不同道路而形成，然皆自同一本原而發，如長江黃河之同原於星宿海，中國之山脈之同出於崑崙。崑崙山脈有三，黃河、長江並珠江之水亦有三，俱蜿蜒東向於海，以迎日出於滄溟。此可喻中國之思想主流如周秦之儒道墨三家，或後之儒釋道三教之有不同道路，皆可並行不悖。吾人生於今世以觀中、西、印之思想之並流於吾人之心，亦必能見其並行不悖。歐洲之山水，以阿爾蒲士山爲中心，以四散延入於東西南北海，其方向恆互相對反。此正可喻歐洲思想之方向歧出，而各見精彩，多矛盾衝突。西方不同哲學理論之結構嚴整，故在外部看，恆彼此對立，不易相通，正如西方中古之堡壘，唯賴其外之牧場草地爲之通者。中國之不同哲學理論，其結構疏朗，故在外部看，則恆互相涵攝，則正如中國之宮殿，其樓閣之可隔窗相望者。此乃吾對中西哲學不同之一印象。故吾意論中國哲學，亦不宜只以排比其一一義理，以化之成一西方式之堡壘，以言其義理之骨骼爲功。於一切義理之排比，當用以顯義理之流行，如當於人之骨骼之中，更見其血脈。然後中國哲學可成一有生命之物。爲顯此義理之流行，吾書於述一家之思想義理時，亦或兼及於後世之學者對此一家之義理，如何重加解釋，或如何重加估價。如吾之論周秦孔、墨、孟、荀、老、莊諸家，恆於文初，兼略論此各家之學之道，在後世學者之心目中之地位之升降起伏。此亦意在增加「對此一家之思想義理之恆活在世代之人心，而爲一有生命之物」之觀感。吾書之論此唐以前中國哲學之道，雖漏略甚多，而卷帙已不少。此中之義理流行所成之血脈，亦非一覽可見。故望讀吾書之初學之士，先本好學之志，低首降心，即文而讀，不遺一字，如匍匐而行，五體着地；學曹操詩之「北上太行山，艱哉何巍巍，羊腸坂詰屈，車輪爲之摧」；再舉身而起，與此書所說者平齊，而順觀此書所論之義理之流行，如李白詩之「朝辭白帝彩雲間，千里江陵一日還」；然後汰繁入簡，去雜成純，如左思詩之自「振衣千仞崗，濯足萬里流」，以升於此書所說者之上，以俯覽此中國哲學之不同之道；要在見其如中國之山川之蜿蜒東向，以迎東海之日出於滄溟；其不同理論之互相涵攝，如中國之宮殿，其樓閣之可隔窗相望；其義理之流行，亦如音樂之有節奏、次第，與旋律爲止。則吾與讀者可相契言外，莫逆於心矣。過此以往，則更當見此中國哲學之道之義理之流行，其精神血脈，直貫注於中國古往今來之人文學術、禮樂風教之各方面，爲百姓之所日用，而不可須臾離者：有如江河之水之儲爲湖沼，散爲支流，盈于溝澮，浸潤于山林臯壤，以遍澤羣生。此則更有超于吾書所及之大學問在。當合天下人之聰明智慧以共爲之，以見此大學問之大。昔釋迦說法，其所傳之經，數千萬言，而自謂其所說之法如爪上土，未說者如大地土。唐人詩亦曰「流落人間者，泰山一毫芒。」則吾今茲之所言之及于此大學問者，直一塵一毫之不若。安得知此大地土與泰山之天下人，共竭其聰明智慧，以共從事于此大學問哉。

辛亥除夕

中國哲學原論──原道篇

──中國哲學中之「道」之建立及其發展

導論上──道之名義及其類比

一　中國哲學中之「道」與西方及印度哲學中之相類似之名言

本書乃以道為中心，以論中國哲學思想之書。茲當先說此道之名義。為便于了解，先略說，再稍廣說。廣說處，稍曲折，如讀者不耐，或覺難解，可暫不讀。今先略說此道之名義，則此道之名原為中國人日常生活中所共用，其義亦為人在日常生活中所共知。此道，即初指人所行之道路，向東西南北諸方向伸展，能將人之行為導向于此諸方向，而使其行為有所取向者。故人之一切有所取向之行事或活動，以至任何存在之物之有所取向之任何活動，其所循之道路，皆是道。俗言于一事已知，曰：「知道了」。某人說話，亦曰「某人道」。何以于人知一事理時，不只說「知了」，而須說「知道了」，又何以「道」爲「說話」，初觀皆似甚怪。實則此亦是自人之「知」與「說」之活動之進行，亦有其所循之道路而已。此中人與任何存在之物之活動所循之道路，可認爲人與任何存在之物與其活動之所以然之道。此與人之「知之之道」及「更說之以示人」之道，三者之義有層次之不同。故墨辯經下謂「物之所以然」，「所以知之」與「所以使人知之，不必同」。然其皆有道，則又同。自其同爲道言，亦可不更分層次也。此是道之名義之略說，乃人不難直下加以把握者也。

今如對此道之名義，作爲中國人之哲學思想言說所對之一名言概念而觀，則此道之一名言概念之涵義，實至爲廣大豐富，對上所略說者，亦當更加以敷陳廣說。今首須知道之一名言概念之成中國歷代前哲所習用，而特加以重視，實可謂爲西方與印度思想中之所未有。故西方人于中國哲學中之道之一名言，初唯有直譯其音爲 Tao。按人類所用涵義最廣大之名言，在西方思想，莫若「存有」與「變化」或「活動」；在印度思想中，則莫若「法」或 Dharma。此皆爲可遍用于宇宙人生中之任何事物者。總一切有或一切法，而成一名，則西方有 Nous Logos 轉成之「全有」，印度有「法界」，皆是意在于一切事物或一切存有與其變化或活動，無所不包以成其名。然在西方哲學中，存有與虛無相對，變化與恆常相對，活動與寂靜相對，相對而相限，則總一切存有變化活動而成之「全有」，其義亦不能無所不包，以其只是存有而非虛無，卽不能包虛無故。然在印度所謂之「法界」中，則「虛無」或「空」，亦爲一法，而法界之義大于「存有」與「全有」。言「法界」，乃總一切法與其因，而爲一界，或一無界之界。此乃將人之生或我之生中之一切法，與其外之一切法，合而觀之，所成之辭。然此合觀，則只爲吾人之心思之活動。吾人之心思必繼續作無盡之活動，乃能總此一切法，而合觀之，以名之爲法界。此心思之繼續作無盡之活動，依中國哲學言之，即此心思之自行于「繼續以至無盡」之一「道」上。吾人心思不行于此道，則法界之辭亦不成。亦唯以此心思之行于此道，乃能總一切法而合觀之，以成此法界之辭。由此而進，人自可自思其思之「繼續至無盡」，而亦視之爲法界中之法。然要必此心思之能自翻上一層，更自循其道，以自思其思，乃能自思其思之「繼續至無盡」。此「自思其思」之思，自在上層，而其所循之道，亦總在上層。此自思其思之事，亦必至于思此「繼續至無盡」爲一法，亦爲其自循之「道」，而思及此「道」，然後至乎其極。則道之爲義，固有進于法界之義者矣。

誠然，于此如循西方印度之思想而觀，則可說此道亦爲一種存有，或初不過吾人之感覺思想所通過之，以感以思一切存有之範疇方式，或初不過法界中之一法。此亦皆可說。中國思想之道之義，亦實有同于此法或範疇方式，而亦可視之爲一種存有者。然此中國思想中之道之義，又有不盡于此者，則在此道之義，可唯就一存有之「通」于其他存有而言。就通言道，則道非即是一存有，亦不必是一積極性的活動或變化，而只是消極性的虛通之境。如太空之爲一虛通之境，則其中便有日月之道，飛機之道在；此道之自身，固初非一存有或活動或變化也。至于說此道爲方式範疇者，則自可更說此虛通之「空間」以及「時間」，並爲人之感覺進行之方式範疇，「虛無」「繼續」等，則爲人思想進行之方式範疇。然依中國先哲所謂道之義，則于此亦可說此一切感覺思想之方式範疇，皆只爲此感覺思想之活動所通過以知物者，而通過之卽超越之。唯通過之而超越之，乃可說此方式範疇爲感覺思想所經之道路。然此「通過之超越之」之自身，則又自超越于此方式範疇之義之外。故人之只求超越此一切感覺思想之方式範疇之應用，以求至于無感無思之境，仍可言有一至此無感無思之境之道。是卽見「道」之義，亦不爲此所謂方式範疇之義所盡也。依同理，則吾人亦可說道之義，非法之義所能盡。因本于「次第通過一一法」之道，以感以思，而至無感無思者，亦卽有超越「次第一一法」之義故。誠然，吾人亦可說此「通過而超越」，亦是一法，亦卽一思想之普遍的方式範疇。則道與法或方式範疇，仍可同義，東西之思想，于此亦可相通。吾亦無異辭。但在西方印度一般言法或方式範疇，乃是自其爲一定之法或方式範疇而言，此則恆只爲人之感與思所次第通過而超越之者。此「通過而超越」之活動、或此「通過而超越」之自身，則不在其內。然道之一名義，則兼能直下啟示一「次第通貫一一法與方式範疇，而更超過之」之涵義。就其能直下啟示此一義，而法與方式範疇，不能直下啟示此一義言，道之涵義仍較爲富，而非法與方式之義，所直下能盡之者也。

上文唯說此道之涵義，非西方之存有變化活動、以及方式範疇或法之義之所能盡，而見其涵義之至廣至大爲止。然吾無意對道之一名作定義。因作定義，亦有種種定義之道。欲先定以何定義之道，作定義，則成一邏輯上之循環游戲。吾更不能直說此中國之所謂道之全幅意義，吾當說此道之全幅意義畢竟如何，亦中國先哲在其思想之次第創成，或次第發現之歷程中，而次第加以規定者。此正吾全書之論題，而不當先答者。故吾人亦無妨先視此「道」只是一無義之名，直下先提舉此名于心目中，然後更觀此「道」之名之能容許吾人對其義，次第加以規定，以至對其義作無定限之思維，形成無定限之概念。今謂此即見「道」之名義之「妙」也可。不妙亦不足以爲道也。

此道之一名，可容許人對其義作無定限之規定，首見于吾人于任何存有或變化活動之事物，皆可說其有道。如天有天道，地有地道，物有物道，鬼神有鬼神道，人有人道。由日常生活之衣、食、住、行，飲茶醉酒，至修身、齊家、治國、平天下，成賢、成聖，升天、成佛之事，無不有其道。一切宇宙人生之事物之爲善爲惡，爲美爲醜，爲是爲非，爲正爲邪，爲利爲害，爲吉爲凶，爲禍爲福，亦莫不有其所以致其善致其惡，以至致其禍致其福之道。此即見于道之一名，吾人可對其義作無定限之規定，而皆爲道之一名，所可堪受。此亦同于說：吾人可用此道之名，以連于任何事物，與其善惡是非等，而觀其「所以然」以及「能然」「已然」「實然」「將然」「必然」「偶然」「適然」「本然」「自然」「當然」之道，更以此道之義，還規定事物與其善惡是非等之義。則于道與一切事物之義，只說其爲互相規定也可。

二　「道」之名義與「物」、「事」、「生」、「命」、「心」、「性」、「理」、「氣」等之名義

中國思想之名言概念，可與一切事物相連，以互相規定其意義者，自不限于此「道」。如「事」「物」「生」「命」「心」「性」「理」「氣」等名言概念，亦似皆可爲一切事物之義所規定，而亦可用之以規定一切事物之義者，故皆爲具普遍性之名言概念。如一切事物無不可名之曰「事」或「物」。吾人亦可說心之爲物、道之爲物。又一物卽可名爲一物事。宇宙爲一大物，亦是佛家所謂大事因緣。事物皆生生不已，而「生」無所不在；其生皆如有命之生者，而命無所不在，生命可合爲一詞。心可爲思任何事物之心，而任何事物，亦皆可說爲心所可能思及之事物，以爲心所涵攝。再一切事物皆可說有性、有理、有氣。是見此諸名言概念之皆具普遍性。然吾今將說此諸名言概念之義，至少在一般之理解上看，其內涵之廣大或豐富，仍不足與道相比。如以生而論，則一切事物之創生，自必有道，而道在生中。然事物未生，亦非無其所以生之道，則道之義廣而生之義狹。如以心而論，心在思及某事物之後，自可說此心爲「思某事物之心」，而可以此「某事物之義」屬于此「心」之義中，而見此心之義，廣于所思之事物。然心之往思事物，必先循一思之之道，方成一思事物之心，而

後其義得廣于其所思之事物。此心之思自所循之道，亦卽可說爲此心之性。然只說道爲心之性，又不足以盡道之義，必心之實已循能思之性，以實通達于所思之事物，然後可言心之已循此思之道以思事物。故中庸言：率性之謂道，卽必于「性」加以「率」之義，或表現之義，乃爲道。則道之義卽豐于心之性，不可說道之義只同于心之性之義，而只屬心也。誠然，一切由人行道而修成者，皆可說是德，而此修成之德，亦可只是性所本有之德，則此具德之性之義，又似豐于道，或與之同。然此乃要終以原始說。專自其始而言，必率性而表現之方爲道，道之義初固豐于性，亦不同于性之初只屬于心者也。

至于中國哲學中之物一名之義，則可同于西方哲學中之存在之義。物與物相關係曰事。物無不與他物相關，而無不有事。故物皆物事，事皆事物。氣之一名，吾常謂其卽指一流行的存在，或存在的流行。物與氣二名之涵義，皆至爲廣大。故可說一切存在皆物，皆氣所成。吾人固可將道視爲一存在之物或氣，故老子言「道之爲物」，漢儒或以道爲元氣。然吾人又不必能將任何道，皆化爲存在之物或氣。如物有道而未行其道，則道非物。又物爲器，易傳謂「形而下者謂之器，形而上者謂之道」，道非器，卽非物。老子亦言道爲「無物」。宋儒如程朱以理說道。程伊川謂道爲理，非陰陽之氣，而爲所以有此陰陽之氣之流行者。朱子更謂理先氣後，而有理有道，不必有氣。則理道非氣。只可說凡物或氣必有道有理，以成其爲物爲氣，而無物無氣處，仍可說有理有道。此道與理之義，固大于物與氣也。

至于以理與道二名，相較而觀，則自一方看，此二名似可互用，其涵義似同大。凡事物之道，似皆可說為事物之理，而事物之理，亦卽事物之存在或變化所循之道。然事物之理，亦猶事物之性。事物之性未表現，如人性未率，不足以言道，則事物雖有如何存在變化之理，而其理未表現，以使事物循理以存在變化，亦不足以言道。然言事物循其道而存在變化，則其有如此存在變化之理可知。故道之義涵理之義。道之義與理之義固最近似，而可說凡道皆理，無理不可為道，然可為者未必實為，則道之義仍富于理之義也。

由此道之一名之義廣大豐富，故道之一名在中國人之思想中恒居一至尊之位，而亦恒尊于理」。如言儒者之道、成佛之道、聖人之道、君子之道，則尊之重之之情見。今只言儒者之理、成佛之理、聖人之理、君子之理，則尊之重之之情卽略輕。又于人初甚重之事，如博奕飲酒之事，謂有博奕之道、飲酒之道，則其事如由輕而重。故合道與理以成名，則曰道理，罕曰理道。先道而後理，卽所以尊道。此皆由道之一名卽直接啟示人以尊重之情故也。

三　道之字原之義與引申義、一道多名、道之交會，與存在卽道

此道之一名之義所以廣大豐富，而為人所尊，可溯原于此道字之一字之字原。說文謂：道所行道

也，從辵從首。辵說文訓爲乍行乍止、說文又言、𡬶古文道、從首寸。劉熙釋名，則謂：道、蹈也。此古文道字之形，亦近導字。丁福保說文詁林道字下，引說文古籀補所載金文，則或作衜，與導字形更同，則道或卽初以導或蹈爲義。此蓋言人之首能導其足身之行止。或謂此金文中首之四旁，卽是行字，則所謂道路之道，乃自其爲人之行止之活動所經之境，而引申出之義。又或謂此首字之四旁，乃指道路之形狀，則道字之初義，卽道路之道。然此亦是以人首之在中，以表其所經者爲道路。故此道之字原，無論初卽導蹈之義，或初卽指人所經行之道路，皆連于此人首加以界定。亦皆與人之行有關。此人首，自始卽有一可尊之義。故此道之字原，卽有可尊之義。又人首之動，全屬于人之主體或主觀，其動所經行之境，則亦爲客觀。故道自具由主觀以通達客觀之義。此卽不同于理之字原，只爲治玉使之顯文理者。玉之小不如首之大，玉雖可寶，而不如首之尊。又治玉之活動，初只對爲客觀之物之玉而有，亦由此客觀之物而引起，不能純賴人自身之活動而成。「由人主觀之動以通達客觀之境」，與「緣客觀之物以引起主觀之動」，亦有人之爲主與爲從之別。凡自爲主者，亦固尊于爲從者也。

由此道之字原，卽從人首，表此人首之自導其行于道路之中，故亦卽具有人前望其所將行之道路，以自導其身、其足，以經行之義，復有「此道路、卽此有首之身或足之所經、所行、或所蹈、所踐履」之義。前望卽其知之前伸，前望而有其知之所通達。次第前望，卽其知之次第更有所通達，而超越其前之知之所通達。其次第前行，卽其行之次第通達，亦次第超越其前之行之所通達。此卽道之

「通過或通達而超越」義之原始。

此人于道上向前望，以有其知之前伸，卽可由近及遠，亦可由低至高，或由淺至深，由狹至廣，由此而有其知之種種遠度、高度、深度、廣度之不同。然其繼知之行，則恒始于近處、卑處、其淺狹僅可容足之處。然此行連于其知，其知之前望所及者，旣高遠而深廣，則此始于卑近而淺狹之地之行之意義，亦隨之而高遠深廣。此中，人之前望之知之所及，可是人身以外之山川、草木、日月、天地，或他人之身，而其行，則唯繫于其旣有所知于其身之外者，同時更內有意、有志、以自率其身，然後得成。此身之外者，屬于客觀之世界，此身之內者，則屬於主觀之世界。而通此內外者，則是此人之知行。知能知道，此知亦有其所以知之道，如以目正望、或依昔日之嘗經此道路之記憶經驗，以推知等。行能行道，此行亦有其所以行之道，如側足、正身、或以意志自持其身等。此卽人之自主其知、其行之道，以得「知此道路、行此道路」之道。亦一切人之身心之修養之所自始之道。此則皆在人之最原始、最簡單之行路之事中所具有者。由此以引申至人之一切衣食住之事，一切其他言行之事，一切用其心知、心意、心志之事，其中皆莫不有其所知之事物之道，與知之、說之、之道；及求有以達其心意心志之所願欲，而如何如何行之道。此皆同可名之爲道，亦皆莫不以此知行之次第有所通過或通達，而亦次第有所超越，以通貫此人身之內外，成其生命之進行，而拔於其舊習，爲其「知道」「行道」之義者也。此中。凡有所通達，卽必自有所超越，又必自導其知其行，乃有其向前通達之事。

故中國於道之一字，可只訓爲通達或導，如說文謂「一達之謂道」。劉熙釋名於「道者，導也」下，更有「所以通導萬物者也」之文。論語孔子言「道之以政」、「道之以德」，皆導之義。孔子言「吾道，一以貫之」，則兼通達之義。莊子齊物論篇明言「道通爲一」，庚桑楚篇亦言「道通」。揚雄法言問道篇曰：「道者，通也，無不通也。若塗若川，車航混混，不舍晝夜」。宋張橫渠正蒙乾稱篇言「通萬物而謂之道」。中國先哲之文中，以通達言道之義者，不可勝數。本此以通達言道之義，遂或以道如虛空之無形，爲萬物之「所共由」，如道家之常言；或以道爲人之率性、盡性、盡心之所顯，如儒者所常言。此二者亦可有其互通之義。然既可互通，則吾人亦非必須處處以通或通達言道，而此通之一名，如加以解釋，亦不簡單。明儒湛甘泉輯聖學格物通一百卷，其大序曰：通有「總括之義」，有「疏解之義」，有「貫穿之義」，有「感悟之義」，而一一詳釋之。其論甚美，亦非如湛甘泉之大儒，不能爲之。故通於此「通」以言道，亦非易事。吾人亦非必以「通」言道，而可以其他之種種之名義言道。然依此種種名義言道，其諸名義間，亦應有其相通之義，亦有與道之一名之字原之義，乃指人之知行之所經之道路，或此人之如何自導其知行之道，有相通者。否則此道之何以可用種種名義，加以解釋，其種種解釋，何以皆可輻輳於此道之一名，即不可解矣。

此道之一名，可以種種之名義，加以解釋，如可由此道之屬於某事某物，而以某事某物之名，名其道；更可由某事某物之連於其他事物，而以其所連之其他事物名其道。如孝可屬於子，而名爲子道；

亦可自其連于父，而名爲事父之道。此卽同於謂道可以其所自始之事物名其道，亦可以其所自終之事物名其道。如世間道路，可依其自何地始以得名，亦可以其所自終以得名。除此之外，道亦可以道上之物或一道之所經之物以得名。如道可以其所經者爲山爲水，而稱爲山道水道；或其上之物爲碎石或水泥，而名之爲碎石之道或水泥之道。此亦如子之行孝道，必經對父母侍養之事，而人可以侍養之道，名孝道也。

上言凡道皆可自其所自始所自終或其中所經者名之。然復須知，此中之所經者，固是一道；而其所自始自終之處，則通常又稱爲一站口。然此站口，更可爲一道路與其他之道路之交會之站口。此站口之存在，遂成爲使道路與道路得其交會之道者。故此站口之自身，亦可說爲道。如我之孝，自我或我心發，而此我或我心，亦可更有忠以爲對友對君之道。則此我或我心，卽無異我之忠與孝之二道，所同自發之一站口。又此我所孝之父母，爲我之行孝道之事之一終點，亦爲祖父母對之行慈道之一終點。此我之父母，又卽爲我之孝道與祖父母之慈道，所交會之一站口。世間之道路，若無一站口，則不同之道，不得相交會。而此站口之存在，亦卽使不同之道，得以交會通達之道。故此父母之存在，亦卽所以使上述之孝道、慈道得相交會通達之道、我或我心之存在，卽上述之我之孝道與忠道等得相交會通達之道。循此以觀，則不只通貫我與父母者，是道，我與父母之存在之自身，卽是道。推而廣之則不只通貫此各人物以及天地、鬼神者是道，卽此一切人、一切物以及天地鬼神之存在之自身，卽是道。故道無乎不在，爲一切人物天地鬼神之所不可須臾離者。故以道眼觀此一切人物與天地鬼神，亦可說其皆道之所凝成者，而「道徧滿天下，無些小空闕」（陸象山語）矣。

四　道之遠近、大小與曲直、非道之道、平行道、與相貫道

道之所通達，有其遠近之殊。其次序通達，而所歷之站口更多者，爲遠；所歷之站口少者，爲近。道又有大小之別，爲多人物所共行，而一道中有多人物之道在者，其道大；反是者，則相對爲小。然道之能通達於其他之道者，又自有其多少之別。如一站口，可只有一二道路於此交會，則其道所通之道少，其道亦名爲小；一站口可爲四通八達之站口，則其道所通之道多，其道亦名爲大。又由人或事物通達於他人他事物之道，可是中無阻而可直達者，是爲直道、亦可是中有阻而只能曲達者，是爲曲道。由此道之有遠近、大小、曲直之不同。而於遠、大、直者謂之道，則於近、小、曲者，卽可只名之曰術。道之近且小或曲而自環自封閉者，其通也卽有所不通，其爲道，亦有所至而止。此卽爲不通之非道。世間之道路有死巷、死路，不能更通者。而人與事物之所依之道，亦有通於此時此地，而不能更通於另一時一地，可以通於一人，不能通於他人，或只通於少數之他人，而不能通國家、天下、與古今之歷史或天地萬物者。其通之向於小者，爲小人之道，其通之向於大者，爲大人之道。凡道至此不

能更通，而向前向大以開展之處，則其道卽成一前路不通，或其前無道者。然其前路不通，亦非初無所通。知其有所通、亦有所不通，而不以其所不通爲其所通，則此「知」兼通於「通」與「不通」。此知亦自有道。唯以「不通者」爲「通」，此「知」乃自陷於非道矣。然此「知」之陷於非道者，能更自拔起，則回頭是道。回頭亦經此「非道」而更非之，故此「非道」，亦是所經；而凡所經者，亦皆是道，故非道亦是道也。唯在此非道之道之前，人必先自拔起，自回頭，而更非之。而於此非之之時，則當只見其爲非道，亦當只以「非道」名之耳。

世間之道路，有交會於一處者，亦有彼此平行者，如火車道側之更有人行道。又有縱橫相貫，不相交會，而亦不相礙者，如橋下行船爲水道，橋上行人爲人行道。平行而同向者謂之同方。說文謂方爲兩舟並，卽兩舟並而同向也。縱橫相貫者謂之異方。此皆可喻人之知行之道，亦儘多彼此交會或平行或縱橫相貫，各異其道，不相交會，亦不相礙者。如人之孝悌忠信仁義禮智之道，五倫之道，治國平天下之道，以及人類之種種學術文化之或循如何之感覺想像理解之知的道路而成，或循如何之表現情感、運用意志之行的道路而成，其不同之道亦皆有交會於一處，或平行、或縱橫相貫，而不交會亦不相礙之情形。尅就哲學思想進行之道而言，則哲學所思想者皆爲普遍究竟之宇宙人生之眞理或道，而皆可稱爲大眞理或大道。此各哲人所思之大眞理或大道，可有互相交會、或平行、或縱橫相貫而不交會之種種情形，亦復如是。

五　發現道、創成道、目的道、手段道，與道不同之論爭，其相容以並存，及哲學思想中之「道」之次第修建之歷史。

世間有種種之道，皆可說爲人物與其知行之事之所依以進行，有如先於其知與行之進行而在者；有可說爲由此進行而成者。如吾可說因有世間之道路先在，故人足乃能行，如孔子言「誰能出不由戶，何莫由斯道也」，莊子言「道惡乎往而不存」。然人足之屢行於一地，則地上即有道，如莊子所謂「道行之而成」，孟子所謂「山徑之蹊介然，用之而成路」。故道可視爲先人之知行而有，更爲人所知所發現而行之者，如易傳所謂「苟非其人，道不虛行」也。亦可視爲後人之知行而有，爲人之知行所創成者，如孔子所謂「人能弘道，非道弘人」也。然此人之發現之事，亦爲人所自創成；而其創成之事所循之道，亦必先被發現。則此二說可無諍。但道如爲人所發現，則道千古而常在；道如爲人所創成，則道世世而常新。「常在」與「常新」，不必同義，人如偏執其一，則二說可相諍無已。或謂有道只是發現，有道全屬創成。此則折衷之說，未必融通之論。又道似有只作手段用者，與作目的用者之別。如馬路似只作行車之手段用，花園中之道，則人之游行其中，其本身可爲一目的。又如一般以求財爲資生之手段，人之行於正常生活之道，則其本身可爲一目的。然一切目的之達到，亦可視爲其他目的之手段，如人之行於正常生活之道，可爲求升天。又任何手段行爲，當其爲目的所貫注時，其本身亦或被人直視之爲一目的，如守財奴亦可以守財本身爲生活之目的。手段之道與目的之道，亦可通而觀之。然人生亦可有一恒常或究竟之目的，更不可作手段用者。此目的之道在中國哲學，稱爲經道，佛學稱爲究竟道。而實現此經道或究竟道之工夫或手段之道，則稱爲權道或方便道。唯人所視爲恒常或最後目的之道者爲何，與所用以達同一之目的之工夫，或手段之道又爲何，在一般人與在哲人，皆可彼此不同。即二人同取一道，一人視爲目的之道非手段道者，另一人可視爲手段道非目的道；則其所謂目的之道與手段之道，仍彼此不同，遂貌合而神離。又人之取何目的道，或取何手段道，初皆可互不相知，亦不相爲謀，人遂可不見他人所取者之亦原是道，而逕以之爲非道。如行船者只以順江行爲道，則可以橫渡江者爲非道，亦可由其眼見河岸是陸地，更不信有其他平行之河道，在此所見陸地之外；彼未必知橋上人之固自能橫渡江而過，而未嘗非道，其所見之陸地外，亦可有其他平行之河道也。人各有其所習之事，故人亦恆互斥爲非道。而在學術文化之世界，以至在哲學之世界中亦然。於是人之自知其實非非道者，則必將更非他人之所斥，以自言其非非道。由此而在學術文化之世界或哲學之世界中，亦必不免於種種論爭。此中，固有實非道之道，由論爭而顯其實爲非道，遂更不被人視爲道者。然亦有諸道，原是彼此平行，或縱橫相貫，初不相礙，而人本其所知之道爲標準，乃不見其交會於其所知之道，遂互斥爲非道者。人於此「遂必須各自辯自明，以見其皆非非道，而以此自辯自明之事，爲成其道之相知而相交會」之「道」。然要必先有種種之道爲人之所知，乃有此互斥爲非道，以成論爭之事。故此論爭爲後於人之知種種道而有者。觀此人之論爭，就人之文化全體言，則在宗教政治之事中者最多。就人之學術思想言，則以哲學中爲最多。此則由於哲學乃期在求最大最高或最普遍最究竟之眞理或道，此最大最高之道，似不容有二，則二人所見不同，卽必不免於相爭矣。

吾人今之所論者爲哲學，亦當肯定人自有求最大最高之道之權利。在已有之人類哲學思想中，亦可有一哲學思想知此最高最大之道，又可說此道尚待於人之探求。然亦可謂最高最大之道，卽在一切次高次大之道之互相貫通之中。此互相貫通卽一切次高次大之道之道。蓋此最高最大之道，若不能貫通諸次高次大之道，亦不能爲最高最大。此最高最大之道縱必爲一，次高次大者，則可不只一而爲多，因無多，亦無多之貫通爲一故。由此而人之哲學思想欲求一至高至大之道者，雖恆不能免於論爭，然其論爭中之自辯自明，旣所以成其道之相知，而見其交會；則其爭卽恆歸向於諸道之互相讓，以共存於一「道並行而不悖」之世界中。人亦可由此以進而望至莊子所謂「魚相忘乎江湖，人相忘乎道術」之境矣。是卽人類哲學思想發展中之種種道之次第發現，亦次第而修建成，更還相通接之歷史。此亦如世間之道路之有其次第之修建成，亦必更還相通接也。此事則在中國哲學思想之發展史中，最顯然可見。

今將此哲學中所謂道，與所謂理或義理相對而觀，則道大理小，故大理爲道，小道爲理。大道貫小道，大理貫小理，亦可稱爲道貫理。道貫理，而理亦所以說明此道，而屬於此道，是爲道統理。一道之統貫諸理，亦可稱爲此一道在諸理中貫注流行，同時定諸理之次第相連結之方向。如一城市之大道，統貫其小街小巷，而加以連結，以定小街小巷所通達之方向也。吾人所謂哲學思想中之道之所在，亦卽哲學思想中之種種義理之連結，所示之大方向之所在。此哲學思想之道，亦卽可說爲流行貫注於哲學義理之連結中者。故哲學思想中之道之次第修建成之歷史，亦卽次第依哲學義理之連結，以建立種種哲學思想大方向之歷史也。觀世間道路之修建成，初雖皆有其歷史，然其既成之後，則人之行於上者，亦可不問其歷史。哲學思想中之道，爲昔人所已修建成後，人亦可只求知之，更不問其歷史。又哲學中之道，既爲既高且大之道，或普遍究竟之眞理，則其爲眞也，亦可貫古今四海而皆眞，人固可不問其在何時何地初爲人所發見或建成。故哲學中亦可只論此有關種種之道之義理，而不言其被發見或建成之歷史，此卽純哲學之事。然人不知世間道路之修建之歷史，則不能知人何以先建此道路，而次第建成其他種種道路之理由或義理；而對此理由或義理無所知，則亦少知若干道理。此卽喩人之爲哲學，而只就已成之哲學之道而觀之，更於其道所以建成之歷史無所知者，亦卽少知若干道理。故治哲學不能不兼知哲學之歷史。然吾人之言一道路修建之歷史，亦可注重在此修建道路之一一人所先經之一一事，復可偏重在其所以修建此道路之直接的理由或義理之何在，其修建之道路，乃向何大方向進行。人之治哲學史者，亦可重觀歷史中之哲人所經之事，其家庭社會與時代之文化環境，對其哲學思想之影響之何若，亦可只重在其一人或合多人所以建立某哲學思想之道之義理之何在，其所說之道，乃向何思想之大方向進行。此中之前者，則爲更標準之哲學思想史，而此中之後者，則更切近於純粹之哲學，其目標唯在將哲學中之道之所以建立之義理，略依歷史次序加以展示，而見此種種諸大方向之道，所由建立之「道」，其整個面目之何所似者。此亦卽吾之此書之論述，由周秦至隋唐之中國哲學之道之「道」也。故于此吾之論述之道，如美之，可稱爲：卽哲學史之形成之道，以爲哲學中之道，以見此哲學史所由形成之道，運行於歷史之變之中，亦洋溢於歷史之變之上，不來不往，千古常新，以爲哲學之永恆的觀照之所對；如貶之，則二者皆非，乃似哲學史，而不必合乎於世所謂哲學思想史之標準者。故吾不名之爲哲學史，而名之爲中國哲學原論中之原道篇也。

導論下——孔子所承中國人文之道

一　中國人文中之不言之道，及言中之道，與孔子之契在不言之道，而為言

在此導論下之文中，吾將略論本書何以自孔子之道始，及孔子之道所承之其前之人文之道者。吾書之自孔子之道始，非謂其前之人未嘗言道，而不知道也。依導論上所說，人生之事，既無不有道，天地萬物，亦無不有道，人固未有全不知道之時。然人之知道而繼以行道者，則可不言道，而道自在。中國之哲人之言道，固原于其先已生活于中國之人文世界中。當中國人文之初創，其人之聚而成家成國，敬天事神，利用厚生，固皆各有其所依、所知之道，而初不必皆自言之者也。吾人今由中國古代所遺留于後世之文物如鐘鼎之類，亦可略想像其時之人文。觀此鐘鼎等文物，具敦樸厚重之質，亦具變化精細之文，卽已可見中國古代人之仁與智。此鐘鼎之物上所銘刻之文字，恆有「子子孫孫永保」「其萬年用」「萬年無疆」「萬年眉壽無疆」之文，尤見爲此器物之人，其生命意識之通及于子子孫孫與萬年。此銘刻之文字，不特于鐘鼎等中有之，于人所用一切器物中蓋皆有之。據大戴禮記武王踐祚篇言武王席、机、盥、盤、楹、杖、帶、履、觴、豆、戶、牖、劍、弓、矛之上，莫不有銘。

如席之前左端之銘曰：「安樂必敬」，前右端之銘曰：「無行可悔」，……鑑之銘曰：「見爾前，慮爾後」，……屨之銘曰：「愼之勞，勞則富」……。此銘之文，皆人之自戒自勉之辭，而具道德意義者。此銘之刻在日用之器物，卽使人于用器物之時，得緣之以知人之自修其德之道，而使此道德之事，與用器物之日常衣食住行之生活之事，其敬天事神之宗教性之典禮之事，成家成國之社會倫理之事，及利用厚生之經濟上之事，初皆不可分者。由今存之商周之文物，皆多有文字銘刻于其上，大不似其他古代之文化民族所遺留至今之文物，其文字恆只刻于建築中之壁上，而罕刻在日用之器物者。此則蓋亦由中國文字除由聲音表義，更兼象形以表義，而象形則近乎圖畫，其文字之形狀，最富變化曲折，亦最富審美之價値，卽可用以爲刻鏤之故。文字所表之意義，固恆爲抽象，其象形則象具體之形。表義而兼象形之文，刻在器物之中，則使人于用器物之時，卽依文字之具體之形，以思及其抽象而在形之外或形之上之意義，而和融此抽象意義與具體之形以爲一。後之中國思想中卽器見道之精神，亦蓋卽最先由此而養成。至于此中國古代之文字，何以于除以聲音表義之外，必兼以象形，則蓋緣于中國古人之兼重綜合耳目所見之聲形，而合之以表心思所及之意義，而卽循如此之一「道」，以創造中國之文字之故。此道之自身，則爲中國文字之創造之所以然，而又爲一超文字之不言之道也。

此不言之道，在有言之道之先，乃中國後之善言道者，如儒道佛之家共許之一義。故其旣言道，亦恆欲再還契于一不言之道；而其言道，卽只爲中間一段事。吾人今所謂哲學思想，皆必以言表之，亦卽只屬于中間一段事，其前其後之事，卽皆爲超言說、亦超哲學者。又中國哲學之明言及道之一名者，更只是中國哲學中之一部份。中國人初由言天、言神、言命、言德等而有之哲學思想，亦未用道之一名言。此哲之一名，在中國之出現固甚早，在尙書虞夏書皐陶已有「知人則哲」之言，然其初只所以泛指人之睿智。尙書周書中恒連王並用，稱爲哲王。哲王之哲，固只見于其爲政之言行，初不同于今所謂哲學。而吾人固可謂哲王以及哲臣之言中，有若干之哲學觀念或思想存于其中，並謂其思想中亦有道在。然此亦是其「尙未言其爲道」之哲學思想或哲學之道。對正式言道之哲學思想說，則仍是一不言道之哲學思想也。

吾今之論中國哲學中之道，乃限在就中國先哲之明言及「道」，並有一道爲中心，可通貫其全部思想者，而論之。此則唯有始于孔子。因孔子乃明言「吾道一以貫之」，而確有一道爲其思想之中心，以通貫其全部思想。然孔子雖言道，而亦知有一不言之道在。其夢魂之常在周公，卽由于其心之常契在周公所制之禮樂制度中之不言之道；故自謂「述而不作，學而不厭，信而好古」。其言「予欲無言」，更謂「天何言哉，四時行焉，百物生焉，天何言哉」，皆表示其心之常契在天之不言之道。吾人亦卽可說孔子乃契在其前之中國文化中不言之道，以言道，而開啟以後之言道之中國哲學者。此卽昔人之所以稱孔子爲道貫古今。故吾書重論中國先哲之言道，亦當自孔子始也。

然孔子既自謂依「述」與「好古」以成其學，則吾人欲知孔子，亦似不能不求知此孔子之所述所學之古，否則吾人亦不能知孔子。然吾人若專往考孔子所述所學之古，由周之禮樂，以至唐、虞、夏、商、及其前之中國文化，由考證詩書之典籍，以至其前之文物，文物中之金文、甲骨文之字義與地下發掘之古物，則屬專門之學，非吾之所能爲。此所考證得者，亦不知其是否皆果爲孔子之所述、所學之古與否，而不必皆與吾之論中國哲學中之道，或孔子所言之道者，直接相干。然國人所素習之詩、書、春秋、左傳、國語諸書，卽未經孔子删定，其所載者亦應爲孔子所知。吾今卽以此諸書爲限，以略說此一道之名言觀念，如何緣此其他之哲學性之名言觀念之次第衍生，而出現，而使孔子得言一貫之道。

二　虞書夏書商書中哲學性觀念之次第生起

此吾所據之詩、書、左傳、國語等之成書時代，自昔之學者，卽有種種爭論。今人持金文、甲骨文及其他文物爲對證者，其說尤多。然此諸書之成書，卽在後世，而不免有後人之整理之筆、附益之文；要必非憑空意構。觀中國之史官之早設，則文獻之傳，必有所徵。故除僞古文尙書出于東晉，其來源複雜，今暫不引用外，下文設定孫星衍尙書今古文注疏中之尙書各篇，爲大體可信。今本之以言中國虞　夏、商、周諸哲學性觀念之演進，以更接于周之詩經、左傳、國語中所載之言中之哲學性觀念，應卽可說明孔子之「道」之淵原所自。吾觀其中之哲學性觀念之次第出現，亦固大體合乎人類思想之自然發展應有之常情者也。

尙書始于虞書之堯典，及皋陶謨，並繼以殷周之誥、訓。其所及于堯、舜、禹、湯、文、武、周公、皋陶、伊尹等之言與行事者，大體與諸子之所稱道者相合。尙書之不夾雜神話，而唯載古先之哲王哲臣之言事，卽見其初不出于後人之推想，而當本于史官之紀載。蓋直接負社會政治責任，而首爲後世所念念不忘者，應爲有相當德行之人物，故堯典以堯之「克明峻德」爲說。此自爲他人對堯之讚頌之辭。此德之名言與觀念，亦可爲後出。然于一歷史上之爲後人所念之不忘，而負政治社會責任之人物，謂之有一峻德，固非溢美。其言堯「欽若昊天，敬授民時」，則表示古人生于自然，原必以上觀天象，並依時曆以生活，爲其首事，如國語周語明論「古者太史順時覛土」是也。其言舜之「肆禷于上帝，禋于六宗，望于山川，徧于羣神」，乃總言其對神之敬祀。此乃一切民族之人文之初創時，所共有之宗教性之典禮。其時固未必有殷周之天帝之觀念，然亦不能謂其必無一羣神中之主神，而相當于天帝者也。至于言其「以親九族，平章百姓」，則由人羣社會與政治組織，本始于氏族與各不同氏族之聯成邦國。則謂古代有一特出之人物，如堯者，其所聯成之邦國最大，而稱之爲能平章百姓，或稱其大之近似乎天之大，如孔子所謂「巍巍乎唯天爲大，唯堯則之」，亦非溢美之辭也。

至于虞書之言舜之命契爲司徒，敷五教；皋陶爲士，察獄訟；益爲虞，治草木鳥獸；伯夷典禮；夔典樂等，則不外言中國古代之人文社會之次第形成中，有掌政敎禮樂之事之官守。此諸官守，爲一切古代民族社會所共有。其中夔典樂，同時以「直而溫，寬而栗，剛而無虐，簡而無傲」之德敎冑子，則由于人之音樂，原可直接養此中和之德之故。唯在中國文化，于一切人文之事，恒歸功于始創此種種人文之業之特殊人物。吾人亦不能謂任何人文之事，無始創之之特殊人物，亦不能言契、臯陶、夔等之必非其人也。則尚書記之，而後人信之，固未爲不可。此諸人文之事之成，固又必有其所由成之種種不言之道在也。

至于在虞書中之臯陶謨中，則更言九德、六德、三德，又言「天敍有典，天秩有禮，天命有德，天討有罪」，及「天聰明自我民聰明，天明畏自我民明畏」。此則由古代人文始創之時，人原無將其自己與天或神帝相對立之意識，故于人所奉行之典禮與所當爲之事，皆視爲天所垂典、降命，而命之爲者。于是天之聰明卽表現爲人之聰明，亦表現于民之聰明；天之光明與可敬畏，亦卽表現于人文之光輝與人民對天之敬畏之情中。古代亦必有智者初能見及此義而言之者，尚書紀其人名臯陶。吾人不能謂其必名臯陶，亦不能謂其必非臯陶也。

在此剔除僞古文之尚書中，初無堯舜禹之以「人心惟危，道心唯微，唯精唯一，允厥執中」之心法相授受之語。其所述者，大體合于人文演進之自然之序，乃由敬祀昊天，觀天象，逐漸形成人文；而初尚未能大反省及其內心之事者。故尚書中之于臯陶謨之後，唯繼以禹貢之紀地理與河流之分佈。

一切古代民族皆歷洪水之災，中國古代亦然。洪水為災，人必合力以治水，而禹蓋即善治水之民族之領袖。由治水而知河道、知土地之分佈，則更必有加以紀載者。其初固不必即有今之禹貢之文。然要必有此類似禹貢之文者。由治水而廣土地，由廣土地而農業盛，故禹所命官有后稷，傳為周人之祖，則周人蓋初為長于業農之民族也。在今禹貢之文中，首見「九河既道」，「沱潛既道」等語。此道之義，應即同導，導河而河有其河道。此則尚無哲學意義之道也。

商書中之甘誓、湯誓，乃伐有扈氏與伐紂之誓師之辭。其文言有扈氏與夏桀，有罪而不正，天命殛之，故湯本其對天之敬畏，而恭行天罰云云。湯之承天命、章天討，而有對夏之革命，無異後世所謂替天行道。此革命之本身，必依所革命者之無道或不正，而求正其不正，以為此革命之自身之道。然此中亦尚未明言其為替天行道，或為一革命之道也。

至于商書之盤庚一篇為遷都之誥文，乃藉「天之斷命于舊邑」，而永我命于茲新邑」，以告其世臣，當「黜乃心、無傲從康，施實德于民，勿自生毒、自致禍」。此盤庚之遷都，乃「震動萬民以遷」，惟賴人各自黜其舊習之心，而齊一眾德，乃克有濟。故此文中屢用「黜乃德」「迂乃心」等語，而歸在望其世臣之「各設中于乃心」。此乃尚書中用心字之始。所謂「設中于乃心」，即以中為存心之道。此「中」初何所指，不可知。王國維觀堂集林有文謂「中」初只是狀一版册之形，或謂乃指射之目標。此篇文中亦有「若射之有志，無侮老成人，無弱孤與幼」之語。則設中于乃心，即使心志定向在敬老慈幼，以恭承民命，以永天命于新邑之謂。當遷都之際，人離其故土，亦自然最易回頭自覺及此心之存在。此義亦不難知。故心之一名，首屢見于盤庚之一篇中，亦非偶然。射之有志或心之有志，亦即見心之道，然此中亦尚無此道之名也。

至于高宗肜日篇言「天監下民，典厥義，降年有永不永，非天夭民，民中絕命。民有不若德，不聽罪，天既孚（付）命正厥德」，則不只指出此人之義，爲天所垂之典則，如皋陶謨之「天敍有典」；而是兼指出人之不永年，皆由人之自絕于天命，而不修德之故。故天之降命，即同時命人之自正其德。人能修德正德而奉天命，則其歿得「賓于帝」。此在殷墟卜辭中已有之。至周而一方頌后稷文王之德，一方定后稷文王與天帝配享之制。反之，而人王不修德正德，即自絕于天命，其歿亦即「不賓于帝」，其生亦不得終命。故商書西伯戡黎一篇，即言文王興，而紂尚淫戲，即自絕于天命；故紂亦不得更言「我生不有命在天」，而「責命于天」。此亦謂不德即自絕于天命，而其生亦不得終命也。

在西伯戡黎中，有殷王自言之「天棄我，不有康適，不虞天性，不廸率典，今我民罔弗欲喪」。此中首見天性之一名。然此天性之一名，初無深義，當猶今所謂生命之自然欲望。此與周書召誥中所謂「節性」之性，指自然欲望者同義。依古註「虞，度也；廸，由也；率，法也，罔，無也。」則此節之文，蓋即言天絕我，而我不得康適，即不能自遂，而度合于其自然欲望，亦未能自依此天所垂之典法而行，故爲人民所棄，民皆無不欲喪亡我也。此乃紀紂之自覺其生命之將絕而自嘆之辭，以證不德而自絕于天命者，其自身之命亦終絕。微子一篇之微子，傳爲殷之宗室，數諫紂不聽，而持祭器奔周者。此則要在證不德者爲天所棄，亦爲賢人之所棄。此二文雖在商書，然亦爲周初之武王周公召公所用以自戒，以免爲天人所共棄，而自絕其命者也。

三　殷周之際與周初之王道，及人文禮樂之道

周書中泰誓爲武王伐紂初誓師之辭，牧誓則爲至商郊決戰之誓師之辭，皆不外言紂之自絕于天，故今唯有恭行天罰，使民有政有居。此與商書湯誓伐桀之辭同旨。易經革卦卦辭所謂「湯武革命，順乎天而應乎人」，其道固同也。然其尙未有道之名，亦同也。

周書中洪範，傳出自箕子，乃一總述自昔之賢王之政之大端之書。秦漢儒者本之作洪範五行傳，用以配合陰陽家之五行之說。宋儒多過份張揚其義理，唯王柏等則疑其有錯簡。近人如梁任公等，又疑其言五行休咎，爲陰陽家興起後之著。然洪範中所謂休咎五行，則不同于後之陰陽家之說。友人徐復觀先生于中國人性論史之附錄中之二文，嘗辨之。柳翼謀中國文化史，謂洪範以五行爲九疇之一疇，而非「以九疇攝于五行」，唯後者乃陰陽家之說云云。然又或謂在殷周之際，不應有此綱目分明之大文，不似周誥殷盤之佶屈聱牙者。吾觀此文雖可能經後人之整理潤飾，然內容則大皆綜結其前之

中國思想中之觀念以成。如文中之九疇中之「三德」，曰正直、剛克、柔克。左傳文公五年，亦有此「沈潛剛克，高明柔克」二語。此洪範之三德與虞書中夔典樂，用以教冑子之樂德，及皋陶謨之言九德，皆同爲合剛柔之義言者。其始于何時，雖不可知，然應其來有自。其「稽疑」之言「大疑」當謀及乃心、卿士、與庶人云云，則盤庚遷都之誥，亦卽謀及眾心之旨。至于「謀及卜筮」，則爲古人素所習用。其言「八政」中之食貨，乃一切時代之民生之所須。八政中之祀，則虞夏殷周所同重。八政中之司空、司徒，則虞書中已有「禹作司空」「契爲司徒」之語。八政中之司寇，卽皋陶爲士之士。至于八政中之賓師二者，則較特出。然書經微子篇已有「父師」「少師」之名。史記宋微子世家太師少師注，孔安國曰：太師，箕子也。左傳國語中所紀之師之官尤多。八政中有賓者，由接待嘉賓之禮，亦政事之一。此亦詩禮之教之所重。如微子抱禮器奔周，而不臣周，亦卽居賓之位者也。至于「協用五紀」之五紀，卽歲、月、日、星辰、歷數。協用五紀，不外觀天象以治時之事。此虞夏書中亦已言之，亦人文始創之時，人皆自知爲之者。至于其言「庶徵」中之休徵、咎徵，不外言自然界之氣候之雨、暘、燠、寒、風之五者之來，是否適其時，而有敍，以說其是否能使百穀用成、家用平康等，以定休咎；初無漢儒之以卜筮定休咎之種種奧秘之說也。其「五福」中之「壽、富、康寧、攸好德、考終命」，則人自始所欲知者。其「六極」中之「凶短折、疾、憂、貧、惡、弱」，亦人自始所知惡者。至于其五行中之金、木、水、火、土，則虞夏書中已言禹平水土。益治鳥獸草木，卽及于木。

孟子又言益烈山澤而焚之，卽用火。殷已有青銅器，卽用金。國語鄭語亦有「先王以土金木水火雜，以成爲百物」之語。左傳文公七年引夏書曰「水、火、金、木、土、穀」謂之「六府」，則五行之物之見重，其來甚遠。此五者固皆民生日用中之物也。故此洪範中之九疇之「三德」「稽疑」「八政」「五紀」「庶徵」「五福與六極」「五行」之七疇，皆不外綜合中國文化與人之日常生活中所共知者以爲說。此固殷周之際之人所能爲，爲之亦不必待于甚高之智慧者也。其中較特殊之觀念，唯是言敬用五事及言皇極二者。此敬用之五事，爲貌、言、視、聽、思。並謂「貌曰恭、言曰從、視曰明、聽曰聰、思曰睿」，「恭作肅、從作義、明作哲、聰作謀、睿作聖」。此五事乃人之五種活動。謂貌曰恭、言曰從、聽曰聰等，則表示此五種活動之各有其所當然者，而恭作肅、從作義等，則指人之此五活動之合其所當然，而成之五德。此中之將人之德行分別連于五種之活動或五事，卽一方爲對人之德作一種分類，一方示人以修德之下手處，卽在敬用此五事。此則不同前此言德者之未如此分類，亦未言人之修德之下手處，卽在敬用五事者。言此敬用五事，卽無異言人之修德之道。然亦未明言其爲道也。

洪範明用道之一名者，在言皇極之一節。在此一節中，言皇建其有極之旨，不外謂「凡厥庶民之「有猷、有爲、有守」之德者，「汝則念之錫之福」；「不協于極，不罹于咎，皇則受之；無虐煢獨，而畏高明」。此不外表示一爲政之寬容而好德之精神。故後文更言「無偏無陂，遵王之義；無有作好，遵王之道；無有作惡，遵王之路。無偏無黨，王道蕩蕩；無黨無偏，王道平平；無反無側，王道正直。……天子作民父母，以爲天下王」。此中則明用及道之一字。此所謂王道，配前後文以觀，應是王所自行之寬容好德之道。蓋謂必如此無偏無黨，無有作好，無有作惡，乃爲遵王者之所以爲王之道也。此蓋非教人民遵從王道之語。因此言皇極之前文，乃明對王者而教之，而洪範中之八政稽疑，亦皆對王者而言也。

按此「天子作民父母以爲天下王」語，在泰誓中「元后作民父母，民之有政有居」，已涵其義。此與康誥「若保赤子」之語，及詩經中記爲康公戒成王之「豈弟君子、民之父母」（生民之什）之句，並可互證。桀紂之亡，皆民共叛之。失民則失天下，亦失天命，卽證天命之見于民意，亦見天之必命有德者以保民。故後之召誥有「天亦哀于四方民」之語，詩經有「皇矣上帝，臨下有赫，監觀四方，求民之莫」（定也）（文王之什）之詩。此卽左傳襄十四年師曠之謂「天之愛民甚矣，豈其使一人肆于民上」一節語，所自本之義。故王者欲「奉答天命」，必「和恒四方民」。（周書洛誥）此理初非難知。在殷周之際，人歷觀桀紂之所以亡國之故，固必悟及天子當如父母之保民，乃能奉天命；而爲天子者以爲民父母之心待民，亦自必當自勉于無偏無陂、蕩蕩平平之王道也。此中之皇極之皇，其意蓋初非戰國時之皇帝王霸之皇，或三皇之皇。皇極之極，亦與太極無極之極無關。因後文唯言王道與天子，並未言皇道。則此皇可只是大義。如周書多言皇天上帝，此皇只是大之義，上則是高之義也。至于極則只是至極之義，如六極之凶短折、憂、疾等爲生命之至極。皇建其有極，卽後文「惟皇作極」，亦卽以大爲至極。後文言「凡厥庶民……汝則念之」，于民之在「不協于極者，皇則受之」，卽謂王者必大，而能受民之不協于極，而不見有不協于極者，方爲能配皇天之皇極之道者也。此與周頌清廟之什，「思文后稷，克配彼天，立我烝民，莫非爾極」之詩，正可相證。國語周語單穆公曰：「物得其常曰樂極。」芮良夫曰：「使神人百物，無不得其極」，則更引此周頌爲證。此芮良夫言，亦與洪範尙寬大寬厚而無偏無黨，以無所不極之皇極，爲「王道」者，同其旨趣。無偏無黨，卽大中。皇極之道，自是大中之道，不必單訓極爲中也。此尙寬大寬厚之旨，爲稍後之秦誓所承，而言「一介臣，斷斷猗無他技，其心休休焉，其如有容，人之有技，若己有之；人之彥聖，其心好之，是能容之以保我子孫黎民」。詩經烝民稱美仲山甫，始于「天生烝民，有物有則；民之秉彝，好是懿德」之句，更言其「旣明且哲，柔亦不茹，剛亦不吐，不侮鰥寡，不畏強禦」，則兼仲山甫之正直與寬厚，以稱其明哲。若更溯此尙寬厚之思想之原，則虞書中已有舜命契「敬敷五教在寬」之言。盤庚言「奉畜汝眾，作福作災，予不敢動用非德」「汝無侮老成人，無弱孤與幼」。康誥言文王「明德愼罰，不敢侮鰥寡，庸庸祇祇，威威顯民」，皆是尙此「寬厚而能包容眾民，而保之顯之」之德。詩經文王之什言「帝謂文王，予懷明德，不大聲以色，不長夏以革，不識不知，順帝之則」。此亦是以德之能寬厚而能包容，若無識知者爲貴之旨。尙書君奭篇言「我道惟甯王德延，天不庸釋于文王受命」。卽謂周公之道，唯是甯此王德，而延長之，以繼此天之「所未放棄之文王受命之事」。此文王之德卽一寬厚包容之德。順此德而延之，是爲道。故曰「我道唯寧王德延」。于此卽見此「道」之名，乃緣此「德」之名而出。德爲王德，則道亦應爲王道。此王道當求大，乃所以奉答天命。「天命」在殷周之書，皆恒稱爲「大命」。周書于「天」多簡稱爲皇天、或稱皇天上帝。皇卽大。故奉答皇天大命，固當求寬大能容也。泰誓言武王伐紂，「八百諸侯，不召自來」。康誥言「周公初基，作新大邑……四方民大和會」。洛誥言「自其時中義，萬邦咸休」。周公多方篇又言「夏初受天命，後至于桀，不肯慼言于民，乃大淫昏，帝……「大」降罰……「大」不克開」，遂有成湯之「代夏作民主」；然至紂而又「弗克以爾多方，享天之命」，「惟我周王之克堪用德……我惟「大」降爾四國民命」。此卽見文、武、周、召，確有一依皇天大命，以開創大時代、「作新民」（康誥）之精神。洪範之洪，亦卽大之義也。故前文謂皇極之皇，亦如皇天之皇，乃所以表大。八百諸侯之會、四方民大和會、萬邦咸休，皆見此周王之道之大者也。此與詩大雅之言「上天之載，無聲無臭，儀型文王，萬邦作孚」之詩，正可互證也。

循上所述，而通觀周書中之周公召公之訓誥，與詩經中之周頌之稱太王、王季、文、武，魯頌之頌周公之德，則見此中確有一偉大之政治精神，其本則爲一道德精神。故周召之敎，乃恒先言夏殷之王，皆初承天之大命，唯其末世之王不德，乃自絕于天命，亦自絕于四方民。遂由此以言「天不可信」（君奭）「天難諶，天命靡常」（詩經文王之什），更言周之文王，唯以其德之純一不已，乃得契于「維天之命」之「於穆不已」（詩經清廟之什）。故諄諄敎周人唯有「疾（速）敬德」「丕（大）顯德」（洛誥）以「祈天永命」（召誥），否則亦當如夏殷之末世之王，爲天與四方民之所絕棄。周公無逸之篇，則以知艱難爲教，並舉殷之哲王如中宗、高宗、祖甲，初亦皆「不敢荒寧」；故不可謂「昔之人無聞知」。周公君奭之篇，更言夏殷王之賢臣初有伊尹，伊涉、巫咸、巫賢等，輔文王之賢臣，則有散宜生、南宮括等。此皆超乎夏殷之民族之對立之觀念，而舉昔之哲王賢臣之言行，以教周人。此卽一對有永久性、普遍性之道德精神之肯定。至于史所傳之周之文教制度可考見者，則近人王國維觀堂集林中之殷周制度論，嘗謂周之立君之立嫡長之制，與其他宗法封建制度，皆開創一新制，應大體可信。立長立嫡之制，足以定君位。其封建制度之兼封同姓與異姓之諸侯，無論是出于理之當然，或勢之不得不然，皆出于兼容天下之器度。其宗法制度之重合族敬宗，並有同姓不婚之制，以使此同姓與異姓之諸侯，同姓公族與異姓世族，得以姻媾之誼，通其情，亦凝協天下之制度。此二者與周之禮樂之盛，及其雅頌之詩之稱美讚頌祖德與賢臣之德，敍王政之所由廢興，皆必依于一堅實而偉大之道德文化之精神，而後能爲。此中種種周之禮樂制度畢竟如何，爭論甚多，吾亦不能詳考。然吾人于詩經，只須平心諷誦其大雅與頌，由其文句構造之典重整秩，味其肅肅穆穆之氣象；更諷誦國風小雅，由其文字之廻環往復，味其溫柔敦厚之心情；則可略想見此周代人之生命精神狀態，乃充實而雍容，亦有餘而不盡者。周之國運能至于八百年，爲世界之歷史中所未有。此不能事出偶然，而當由文武周公之道德精神，以立此開創之功。孔子之言吾從周，而夢魂常在周公，亦卽契在周之人文制度之道之大也。

四　周之禮教及春秋時人之言文德、天道、人道，及孔子以後中國思想之尊道

周之文敎制度之次第建立，自亦有一長時期之歷史。如春秋以前之西周數百年，卽周之文敎制度次第建立之時期，而不必皆有史文可考者。此一切文敎與制度，蓋皆統于一禮之名之下。禮原所以祭天帝社稷、祖宗，及生前有功有德之人之爲鬼神者。讚頌鬼神之詩樂，初與祭禮俱行。主祭者爲宗子國君，而與祭者則依其親疏尊卑之序，以就列而成禮。于是禮初爲人之致敬于鬼神者，亦皆漸轉而爲致敬于人者。一切親親、尊尊、貴貴、賢賢，天子與諸侯，諸侯與諸侯及士大夫之相與之事，無不可以禮敬之意行之，皆可名之爲禮。此禮遂于人之宗敎、藝術、文學、人倫、政治之事，無所不貫；而人在種種爲禮之事中，亦同時卽可養成種種不同之德矣。

由此人之爲禮之事，同可養人之種種之德，故由左傳、國語、諸書所記，卽可見春秋時人之言德行，恒環繞禮文之名而說。今可略舉其言爲證。如左傳昭公二年謂，「忠信，禮之器也，卑讓，禮之宗也」。昭二十六年記晏子曰「君令、臣共(恭)、父慈、子孝、兄愛、弟敬、夫和、妻柔、姑慈、婦聽，禮也」。又如國語周語下曰：「言敬必及天，言忠必及意，言信必及身，言仁必及人，言

義必及利，言智必及事，言勇必及制，言敎必及辨，言孝必及神，言惠必及和，言讓必及敵。敬，文之恭也；忠，文之實也；信，文之孚也；仁，文之愛也；義，文之制也；智，文之輿也；勇，文之帥也；敎，文之施也；孝，文之本也；惠，文之慈也；讓，文之材也」。再左傳昭二十八年，「心能制義曰度，德正應和曰莫，照臨四方曰明，勤施無私曰類，敎誨不倦曰長，賞慶刑威曰君，慈和偏服曰順，擇善而從之曰比，經緯天地曰文」。此昭二十八年語之九德，皆名文德。上引周語，則皆以種種德，連于禮文之義而說。其謂言敬必及天，即以敬爲對天之道。言忠必及意，即以忠爲定意之道。言信必及身，即以信爲身之踐其言之道。言仁必及人，即以仁爲待人之道。言義必及利，即以義爲分利之道。言智必及事，即以智爲處事之道。……言勇必及制，即以勇爲自制自強之道。言敎必及辯，即以施敎爲明辯之道。言孝必及神，即以孝爲對神之道。言惠必及和，即以惠爲和人之道。言讓必及敵，即以讓爲對敵之道。然此中皆未用道之一名。左傳文公元年之謂「忠、德之正也，信、德之固也，卑讓、德之基也」。則以德之名統此忠信卑讓之諸德。周語下言「正、德之道也，端；德之信也；成、德之終也；愼、德之守也；愼成端正，德之相也」。「始于德讓，中于信寬，終于固和，故曰成。」則以愼、成、端、正之可分說爲諸德者，更視之爲成此一德之輔相，亦意在以一「德」之名，統此「愼」「成」「端」「正」之諸德。此中之謂「正、德之道也」，蓋是謂正只爲德之始道。然由德之始，至于德之信，德之終，德之守，皆可說爲德之次第完成，所經或所依之道路，而亦當皆可說之爲德之道。唯周語則限此道之義于「德之始」之道，卽見其雖知重此「德」之義，以統貫其種種相、或種種德，而尚未能以道之義，通貫于種種相、或種種德也。

玆按此道之一名，在國語與左傳中，恒用作導之義。文公六年言「古之王者，知命之不可長，是以並建聖哲，樹之風聲，告之訓典，道之禮則」。昭公五年「道之以訓辭，奉之以舊法……」。皆是以「道」之義爲「導」。國語周語下「詩以道之」，晉語「道之以文」。楚語上「道之以言」等語。此中之「道」之義，亦是「導」。至于有客觀存在意義之道，則初多是自天道說。天之日月星雲雷等之變，固屬于天道。如左傳昭二十一年「日月之行也分，同道也」。昭二十六年齊有彗星之出，晏子說是天道。昭三十二年「雲乘乾曰大壯，天之道也」。由此而自然界之普遍的反復原理是天道。如莊四年「盈而蕩（虧），天之道也」，哀十一年「盈必毀，天之道也」，國語周語「天道導可而省否」，越語下「天道盈而不溢，盛而不驕，勞而不矜其功」。其所謂天道之義，皆不相遠。由此而人間之禍福之反復或相補，亦是天道。如左傳宣公五年「瑾瑜匿瑕，國君含垢，天之道也」；昭九年後「陳卒亡，楚克有之，天之道也」；昭十一年「蔡復楚凶，天之道也」；昭二十七年「叔孫氏懼禍之濫，而自同於季氏，天之道也」。國語周語中更有「天道賞善而罰淫」之語。由此更進一步，則事天之禮亦說爲天之道。如左傳文公十五年「女何故行禮，禮以順天，天之道也」。至于如襄二十二年晏平仲曰：「君人執信，臣人執恭，忠信篤敬，上下同之，天之道也」。國語周語言「古之神瞽，考中聲而量之，以制度律均鐘，百官軌儀，紀之以三，平之以六，成于十二，天之道也」。則是以人之忠信篤敬之道，與人制樂之道，皆依天所垂于人之律則而有，故皆說之爲天之道。至于特言人之道者，則國語左傳之書有之而甚少。此則如晉語之言「報生以死，報賜以力，人之道也」。「思樂而喜，思難而懼，人之道也」。至莊公三十二年記史嚚曰：「國將與，聽于民：國將亡，聽于神」。昭十八年記子產之言「天道遠，人道邇」。則是意在以民與神、人道與天道及鬼神之道相對而言。至于楚語之記觀射父語謂古者民神不雜，後乃民神雜糅，顓頊乃「命南正重司天以屬神，命火正黎司地以屬民，而絕地天通」，「使民神復不雜」云云。則正是當時人對上古之事，加以推述之語。實則其前之民與神，當是自始不免于雜糅。唯在春秋之時，有此人道與天道、鬼神之道之分別之論，民神乃不相雜。以人道與天道相對，而此天道之名，亦可概括一切人以外之天地鬼神之道，而以人道之名專指人事之道。至于左傳桓公六年紀季梁曰「所謂道，忠于民而信于神……夫民，神之主也。是以聖王先成民，而後致力于神」。此則單言「道」，而其意指則唯是人之上信于神，下忠于民之道，而以「忠于民成民」爲先于「事神」者。然尚未至于孔子之言「人能弘道，非道弘人」「吾道一以貫之」；明以一仁道，貫通人之對己對人及對天命與鬼神之道也。孔子以後，墨子乃以義道，爲天鬼神與人之共同之道。道家之流如老子，則以天地人皆法道，莊子齊物論言道通爲一，言天地與我並生。然後道之名之義廣大深遠，乃大顯于世也。

總上所述，在中國哲學思想中最具通貫意義之名詞觀念，蓋「天命」之觀念最先出，人必有德乃能承天命，而「德」之觀念，即繼天命之觀念而出。德依心而有，由節自然之性而成，而「心」與「性」之觀念更繼之。至周之禮教立，而德與「禮」相連。至于道之觀念，則在禹貢中初有導河之道，此爲人對水地之道。周書乃有順文王之德以爲道，更有此「王道」之名，在國語左傳中，乃明見反復爲「天道」之語。「人道之名」則自子產乃言之。最後乃有統天道人道之「道」。由是而有孔子以仁言道，墨子以義言道，老莊以道言道。在此道與德二者中，則自孔墨老莊以降，皆知必行于道，修于道，然後可以成德。德唯屬于各人，亦或只爲人所自知；而道則爲人所共行共知。故道先而德後，道大，在天下，而德專于各人之一己；故欲修己兼治人，以成人己之德，必以道爲先。孔子言道之以德，此道卽導，亦卽導人以道，以成其德。故孔子以「學道」「志于道」爲首，而以「據德」爲其次。墨子先言義道，乃有爲義之人；先言兼愛之道，乃有具兼愛之德之兼君兼士。老子第一章言道之玄，其後乃言玄德。莊子逍遙遊先言逍遙之遊，以此遊卽遊于無待之道，而後有其至人神人之德。齊物論先言「道行之而成」，「道通爲一」，乃有後文之至人之忘是非、利害、生死之德。此外，則孟子盡心篇言「仁者，人也，合而言之道也」。荀子天論篇言「道，非天之道，非地之道，人之所以爲道也」。法家則偏在言政治上之道與術。此術之一名與道之一名，則略有大小之別。然孟子之言德行術知，荀子之言治氣養心之術，此術之義，與道之義，亦無大別。莊子天下篇有道術之名，則意在以「

道」統「術」，而言內聖外王之道。及于漢世陸賈新語，第一篇爲道基。賈誼新書之六理，以道德之名先于性神明命。淮南子首爲原道訓。錢大昕十駕齋養新錄，謂「原道」之名首見于此。後董仲舒言「道之大原出于天」。魏晉之人多以道德論名篇。後世道教之徒，直以道名其教。佛家之徒亦自稱道人，佛法爲佛道，其菩提之名，亦初譯爲道。于是道之名之義，其廣大深遠，更大顯于世。在漢魏以後之學者，即莫不言道。史家如太史公，自序其作史記之意，首「因道衰廢」之語，並以孔子作春秋之道爲言，而終之以「自古聖賢著書，皆意在通其道」之語。班固作漢書敍傳，終于言志在「緯六經，綴道綱」。即文學家如劉勰文心雕龍，亦首有原道之篇。韓愈作原道。柳宗元亦有文以明道之說。宋明儒者中，周濂溪通書首言「乾道變化」，張橫渠作正蒙首言「太和所謂道」，明道象山皆重明道。伊川朱子乃以窮理爲先，而朱子學生編朱子語類亦先編其言理氣。然朱子乃意在合理氣以言道。至清之戴東原，大反朱子，而其孟子字義疏證，亦以理字爲先，道字次之。然其先作原善，首節仍先道而後理。章實齋著文史通義內篇，首是原道之篇。文家如姚鼐言文之陽剛陰柔之美，亦先以天地之道爲言。然總觀宋以後之學者，則較重析理以辨道，與唐以前之學者重開拓種種道之大方向者不同。後文當及。然辨道亦所以明道。要之，自孔子而後之中國學者之尊尚在道，二千五百年來，初未嘗大異也。

五　「中」國哲學與中和之道

上文吾人只說道之一名，自孔子以後卽爲中國學術思想所環繞之一核心，然不如宋儒之說自堯舜禹起卽有一貫之道統相傳。宋儒之本古文尚書，而謂堯舜禹卽以「道心唯微，人心惟危，惟精惟一，允厥執中」之心法相傳，吾人只能視之爲後來之說。然除去僞古文尚書，盤庚篇亦已見有「各設中于乃心」之句。召誥洛誥有「時中」之名，酒誥有「中德」之名等，論語之紀堯曰「咨爾舜允厥執中」。中庸之引孔子語謂舜「執其兩端，用其中于民」，亦可其原甚遠。吾人可由一樹之果之何若，以推其本之何若，則吾人自亦可由中國後來之學術思想之重此心之合乎中道，以推中國之文化學術之本原，卽自始向在此「中道」。此「中」之義爲無偏，則恒與大之義及和之義相連。和之一字初原于音樂，其原蓋尤遠。在虞夏書中已有「協恭和衷」，而具道德意義之語。中國之政治文化之自覺的求大而能容，以成大中或大和，則至少在周代人之思想中，已逐漸形成。如上述周書之言「和恒四方民」，以立無偏無黨，而爲大中之「皇極」。在左傳與國語中，言及中與和之語已甚多。如左傳成公十三年，劉康公之言「民受天地之中以生，所謂命也」。襄七年晉韓獻子言「正直爲正，正曲爲直，參和爲仁」，正直卽中也。餘不盡舉。周語所記單穆公言「耳之察和」以成樂，至「政象樂，樂從和，和從平」「有和平之聲」，而「道之以中德」之一大段文，及國語鄭語之言「和實生物，同則不繼，以他平他謂之和」之一大段文，皆中國學術思想之一原始所在。鄭語辨和與同之不同，輕同而重和。故謂「唯和能豐長而物歸之，若以同裨同，盡乃棄矣。故先王以土與金木水火雜，以成百物，和五味以調口，剛四支以衞體，和六律以聰耳，正七體以役心，平八索以成人，建九紀以立純德，合十數以訓百體，出千品，具萬方，計億事，材兆物，收經入，行姟極。先王聘后于異姓，求財于多方，擇臣取諫工；而講以多物，務和同也。聲一無聽，物一無文，味一無果，物一不講」。此與左傳昭二十年晏子對齊侯所論之「和」與「同」之不同之一大段文，大旨相合。唯晏子更據以言君臣之或可或否之相反相成，以致其政之平，德之和。故謂「君所謂可，而有否焉，臣獻其否，以成其可。君所謂否，而有可焉，臣獻其可，以去其否。……以平其心，成其政也……心平德和」。孔子繼之以言禮之用，和爲貴，更言中庸爲至德。孟子繼之言君子中道而立，惡乎執一而廢百者。荀子亦言「凡人之患，偏傷之也」。以道爲「體常盡變，舉一隅不足以當之」者。荀子貴隆正，言中與和之語亦多。老子言「守中」，言「知和」，莊子言「養中」，言「和之以是非」，「寓諸庸」。至中庸而言「致中和，天地位焉，萬物育焉」，以中庸爲至德。此雖立說不同，然于貴中和之義，則一脈相承。漢人貴中和之語，不必一一舉，此可觀惠棟易微言，陳澧之漢儒通義所輯。佛學入中國，印度之般若三論宗與法相唯識宗，皆自謂爲大乘佛學之中道。中國之成實論師及吉藏、智顗，皆特標出種種之中道義，華嚴宗則尤重在言相異者之相入相卽，以成和。唐人有王通自號文中子，作中說，柳子厚亦隨處言大中。宋代理學則周濂溪太極圖說，以中正仁義之道立人極。張橫渠首太和之論。程子以中爲未發之大本，和爲已發之達道，則純自心上言中和。朱子之辯中和，亦卽辯心之已發未發。陽明之學，亦初由此心之中和之問題入，其時之湛甘泉，以中正言天理。至劉蕺山而明謂宋明之儒學之工夫，不出致中與致和之外。淸人言漢學，則惠棟、至陳澧，皆謂漢儒最重此中和之義。爰及民國肇造，而立國名爲中，定國制爲共和，今正當歷甲子一周之年。而中華之華，則固由中國中原民族之自稱華夏。而稱華者則自其文化之花朶光華而說。此中國今日之立國定名，皆非事出偶然，而由數千年之思想，原重此中與和及文華之旨，冥權密運于其中之故。則爲僞古文尙書者，與宋儒之由樹之果以推其本，謂堯舜禹之相傳，卽有一允厥執中之道，爲其統，亦非不可說。中以不偏爲義，然又卽在內之心之稱。此二義初不同。然心之所以爲心之性，亦原是不偏。則此二義，未嘗不相通。以不偏之中心爲體，其表現之用，則爲合異以成和，則中和二而不二矣。然吾書之不直以此中和爲中國之道統所繫者，則由吾特重周語晏子所說：「以他平他謂之和」，君臣互獻其可否之義。故吾亦當由中國學術思想中，諸先哲所言之種種道之互相可否，而相反相成處，以見此中國學術思想中之太和之道；更由此太和之道，以見此大中之道。故吾不說此中和爲中國之道統，亦正所顯此中和爲中國之道統。蓋若只處處扣緊中和之一名而說，則我與讀者，皆將以此二名之義，先自束縛，而于諸前哲之互相可否，而大開大合所成之種種思想之光華，反將蔽而不見；亦不能實知此中華之學術思想中，由太和以成之大中之道之何所似矣。此吾之不說此中和，以成吾說之中和，原亦爲吾書之密意之一，本亦不宜更自加點破。但點破後，讀者可更忘之，則亦無害耳。

第一篇

第一章　孔子之仁道（上）

一　導言

孔子以來言仁之思想之數變，並自述究心於此問題之經過，及本文宗趣。

孔子之言仁，其義旨何在，古今論述，不可勝數。按以仁爲一德，與忠信禮敬智勇等相對，自古有之，而以仁統貫諸德，則自孔子始。以仁與他德相對，則以愛說仁，最爲原遠流長，如國語周語謂「仁、文之愛也」、「愛人能仁」「仁以保民」，楚語言「明之慈愛，以導之仁」。孔子而後，以愛言仁者，其旨亦最切近易見。孔子嘗答樊遲之問仁，曰愛人。匪特孟荀禮記皆有「仁者愛人」之言，卽道、墨、法諸家，皆有相類之語。如墨子經上謂「仁，體愛也」。莊子天地篇言「愛人利物之謂仁」，韓非解老謂「仁者，中心欣然愛人也」，其旨皆大體不殊。此以愛言仁，要在卽人之愛人之情，以及于施仁愛之事，言求仁之道。以愛言仁，其旨自切近易見；愛人之效，亦至爲廣遠。故今皆習用仁愛爲複詞。然此人之仁愛之原何在，則歷中庸易傳至漢之董仲舒，卽更推本其原于天之仁。董仲舒之天，卽一人格神，無殊中國詩書中所言之天或上帝。董子謂人之仁原于天之仁，亦言人當法天以愛人，卽類似其他宗教以人之愛心原于神之愛心，人亦當由愛神以及于愛人之說。董子亦同時是以一人格神之天，爲人之仁之形上的宇宙根原，以天之仁爲第一義之仁，並以人之仁之原于天，乃天人間之一客觀關係。董子分言仁義時，又以仁原于天之陽，義原于天之陰。有如易傳之言立天之道曰陰與陽，立人之道曰仁與義。董子更言以仁治人，以義正我，則重仁義與陰陽、人我之不同的客觀關係。後許愼說文解字以仁從二人釋仁，又引古文仁從千心，亦卽重此仁爲二人或千人間之關係之義。鄭玄以仁爲相人偶之仁，卽自人之相偶關係說仁。此漢人之自仁之宇宙根原，天與人、人與人之客觀關係言仁，卽爲先秦以後言仁之一大變，而與先秦以前諸子之直接卽人之愛以說人之仁，大不同者也。

唐韓愈原道謂「博愛之謂仁」，此仍是先秦卽愛言仁之旨。周濂溪通書亦言「德愛曰仁」，然又以仁義禮智信五常之德，其原在天之誠道或太極。此仍是推本人之仁之原于天。唯不同董子之推本人之仁于一人格神之天，要在推本人之仁于天之道，類似新約中所謂太初有道之道而已。張橫渠言仁，則更有直體天之神化，爲乾坤之孝子爲說。此則兼重在人之承天德，以成人之仁德，而不只重在推本人之仁于天之仁。程明道言仁者渾然與物同體，又言此仁之道「與物無對」；並以疾痛相感爲仁，則又涵直下合天人物我，以成此仁德之旨。此渾然與物同體、疾痛相感，則爲仁者之情懷或心境，而明道未特重此愛之義。朱子以仁爲心之德、愛之理，乃不更離愛以言仁。然仁只是心之德、愛之理，此德此理自在心之內，而不在其外，又非必皆表見于愛之情者。此仍不違明道在心上說仁之旨。唯不如明道自仁者心境情懷之通內外處說仁，而專自心之內在之德之理上說仁而已。此自心上說仁，亦教學者在心上求仁，爲宋明儒之通說。宋明儒大皆以人果能知得此仁之內在之本原之在心，爲心之性，亦卽同時知其本原之亦在天。故其說與董仲舒之直下視天之仁爲人之仁之原之說，與一般宗教之先說神之心，而後說人之心者，又大不同其思路。此又孔子後言仁之思想一大變也。

至于清儒之言仁者，則除承程朱陸王之學者之外，大約趣向在就仁之表現于人之事功上者言仁，而近乎宋之永康永嘉學派之論。如顏習齋之連利用厚生之事功，言仁義聖智中和之德；戴東原之以同民之欲，遂民之情言仁；焦循之以旁通情言仁；皆趣向在言仁之表現于利用厚生，遂情足欲之事功者。劉寶楠之論語正義一書，更以人之德性的行爲，必表見爲禮樂政治教育社會之制度之建立，而連種種古代之制度，以考釋孔子言仁之旨。晚清自龔定菴、魏源、康南海、譚嗣同、孫中山之言，其及仁之義者，乃皆連于社會政治制度之改革爲言。是皆同屬于依事功以言仁之流。依此以言求仁、爲仁之學，卽皆當表見于事功。此與宋明儒之言仁者，首重在求仁之原于內心，與漢之董仲舒等之首重推本仁之原于天者皆不同。而爲中國思想言仁之思想又一大變也。

至于民國以後之論中國思想，而及于孔子之言仁者，其說又有種種。大體而言，則恒趣向在對孔子之仁之概念，求一解說。而學者見孔子之言仁，恒連于人之其他種種德行，如義禮智忠信恕之類而說；遂以孔子之未嘗對仁有一明確之界說爲憾，乃欲試爲之界說，以確定仁之主要意義或根本意義。學者又或求孔子之所謂仁之一德之界說而不得，遂謂仁爲「全德」之名，或「人道」之通稱。此現代學者之論中國思想，而及于孔子之仁者，皆趣向在對中國思想史中之孔子思想、有一客觀的理解，與昔之學者之言仁者，皆兼意在教人體仁而行仁者，其態度皆有不同。此客觀的理解之態度，其原儘可爲一非仁之「智」。然以此非仁之智，求客觀的理解仁而知仁，則又未嘗不可更爲人之體仁、行仁之先導。是爲中國思想言仁之思想之再一大變也。

凡中國思想中之言仁之義者，自孔子至今二千五百餘年，皆可納之于上述之數大變中，而更細觀其同異出入之處，以論此孔子以後言仁思想之發展。此則非本文之所及。吾人亦不能謂此孔子以後之言仁之思想，屬于孔子以後之人，即必不同時屬于孔子。吾人今就孔子對仁之所言者以觀，亦固與其後之學者，本其不同之言仁之方式所言者，皆分別有若干契合之處。唯吾人今畢竟當依何一方式說仁，最能契合于孔子所謂仁之爲仁之本質，或孔子言仁之根本之義，使人亦自得其求仁之道，則是吾人之一問題。此則須兼本吾人對孔子言仁之義，與其後之學者之所言者之理解，與吾人自己對仁之爲仁，或自己之求仁之工夫之體會，方可更爲之評斷。吾個人初亦嘗緣現代人求客觀理解之方式，會萃孔子對仁之言，以求孔子言仁之義，而于此孔子以後之數方式之言仁之論，自始卽以爲自見于事功者言仁，其義固最切實而易明。然溯事功之原，必在人之愛人利物之情，則以愛言仁，其義應深一層。至于此人之所以當愛人利物之理由何在，則又當進一層說。于此吾初嘗以爲孔子之言仁，應有其形而上學或天道論之根據。據論語禮記易傳所載，孔子言天之使四時行而百物生，亦明見一天道之仁；故嘗以爲孔子言人之仁道，卽所以法天道。此則無意間類似董子之以人之仁原于天之仁之說。繼後復念凡此以人之仁溯原于天之仁，如董子與一切宗敎家或形上學家以天道、天神之仁爲第一義，以視人道之仁爲第二義之說，皆與墨子之法天志之仁愛，以成人之仁愛，在思想根底上爲同一類型。此既與孔子多重在人之行事德行與內心上言仁之旨不合，而以哲學義理衡之，亦非究極之論。蓋卽天神天道是仁，人之法天道仍是人之事。直先說一天神天道之是仁，仍只是說一宇宙間之客觀之事實。然人何以當順承此事實，而法天道、天神，其理由仍只能在人之自身。又縱此人心之所以有仁，其原可推本于天，此亦當先實見得人心中之仁，然後能更推本之于天。而此推本之事，如只是一純理論的推論，則其本身正可是一不仁或非仁。本此推論所成之論，亦可以推論之愈多，而愈不仁。如西方神學家哲學家所爲之天道論、神道論是也。由此而吾乃知孔子之言及法天道之仁者，與孔子之言直在人之行事德行與內心言仁者，其言既明有多少輕重之別，而其義亦有先後本末之別。理當以在人之行事、德行與心上言仁之義，爲先、爲本，而以其言之推本于天道者，爲後、爲末。乃知宋明儒之自人之德行與內心境界、內心性理上言仁，而知其本亦在天道，最能契于孔子之旨。故循宋明儒之言而進，亦更合于哲學義理之當然之次第。至對宋明儒之言仁之說，吾初本其體證之所及而最契者，則為明道以渾然與物同體及疾痛相感之情懷、心境言仁之義。並以唯此明道之言能合于孔子言「仁者靜」「仁者樂山」「剛毅木訥近仁」之旨。此渾然與物同體之感，又可說為吾與其他人物有其生命之感通，而有種種之愛敬忠恕……之德之原始，亦通于孔子之言法天道之仁，人事天如事親，與「仁于鬼神」之旨者。此則吾三十年前中國哲學史稿已及其義，亦嘗佈之于世。來港後講授中哲史之課程，初仍本此意講述。十年前新亞書院移天光道，乃將此諸意綜攝而說孔子言仁之旨，更開之為對人之自己之內在的感通、對他人之感通、及對天命鬼神之感通之三方面。皆以通情成感，以感應成通。此感通為人之生命存在上的，亦為心靈的，精神的。如說其為精神的，則對己之感通為主觀的精神之感通，對人之感通為客觀的精神之感通，對天命鬼神之感通，則為絕對的精神之感通。又此感通之三方面，其義亦可相涵而論，有如主觀精神、客觀精神、與絕對精神之可通為一。此亦是承宋儒之言感通之旨，進而更兼通西方哲學義理為說，復皆可以孔子言證之者。論語雖無感通之一名，此乃本于易傳，然易傳之言感而遂通，初連卜筮說。宋儒乃直以人之心與生命之感通說仁。然論語記孔子言「吾道一以貫之」，貫即通也。通即見「道」，亦即見「一」。又孔子言達，如己欲達而達人，君子上達，又自言其「下學而上達」。清人阮元揅經室集，亦有文論及。阮氏初意在反宋儒之自心上言孔學。然達即是通。

無感亦無此通。已達，卽人之自己生命之有其內在之感通，達人卽與人感通。而君子上達之義，固亦可包括人與天命鬼神之感通也。吾之此總括統包之解釋，固已不同于只歸納孔子之言仁而綜合其義，以為仁造一界說者，而可用以說明孔子所謂仁之境界之全貌。然于孔子敎人求仁之工夫之節次，仍未能加以指出。而觀孔子之答弟子問仁，與自說仁之言，雖或亦就仁之境界而說，然更多就為仁之方而說，卽多就求仁之工夫而說。朱子所謂孔子之言多是泛言做工夫（語類十九雉錄）是也。孔子之言既多說做工夫，而學者之工夫之進行，非一蹴而至聖，便有其節次，則此孔子之言為仁之方者，雖因人而隨機點示，畢竟是在何工夫之節次上說，亦不可不思之，而求有所契；方可于工夫次第中，展現此仁的境界。然後此仁的境界方不為一虛懸之境界，而後可實見其全貌也。唯對此問題，吾則初殊無善解。

吾近為諸生講說孔子，乃忽念及此當于孔子之答弟子問為仁之方與為學工夫之效驗處，先分別細觀，遂見孔子答其高弟如顏淵仲弓問仁者，其義顯然更有進于其答子貢，及其餘一般及門弟子者。而論語所記孔子之自言仁，而未註明是答問者，其義又顯然更高一層。其間卽明見有一求仁之工夫之高下之次第或節次。乃更純就義理上之當有之次第，以觀孔子之仁與其相連之諸德之關係，而循序思之，乃不期而正合于此孔子之自言仁，與答弟子問仁之言之高下之次第或節次，亦與孔子，自言其為學之歷程之由志于學、而立、而不惑、而知天命之階段，正相應合。乃知朱子註引程子語，謂孔子自言進德之序如此者，只對學者而說、聖人未必然云云者，亦只是程子之揣測。程子之言亦正未必然也。實則孔子自言其進德之序如此，亦卽以之教學者，言其進德之序當如此也。由此而吾更見得昔人之直下以一語說孔子之仁，或只以上列之五方式之一，說孔子之仁者，皆只是就孔子言求仁之某一功夫之節次上說。故恒未能合孔子言仁之全旨。然吾人果能皆置之于孔子言仁之某一工夫之節次上說，又皆未嘗不有據于孔子之言，而有所契于孔子言仁之旨。若吾人更能通之于孔子言仁之其餘之旨以觀，則又雖偏而可未嘗不全。今更順此求仁工夫之節次，以次第言孔子之所謂仁之義，則吾昔之以對己、對人、對天命鬼神之感通，言孔子之仁之境界者，亦皆有其在一一工夫之節次上之更確切之意義可說，而更不虛懸。本此以評論古今人之釋孔子言仁之旨之說，則亦可實見其是非之所在。此卽本文擬由卑至高，由近至遠，循下學而上達之途，加以一一論者。其所以先自道其平昔究心之經過者，蓋所以說明其寫作之緣起，亦所以使學者更易于契其微旨之所在也。

二　仁德、事功、及志於道之涵義

孔子言仁之義，其最切近易解，而在義理之層面上最低者，爲卽人之事功，而連于仁與其所關聯之德而言者。于此說求仁之道，則求仁雖不同于求有事功，然求仁者必志于道，亦志在事功，而事功亦當以愛人之德爲本。按孔子嘗言管仲之器小而不知禮，然亦嘗謂「桓公九合諸侯，一匡天下」，爲管仲之力，「民到于今受其賜，微管仲吾其被髮左衽矣」，爲管仲之功；而稱之曰：「如其仁，如其仁」。孔子言仁恒連于禮，必復禮而後仁。則其就管仲之功，而稱其「如其仁」之正解，卽非其功之仁同于其德之仁之謂，而應爲其功「如」出于其仁，而同于「依仁而有此功」者之謂。蓋依孔子之教，有仁之德者，固當愛人愛民，求有功于民，使民受其賜，亦望民之受賜。今管仲旣有功，而合此仁者之所望，則當就其「合此仁者之所望」，而稱其「如出于仁」。此固非謂有功卽是仁，如宋之陳同甫之「功到成處，便是有德；事到濟處，便是有理」，及後此由清至今視功之所在卽仁之所在之說也。若孔子果以功之所在卽仁之所在，則無功者應卽無仁，孔子便不當稱顏淵之不違仁。顏淵一生在陋巷，固未嘗立功業于世也。顏淵未嘗立功，而其嘗問如何爲邦，其志未嘗不欲立功，其心不違其志，卽不違仁，而與功蓋天下，澤被生民者，同其德，同其道。故後之孟子稱「禹、稷、顏回同道」。此明承孔子稱顏回之仁而說。則吾人固不能由孔子之嘗就管仲之功，而稱之曰如其仁，謂孔子逕視其功之所在，卽其仁之所在也。

孔子之未嘗以功之所在卽仁之所在，亦未嘗以求有事功卽是求仁，兼可由孔子對人之才藝能力之言以證之。人之成其功業，固賴其所具之才藝能力。孔子固明言管仲之「力」，亦嘗稱其弟子之才藝能力，然未嘗以其弟子有才藝能力者，卽許其有仁。故孔子答孟武伯問，謂子路可使治千乘之國之賦，謂冉求可爲千室之邑、百乘之家之宰，公西華可立朝與賓客言，而皆不許其仁。又嘗謂「如有周公之才之美，使驕且吝，其餘不足觀也已」。于人之稱孔子博學多能者，孔子則答曰「君子多乎哉，不多也」。是皆明見孔子未嘗以人之才藝能力之所在，卽其仁之所在。才藝能力固爲人成功業之所必需，而有才藝能力者，亦恒能成或大或小之功業。則此孔子之不以才藝能力之所在爲仁之所在，亦正如其不直自人之功業之所在，視爲仁之所在也。

然孔子雖不直以人之功業才藝之所在，卽人之仁之所在，亦非謂求仁者不當求有功業，求具才藝以成功業之謂。若仁者而果不求功業，則亦將不望見他人之有功業，而孔子對管仲當只有貶斥，而不當有就其功之及于民，而讚之之事。仁者果欲成其功業，固須具才藝，而孔子亦明教人博學于文，游于藝，亦謂必有冉求之藝而後可以成人。是見孔子之旨唯是敎人依于其仁，以游于藝，而成其功業。人亦必先有成功業之志，然後能樂見他人之功業之成，合于其志之所向而稱之，亦樂見人之才藝之足以成功業而美之，乃可暫不問其是否皆依于其人內心之仁德。此方爲仁之至也。則謂孔子輕功業才藝，決無是處。觀孔子一生之栖栖皇皇，亟于用世，使天下有道，其欲建功業于天下之志甚明。其博學好問，善藝與多能，則皆所以遂其志之具也。

以孔子言仁未嘗輕功業與才藝，然亦不以有功業才藝爲仁；故孔子言人爲學之始，唯曰「弟子入則孝，出則悌，謹而信，泛愛衆，而親仁；行有餘力，則以學文」，有子謂「孝弟也者，其爲仁之本歟」。此孝弟之事乃庸言之信，庸德之謹，初唯表現于在家爲弟子，非所以成世間之功業，亦不待乎才藝也。然此即是爲仁之本，亦所以親仁。孝弟者人之生命與父母兄弟生命之感通，即人之生命與他人之生命之感通之始也。畢竟孝弟便是仁否？仁由孝弟之本而生？或孝弟只是仁之表現，非仁之本而只是人之行仁爲仁之本？宋以後之學者，更有細微之討論。然觀有子孔子之言孝弟，則無如許曲折之義。無論說仁由孝弟之本而生，或孝弟只爲人之仁性仁心之原始表現；人之行于仁道，皆必以孝弟爲先，即以其生命在日常生活中，與父母兄弟之生命相感通爲先，再及于愛衆親仁，則無異也。

孔子言人之爲學與行于仁道，乃自爲弟子始。人之共學，初亦當即共學爲弟子。孔子自言十五志于學，自亦包括此學爲弟子。然學爲弟子，而至于以泛愛對衆人，而親仁，學至于學文；則人之生命之所感通者，漸及于一家之外。文即禮樂之事，亦通于種種之才藝。由此而志于學之義，即可更通于孔子所謂「志于道」「志于仁」「據于德」「依于仁」以「游于藝」之旨。以其皆是學之事也。則孔子之言其十五而「志于學」，即可涵「志于道」，「志于仁」之旨。志之字原爲心之所之，即心之所往之方向。孔子最重志，故論「三軍可奪帥也，匹夫不可奪志也」。志于仁，即依于仁。凡人知泛愛衆而親仁者，皆依于仁，而皆可謂志于仁者也。學爲仁，即成己之仁德，以爲己之所據；學禮樂才藝，即可成人己之事，以通人己之情。而志于道者，則不外志在此己之有通達于衆人之道路，使己行于此道路，已有此道路可行；同時求人之同行于此道，以至天下皆有道可行，有路可走也。天下之人不知以己之生命通達于人之生命，而互相阻隔，人乃皆無道路可走。是謂天下無道，是謂世之亂。而所謂天下有道、世之治者，亦不外人人皆有路可走，而各得其所，如江淮河漢之水，各順其流而已。此由人之志于仁，依于仁，而兼志于天下之有道，而各得其所，則可由志于學之發展而至，以為孔子所好之學之所涵。孔子對弟子自言其志曰：「老者安之，朋友信之，少者懷之」，即老少朋友皆得其所之謂。禮運大同之言，雖或由後人之所增益，然其謂：「大道之行也，天下為公，選賢與能，講信修睦，故人不獨親其親，不獨子其子，使老有所終，壯有所用，幼有所長，鰥寡孤獨廢疾，皆有所養，男有分，女有歸。……」仍不出此使天下有道，人皆得其所之外也。何晏皇侃論語注疏志于道章，以「道不可體，通無形相」為說。此乃以玄言說道。孔子之言道，初固不如此之不可把握也。循此以觀孔子所謂士志于道，自必兼包涵由自己之有道，以使天下有道之義。而志在天下有道，即志在道之行于天下，德澤功業之見于世。人之「志于仁」「依于仁」之仁，自其屬于主觀之一己而言之，即是由己之學而成之德；自其通達于外之客觀之他人、或于天下者而言之，即是道。則孔子之言「志于道，據于德，依于仁」，可涵「志道本于據德，依仁而後行道」之先後之工夫之序。然非視此道、德、仁為高下不同之三境界，如老子「失道而後德，失德而後仁」之說；而只是謂道為人之所前向，德為人所後據，而仁則為本此後據，以向前行道者而已。故對此仁之為物，吾人當謂自其屬于內而觀，即是德，自其兼通于外而觀，即是道。而志于仁者，亦必須同時求與其外者相感通，否則雖能「克伐怨欲不行」，為人之所難，孔子亦不謂其為仁也。故仁者自必當有志于道之行，而見于功業之成，以使己之德澤，流及于外。人欲成功業，自亦當求具才藝。故于依于仁之下，亦更言游于藝。于藝只言「游」者，即言人當于其才藝無驕吝，毋「意」「必」「固」「我」之謂也。是即孔子言仁之本旨。此固明非功業才藝之所在，即仁之所在之謂，亦非仁者之志在成德，即不志在成功業，不求有才藝之謂也。

識得孔子之志于仁，即志于道之行，以使德見于功，即知孔子言仁，雖斷然不同于以功即仁，或墨家之以利即愛，「愛大而利小，不如愛小而利大」之功利主義之說；然亦有其連于功利以言仁之德之效用之一面。玆按孔子答弟子之亟于用世者之問仁，即皆偏重在指出此一面。孔子之弟子如子張嘗問達，樊遲欲學爲圃，子貢善言語爲貨殖，皆最亟于用世者。而孔子答子張之問仁，則曰「恭、寬、信、敏、惠」：敏乃勉于事，而原于對事之忠；惠乃以財物濟人，而原于對人之愛；寬在容眾而原于恕；恭近乎禮而原于敬；信則忠恕之極，此皆爲仁所連之德。後文將再及之。然孔子于子張之問，則唯釋之曰「恭則不侮，寬則得眾，信則民任焉，敏則有功，惠則足以使人」。此皆明是偏自關聯于「仁」之恭寬信敏惠諸德行，在政治上對人民眾庶之「功用效驗」上說。樊遲問仁，孔子答曰「居處恭，執事敬，與人忠」。此亦直在居處、執事、對人之事上說。孔子又答樊遲問仁曰愛人，答樊遲問知曰知人。此所謂知人，子貢更釋孔子之意，謂知人即所以舉賢。此亦是自政事上說。則孔子答樊遲問所謂愛人，亦是自政事上當愛人民，而見于種種愛人民之事而說也。至于子貢之問仁，則問曰：「如有博施于民，而能濟眾何如」？此即見子貢初純自仁愛之德見于博施濟眾之事功者言仁。然孔子則答曰「何事于仁，必也聖乎？堯舜其猶病諸。仁者己欲立而立人，己欲達而達人，能近取譬，可謂爲仁之方也已」。此孔子之答，其意何在，下文當釋。然就原文，亦可見孔子于仁者之愛之見于博施濟眾者，亦有嘆美之意。故曰：「何事于仁，必也聖乎」。此雖非必以聖在仁之上，然要是一嘆美之意，故更以博施濟眾之功，堯舜猶難盡爲說。此皆見孔子對其弟子之亟于用世者，而言仁與其所關聯之德行之意義，多就其對政事上功效而說也。

三　為仁之方、與忠、恕、信

以上所說孔子之志于學、志于仁、志于道，只是孔子言求仁工夫之第一步。此中之志，只是一吾人生命向外通達之一嚮往，于此可說人之存此嚮往，立此志，即是工夫。然此外尚無所謂存立此志之工夫，故只爲工夫之第一步。此孔子于言教人志于仁時，同時注重此仁與其所關聯之德行在政事上之功效，乃唯在孔子答子張、樊遲、子貢諸弟子之亟于用世時，方如此說。上所引之答子貢之問中，雖未明斥子貢之言，已兼教子貢不當只重仁之見于博施濟眾之事，而教子貢當知仁者之所以爲仁者，在「己欲立而立人，己欲達而達人」之心，而當于切近處取譬，以知爲仁之方。此即已意在由子貢之語，進一層言仁。子貢之問，以博施濟眾言仁，純重在仁之見于其外面之功。孔子之答，則教子貢由外轉內，而知其當如何有此「由己以及人」之仁，而勿只外慕博施濟衆之功。人果能德位兼備，而博施濟衆，固是仁之至，而其人可稱聖，其功亦爲聖之功。然人果已至於聖而有其功，則人已不須更從事于求仁。故孔子有「何事于仁，必也聖乎」之言。然孔子則教子貢以仁者必由己立以至于立人，由己達以至于達人，而告以「爲仁之方」，更告以人由爲仁之方，以至于仁如堯舜之博施濟衆，此博施濟衆之事，乃無盡之事；則在此事上看，無最後終結完成處，亦無可慕。唯在循仁之方而行，以求自成其仁德，方當下有切實之求仁工夫落腳點。有求仁工夫以成仁德，而後仁乃不只爲所志之道，亦爲足據之德。此卽孔子答子貢之問之轉進一層之義也。

孔子教子貢之爲仁之方，在能近取譬，己欲立而立人、己欲達而達人。孔子又答子貢曰「有一言可以終身行之者乎」之問曰：「其恕乎。己所不欲，勿施于人」。吾觀左傳國語所記春秋時人言德之語，于忠信義勇智諸德，皆隨處及之，而言及恕者則甚少。忠信恒合一成辭，然合忠恕以成一辭，則吾未見。想有之亦必不多。今孔子答仲弓問仁，亦以「己所不欲，勿施于人」爲言。則此恕亦卽是孔子教子貢之爲仁之方。己所不欲，勿施于人，與己欲立欲達，卽以立達施于人，原爲推己及人之事之二面。于己所不欲，不施于人，爲消極之恕，則于己所欲者、施之于人，卽應爲積極之恕。然孔子言恕，則又明以己所不欲，勿施于人爲本，故其答子貢仲弓之問，皆以此爲說。而大學言絜矩之道，亦以「所惡于上，毋使于下；所惡于下，毋以事上；所惡于前，毋以先後；所惡于後，毋以從前；所惡于右，毋以交于左；所惡于左，毋以交于右」爲說。中庸則謂「忠恕違道不遠，施諸己而不願，亦勿施于人」。此亦言消極之恕。然其下引孔子曰「君子之道四，丘未能一焉：所求乎子，以事父，未能也；所求乎弟，以事兄，未能也；所求乎臣，以事君，未能也；所求乎朋友，先施之，未能也」。此則要在由己之所求所欲于人者，而知人之所求所欲于己者，以使己自得其所以待人之道，則又正爲積極之恕。合此二者，而見孔子之所謂恕，其始乃全在體察吾人自己對他人之所惡，與對他人之所求所欲者之所在，而即以此爲人之求仁之始。此其旨最切近于庸言庸行，而其所涵之義旨，亦較泛言志于仁、志于道，以立功業于天下者，更深一層，而恒爲人之所忽。茲試更一略加以發明如下。

吾人首當知人之志于仁、志于道，固原非易事。然人亦能自然發出一望天下有道，望人人皆有路走之理想。如望世界由亂而治，望天下太平之理想，此即今之中小學生皆有之。今之青年之順此理想，而信奉一社會政治上之主義，以求改造社會政治者，亦初未嘗不出于一自然的向上憤悱而奮起之意，與對人民之同情之心。即亦皆多少是依于其仁，而欲有所志于道之事。凡人之能成或大或小之功業于社會者，其始亦皆同多少有一向上憤悱奮起之意，與自然發出的對社會中之他人之事，能加以關切之心，而後能之。孔子之教人志于仁，志于道者，亦初不外就學者有此憤悱之意，關切之情之處，更自覺或自知此「心之所之」，而確定的建立之，以形成爲「志」而已。此中人之自然發出的憤悱關切之情意，有大有小，有切有泛，故此所形成之志，亦或大或小，或切或泛。而此所志之內容，亦初非確定，而待于不斷之開拓與擴展。所謂志于道者，亦即要在志于此不斷之開展，使由此不斷開展而成之「由己以通達于人之道路」，日廣日大，而其志日眞切而已。然人于此，若果能志于此由己通達于人之道路之日廣日大，則其志亦可化爲無限量，以至視天下爲一家，中國爲一人，視萬物皆備于我，或視天地萬物爲一體。而人果更能眞切此志，則爲賢爲聖，而功蓋天下，德被生民，皆可別無工夫可說。孔子言「苟志于仁，無惡也」，亦可是謂能志于仁，至于相續不已，則過惡無不可去之意。孟子于言「萬物皆備于我矣」之下，亦只須說「反身而誠，樂莫大焉」，即足爲全部工夫之所在。宋儒程明道以「仁者渾然與物同體，識得此理，以誠敬存之而已」。象山言學者須先明道，而直識宇宙即吾心、吾心即宇宙。此皆是即此人之所志之道之開展，可廣大至無限量處，而教人自存此心，自誠此志，使之眞切，便是工夫之言。吾今亦未嘗不可承認只此志于仁，志于道之一語，即可爲一當下具足之求仁工夫。然孔子之教學者以求仁之方，卻又不如此孟子以至明道象山之說，而更由行恕，知己之所欲不欲，以更推及于人爲言者，則正別具一下學而上達之深旨。朱子之所以以明道言太高，而不滿象山之論，以至對孟子亦有微言，即初由疑其將忽此下學工夫之故。然依吾人之意言之，則孔子之以志于道、志于仁爲先，初正是孟子與象山之先志于大之旨。然由此更有下學之行恕等之工夫，爲第二步。則于朱子之言，亦可更見其具有深切之旨。蓋此志于仁、志于道之事，原是由己以通達于人、于天下之事。此志此仁此道之所通達者，其前面範圍，無論如何廣大無限，然畢竟是由己通達出去。

此中人之志向前開拓推廣，人之自己亦隨之俱往。而人之自己之所據者，則在自己已成之德。則如己德未嘗修、過未嘗改，則人之過，與其志、其仁、其道，常俱往而夾雜俱流；亦儘可隨其所自覺之志之道之仁之無限量，而其過亦化爲無限之罪惡。故吾人于他人之過惡，固亦當觀過而知其仁；然學者則當首自見其過，而當先自疑其志于仁、志于道，或是「色取仁而行違」；而不當自謂其能志于仁、志于道，即更無不仁無不道，而居之不疑。觀世之自謂有救天下之道，而自謂出于愛人，而強天下人之行其道者，固常是夾雜一己之大私大惡，以爲禍生民者也。吾人如能深觀此「人一己之過惡、恒與其志道、志仁之事，夾雜俱流于人類歷史人類社會中」之事實，並知上文所謂此事實之所以必然產生之故；則知人之能向前以志于道志于仁，以至視中國爲一家、天下爲一人者，亦必須同時向後自求其一己之德之實可據，而使其行道之事之實依于仁，並先自見過惡而改之。此則必落實至庸言庸行中之行恕，而以知己之所欲與所不欲，爲求仁修德之始。則志于道之廣大高明，必同時以行恕之中庸精微，爲其基始。此則亦正孔子之教之至高明而至廣大之處也。孔子之言行恕，要在知己之所欲與所不欲。據上引論語中庸所記孔子之言，與大學所發揮之孔子之言之旨，此中之所欲，即初指吾一己之所求于人者而言，所不欲即指吾一己所惡或「不欲人之加諸我者」而言。此皆屬吾人在日常生活中最平凡而爲吾人所切感之實事。人固皆生而有欲求于人，期望人之能足我之欲，而于人不能足我之欲之處，則怨惡之心，不期而生。吾人之朝朝暮暮，與人相接，生心動念，固無時不在此求于人，或怨惡于人之情欲中輪轉也。然人于此恒事過境遷而遽忘之，更不自知，乃自謂其未嘗求于人，未嘗怨惡人。孔子則能自知其求于子者以事父之未能、其求于臣者以事君之未能、其求於弟者以事兄之未能，其求於朋友者先施之未能；而即此未能處以求能，於其所惡於人之處，即不更將此所不欲、所惡，再施於人，以爲行恕而求仁之始。則孔子之更重己所不欲、所惡之勿施於人，似初不重在將己所欲者施於人，又正有其最切實之義在也。

此一最切實之義，在人之欲求於人，乃人之向外而求。此時人心之所向者，初乃在外，故人初未必能反省其欲求；當他人之不順其欲求時，其所首表現之情，即爲怨惡。故人較易知其對人之怨惡之所在。今吾人能就此所惡、所不欲於人之所在，而更不將此所惡、所不欲者，再施於他人，即當爲行恕之始。蓋當人之所施於我者，爲我所不欲所惡，而我既受之之後，此中我即原有以將此所受者，還施於另一他人之自然傾向。如人之受居上位者之頤指氣使之後，即轉而對居其下位者之頤指氣使；弱者爲強者所凌，即轉而凌其更弱者；寡者爲眾者所暴，即轉而暴其更寡者。此皆可說爲一般心理生理或物理之自然傾向。此自然傾向，其原至遠，其勢至大，而人類社會中之層層之壓迫、剝削、侵略之形成，無不原於此。由此而人欲自制此心理生理物理上之自然傾向，不將他人之所施於我而爲我所惡者，轉施之於人，「所惡於上，毋以使下；所惡於下，毋以事上；所惡於前，毋以先後；所惡於後，毋以從前；所惡於左，毋以交於右；所惡於右，毋以交於左」，必待吾人之中立於此上下左右前後之間，以受天下之所惡而不倚，更截止其流行者，而後能之。以此行恕，則人終身行之而不能盡，其故在人有其所欲，卽必有其所不欲或所惡，而人亦無時能無所不欲與所惡。孔子曰「唯仁者能好人，能惡人，」又言「君子亦有惡」。至於此恕之道之另一面，卽爲將己之所欲施於人。此卽孔子告子貢「己欲立而立人，己欲達而達人」之旨。此是以己及物之仁，卽推己及物之恕，而亦爲人皆可終身行之而不盡者。蓋一般人與一般學者固有所欲立、欲達者，君子仁者以至聖人，亦有其所欲立、欲達者。則皆不能離此恕以爲道，以更立人達人。故宋儒程朱言忠恕曰，有學者之忠恕，有聖人之忠恕。謂中庸所言違道不遠之忠恕，乃學者之忠恕，而論語載曾子謂夫子一貫之道，「忠恕而已矣」，爲聖人之忠恕。聖人之忠恕又同於天地之忠恕。「維天之命，於穆不已，不其忠乎？乾道變化，各正性命，不其恕乎？」聖人之忠恕行，而後萬物各得其所，一夫一婦莫不被其澤，而天下無不立不達之人。此義甚爲弘遠。然一般人與學者之忠恕至極，卽是聖人之忠恕，亦同於天地之忠恕。不遠道而近道至極，卽全是道。則亦不可輕一般人與學者之忠恕。一般人、學者與聖人，皆不可離忠恕，以有其立己立人、達己達人之仁，卽皆同依於忠恕以有其仁，而見此忠恕與仁之不可須臾離者也。依孔子所言之忠恕之道以觀，初蓋未必及於聖人之忠恕、與天地之忠恕。曾子謂夫子之一貫之道，卽忠恕，亦只是曾子之理解。實則如忠恕可爲一貫之道，則信與仁智等莫不可爲一貫之道。觀孔子之言忠恕之道者，實多唯由人己之感通而一貫之道爲言，尙未及於己與己之感通一貫之道，己與天命鬼神之感通一貫之道，則吾人對此孔子言忠恕之道，仍當自其切近學者之義而了解之爲是也。

至於此中忠恕之二名其所涵之義之同異何在，自亦當說。中庸謂忠恕違道不遠，而下文所謂「施諸己而不願，亦勿施於人」，則只以恕爲釋。論語孔子言仁或以恕言，或以「與人忠」言，是見忠恕應爲皆統於仁者。然忠恕既爲二名，其義自亦有不同。宋儒如程子言盡己之謂忠，行己而推己及人之謂恕，忠爲體，恕爲用。此則先忠而後恕。蓋恕而不行之以忠，則恕亦不得成，故忠爲恕之原，而爲體也。然就孔子之言忠者細按之，則忠之原自在心，而忠之事則要在及於人。玆按國語周語謂「考中度衷」，「中能應外」爲忠，又言「帥意能忠」，晉語言「忠不可暴（露）」「忠自中，而信自身」，「除闇以應外謂之忠」。此皆以忠出于內心之中之旨。而忠之及于人，則周語有「忠，所以分也」，「忠分則均」之語。左傳桓公六年言「上思利民，忠也」。此皆以利民爲忠。僖公九年「公家之利，知無不爲，忠也」。文公六年「以私害公，非忠也」。則以忠于公家爲忠。又文公六年「敵惠敵怨，不在後嗣。忠之道也」，則言報怨不及于後世爲忠。莊公十年「小大之獄，雖不能察，必以情，忠也。」定公九年，「鄭駟歂殺鄧析而用其竹刑，君子謂子然于是不忠。苟有利于國家者，棄其邪可也」。則以慎獄輕刑爲忠。昭公十二年言「外彊內溫」「內外倡和」爲忠，則與國語周語「中能應外」爲忠之旨同。要之，可見此忠之原義，乃本一內心之忠，以爲利民利公之事，以使內外相倡和爲本，初無後世專以忠對君之說。故孔子以「與人忠」，及「臣事君以忠」並舉，曾子則只言「爲人謀而不忠乎」。此忠之義，皆在發於心而及於人與事上說，而與恕之義要在於自己心之所欲與所不欲上體察，然後推及於人者不同。人必先推己及人、知有人之事，然後能忠於人之事。能忠於人之事，必已先有恕之功。故忠之內涵，亦可說大於恕。恕之功尚待於勉強而後就，忠則必已不待勉強而自忠。故恕成於忠，而忠可攝恕。由此而言忠恕，卽可以忠爲先而後恕，並可以此先後之相貫，見忠恕之一貫。此固非必如程子朱子之以「忠爲天理，恕爲人道」「忠爲體，恕爲用」，（二程遺書卷一明道語、又卷十八卷二十三伊川語、朱子語類卷四十一、又卷四十五）然後能說此先忠後恕、與忠恕一貫之旨也。

孔子言忠，或與恕並言，或與信並言，故言主忠信。其答樊遲問仁曰「與人忠」，答子張問仁曰「信則民任焉」。此所謂信皆要在就言者之必行其言而說。朱子以信爲德之實有於心之名。此純偏在內心上說信。然古義之信，則初只就人之自踐其言之約上說。人之忠於人之事者，可只就其現在之盡忠說。然與人有約，而後必求自踐其言，則及於未來。對人之忠，至於「久要不忘平生之言」，一諾而死生以之，以貫徹始終，卽忠之至，而爲信者也。是見信之義又有以進乎忠，而爲忠之至。則信所以成忠，而信之涵義亦大於忠。此當是忠信之古義，而亦爲孔子所承者。故主忠信乃以信爲終。孔子言政事，嘗言行之以忠。然「民信之矣」，則爲政事之歸極。人之爲學亦必至於能信、能篤信，而後極。人之一切守死善道之事，亦無不由篤信而致。孟子言「可欲之謂善，有諸己之謂信」。忠恕之善德，亦必實有諸己而後至於信。則信之德固有所進於忠也。程伊川謂「盡己之謂忠，……見於事之謂信」。程明道謂「盡己之謂忠，以實之謂信」（二程遺書十一）。忠見於事，而信爲忠之實，卽其義亦有進於忠也。論語記孔子於「微子去之，箕子爲之奴，比干諫而死」，更稱之爲三仁。此稱爲三仁，皆自其爲忠之至以說。忠之至，必不易其諫諍之言，以違平生之志，而去就死生以之，卽信之至也。按論語言子以四敎：文行忠信。此文卽博文之文，亦游藝之藝，乃人之仁得見於事功之具。而行之一字，泛言德行，其義不定，固亦不必專指恕。然子貢問「有一言而可終身行之者乎」，子曰「其恕乎」，恕要爲推己及人之行，而四敎終之以忠信，則見孔子之四敎，歸在主忠信。唯此四敎，蓋指孔子之敎之切實者言之。至於自孔子之敎之全言之，則固不止於此四者也。

四　仁與禮敬

在孔子答子張、樊遲、子貢問仁之言中，已及於忠恕與信。此皆要在言人之如何依恕以求仁，而由己以通達於人，以見於忠信之事，亦兼及其效之見於爲政者。然孔子之答顏淵仲弓之問仁，則明又有進乎此者。顏淵問爲邦，仲弓可使南面，卽皆志在政事功業者。然又皆在孔門之德行之科，而不同子貢、子張、樊遲之只亟亟於用世，而未必能知修德爲政事功業之本者。故孔子答顏淵仲弓之問仁，卽兼涵攝爲政與修德之二端，而明敎之以修德爲本。孔子所告於顏淵仲弓之爲政之道，則要在達其仁，而本一禮敬之心以臨民。此則匪特非只以功業言政，亦非只以忠於國、信於民言政。孔子答仲弓之問仁曰：「出門如見大賓，使民如承大祭，己所不欲，勿施於人，在家無怨，在邦無怨」。玆按左傳僖公三十三年記臼季語，已有「出門如賓，承事如祭，仁之則也」之語。楚語亦記沈諸梁有「仁者：好之不偪，惡之不怨」之語。然孔子之答仲弓之後四語，則要在言依恕而行仁，以至無所怨惡之旨。此卽恕之至。蓋恕之始，原是由知己之所惡、所不欲、而勿施於人。然人果能旣受「人所施於己而爲其所惡、所不欲者」之後，更轉而只求再不將之施於人，其用力已別轉一方向；卽必能忘其初之對人怨惡之心，故能無怨。而此無怨之進一層之義，又可由不怨人、「不尤人」，以進至孔子所謂「不怨天」之旨。是卽爲對道之行與不行皆知命而不怨之義。後文當再及之。

孔子答仲弓依恕以行仁，以恕之至爲無怨，以「在家無怨，在邦無怨」爲言。此卽較其答子貢之只以己所不欲勿施於人，己立立人，己達達人之工夫爲言者，更及於此工夫之效驗，而其義亦更深一層。至於前二句「出門如見大賓，使民如承大祭」，則此自是直對爲政之道說。按孔子之答樊遲之問仁，只及於愛人知人。愛人卽愛民，而愛民之事，可只爲「使民也惠」之事。孔子答子張之問仁，亦只及於寬惠恭信敏，以得衆、得民之不侮與信任、而有功等。然孔子此答仲弓問仁，而以「出門如見大賓，使民如承大祭」爲言；則是謂仁之見於政，必表現爲對人民有一至禮極敬之情。此與恭之只是個人居處態度上之事不同。至孔子答顏淵問仁，則曰「克己復禮爲仁，一日克己復禮，天下歸仁焉」。按春秋左傳昭十二年謂「仲尼曰：古也有志，克己復禮，仁也」。則此語及告仲弓語，皆古語。崔東壁論語考信錄，嘗指出之。孔子以此語教顏淵，即教其由克己而依於仁，並以此至禮極敬之心爲政，而「使天下之人民，乃皆爲此依於仁之禮敬之心之所對所向，而天下之人民，亦如歸向於此依於仁之禮敬之心」之謂。曰「一日克己復禮，天下歸仁焉」，此猶言一日用力於仁而仁至。仁至而禮敬之心及於天下之人，則天下之人，即如歸向歸往於其心之仁矣。朱注之以天下歸仁，「爲天下皆與其仁而效之」，亦必其依於仁之禮敬之心，先向在天下之人民，而後有此天下之人之與其仁，而效之事。故吾意於此下非禮勿言四句，實不宜如邢昺疏之以曲禮所言人在視聽言動上之禮儀節文爲解，亦不宜只如朱子之禮即天理之節文爲解。蓋朱子之意乃如程伊川之視聽言動之四箴所說，意謂人之視聽言動，皆有其種種天理之節文，以此節文克己，即克己復禮之意。此雖較邢昺之以禮儀節文爲解者，其義爲深，然仍重在視聽言動之一一節文上。今若以節文爲此復禮之禮，則此復禮之功，乃在此視聽言動上節文之條目上。然孔子之答顏淵實只以視聽言動爲目，而未言視聽言動之上之節文條目也。人若只以此諸節文條目自制自律，其效亦儘可只形成個人居處態度上之恭，而未必即爲對人之禮敬也。顏淵嘗曰「夫子博我以文，約我以禮」，此與博對言之約，乃「博學而詳說，將以反說約」之約，應即簡約義之約，而非約束之約。若此禮爲視聽言動上之種種節文，則此中節文之條目無盡，當說「博我以禮」，不可言「約我以禮」也。故吾意此孔子之答非禮勿視、非禮勿聽、非禮勿言、非禮勿動，唯是言人之禮敬當運於視聽言動之中，而無所不極，或人之視聽言動，皆當爲一禮敬之意之所貫之意。則視聽言動之事雖博，而貫乎其中之禮敬則至約，方可言約我以禮也。若然，則孔子之答顏淵之問仁與其答仲弓之問仁，雖似一以克己爲主，一以推己之所不欲，而勿施於人爲主；然其歸本於對人民之禮敬之旨則同。孔子答顏淵之復禮，亦猶其答仲弓之「出門如見大賓，使民如承大祭」之旨。復禮之心，卽一如見大賓、如承大祭之至禮極敬之心也。本此心而其視聽言動皆至禮極敬，以向天下之人民，而在此心境中之天下之人民，卽皆如歸向於此心境之仁，而亦可與其仁，而更效之。然後可說一日克己復禮，而天下歸仁也。此自仁之見於至禮極敬之心，而表現於禮處言仁，唯孔子對仲弓顏淵之兼求爲政與修德之功者，方有此答。孔子之此答，則固較其答子張、子貢、樊遲之切切於事功者之言，其義深一層；亦較其言忠於國，愛於人，與信於民，爲政之道者深一層。忠於國，愛於人，信於民之爲仁，固不如以禮讓爲國、以禮敬之心待天下之人民，爲仁之至也。

按上述之忠信禮讓，乃春秋時人常言之德行。然當時人言禮讓，多以有位之君子之間之禮讓爲言。然孔子則特標出恕以爲求仁之道爲本，並特重此禮敬之及於使民之事，爲禮敬之至。則孔子之進於當時之言禮讓忠信者也。

孔子之連於忠恕信愛與禮敬以言仁者，皆同爲由己以通達於人之道。而其所以爲由己以通達於人之道者，則不同其義。恕皆連一己之特定的所欲或不欲，而推己及人。忠則忠於爲人謀之一定之事。

臣事君以忠，亦就臣對君所作之一定之事言。無條件之忠於君一人，孔子無此說也。信之求言之必行，亦爲一定之言與行。敬若是執事居處之恭敬，則與忠無大別；如指對人之禮敬，則此禮敬與對人之仁愛，不必連於一定之欲不欲之事與言行爲說，而可只是整個的對人之禮敬之情。孔子曰「恭近於禮」。禮記記孔子言「忠信之人，可以學禮」，則禮敬之義有深於恭忠信者。禮敬之爲一整個的對人之情，亦有如對人之仁愛之可爲整個的對人之仁愛之情。人能愛人敬人，自必已有對人之忠恕與信。然人之只有「強恕而行之事，而其言有信者，則未必能對他人有一整個之愛與敬。故對人之忠恕信之行，其義專而狹；而對人之愛與敬，其義廣而寬。此中對人之敬與對人之愛之不同，則在愛爲橫施之情，而對人之禮敬，則爲如將人加以升舉，而自己亦向上興起之情。恕之爲橫施，近乎愛，忠之竭己力以作爲人之事，則近乎禮敬。愛敬之情之相續而無間，皆所以信於人己。然愛之爲橫施之情，與禮敬之爲上達之情不同。愛人亦必至於對人之禮敬，其愛乃遠離於佔有，以隨他人之生命心靈或精神之發展以揚升，而後其生命心靈，乃不只有一橫面的通達人己之廣度，兼有一將人己併加升舉之高度也。故本仁者之心以爲政者，亦必不只於愛人愛民，而當以「見大賓」「承大祭」之禮敬之心，待人民而行政事，方是爲政之極則。此卽孔子之所以言「道之以德，齊之以禮」之意。「齊之以禮」之「齊」，吾意非整齊之齊，當如禮記言「妻者齊也，與己齊者也」之齊。此齊卽平齊之齊。齊之以禮，蓋卽平齊地施此禮敬之心以爲政，則教民之守禮之意，自在其中。不當謂只以禮文之儀節，約束人民之行爲而整齊之，便爲齊之以禮也。以齊爲整齊之齊，與孔子告顏淵仲弓以克己復禮，以見大賓承大祭之心爲政之旨不合，故宜改如上說。

五　仁與智及勇、義

孔子言仁，除與忠恕信愛惠及恭禮敬連說之外，亦與智義勇並言。然其旨又不同。蓋此忠恕信愛敬恭等，皆爲純正面的由己以通達於人之德，人可順之而行而無礙者。此中人之行之，皆惟賴孔子所謂直道而行。亦唯人之質直者，乃能行之而不疑。孔子喜言直。如謂「人之生也直」「直哉史魚，邦有道如矢，邦無道如矢」。此蓋皆自人之由己以直感、直應、直通達於外處說。故謂微生高於人之求於己者，不能直感直應，而轉求於他人爲不直。恕道之推己及人，人我平觀，即爲直道。大學所謂絜矩之道，即方直之道也。而忠之直往盡心、信之直踐其言，愛敬之直對人而施，皆同爲直道。人行之而成之德，亦皆可謂之直德。至於智，則須兼知賢愚善惡之正反兩面，而辨別之，並擇其賢者與善者以從之。而於賢者善者之不同種類，不同程度者，亦賴智爲之辨。行義當本於智以辨事之宜與不宜，而在不同情形之下，亦各有其宜與不宜。則「唯義所在」之大人，可「言不必信，行不必果」。而勇則見於對「阻礙人之爲仁者」之無所畏懼，並當求合乎人所知之義。此皆爲人之兼面對爲反面之事物，而後有之德。其德卽皆非直下順行之所能就，乃必歷曲折艱難而後成者。亦皆可謂「由曲以成直」之德。孔子之所以言「仁者，必先難而後獲」者，亦正以人之順此忠恕愛敬以求仁者，其初若可直下順行卽能就者，當其見有種種反面之事物，多方面之事物之出現在前；則必待於智爲之辨、義爲之擇、由「質直」而進至「好義」，乃有其合義之勇而無所畏以成其仁也。此智義勇之所以皆歷曲折艱難而成，在其恒表現於一具體特殊之境，不同于只順直道而行，所能成之忠恕愛敬之德，只須普遍化吾人之所欲不欲，以施或不施於人，便能成者。故由智義勇以成仁，皆大有其難處。而此智、義、勇之連於仁，卽又不同上述之諸德，而有其更進一層之旨矣。

在智、義、勇三者中，孔子言仁，恒與智並言。孔子十五志於學，固未必卽志於道。故言「可與共學，未可與適道」。然志於學自亦可通於「志於道」「志於仁」之旨。孔子三十而立。而忠恕信禮敬之德，卽皆所以自立也，而禮敬之德爲其至，故曰「立於禮」。孔子「四十而不惑」，又言「智者不惑」，則智之工夫之層面節次，又高一層。論語「未可與適道」之下文，爲「可與適道，未可與立；可與立，未可與權」。此卽謂「志於學而適道」爲先，「立」爲其中，而「權」爲其後。權卽待乎不惑之智，能知義之所在，而後有者也。公冶長子張問令尹子文，孔子曰「忠矣而未知，焉得仁」，又問陳文子，孔子曰「清矣而未知，焉得仁」。則忠淸而無知，皆不得爲仁。是見仁者必不可無知。孔子亦嘗自謂「蓋有不知而作之者，我無是也」。無不知而作，卽無無智之作也。孔子又嘗言「仁者安仁，智者利仁」智者于仁利而行之，固不如仁者于仁之安而行之，以攝智歸仁。至所謂智之旨，自可兼自對己、對人、對事理等各方面說。如樊遲問智，子曰知人。此知人之智，乃自爲政者之用人上言。子曰「里仁爲美，擇不處仁，焉得智」。此知人之智，則由知自修之事賴於「以友輔仁」而言。至於謂「智及之，仁不能守之，雖得之，必失之」，則是自己之智若不進至於仁，則不足以守其智之所知而言。樊遲問智，子曰「務民之義，敬鬼神而遠之」。則此智乃重在自知事理之當然而言。凡此中人之所以必智而後仁，則其要義蓋在言仁德之成，必包涵自覺的內在的感知。知己之欲與不欲或愛惡，即是一內在之感知。此內在的感知，即是己與己之一內在之感通。人之此內在之感知感通，各有其不同之深度與廣度，而其推己及人之忠恕，亦有種種之不同之深度與廣度。此當卽程子之言一般學者及聖人之忠恕之所以別之旨。人既能推己及人，以行忠恕等之道之後，人對所行之忠恕之道，以及其所成之德，亦皆無不有一內在之感知、感通，亦卽原無不有智行乎其中。對此忠恕等之道之德所及之他人與事理等，亦卽同有所感知、感通，而有智行乎其中，合以形成吾人由己以通達於外之仁。故仁之必與智俱，原爲理所當然。而智之所以爲智，則除此感知感通外，要在由此而對感知感通者，更能加以辨別，以知人與己之賢愚善惡，而更自知其所當擇。故人之仁是仁，而知人之仁，而與之友，與之處，而好仁，卽是智。「不仁」不是仁，而知人之不仁，而遠之，而惡不仁，亦是智。此智皆所以利仁，而使人自免於不仁。此皆見智之足以利仁。智之利仁之大者，則吾意在智者之能不惑。此所謂不惑，尚非只是於賢愚善惡之間，能知所當擇而不疑惑之謂；而尤要在自己之好惡之能不過。故論語謂「好之欲其生，惡之欲其死，是惑也」。「一朝之忿，忘其身以及其親，非惑歟」。此皆見智者之不惑，要在好惡之不過。仁者之能好人惡人而不過，即全賴於智。此智之足以使人免於好惡之過而致不仁，尤爲智之輔仁之大者。自智之能知仁與不仁之分，而不爲好惡之所惑言，則智若在仁與不仁及人之好惡之情之上一層次。而自智之亦知「知與不知」之分，「知之爲知之，不知爲不知」，亦是智言；則人又有若在「知與不知之上或智與不智之上」之智，而智即若至高而無上。然此實只是騰上虛說，而未歸實際。若究實際，則人之知其「知與不知」之智，必歸在「去不知以成知之行」，亦如知仁與不仁之分之智，亦必歸在「去不仁以求仁之行，」而成其好人惡人之好惡之正。是即見此知「知與不知」「仁與不仁」之分之智，仍只所以自輔其仁而利仁，成人之仁者而已。今只自此智之所以輔仁、利仁、成仁看，則此智仍攝在其所成之仁之中，而其地位仍在仁之下。故孔子雖恆以仁對智言，然亦終是以仁爲主，以智爲從也。

至於孔子之言勇者不懼，仁者必有勇，勇者不必有仁，則是自勇之見於對外之行動上說。仁者欲求行其仁，而不求生以害仁，有殺身以成仁，自必有勇。然有勇之行動者，則未必依於由己以通達於人之仁心，可出於欲望、衝動、野心。故勇者不必有仁。國語周語單襄公言「以義死用謂之勇」。孔子言勇，必節之以義，謂「君子有勇而無義爲亂，小人有勇而無義爲盜」。故告子路曰：「暴虎憑河，死而無悔者，吾不與也，必也臨事而懼，好謀而成者也」。則義與智，正所以辨勇之是非者。義者事之宜，知義，即是智。故孔子答樊遲問知曰「務民之義」。人不知義，則其勇非勇。是見勇之必本乎智。仁可攝智，即亦攝義。合義之勇，不出於欲。無欲則其勇同於剛，亦爲仁者之勇。是亦見人由智所知之義，即所以成其仁。則仁者自亦當有義，而仁亦當攝義。然此皆吾人之推說。在孔子之言中，則無明文謂仁之攝義。蓋由義之古誼，皆自客觀之事之宜上言。義與不義之分，當隨人當下所處之境、所爲之事，加以確定。故義似初非指一人之內心之常德。墨子貴義，亦自其爲客觀之事之宜、或事之標準上說。後之告子亦以義爲外。及至孟子，乃明言仁在內，義亦在內。孔子之言義，乃順義之古誼，亦多只自行事之表現於外者說，固尚未明謂義亦爲人之一德。此蓋卽孔子之言仁之德統諸德，而未嘗有明文說仁之統義德之故也。然推孔子言行義所以成仁之旨而說，則吾人固亦當說義亦爲人之一德，而亦當統於孔子所言之仁之內也。

六　孔子自心上說仁之旨、及孔顏樂處之問題之討論

吾人上論孔子之連諸德以言仁，大皆見於其答弟子之問仁之語。吾人今更辨其所關聯之德之義理層面之不同，卽見求仁工夫之自有其節次。然論語所記孔子之言仁之語，更有未明載其爲答弟子之問

者。此或爲孔子答諸弟子之問仁時所說之語，或孔子之無問而自說之語。吾觀孔子言仁之語，則以此一類之言，其義最爲深遠，而亦大皆唯是就人之內在之心志、及仁者之表見於外之氣象態度、與其內心之境界而說。此則似不屬於求仁之工夫，而只爲此工夫之效驗。然人之求實有此諸效驗，亦恆兼賴進一步工夫。於此類之言中，孔子嘗言「巧言令色鮮矣仁」「剛毅木訥近仁」。此乃指仁者之態度氣象而說，顯見孔子之所謂仁德純爲內在之德。孔子稱「回也其心三月不違仁」「我欲仁斯仁至矣」「君子無終食之間違仁，造次必於是，顚沛必於是」，亦顯見仁之境界之內在於心，故求則得之，而可更不違。又嘗言「志士仁人，無求生以害仁，有殺身以成仁」，又言「我未見蹈仁而死者也」。則見仁者之生命之超越洋溢於其一身之外。至於其言「仁者樂山」，「仁者靜」，「仁者壽」，以與「智者樂水」，「智者動」，「智者樂」對言，則其以樂山與靜及壽說仁，皆所以表狀仁者之生命之安於其自身，而有其內在的感通，亦見仁之純屬於人之生命之自身，而初不在其外之表現。此乃將仁者與智者對言而說。若自仁之攝智而說，則仁者靜，而亦未嘗不動。故曰「惟仁者能好人，能惡人」。好人惡人之動，卽本於知人之智也。仁者靜故能久能壽，亦未嘗不樂。故曰「仁者不憂」。又曰「不仁者不可以久處約，不可以長處樂」。仁者樂山，亦未嘗不樂水。此如孔子之爲仁者而喜觀於水，而在川上有逝者如斯之嘆也。凡此諸孔子自說仁之言，皆純自仁者之心境態度上，言仁者生命之自身，有其內在的感通，而初不自其德業之見於外者說。是卽見孔子之言求仁之工夫，其要旨卽在人心境中之實有此仁，而恆不違，以自然表現爲一仁者之氣象態度，以見工夫之效驗。此則爲人只志在表現其仁於功業，只志在對人之行事上，求合於忠恕信禮愛敬智勇之道者，所未必能居之境；而唯是人更知仁之在內心，而有念念不違之工夫者，然後能居之境。則達此境之工夫之節次，固亦在進一層也。

此孔子之言仁者之心境之語中，其言仁者之不憂，而能常處樂，其義尤爲深遠。孔子之稱顏淵，在其能不改其樂；而孔子之自道，亦以「樂以忘憂」爲說。論語首章記孔子之言學亦以悅、樂、不慍言，孔子又謂「知之者不如好之者，好之者不如樂之者」。宋儒周濂溪告二程，亦以尋孔顏樂處爲工夫。然此孔顏樂處果何所在，則亦不易說。此孔顏之樂，自必與孔顏之德相連。此固非謂孔顏之德唯在所以得樂，如西方之快樂主義之哲學，視人之德唯是求己與人樂之手段之說，亦非柏拉圖、亞里士多德以德爲得幸福之方之說，復非如西方宗教與康德哲學中以幸福爲生前之有德者死後之報償之說。而唯是以人能否由德行工夫，而至於樂，爲其德行工夫之效驗之說。故修德爲學而未至於樂之境，恒見其工夫之尚有所未濟。故此樂不可說爲德行之報償，德行亦非求樂之手段，樂只是德行完足之效驗，其本身亦爲一德者。人之德行必完足圓滿，而更能自己受用之，或自己感受之者，而後有其長樂。此長樂之爲德，亦如吾人前所謂由人之直道而行，或由曲而成之德，再返回於人之自身，以爲人自己之所受用感受，而自周流於有德者之生命之內之所成。而可姑稱之爲圓德之德。有此長樂之圓德，正爲學者之大不易事也。

循孔子所言之德行工夫，何以可至於長樂，如更分析而言之，此首當自人之德行之完足圓滿而內省不疚、心無愧怍說。故孔子答司馬牛曰「內省不疚，夫何憂何懼」？孟子亦言「仰不愧於天，俯不怍於人，一樂也」。由此心之內省不疚，無所愧怍，則人之生命心靈卽無所虛歉，而有其內在的一致與貫通，或內在的感通，亦有一內在的安和舒泰，故能樂。朱子所謂「顏子私欲克盡，一心中渾是天理流行」，（語類三十一）爲顏子之樂是也。其次則當是自人之有德行，私欲克盡，而其生命卽有與他人之生命相感通，而自擴大充實其生命處說。蓋人有一己之生命猶可樂，則由與人之生命相感通，而合他人之生命，於一己之生命，自更可樂。故弟子入則孝、出則悌，泛愛眾而親仁，所以養德，卽所以成樂。故孟子謂「父母俱存，兄弟無故，二樂也；得天下英才而教育之，三樂也。」此皆人與父母兄弟英才有生命心靈上之感通，而自然有樂之事也。則人果能由愛眾親仁，至於天下爲一家，中國爲一人，則其生命心靈之所感通者，及於天下中國，其樂亦與天下中國同大。孟子言：「中天下而立，定四海之民，君子樂之。」理當如此，事亦實如此也。則孔子之言有德之樂，固亦當涵此義也。

除此上述之二者以外，孔顏是否尚別有其樂處，其此外之樂爲何，則是一個問題。二程十五六歲時與周濂溪游。濂溪每令尋孔顏樂處。此無異一儒家公案。按孟子嘗言「萬物皆備於我矣，反身而誠，樂莫大焉」。此所謂萬物，若非如朱子之說爲萬物之理，則此萬物之範圍應大於人，而此萬物皆備之樂，亦不只限于與人感通之樂。二程與濂溪游，吟風弄月以歸之樂，固亦包涵與風月之感通也。

後程明道言「仁者渾然與物同體，反身而誠，乃爲大樂」，此物應亦不限於人。濂溪於窗前草，見與自家意思一般，張橫渠之觀驢鳴，明道之觀鷄雛以觀仁，畜小魚數尾以觀萬物自得意，皆與物同體也。今問此孔顏之樂中，是否亦包涵此類之樂，則明文似不足徵。然孔子嘗言：「飯蔬食、飲水、曲肱而枕之，樂亦在其中矣；不義而富且貴，於我如浮雲。」又言「顏子居陋巷，一簞食、一瓢飲，人不堪其憂，回也不改其樂」。於此亦似可言孔顏之樂，卽在與此飯蔬食、飲水，有同體之感之中。而此飯蔬食、飲水之樂，則亦似初不同於內省不疚，心無愧怍之樂，亦非與他人之生命心靈上有其感通之樂，而爲一種由忘富貴、忘我，而遂能於極簡單之自然生活，或自然生命之流行中，與自然物之感通中，自得其樂。故程伊川謂「顏子簞瓢，非樂也，忘也」。此卽謂唯能忘富貴、忘我，而後有此樂。伊川更對弟子之言顏子樂道者曰：「若有道可樂，便不是顏子」。其意殊難解，朱子亦嘗疑之。察其旨蓋是謂若顏子不能有道，而更「忘」道，卽不能樂也。程明道則謂「曲肱飲水，樂在其中，萬變俱在人，其實無一事」，「將這一身，放在萬物中一例看，大小快活」。其詩有「閒來無事不從容，睡覺東窗日已紅，萬物靜觀皆自得，四時佳興與人同。道通天地有形外，思入風雲變態中，富貴不淫貧賤樂，男兒到此是豪雄。」，更有「傍花隨柳過前川，時人不識予心樂」之句。此亦謂唯人能知「萬變無一事，將此身放在萬物中一例看」，而忘富貴忘我，方能於曲肱飲水中觀萬物自得，四時佳興；於風雲變態中，見無形之道，而自得其樂。而人之所以能忘富貴、忘我，則固可說由其有「渾然與物同體」或「萬物皆備於我」之心境，然後能致。又論語子路、曾晳、冉有、公西華侍坐一章，子路冉有公西華皆志在功業，而曾晳獨言「暮春者，春服既成，冠者五六人，童子六七人，浴乎沂，風乎舞雩，詠而歸」，爲其志；而孔子曰：「吾與點也」。此則當由曾點之兼能忘功業，而後孔子與之。此曾點所言之舞雩詠歌之樂，亦純爲一能忘我而在自然中生活，與自然物相感通之樂。人果能有忘富貴、忘功業，至於忘我之德者，固當能將我放在自然萬物中看，亦靜觀其自得，而與之有感通，以有此樂。孔顏固有此德行，則孔顏之樂亦當包涵此義之樂也。

然孔顏之樂是否卽止於上之所述，又孔顏之能忘功業，是否卽實忘功業？孔子雖嘗與曾點，是否孔子眞唯以舞雩詠歌於暮春，觀「萬物之自得」或「萬物之各遂其性」，（朱子語類卷三十一謂明道有此說）卽所以自有其樂？又是否眞以忘富貴而曲肱飲水之樂，爲其言仁者之不憂、仁者之樂之最後旨趣所在？則皆有問題。觀孔子一生栖栖皇皇，求天下之有道，言「鳥獸不可以同羣，吾非斯人之徒與而誰與？」固實未嘗一日不求其德行之見於功業。舞雩詠歌之樂，吟風弄月之樂，傍花隨柳之樂，隱逸之士皆能有之；而忘富貴、忘功業、忘我、吟風弄月、傍花隨柳之樂，道家之徒如莊子者更優爲之。然孔子自道曰：「其爲人也，發憤忘食，樂以忘憂」。忘食非忘功業，而發憤則固涵栖栖皇皇、知不可爲而爲之之意。孔子之自道，乃以此「發憤忘食」與「樂以忘憂」並舉，則如何於「發憤忘食」中，兼有「樂以忘憂」？於不忘其德行之見於功業、求天下有道之事中，兼能「樂以忘憂」？則正爲一更難答之問題。蓋人眞求其德行之見於功業而行其道於天下，固正未必恆有浴乎沂，風乎舞雩之樂也。人若求德行之見於功業，以行其道於天下，則人雖可忘情於其一人之貧賤富貴；而未必能忘情於功業之就與不就，道之行與不行，則未必能無憂而樂也。人若於無論道之行與不行，皆有以自得其樂，蓋必俟人於道之行與不行，皆視爲天命之所在，而更能知之、俟之、敬畏之者，然後能於道「用之則行，舍之則藏」，而皆有以自得其樂也。按孔子嘗謂顏淵曰：「用之則行，捨之則藏，唯我與爾有是夫」。則孔顏之樂，顯然更當於孔子言知命，而于用舍行藏能自在，而無礙處，求加以契入，方能知孔顏之樂處之全。易傳有言曰「樂天知命故不憂」，中庸引孔子曰「君子居易以俟命……君子無入而不自得焉」。此皆顯然足證孔子之言仁者不憂而有其自得之樂，亦在其能知命。則朱子之以孔顏之樂不干樂天知命（語類三十一），其言蓋未是也。又按孔子自言五十而知天命，則其工夫明又較四十而不惑，更進一層；而知天命之知，亦較智者不惑之知更進一層，而應兼爲一超一般之智，以上達天命之知。此上達天命，非只是以己之生命通達於人，亦非只是自己之生命之自有其內在的感通及與人感通；應是以此己之生命由上達天命，而與天感通之義，則其義屬於生命之感通之另一由下而上之縱的進向。一己之生命之內在的感通，見一內在之深度；己與人之生命之通達，則見一橫面的感通之廣度；而己之生命之上達於天，則見一縱面的感通之高度。此三者之義固不同。然此中之孔子之天命之義畢竟當作何解，是否能離「己」與「人」之事以言，仁者又何以能由知天命、畏天命、俟天命，而樂且不憂，則其故亦當深察，而更以吾人之體會所及者，加以印證，方不至失孔子言之全旨。故下文於此不得不於此中種種歧出之義，次第加以簡別，亦不能不多本吾意，略加推衍，以指歸正解。故其哲學意味，較多於上文所陳，而行文亦辨析多於徵引，至于後文緣此天命之義而論及於對天之禮與仁之義，與事鬼神之義者，亦是辨析多於徵引，故併列爲本文下篇。

第二章　孔子之仁道（下）

一　天命思想之三型與孔子之說

吾昔嘗本孟子書所言孔子「無義無命」之旨，論孔子乃卽當然之義之所在，見天命之所在。（中國哲學原論卷上第十六章第六節）蓋一般西方宗教哲學與先秦他家學中所謂天命，皆恆先視天命爲一存在上之「本然」或「實然」。此命或出自先已有之天神或上帝，或爲必然而不可改移之命運，或直指一天道之流行。此皆與孔子就「當然」之義上言天命者不同。至人之緣此先視天命爲存在上之本然實然之諸說，而由信天命以求得其安身立命之地，而樂且不憂者，卽約有三形態。其一種形態，爲自覺有上天之使命或神力在身，爲我之助，而謂世間一切事物，皆不足阻礙我之行其志，遂其願欲。大約西方宗教家之眞信上帝者，皆欲賴神力爲助，以行上天之使命。而中國書經中如紂之亦嘗自謂「我生不有命在天」，陰陽家言帝王受天命。此所謂命或天命，卽皆爲存在上本有之天神之命，而人受之，卽感一使命在身，而若見世無能阻礙其使命之實現，或願欲之必遂，而更無所憂懼者也。其第二種形態，卽爲人于當前所遭遇之環境，覺非己力之所能轉移時；卽信此爲一必然而不可轉移之命運。無論人於此命運視爲上帝或天神所預定，或前生之業所定，或自然社會之因果關係所定，或只是一盲目之命運之如是如是；在人之安於此命運處，皆須取同一的將其意志欲望，加以壓服，更加超化之態度，然後人能安於此命而無怨。如人之信上帝者之願以上帝之旨意爲旨意，與一般道家之安命、任命、順命，即以求自除其憂慮，而自樂其生者，皆是此形態之思想。其第三形態，則爲由觀照、或玄思、或體證，而於萬物之變化流行中，見得天神或天道之表現於其中，而於此萬物之變化流行中，萬物之依此天道以生者之不已，見此天道之如命萬物生而不已，即見天命之不已，而直下加以契會。遂由此以樂天命之流行於萬物，而更自得其樂。此在西方之泛神論者如古之斯多噶派、近世之斯賓諾薩、及易傳之觀天之神道之見于四時之不忒，窮天地萬物變化之理以至於命，與中國之宋明儒者之由觀自然之變化流行，而於其中見天道天命者，皆在大體上相類之思想。而依吾人上所引程子之言，人果能忘我，而「將其自己放在萬物中一例看」「渾然與物同體」，則亦除一方能于自己之曲肱飲水之自然生命之流行中，自得其樂外，一方亦可於自然萬物之變化流行生生不息中，「見萬物之各遂其性」，知「萬物靜觀皆自得」，而即以「自得此萬物之所自得」，爲其自身之樂。而此亦皆是由知天道、知天命，而有之樂也。

對此三型態之天命觀，人若信其中之任何一種，皆可至於某一程度之樂且不憂。然此皆是先設定天命爲一存在上之實然或本然，而更加以信受或契會，而非先自當然之義上契會天命者。故以之言孔子所謂天命，雖皆有似是處，然細勘之，則又皆不能全切合孔子之言「知命」，而樂且不憂之本旨。表面觀之，如孔子嘗言：「天生德於予，桓魋其如予何，」孔子似自覺有上天之使命在身。又論語載公伯寮訴子路於季孫，孔子曰：「道之將行也歟，命也，道之將廢也歟，命也，公伯寮其如命何？」亦似以天命所在，則無人能奈之何。秦漢所傳之緯書，有以孔子實嘗受天命以爲素王，而刪述六經，爲漢制法。此亦若視孔子同於耶穌之受天命，而降世以立律法，而預定未來者。然孔子之言道之將行與將廢，皆天命，則亦無「天命必使其道得行」之意。孔子言「天之將喪斯文也，後死者不得與於斯文也；天之未喪斯文也，匡人其如予何」。則於道之行不行，天之是否喪斯文，皆非孔子之所知。孔子亦未嘗自覺其有天命在身，神力爲助，以使其道必行於天下，謂匡人必不能使天喪斯文也。其天生德於予之言，當只是言桓魋可殺害孔子之生命，而不能害及其天生之德之謂。此只是言其德之不可傷，非自信其道之必可行于天下之謂。亦非朱子論語注，所謂天使孔子有德，桓魋即「必不至違天害己」之謂也。

至言孔子之知命，只是第二形態之安命、順命、任命，亦似可以孔子之言「賢者辟世，其次避地」，「道不行，乘桴浮於海」之言證之。乘桴浮於海，卽安命而順命也。然孔子又言「知其不可而爲之」，孔子亦畢竟未嘗辟世辟地。孔子念鳥獸不可與同羣，吾非斯人之徒與而誰與，而不願從長沮、桀溺、楚狂接輿游。則其言辟地辟世與乘桴浮海，或爲一時之感嘆之辭，或只所以見其「隱居以求其志」之懷。然孔子爲此言之外，更明言「行義以達其道」，則此辟地辟世之言，固不足以表孔子之精神之全，亦不可說孔子之知命，卽全同於道家人物或隱者之「辟世辟地，知不可爲而卽更不爲」、之安命順命之行也。

至於謂孔子之天命卽見於天地萬物之變化流行中之天道，似可以論語記孔子「天何言哉，四時行焉，百物生焉，天何言哉」之語爲證，以說孔子之言天命卽屬上述之第三形態。蓋天旣不言，則其命不必由言以傳，而天之命卽可不同於西方宗教之上帝之言語啟示，表示其所命於人者。而吾人欲見天命，則當由天之行事以見。故孟子亦嘗謂「天不言，以行事示之而已矣」。而四時行、百物生，亦卽天之行事。吾人卽可由之以見天道天命。按禮記哀公問篇載哀公問孔子曰「君子何貴乎天道也」，孔子對曰「貴其不已也，如日月東西相從而不已，是天道也；不閉其久，是天道也；無爲而物成，是天道也」。又孔子閒居篇載孔子曰「天無私覆，地無私載，日月無私照」。又曰「天有四時，春秋冬夏，風雨霜露，無非敎也，地載神氣，神氣風霆，風霆流形，庶物露生，無非敎也」。易傳亦引孔子曰「天下何思何慮，日往則月來，月往則日來，日月相推而明生焉；寒往則暑來，暑往則寒來，寒暑相推而歲成焉。往者，屈也；來者，信也。屈信相感而利生焉」。乾彖曰：「大哉乾元，萬物資始，乃統天。雲行雨施，品物流行。大明終始……乾道變化，各正性命」並可作天何言哉一段文註解。吾人對天之四時行百物生，隨處體玩默契，固可見天道之流行，及天「命四時成、百物生」而正其性命也。朱子于子在川上曰一章注曰：「天地之化，往者過，來者續，無一息之停，乃道體之本然也。」故以孔子之見川流之嘆，卽體天道、見天道之不已，而語類卷三十六更言於此卽見天命。是卽此說也。吾人固可謂由孔子之言天及天命者，未嘗不可申出此義，或隱涵此義。然就孔子之明言所及者而觀，則孔子並未明言此道之流行，便是天對吾人之所命，亦未明言此道之流行，卽同時命吾人對此流行，加以體玩，而默契此天道。若此天道之流行，未嘗命吾人默契之，而吾人自默契之，以有其生命之流行，則此只是吾人之生命與天道之流行於萬物者相應而平流。吾人之生命，如非必須與天道之流行於萬物者相應而平流，則此默契之事，卽可無義理之上當然可說。然論語中載孔子之言知天命、俟天命、畏天命，言「不知命，無以爲君子也」，言「君子居易以俟命」。此乃明以知命俟命等，爲吾人成君子所必當有之一事。孔子言五十而知天命，亦實爲孔子之成學之歷程中之一事。故此天命當是孔子之生命歷程或孔子之成學歷程或人求成君子之歷程中，所遭遇，亦所必當遭遇之一「貫于其生命歷程或成學歷程，而有一眞實存在之意義，如實對其有所命令呼召；而待于其知之、俟之、畏之，以爲其義所當然之回應」之天命。若此天道之流行，亦對人有所命令呼召，人必須以其生命與之相應平流，爲其義所當然之回應，則此天道之流行，自亦有天命之意義。然天命之意義應不限於此。當說人對天與天地間之事物之一切義所當然之回應中，同可見天命。按朱子嘗謂孔子之天命卽天道，乃事物之所以當然之故，卽當然之理之所以然。並舉例言：「子之當孝，弟之當悌，」之當然，其所以當然之故，則在天命。（語類二十三、及論語注五十而知天命章）其意是謂凡人之視爲當然者，其所以當然之故，在天命吾人以此性理之仁義等。性理示吾人之所當然，而人所以有此性理，則由此天道之流行而生人，人之「氣成形而理亦具焉」，而人由天以稟賦得此性理，卽如天命人以有性理，故謂天命爲所以當然之故也。此朱子思想之入路，原已是由當然之義以契入天命。此乃朱子之敻絕處。然其論乃于人之所以有當然之性理處見天命，則天命卽純屬「人生以上」之事。此天命雖爲人之所以有其當然之性理之本原，而其本身又無所謂當然；而只是一形而上之本然的、或實然的如此如此流行而已。朱子依此以言天命，則天命乃唯由人之追溯推求其所以知有種種當然之理之「所以然」，而後加以建立者。以此講孔子之知天命，卽只是知得此「所以然」而已。此外人對此天命之自身，卽另無必當有之工夫可用，而于孔子所謂由「知天命」而來之「俟天命」「畏天命」與「樂天知命故不憂」之工夫，卽皆不易講。此朱子之天命，亦復非人在其生命之成學歷程中所必當遭遇，而對人實顯一命令呼召義，而待人之回應之天命矣。然孔子所言之天命，則明有一命令呼召義，亦明可說爲在生命歷程或成學歷程中之所遭遇，而爲人所必當知之、俟之、畏之，以爲回應者。此卽見朱子之以天命爲人之當然之性理之所以然，釋孔子之言天命，仍未能合于孔子之旨之故。此則由于朱子雖已知由當然之義上識天命，而尚未脫前此之由程子張子偏自本然的實然的形而上之天道之流行以言天命之說；故更混合之，以成其以「當然之所以然」言天命之說也。

二　天命、自命與義之同義及異義，與義命不二、及天命不已

由孔子之天命爲人在其生命成學歷程中所遭遇，而對人有一命令呼召義，人亦必當有其知之、畏之、俟之，以爲回應者，故吾人于此孔子所謂天命，不能先就其爲存在上本然實然者而說，亦不宜只說其爲吾人所知之「當然之義，或當然之性理之所以然」之形上的本原；而當直接連于吾人之對此天命之遭遇，感其對吾人有一動態的命令呼召義，而更對此命令有回應，而直接知其回應之爲義所當然之回應說。而吾人亦當同時由吾人之自識其義所當然之處，求識得此所遭遇之天命。此卽吾昔年論孔子之言天命乃卽義見命之旨。天命爲天之命令呼召，原爲古義。此天原有人格神之義，而其呼召命令，亦必繼以人之回應。周頌「維天之命，於穆不已，於乎丕顯，文王之德之純」。朱子注中庸引此段文，更引程子曰「天道不已，文王純于天道亦不已」。此只有天人同一道之義，失天人相呼召與回應義。詩經言維天之命，於穆不已者，言天時降新命于人，而對文王亦常有所言，如「帝謂文王，予懷明德」，而文王卽丕顯明德，以爲回應。上天之命令呼召不已，而文王之以明德回應之事亦不已，方爲周頌此語之的解。此中天命與人德之關係，乃天人相對，而直命直應，其歸自是天人同一道，然初不自天人一道說。孔子于天，雖不重其人格神之義，然于此命仍存舊義。其卽義見命，卽直接于人

之知其義之所當然者之所在，見天之命令呼召之所在，故無義無命，而人對此天命之知之畏之俟之，卽人對天命之直接的回應。此卽成孔子之新說也。

依此孔子之新說，則天命不在天對人之有一秘密的言語，由預言家先知所次第傳來，而永恆不變，如西方宗教之說；亦不同詩書之謂天之時降新命，時對人有新的言語。此天命，乃卽人于其生命存在之境遇或遇合中，自識其義之所當然之回應時，卽直接顯示于人，而爲人所識得者。孔子之言義與命，皆恆與人于其所處之位、所在之時之遇合，相連而言。人在處不同之位，于不同之時，有其不同之遇合，而人之義所當然之回應不同，而其當下所見得之天命亦不同。蓋凡人之處不同之位于不同時，有不同之遇合，非己之所自能決定，亦非他人所能決定，卽皆可說其出于天。如孔子之畏于匡，非孔子自欲畏于匡，匡人初亦意在圍陽虎，而孔子貌類陽虎，遂被匡人所誤會而被圍。此孔子之有此被圍，非孔子之意，亦非匡人之意，而只爲孔子之適貌類陽虎，又適經過匡，而有之一遇合。此遇合之原，卽可說其出于天。凡人在世間之于某地位、某時，有某一遇合，其中皆有非人之始料所及者，卽無不可說其在一義上出于天。至于此天是否實爲一主宰之天，或人格神，或只爲一自然界之種種力量之和，而由之安排決定此一人之種種遇合，則皆是由感此原始之天之存在，而有之進一步之想像推論或信仰。人對天之存在之體驗，初不賴對此進一步之想像推論信仰而成立。人只須體驗及一非己與人之始料所及之存在，卽同時體驗及一天之存在矣。由此以觀人之降生於某時某地，而遇某人爲父，某人爲母，某人爲兄，某人爲弟，亦同可視爲一遇合，其原皆出于天。故人之生皆爲天生。人生在世之事，無一而非遇合，人亦無時不與天相接；而人之在世，即人之在天。然于此人之在世，或人之在天之事，又不可只視爲一存在上的實然之事。因人之在世、在天，與所遇合者相接，而與人相感通時，人即同時有其義所當然之回應之道。如人當對父母以孝，當對子女以慈。此義所當然之回應之道，爲我之所以自命于我，亦待我所遇合之父母子女等而後有，故亦同時可視爲父母子女與天之所以命我。天使我有父母，即命我對父母以孝；天使我有子女，即命我對子女以慈。故父子之倫爲天倫。天使我遇老者，即命我求安之；天使我有朋友，即命我求信之；天使我遇少者，即命我求懷之。由此更推之，則人生在世，其遇合時有不同，即其義所當爲，亦時有不同。義之範圍至大，凡自然之事而合當然者，皆是義，亦皆可由之以見天命。故我之晨興，即天之朝陽命我興；我之夜寐，即天之繁星命我寐。莊子大宗師言「大塊載我以形，勞我以生，佚我以老，息我以死」。本以上之義言之，則死自命我息，老自命我佚，生自命我勞，我之形骸命我載于此大塊之上。凡自然之事而合當然者，皆是義之所存，亦天命之所在。義何所不存？義何時不新？則天何所不在？命何時不降？天時降新命于我，固亦同時是我之所自命于我，如爲孝子、爲慈親，皆我之自命于我者也。然卻不可只說是自命。因無我，固無此一自命，無我之所遇合，亦無此自命。則于此凡可說之爲自命者，而忘我以觀之，皆可說爲我之遇合之所以命我，亦即天之所以命我。由此而可說我之有命，乃我與我之此自命相遭遇，亦我與天之所以命我相遭遇。我之實踐此義所當然之自命，爲我對此自我之回應，同時卽亦爲我對天命之回應也。

依上所說，則人之感義之所當然，而有以自命之時，若從此命之爲我之所遇，或天之所以命我者看，卽是天命。則人之自命與天命，其內容上儘可無不同，然在意義上，則又大有不同。此不同，恆在人當前之所遇，與其昔之所遇，所期、所望，若全然相違之時，卽大爲顯出。蓋當人之所遇與其昔所期所望全不同時，則人昔之所以自命者，到此卽可全失其用；而此新所遇之境，卽若直接命其以在此境中之義所當爲。玆舉二凸出之例，則此義可全彰顯。如耶穌從未嘗上十字架。而當其至十字架前，此十字架卽若直接命其上十字架。此一命，雖亦實是耶穌之自命，然耶穌儘可不自覺其是自命，而只覺在當其至十字架前，此十字架卽若直接命其上十字架，而亦覺是天以此十字架，命其上十字架。又如孔子畏於匡，亦孔子前所未遇之境。今孔子忽畏於匡，孔子亦卽同時感天之存在。然於天之所命者爲何，則初不能定。此則由於孔子於其自己生命之存亡，原不能定之故。孔子於此之回應，其一遂爲念天將使斯文喪，念「後死者不得與於斯文」之慨嘆。此卽孔子之所以承受此天命，而有之義所當然之慨嘆也。其一爲念天或不使斯文喪，而亦不使之亡，而孔子對此之回應，亦爲承受此天命，而仍以斯文自任。故曰「匡人其如予何」。此仍以斯文自任之回應，亦義所當然者也。由此而孔子在此畏於匡之境遇中，卽可覺其對天命恆存一敬畏之心，而在一畏天命、亦俟天命、知天命之心境之中。此中之天命，亦即爲孔子之在此畏於匡之心境中，所實感之天命。孔子之實感此天命，亦即同時實感其爲此畏於匡之境遇，所直接顯示，直接發出。正如吾人見父母之病危，而憂傷，或侍奉湯藥，即如父母之病危之直接命我如是也。此境遇之命人，即天之命人以其所當爲也。此境此天之是否尚有一主宰之者，皆無礙於人在此之實感天命之存在也。唯此天命既爲人所實感，亦與人之義所當然之回應相俱，故亦必同時即在人之所以自命之中，而此中之天命，亦除命人以義所當然者外，別無其他內容。如孔子在畏於匡之境之中，天除以此境，命孔子以當有之慨嘆，或仍以斯文爲己任之外，別無其他內容；又如耶穌在十字架之前，除見此天之以十字架，命其上十字架之外，別無可思想也。

上文說天之命於人，與人之所以自命、或人之視爲義所當然者，在其內容上說，可無不同。然人在一前所未遇或預料所不及之境中，則恆易實感一天命之存在，而初可不視此天之命於我，即是自命，即我之義之所當然。此天命之一詞，即在此一意義上，不同於泛言之自命，與義所當然，而自有其在人之實感中之一獨立意義。人若時時與前所未遇之境，或預料所不及之新境相遇，即可時時實感一天之存在，或時時與天命相遭遇。反之，人若只襲於故常、在習熟之境中生活，則罕能實感一天命之存在。孔子之所以有知天命、畏天命、俟天命之言，而恆感知天命之存在，則正由孔子之生命，非只一襲於故常，只在習熟之境中生活之生命。此不只關連於孔子一生之栖栖皇皇之經歷，亦關連於孔子之「發憤忘食，不知老之將至」之一生活態度。人果有一「發憤忘食，不知老之將至」之生活態度，則其生命即無時不在一新境中，亦可說其生命所遇之境，對之無不新，由此而其生命所遇之境，其相續呈於其前者，皆新新不已，而流行不息，如「黃河之水天上來」者之不已不息；而亦無時不可實感此天命之不已不息，若恒超越乎其昔之所以自命者之上，以呈於其前，而亦無時不在「知天命」「俟天命」「畏天命」之心境中矣。

由上所論，則吾人之存在於世間，果能如孔子之有一「發憤忘食，不知老之將至」之生活態度，於其生命所遇之境，亦將無不可視爲新境，而不同於昔之所遇者；則吾人亦可時時實感天之對我新有所命，以超越於我之昔之所以自命之外；而吾人亦可實感此天之新命，若永超越於吾人之所以自命之上。然吾人實感此一天之新命時，吾人卽亦同時實感吾人於義當有一回應。吾人之自謂其當有一回應，卽吾人所新自命者。故此天命又實內在於吾人之新自命之中。人亦皆可由反省，而知此吾人對天命之當有之回應，卽義之所當然。故人在純粹之宗教心情中，人初雖可只直感此天命之超越於我之昔之所以自命之上，而爲一具獨立意義之天命之存在，爲吾人所當奉承。然人只須更加反省，卽可同時見得此奉承爲吾人之回應，亦吾人之所以自命，而知此天命之存在於吾人之回應與自命之中。人亦必實知此回應或自命，爲義上之所當然；然後實知此天命之爲其所當奉承。若其不然，則此人所自視爲實感一天命者，卽儘可只是一出於不容自已之衝動，緣其所遇之境，而直接引起者；而非當奉承之天命。即當奉承之天命，必爲人所可直感其爲超越之天命，而又可由反省而知其內在於人之義所當然之回應或自命中者。否則當奉承之當字，即無從說。由此而吾人可言：凡當奉承之天命，即雖可初只顯一超越於我，而屬於天之普遍客觀之意義，亦必兼具一內在於我，而屬於我之特殊主觀之意義者。自另一方面言，人之嘗以之自命，而知其爲義所當然者，雖初可只顯一內在於我，而屬於我之特殊主觀之意義者，亦必同時即我所存在之境遇中之人物之所以命我，即天之所以命我，而亦必有一普遍客觀的屬於天之意義者。否則吾人所謂義所當然者，亦可非眞實之義之所當然，而可實只出自我之「主觀之私欲，而以爲義所當然當有，加以理由化者」。由此而吾人如欲考核吾人所直感之天命，是否非只是原於所遇之境，所引起之衝動，則當觀我之奉承之自命，是否爲我之義之所當然，是否可即天命而見我之義以爲衡斷。反之，吾人欲考核吾人之所以自命者，是否眞爲義之所當然，則當觀其是否爲我所存在之境遇或天之所以命我，是否可即我之義而見爲天之命，以爲衡斷。此即吾之謂義命之似有分而又合一之微旨，而竊以爲最能契孔子義命不二之意者也。

識得上文所謂義命不二，即知人在任何境遇，皆可行義俟命，而有以自得之旨；則于吾人上文所謂「仁者不憂」，仁者之「長處樂」，及「樂天知命故不憂」之義，即不難解。吾人前說孔子之所謂知命，非自覺有天命神力爲助爲保障之謂，亦非安命順命任命之謂，復非只面對天地萬物變化流行而視爲天道天命流行之所在之謂。則孔子之「樂且不憂」，亦非以覺有天命神力爲助爲保障，而樂且不憂之謂；復非以安命、順命、任命、而更不有所爲，以自逸而不憂之謂；亦非只於自然之變化流行中見天道天命，靜觀萬物之自得，而得其所自得以有其樂且不憂之謂。由孔子必「知不可爲而爲之」，不肯自逸，必求行道於天下，則亦初不能不憂其道之未是，與道之不行。孔子固亦言「君子憂道不憂貧」也。當孔子之畏於匡，念天或將喪斯文而慨嘆，亦不能說此慨嘆之情，即一般所謂樂也。哀公西狩獲麟，孔子聞之潸焉出涕曰：「吾道窮矣」。此道窮之嘆，亦非一般所謂樂也。此如耶穌之奉天命而上十字架之時，亦無一般所謂樂也。則孔子之能樂且不憂，應更有其特殊之意義。此當是在於更有見於此道之行不行，皆同是命，故曰：「道之將行也歟，命也；道之將廢也歟，命也。」；而對此道之行與不行之命，亦更各有其當有之回應，爲其義之所當然，而爲人所當以之自命者。不知此所當自命之道，即不知天命也。知所當自命之道，則知道之窮於此外面之天下者，實未嘗窮於人自身，亦未嘗窮於天。蓋當道之將行於天下，此時人之義，在用道而求行道於外；當道之不行於天下，則人不當枉道以行非義；以其義即在暫舍道，以藏此道於內。此用之則行，是義，此舍之則藏，亦是義也。如行義以達其道，是義，隱居以求其志，亦是義也。無行之義，必有藏之義，是義無斷絕也。求行道而道行，以通於天下，如道之橫貫於天下，是知天命；道不行，以守道而不移，如道之豎立於一身，亦是知天命也。無論道之行不行於天下，天皆對人有所命，而見於人之義所當然之自命者之中。是此天命無斷絕之時，而義之所當然者之呈於人之所以自命之中者，亦無斷絕之時也。人若只就外面之天下而觀，子畏於匡與西狩獲麟，固爲道窮，然孔子之慨嘆斯文之喪，而潸焉出涕，即其情之由道窮而生起，正見道之不窮。是見道窮於外，必可見道之不窮於內。此不窮於內，義上之所當然當有者也。見其窮於外，人或不能自然興起其不窮於內之情，即勉求有不窮於內之德，足以藏此道於內，亦學者所以當以之自命者也。此自命之所在，即天命之所在也。此自命之不斷，即天命之不斷也。此即上所謂道窮於外，必可見道之不窮於內之旨。亦即天命與義，永無斷絕之謂也。人由此內心之體證，以知天命與義永無斷絕，則于此天命與義在一切人心，與在天地間，亦當信其只有舍之則藏，而亦永無斷絕。唯此天命與義永無斷絕，故人無論在何境遇，皆有其所以自得之處。此自得之所在，即樂之所在也。誠然，人正當見道之窮於外時，孔子亦不能無慨嘆，如耶穌之上十字架時，亦不能不有爲上帝所捨棄之感。此慨嘆或被捨棄之感，固非即爲樂，然當人轉而見道之未嘗窮於內，則雖遇患難至於死亡，猶是孟子所謂死於安樂，文天祥所謂「鼎鑊甘如飴」是也。此境誠非易企及。然自義理上言之，人生固亦當有能有此一境。是方爲孔子言「素富貴行乎富貴，素貧賤行乎貧賤，素夷狄行乎夷狄，素患難行乎患難」之「君子無入而不自得焉」，「君子居易以俟命」，「樂天知命故不憂」，「仁者樂」，「仁者不憂」諸言之實解，而程朱之所註，尚未能盡者也。

三　天與己及人之存在意義，及知天命、俟天命、畏天命之不同意義

由上文之連人所遇之境、自命、義及樂，以說孔子所謂知天命之義，則孔子之天命，非離於人之存在於世間之地位，與其所接之人物，及人之自命之事者。唯就此天命之初爲人所實感時言，以其有一超越於吾人昔之所以自命之意義，而天命卽有其不同於自命之獨立意義。於此吾人卽可說：此能命之天，爲一客觀眞實存在，我亦存於此客觀之天之中。然凡天所命於我又知其爲義之所當然者，又皆同時是我所自命於我者。則此天命與天又未嘗不存於此主觀之我之中。而我之奉行此自命，以成其爲我，是我之所爲，卽天之命與天之所爲。如我之生命之年，爲我之年，亦可稱爲天年。則凡屬我之事，皆有屬天之意義。二意義之不同，唯依人如何觀之之態度而定。至於吾所謂一己以外之其他人物之存在，則又可說兼有屬己、屬人物自身與屬天之三種意義。三意義不同，亦依吾人之如何去觀此其他人物之態度而定。此態度如爲我與其他人物相對而觀，於此卽有我與其他人物之別。如爲我與其他人物相攝而觀，則其他人物在我中，我亦在其他人物中，而其他人物屬於我，我亦屬於其他人物。如將我與人總攝入於一天之全體以觀，則人與我皆在天中，皆屬於天。今以我之父母爲一存在，則我與

之相對而觀時，父母卽非我，而爲他人。我屬於我自己，而我之父屬於父之自己，我之母屬於母之自己。則我與父母，卽有人我之分別。然當我將父母視爲我所孝之人而言，則孝屬於我，父母亦屬於我，而爲我之父母；而我亦只爲父母之子，則亦屬於父母也。此則原於對我與父母取一相攝而觀之態度也。至於將父母之生如此之我，我之遇如此之父母，視爲一天地間之事實，則父母爲天地間之父母，我爲天地間之我，乃並屬於天；父母之生我卽天之生我。此天之生我，亦如天之生任一人，天之生任一物，皆只見天之表現其生道于一人一物之生之事中，則此中可更不見有所謂「我之父母」與「我」之分矣；故同此我之父母之存在，依此不同之三觀，而可稱之爲屬於父母之自己、或屬我之自己，或與我並屬於天，則其他任何之存在事物，皆可兼有屬己、屬其自身，與屬天三種不同之意義。則任何存在事物其自身之內容之同一於其自身，並不礙其所具之三種不同之意義之互相獨立。故吾人不能謂世間只有己與人或其他萬物之分別存在，而無所謂天之存在，猶不能謂只有己之生命與己之所以對世間之當然之義之存在，而無所謂全體之天或天命之存在也。

然吾人如承認屬己、屬人物自身、與屬天之分別，不必由於存在者自身之內容之不同，而唯是由吾人所以觀同一存在者之態度之不同，而有其意義上之分別；則自存在的內容而觀，人之盡己之事，卽可同時是及於人之事，亦同時是事天之事。如人之盡己之孝，卽及於己之父母，亦卽所以完成此天之使我有此父母，使我有此孝心，而爲我之所以事天之一事也。在此一事中，若言我之孝父母之事，為我之能孝之心之表現，其中有一我之自己之生命中之「心」與「事」之「一貫」，或內在的自我感通；則須知此感通，同時是我與我父母之生命之一相互的橫面的外在的感通，亦同時是我與「使我以有此父母，有此孝心之天」之一縱面的感通。人亦必須見及此我盡孝之一事之中，兼具此我之內在的感通、與對父母、及對天感通之三種意義，然後能知此一事之存在之意義之全。此則人未必皆能之。而世間之宗教思想，固有以人之當孝父母，唯是奉耶和華之命者，亦有以人之孝父母唯是父母之使我孝，更有以此唯是我個人之主觀心理上之不能不如此者。是卽見人之未必眞能同時自覺此一事之對己、對人、對天之三種感通之意義也。

此己與人及天之意義之不同，雖可只由於吾人之觀同一之存在之事物之態度之不同而來，然此己與人及天之存在，亦可原有其存在內容之不同，而唯由吾人之自己與他人及天之次第感通，而後漸趣向於有同一之存在之內容者。如我之父母固為我之父母而屬於我，父母有所思所感而我知之，亦屬於我之所思所感。然父母之所思所感者，亦可為我初所不知，則其所思所感，卽初只屬父母之存在之內容，而不屬于我之存在之內容；而我與父母之存在內容卽不同。一切為我所接之其他任何人物，其存在內容，亦皆同有此為我所知或所思所感，而屬於我者之一面，與初為我所不知，不為我所思所感，而不屬於我者之另一面。而凡非我所接之天地間之人物，一般亦公認其存在之內容，有在我之所以為我之存在內容之外，而為初不屬於我者。然凡此初不屬於我者，又皆無不在原則上可由我之次第知之、感之、思之，簡言之曰與之感通，而見其亦可屬於我。對此初不屬於我，而我欲與之感通者，我初恒只能以一原始之恭敬心，加以期待盼望，而更求與之感通，以見其亦有屬於我之意義。我又必進而求種種義所當然的種種待之應之之道，如進一步之對人之恭敬與智，以及對人之忠信之道等。當我對此世間中一切不屬於我者，只同以一原始之恭敬心期待盼望之，而不知其中之一一具體的內容時，此世間中一切未屬於我者，卽只合爲渾然一體之天，或統體之天。由此統體之天，其具體內容之畢竟將如何呈現于我之前，非我之所知，卽見我在此天中之所將遇者如何，非我之所知。則吾之義所當然的應之待之之道之具體內容，亦非我所能預定；而天所命於我之具體內容如何，亦非我所能必。然吾卻又知吾必將在此統體之天中有所遇，我亦必將有一應之待之之道，天亦必將對我有所命，而我則自知待俟此命之出現，並有一欲自拱現出一應之待之之道，或欲奉承天所命者之情。此情卽吾人之「當有之應之之道，將出現而未出現，或天命將臨而未臨時」之一對天之恭敬寅畏之情。此恭敬寅畏情，只以一統體之天爲所對，亦只以一統體之天命爲所對，而人卻不知此天命之畢竟爲何。此卽可稱爲純粹的對天命之宗敎道德性之敬畏。是待學者之默識其義者也。

然此畏天命、知天命、與俟天命之三言既不同，則其義自當微有別。如以知情意分之，知天命屬知，畏天命屬情，俟天命則屬意；知爲現在所已有之知，畏爲現在所正生之情，俟則唯是由現在以待未來之意。又「俟天命」爲俟待未來之天命之降，更於其時知其義所當爲之事。「知天命」應爲已知其義所當爲。「畏天命」則一方爲當下對統體之天命之一敬畏或寅畏，一方亦爲對此統體之天命之化爲一特定之天命而降于我，而有我之義所當爲時，恐「我之不克爲其所當爲，不克擔任負荷此天命之重」，而有一「自懼其隕越，而違於天命」之情。此中自亦可連帶包涵：「念其自己之有負於天命時，天將降之懲罰禍害」之畏懼之情。然此則決非孔子言畏天命之本義或主旨所在。因孔子明以畏天命，與畏大人，畏聖人之言並舉。畏聖人之言與畏大人，非畏其懲罰之意，則「畏天命」，亦非卽畏其懲罰之意也。然人于「畏天命」時，恐懼自己之不克負荷此天命，不克爲其義所當爲，因而亦遂恐懼其相連帶而有之禍害，則非不可說。此禍害，亦未嘗非人所先當恐懼者，因其乃由我之不克負荷天命而致。此不克負荷之本身，原當事先恐懼，則對相連而起之禍害，亦當有事先之恐懼也。此恐懼仍是兼爲義之所當然，而非只出於求利避害之心者也。至在人之畏天命、而俟天命時，人對此統體之天命，所將化出之特定之命之內容，尙未知，則此所畏俟之天命，「必有非我所知」或「超我所知」之意義。亦正以此天命之有非我所知、超我所知之意義，然後有我之畏俟。然吾人亦不能由此以謂此所畏俟之天命，不同於知天命中之天命，而別爲一種之天命，或竟以知天命與畏俟天命，其對天命之態度有異而無同。此理由甚簡單。卽吾人於所畏俟之天命，雖不知其具體之內容，仍可知其將有。其次，則吾人畏俟天命時，必自知此畏俟天命之本身，亦是義所當爲，而知畏俟爲畏俟，固亦是知也。再其次，則吾人之對天命之具體的特定內容有所不知，而自知其於是有所不知，而以不知爲不知，不以不知爲知，此亦是知。則人所畏俟之天命，卽在此種種意義下，同時爲人所知之天命。不能謂人所畏俟之天命，卽非人所知之天命，而逕以之爲不同之天命；亦不能以「知」「畏」「俟」有不同之意義，表示吾人不同之對天命之態度，卽以知畏、俟、知之三態度，有異而無同；而當謂其雖異而未嘗不通以爲一也。此則亦正如人之「知」「情」與「意」，人之「現在之所已有」、及「其所正生」、與「其所待之未來」雖異，而未嘗不通爲一也。

四　孔子之天與人格神

總上數段之言，則見孔子之所謂天命，卽由人之自識自知其義之當然之所在，而識得知得。故人之知天命、畏天命、俟天命之事之本身，亦皆爲義所當然之事，亦卽人之所以事天或感通於天之事。而孔子之教人以仁之涵義，亦卽明有事天而感通於天之一義。故禮記載孔子言「仁人之事天如事親」，「郊祀之禮，所以仁鬼神也」。郊本爲祭天兼祭祖先之鬼神之禮，故以郊祀之禮爲仁之及鬼神，卽包涵以郊之禮，以使人之仁感通於天之義。中庸引孔子曰：「明乎郊社之禮、禘嘗之義，治國其如示諸掌乎」？則祭天與祖，而求與之相感通之禮中所表現之仁，卽爲人之治國愛民之仁之本。又論語言「禱爾於上下神祇」，古注謂指上之天神與下之地祇。是皆證孔子之言仁，明有與天及鬼神感通之一義。

先進篇言季路問事鬼神，孔子固言「未能事人，焉能事鬼」。然已能事人，則孔子固亦許人之事鬼神，而與之感通也。今若以孔子未明言天爲人格神，未嘗視天爲超越於人與萬物之存在之上一絕對完全之獨立自足的眞實存在等，而疑及孔子之言仁思想中有由知畏天命，而事天，或與天相感通之義；此則顯然忽視上所引孔子之明重郊祀之禮之旨意所存。殊不知孔子之是否明言天之爲人格神，與天之是否人格神，皆不礙人之有事天之禮，及人之仁之感通於天之事。因孔子雖未明言天爲人格神，亦未嘗否認詩書所傳之天爲人格神之說；而孔子言「知我者其天乎」，亦可涵視天爲一有知之人格神之意。卽孔子之天非一人格神，亦仍可爲人所敬畏之一眞實之精神的生命的無限的存在。以人物有其生命與精神，則生人物之天，不得爲一無生命非精神之存在。天所生之人物無窮，則天不能爲有限之存在。此中之義不須於此多說，智者亦可一言而悟。此天之爲一眞實之存在，亦自有其超越於其所已生之人物之存在之上之意義。此亦不礙天之爲人之仁之所感通，人之所敬畏，而亦內在於此人之仁之感通與敬畏之中，而非只一往超越於人與萬物之外，以自爲一絕對完全之獨立自足之眞實存在也。此種在西方神學中以絕對完全、獨立自足之概念，規定天爲一人格神或上帝之說，自非孔子思想中所有。然孔子思想，亦未嘗謂世間之一一人物之自身能獨立而自足，以成一絕對之個體存在。本吾之前文所謂「己與人及天，可有同一存在之內容，亦可由其繼續之相互感通，使其存在之內容之不同者，由不同而同」之說，則吾之一己與他人及天，皆原不能各成一獨立自足之絕對個體。而己與人及天爲分爲合，要在自吾人之所以觀其存在之三種態度，所發現之三種意義上，分別而說。則吾人亦不必須說天為獨立自足而絕對之人格神，然後可言天之為眞實存在也。吾人之不必須意在事如此之人格神，然後可言事天及祭天之禮，與感通於天之仁；亦如吾人之不須視己與人，各為一獨立自足而絕對之個體人格，然後可言吾人對他人之仁與禮及對人之感通，與吾人對自己之感通，以有其中心之安仁，使其心自不違仁之事也。蓋在西方之思想中，原有視自然物由原子組成，社會以個人為原子，及人各為一獨立自足之個體之個人主義等種種之說；故於天亦初視之為一絕對完全，而獨立自足之超越的人格神，而卽視此超越的人格神如一超越的個體，以使人自超越其「個人之個體」之觀念，於其一己之外，而知有他人與上天之存在。然在中國傳統思想與孔子思想中，則原無此視個人為一原子或個人主義之說，而自始卽以吾人之一己，乃一存在於「人倫關係中，及與天地萬物之關係中」之「一己」。吾人之一己，原是一能與其他人物相感通，而此其他人物，亦原為可由此感通，以內在於我之生命之存在中者。依此思想，則一人之為一個體，卽原為通於外，而涵外於其內之一超個體的個體，亦卽一「內無不可破之個體之硬核，或絕對秘密，亦無內在之自我封閉」之個體。故中國之思想，亦不緣此以視天為一「超越於一切人物之上，其知、其意、其情、皆非人之所能測，而有其絕對秘密或神秘」之個體人格神，然後人乃得由信仰之所及，以自超越於其個體之自我封閉之外也。

對此中西之宗教形上學之思想形態之不同，其詳論固非今之所及。然其實有此不同，則非人所難見。吾人果見得此中之不同，則知中國思想中之不說天為絕對超越之人格神，未嘗不可言對天之感通，與事天之禮，及對天之仁。至於西方思想之言天為一絕對超越之人格神，而人若不賴之以實自超越於其個體之自我封閉之外，只轉而恃此人格神之天之神力，為其個體之個人主義之保障，或轉而執此人格神之天之秘密，以藏於其個人之秘密之內，以成一更大之自我封閉；則信此天之人格神者，固未必眞有事天之精神，亦未必能眞有事天之禮、與對天之仁也。此人之事天之精神、事天之禮、對天之仁，必依於人對天之眞實感通。此眞實感通，必由人之眞超越其自我之封閉，對天開朗，亦對天下之人物開朗，同時將自己的秘密，亦使之開朗而後致。故人於此所當信之天，亦當為對外開朗之天，而非一只有其超越的秘密性神秘性之人格神之天。只有超越性、神秘性之人格神之天，亦實無異一有超越的自我封閉性之人格神之天，非必一具至德與至道之天也。具至德至道之天，必為開朗而向外表現，以發育萬物流行於萬物，亦內在於一切人物之天。此一天之秘密性、神秘性，唯是由其發育流行之無盡處之所昭顯。卽在其發育流行之無盡處，同時有此秘密性、神秘性之昭顯，而見此天之原無必然須保留之秘密或神秘。故此天，永只在其由隱而顯，由微而彰之一歷程中，而亦恆內在於其所生之人物之中；亦容吾人之由對此天所生之人物之感通，以與天相感通；而不須吾人之超離與此天所生之人物之感通，以別求與天之秘密或神秘之感通，然後能實有此與天之感通，及事天之事者也。故孔子亦不須明說此天為一絕對完全獨立自在之超越的人格神，然後可言事天與事天之禮，與對天之感通之仁；而吾人亦不可以孔子之未嘗有以天爲超越的人格神之說，而疑孔子之有其事天之禮對天之仁、以與天感通之聖教也。此則還有賴於吾人之深識其一己與他人及天之存在之內容之可同，亦可由異而同；然後可知此孔子之言仁，何以不離己與人以言天，而又可分別說此仁有對己、對人、對天之感通，以有盡己心、盡人倫、事天之三義之故也。

五　如何理解孔子之言鬼神

孔子之仁者之感通，除與天命及天相感通外，亦兼及于與人之鬼神之感通。由周以來之郊祀宗祀，已以祖考配天，合祭天與祭祖爲一。則禮記孔子閒居之言「郊祀之禮，所以仁鬼神」，論語之言「祭神如神在」，中庸之言「鬼神之爲德，洋洋乎如在其上，如在其左右，體物而不可遺」，亦兼指天地之神祇與人之鬼神而說。而此於對天之祭之外，兼有對人之祖宗與先賢先聖及昔之有功德於民者之祭，亦實爲中國宗教思想中之一特色。依孔子之教，仁必以孝爲本，孝必極於愼終追遠，則於祖先之鬼神之祭祀，明似更爲重視。然於此人死之後，必有鬼神之存在，與此鬼神之必有知，則孔子皆未嘗如西方之宗教哲學思想，更爲之論證。故人亦可謂孔子之教中之有對祖宗之人神之祭祀，唯是以愼終追遠，爲使民德歸厚之手段，或謂孔子實未嘗眞有信鬼神之存在。如墨子之謂儒者乃無鬼而學祭禮是也。如孔子果以鬼神為無，而學祭禮，則祭禮唯是一禮俗之形式，而由此祭祀，亦不能實有人之仁及鬼神，而與鬼神相感通之可說。則孔子所謂「郊祀之禮，所以仁鬼神也；禘嘗之禮，所以仁昭穆也」之言，便皆為虛說。以孔子之未嘗論證鬼神之必存在，與其必有知，則不能使人無此虛說之疑。凡此皆待吾人之另有說以通之，然後其疑可解也。

茲按孔子固未嘗論證人亡之後其鬼神之必存在，然孔子亦未言鬼神之必不存在。而凡以人亡之後，即一無所有，而謂鬼神必不存在者，皆意謂唯在現實上與我相對而存在之人物，方為眞實存在，而一切已往或過去之人物，即非眞實存在，而同於無有。然孔子則亦未嘗以只有在現實上與我相對而存在者，方為眞實之存在之說；而無寧是謂在吾人自己之生命當下之現實存在中，凡其生命之感通之所及者，無非對吾自己之生命，為一眞實之存在。吾人之當下之生命其感通之所及，則又明不限於在現實上與我相對而存在之人物。蓋即此在現實上與我相對而存在之人物，其所以存在，亦未嘗無一超現實之意義。而吾人亦未嘗不依其具此超現實之意義，而後求與之有生命上心靈上精神上之感通。譬如當父母在世，此父母固可說在現實上與我相對而存在。然父母之心意之所存，志願之所往，或其所思所感，則吾人前已言其初非必皆為吾之所知，亦初未現實的存在於我之知之中，即對我之現實存在，有一超越之意義。然人子之盡孝，則正當體此父母之心意之所存，志願之所往，而有以體貼之、慰藉之，方為此人子之生命與父母之生命互相感通，而盡孝之事。則此盡孝之事，亦正由人子之與「

初超越於其現實之存在之外之父母之心意志願」，互相感通，而後有者也。自此人之求與人感通之實事上驗之，人亦並非必待確知他人之爲一現實上與我相對而存在者，然後吾人求與之有生命上以及心靈上精神上相感通。如在亂離之世，吾人於親友之存亡，恆不能確知。然吾人仍可音書頻寄，或一日不忘其懷念之情。是卽證吾人對其存亡之不能確知，並無礙於吾人之有求與之相感通之情。如實而言，則人與人只須一朝分手，皆有遽死於非命之可能。於此如純自邏輯理性以推，則除我當下所見之人之外，此外一切人皆死於非命，而皆不存在，亦邏輯上可能者也。則人當獨處之時，謂世間之人，已皆不存在，亦邏輯上可能者也。然人在獨處之時，並未嘗以此而不更作種種爲人之事。此固可說由人之知此邏輯上之可能，其概然性至小；然亦由人於其過去嘗確知其存在，只須今無理由謂其不存在，卽自然肯定其存在。蓋吾人之現在之自己，原可對於其過去，有一生命上之直接的感通。由此而吾人卽可以其過去之所確知，而肯定其存在者，爲其現在之所確知，而肯定其存在者；而初不待任何其他理由，而後作此肯定；亦不能別無理由，而逕對此肯定，加以懷疑。夫然，故人與其親友分別，並不無故作其死於非命之想。人獨處之時，亦不作世間之人皆已不存在之想。故人若與親友分別，忽聞其死於非命，必首露驚訝之情。若一人獨處，卽作世間之人已不存在之想者，吾人必以爲瘋狂之人，或絕對自私之不道德之人。是卽證吾人之心中對人物之存在與否，原依於一原則以措思：卽凡吾人昔所知爲存在者，今若無理由謂其不存在，卽必自然的思其爲存在；然後人乃免於瘋狂，與成爲絕對自私之不道德之人也。

今依此原則，以論人死之後，是否有鬼神之一問題；則說他人死，卽不復能在一般所謂現實上世界中，與我重相見，以相對而存在，此固無問題。生離之不同於死別，卽在生離之時，雖不相見，仍可重相見，而死別則無此重見之可能。故生離之人之在現實上之不存在於我之前，不同於死別之人之在現實上之不存在於我之前。生離之人雖不呈現于我前，而有重呈現于我前之可能，故謂之仍存於現實世界；而死別之人無此可能，故可說其已不存在于此現實世界。此皆無問題。然只此吾人對死別之人無在現實世界中重見之可能，是否卽足證其鬼神之不存在，則爲另一問題。此中，人若如唯物論者之先假定人之生命心靈精神，不能離其身體生理之狀態而存在，自可謂人之身體之生理之狀態，至人死而大變，以化爲異物，則人之生命心靈精神，亦化爲異物而不存在。然吾人若先不作此假定，而只由吾人所直感之人之生命心靈精神之存在之意義，不同於其身體之生理狀態之存在之意義以觀，則人不能直由其身體之生理狀態之化爲異狀，而逕推論其生命心靈精神，必不能存在於一般所謂現實世界外之世界。凡一切本唯物論之說，以推論人之生命心靈精神，必不能自已存在於一般所謂現實世界以外之一世界者，吾人皆不難指出其邏輯上之謬誤。蓋此推論，皆本吾人所見之現實世界之事，如人亡之後，其身體之化爲異狀之物，以作推論，而人亡之後，吾人既謂其不在此現實世界，則吾人不能據此現實世界之任何事實，以推論其必不能存在于現實世界以外之世界。今將吾人上述之原則，卽

「凡吾人所嘗確知其爲存在者，若無說其不存在之理由，則吾人恆自然的思其爲存在」，應用於此人亡之後，其生命心靈精神或其鬼神是否存在之一問題；則吾人亦只須無決定之理由謂其不存在，即可任吾人之自然的依此原則，以思其爲存在，而無任何不當之處。而此一思其爲存在之思想，即正爲合乎人對死者之至情，不忍謂其一死而無復餘，而必有之思念之心，祭祀之禮，以對鬼神求生命上心靈上精神上之感通者也。

吾人以上之言，自只是吾人之一論辯。然吾人之論辯，非意在自提出一原則，在理論上積極的證明鬼神之必然存在。吾之論辯，唯在說：只須此中之「消極的證明其不存在」不能有，則人在實際上自然能依一原則以思想其爲存在。此思想乃合於人之至情，此至情爲當有，則此思想亦爲當有；而此思想所依之原則，亦爲當遵之原則；則由此思想與至情而有之人之思念祭祀之禮，以求與鬼神，有相感通之仁，亦皆同爲人所當有或義上之所當然者矣。由此而見孔子亦不須更對鬼神之實有，作種種之論證，然後方可言對鬼神之禮與仁。而孔子之不作此種種之論證，亦非卽墨家所謂無鬼神，而亦不礙孔子依此人之自然的思想與至情，以信鬼神之實有，而此信亦爲當有之信。孔子之缺此種種之論證，亦非卽孔子之思想之短缺。吾人之論辯，亦不在代之更立此種種之論證，而唯在言：只須消極的鬼神不存在之論證不能成立，吾人卽不須更待有任何其他積極鬼神存在之論證，方得信有鬼神之存在。故吾人之論辯之目標，亦只是消極的說一切論證，於此皆不相干，亦皆不必須。此吾人之論辯之自身，固亦更可有其自身之是否圓足之問題。但於此吾人亦不必更加討論。然要之可見鬼神存在之是否當先爲之論證，本身爲一問題。如其本身爲一問題，則孔子於此之不作論證，卽非孔子思想之一短缺。吾人之論孔子思想，亦不當於此致憾，仍可由孔子之非理論性之對鬼神與祭祀之言，以觀孔子思想之勝義之所在也。

由人之亡者其鬼神之存在，原不待吾人之自提出一原則，在理論上加以證明，而人卽可依一自然亦當然之原則，思想其爲存在，而合乎人對死者當有之至情；故人於鬼神之存在之狀態，亦不必純理論的加以推知。依吾人對死者之情，而生起之鬼神之存在狀態之種種想像，吾人亦無法純理論的或以現有之經驗，證明其必眞或必假，故亦永不能確知鬼神存在狀態之必爲如何，或必不如何。此今已爲鬼神之人，雖嘗存在於世間，然其爲鬼神之後，是否不再死亡於鬼神所存在之世界，或永遠爲一存在之鬼神，或由其死亡於鬼神界，卽再投生爲世間之人或他物，皆非吾人所能確知。人或只據人之鬼神原只是曾存在之人，而非現存在，以謂其必無者，亦復無必然之理由。因如曾存在於昔者，必不能存在於今，則吾人亦不能謂昔日之我之經驗爲存在。吾人之謂昔日之我之經驗之爲存在，唯由吾人能對之加以回憶與重念。此回憶與重念，卽吾人與自己之過去之感通。若離此感通，則吾人亦未嘗不可謂此昔日之我之經驗，既不存於現在，卽同於不存在。然吾人自對其昔日之我之經驗，有此一感通，則吾人卽可謂昔日之我之經驗，存在於今日之我對之之回憶重念之中，而其自身亦爲存在者。順此意而推擴言之，則鬼神果在思念與祭祀之禮之中，爲人之感通之所及，自亦存在於此感通之中。至於其在此感通之外如何存在，如何存在至於未來，則爲吾人所不能知，而吾人亦無理由謂其不被感通時，卽不存在，或不能存在至未來。此亦正如吾人之過去之經驗中之知識技能，除存在於吾現在之對之之回憶重念，或應用之事之外，其自身之如何存在，與其如何能存在至未來，以使未來之我得重念回想之應用之，亦非我之所知。我亦無理由以此而謂此我之經驗中知識技能，在不被回憶重念或應用時，其自身卽不存在，或謂其必不能存在至未來也。

六　孔子言鬼神之涵義，與禮與仁

上言吾人不能離吾人對曾爲人之鬼神之感通，而問鬼神自身之如何存在，亦猶吾人不能離吾對吾人之自己之過去經驗等之重念回憶之感通，而問吾人之過去經驗等之自身如何存在。實則吾人亦不能離吾人對任何事物之感通，而問其自身如何存在。於此如有問，吾人皆不能答，而只能謂此非吾人之所能知。反之，則凡吾人之感通所及者，吾人皆可謂其在此感通中，爲一所感通之存在，而凡可感通者，亦皆可說之爲存在。則吾人所能感通之範圍愈廣，由感通以知其存在於此感通中者，亦愈大。如吾人之感通之範圍，能無所不及，則一切爲其所能及者，無不可對此無所不及之感通爲存在。然在感通所及之範圍外，而問任何事物自身之如何存在，則同非吾人之所知。亦不特鬼神及吾人自己之過去經驗之自身之如何存在，於其不被吾人加以思念或回想重念時，非吾人之所知而已。而對此鬼神之自身存在之問題，吾人亦復須從根上打斷一切對其自身如何存在之問。然此一問雖可打斷，吾人謂其不存在之念，則在理上不能有，而在情上則不忍有，亦不當有。故禮記檀弓載孔子曰：「之死而致死之，不仁而不可爲也」。此卽謂由死者之死，而更謂之爲死爲不存在，乃不仁而不當有而失義之念也。至於下文「之死而致生之，不智而不可爲也」，卽言：謂其死後之存在如生者之存在，而以其主觀所知之存在狀態，想像推測死者自身如何存在之狀態，是爲無禮，亦於理上無據，而爲不智。不仁、失義，無禮，無智，皆足以傷情而害德。人對鬼神之禮及仁，唯所以使其生命與鬼神有心靈上精神上之感通爲止。此鬼神之存於吾人仁與禮之感通中，只是「洋洋乎如在其上，如在其左右」。此鬼神之爲德，乃「體物而不可遺」，又「視之而不見，聽之而不聞」。故此鬼神之存在，乃非可想像推測其爲有一定之存在狀態。人之祭祀之禮，只是「祭神如神在」，「事死如事生，事亡如事存」。禮記祭義發揮孔子言祭之義，亦只謂「齋之日，思其笑語，思其志意，思其所樂，思其所嗜」。此乃於祭之先，就其所祭之人，思其生平之笑語志意之實事，而視之如尚在，以爲交於神明之媒。固非想像推測其所親者之鬼神在幽冥之存在狀態，卽如此如此之謂也。此中所謂如在，亦非其本不在，只假想之爲在之謂。此「如在」只是謂其不同於一般之由想像推測，而視之爲吾人知識之對象之「在」；而爲一只可本吾人之回憶思念所祭者之生平，而視死如生之在。故其在，又不同於一般之生者之在。此不同處，即在其既爲鬼神乃非有一定之存在狀態之在，而只是一純粹的在於此感通中之「純在」。對此鬼神之「純在」，正賴人之將一切對死者如何存在於幽冥之狀態，一切想像推測，加以超化，亦將此一切想像推測之活動，加以止息；然後人有一純粹的對死者之生平之回念與純粹之誠敬，以與其「純在」相契應、相感格，而使吾人得仁及於鬼神。然以人之習於以可想像推測感覺把握得之一定存在，方爲存在者，恆以爲不可以感覺、想像推測把握，即爲不存在。或以爲言「如在」或「洋洋如在其上」，即恍惚不定，不可把握之謂，而其在同於不在，而主無鬼神，並謂孔子實未嘗信有鬼神。至于人之主有鬼神者，遂亦必求對鬼神之存在，加以推測而論證之，或對其存在之狀態，加以想像爲如可感覺，以實化此鬼神之存在，如一般哲學中之有神論與宗教家之說。或即又以此而疑孔子之鬼神論，尚未能實化此鬼神。然此二者，皆同是由人之習於唯以可感覺想像推測把握得之一定之存在，方得爲存在，然後意此不知其狀態爲如何之在，即爲不存在，而或者遂必欲由想像推測等以實之，然後方謂其存在。此二者之言，雖似絕相反，而正同出於人之唯以「知其存在狀態之存在，方爲存在」之習。亦同由人之離其對鬼神之誠敬時，方有此種種歧出之想。實則人在有對鬼神之誠敬時，正當不見有一般由想像推測而把握得之存在。人如對此鬼神以想像推測求把握之之時，正當進一步，就其體物不遺、不可見、不可聞處，以見其非此可把握之存在而不可測，而只爲一「純在」也。此方爲孔子言鬼神之如在之旨也。

至於世之哲學宗教之必欲對鬼神之存在，與其如何如何存在狀態，本想像推測加以實化者，則其初雖意只在使此鬼神成所知、而可把握，然其歸恆在對鬼神之有所祈求，而落入於功利心。此則由一切本想像推測，而有所知於鬼神之存在之狀態，皆本吾人所知于生人之狀態以想像推測，而此想像推測之結果，卽爲視鬼神同于世間之生人之存在。於是吾人卽可以吾人之求於生人之態度求之，此卽恆落入於對鬼神之功利心。此與不信鬼神者，恆只求世間之功利者雖不同，然其爲功利心則同。故人之對鬼神祈求功利而不得者，人恆轉而不信鬼神。而求世間之功利而不得者，亦可轉而求之於超世間之鬼神。此人之跌宕於信與不信之間，卽皆同依於一功利心。而其鬼神，亦皆非其誠敬心之所感通；而實皆同於無鬼神。而孔子之於鬼神，則初不以想像推測把握之，故亦不重對鬼神之祈求，不重對鬼神之禱，而重對鬼神之禮。禱以求爲本，而禮以敬爲本。禮敬者無求之情；無求之德也。以禮敬對人如是，以禮敬對鬼神，亦如是也。由此而依孔子以言人之當祭鬼神，以「仁及於鬼神」，卽全脫於功利心之外，而純只是義上之所當然。而人之祭鬼神之事，乃可全絕於求福報之心之外，而同於人之行一切之義時之無心於求報。然人之以禮對祖先聖賢天地之鬼神，卻又可說只是人之報本報恩之事，而後鬼神可實爲吾人之誠敬心之所感通，而在此感通中，乃實有鬼神也。茫茫世界，芸芸眾生，多未嘗知此義利之分，爲世俗與宗教之事者，皆同只以利心動人。不知義，則不知天命，亦不知鬼神，又焉能實有此鬼神哉。

至於在祭祀之禮中，孔子與後之儒者之傳，所以於祭天神之外，重對人神之祭祀者，則蓋以唯人神乃可爲天神與生人之連結。人神皆嘗爲生人。人亡之後，則與生人不復爲一相對並在之存在，自可說其鬼神之在天。此則由生人既可說爲由天所生，而屬於天之全體，則凡嘗生於世間之人，皆原可說其生于天地間。然當人之生時，以其乃與世間他人相對而並在，則一方可自視爲「己」，一方與他人相對，而爲「人」。然當人之既歿而爲鬼神，則不復與世間他人相對而並在，卽可說其只在此天之全體中。故人於鬼神，可只說其在天。在天，而可與天帝或天神相對而並在，或合爲一而俱在，人神遂成爲生人與天神之媒介。無人神，則天神可只至尊無上，而非生人之所企及。則天神與生人之間，上下大小，互相懸絕而難通。此卽世間之宗教之凡尊天神上帝者，必兼言有先知，爲天神與一般世人之媒，或必言上帝之化身爲人之故。此皆依于無天神與一般世人之媒，則天人之道不得通也。然世間宗教家之先知、與上帝所化身之人，仍皆較近於天，而較遠于人。依孔子之敎與儒者之傳，言人當祀祖宗與聖賢忠烈之敎，則祖先爲吾人自己之自然生命之所自出，聖賢與先德先烈，皆嘗澤被生民，爲世所共知。故其鬼神雖在天，而亦切近於人。人之一己，卽可直接緣其與人感通之仁之及於其父母，以至其祖先，更及於世間之人，以至於對世間有功德之聖賢忠烈，更上達於天。而人之各有其父母祖先，各地之各有其聖賢忠烈，則人各有其所祀之人神，以分別致其對鬼神之禮敬與仁，以與之相感通，以合契於天。夫然，而人之對鬼神之禮敬與仁，乃並行而不悖，而未嘗不可以合契於天，而交涵互攝。此卽不同世之宗教之只有一先知一救主之爲天人之媒，彼先知救主，皆唯是傳達天神之意旨，或爲天神之化身，而非吾人之生命所自出之祖宗，亦非必爲澤被生民之聖賢忠烈，在天而又切近於人者。故此中天神之意旨，只能由先知救主，以孤線單傳於僧侶，成單獨之宗教組織，而不能使人人皆能卽其生命之所自生，與其所感通之父母與世間人，以順序上達於鬼神，以通天人之際，以融宗教精神與人倫道德而爲一也。此則非加以比較，無以見孔子與後儒之言鬼神之至切近，而極高明，盡廣大之處。孔子之言皆不出乎言禮敬與仁。禮敬出乎仁，則又可以仁之一言而盡。吾人之仁，其表現于對鬼神之感通，與其對他人之生命，及對吾人自身之一己之內在的生命之感通者，其義又皆原互爲依據，互相涵攝，乃一而三，亦三而一。此則非「固聰明聖智，達天德，其孰能知之」。人類未來之宗教，亦舍今所論，別無他途。此言亦可百世以俟聖人而不惑。而通觀孔子之言教，則顯然已明有此義。然此則非徒逐章句訓詁之迂儒，與世之錮蔽自封之宗教徒、及今之好行小慧之哲學家之所能及。故並推衍而說之如此。

上下篇結論

綜上文所論，則見孔子之言仁與求仁之工夫，乃實有與他人之生命之感通、與對吾人一己自身之生命之內在的感通、及與天命鬼神感通之三面。而其工夫之節次，則第一步在志於道、志於仁、志於學。此則要在吾人一己之嚮往於與他人或天下之感通，而有對人之愛，與求天下有道之志。此卽孔子十五志于學之事也。而其第二步，則爲於志道之外，求實有據於德，以依仁而行道。而修德之本在恕，由恕以有忠信，而極於對人之禮敬。此中之忠信禮敬，原爲孔子以前所共重之德。孔子則特標出恕之一字，而恕亦實當是忠信禮敬之德之所由成之本。至孔子之所以重禮敬之德，則由仁之正面的表現，乃至禮敬而極，亦必賴禮敬而後能人與己皆立。故曰立於禮。孔子之三十而立，當亦要在立於禮也。至於仁所關連之智勇義諸德，則皆由對人與己之賢不肖善惡之辨以成，遂不同於恕、忠、信、禮敬之德，可由人之直順恕忠信禮敬之道而行之所成者；而是由人之辨別於道與非道之間，德與不德之間，能不惑於非道與不德，而後成之德。則其德之成，又在後一節次。此中之智、乃兼通於知人、知外、與知己、知內之二面，以成人之不惑。故智亦有對外對內之感知與感通之二面；而與人之仁德之見於外與存於內，皆不可須臾離者。故無智則無仁、而智最足以輔仁。智能知義，勇能行義，則義勇皆直緣智而生，亦皆所以成人之仁者也。孔子言四十而不惑，卽智之至也。至於仁者之樂且不憂，則純自仁者之內在的感通上說，而此樂且不憂，必本於人之知天命。知天命，則見仁者之生命與天命或天之感通，亦仁者之智之極。此則孔子五十之知命之學。孔子知天命，而亦知天之知之，故言「知我者，其天乎」。人有與天命及天之感通，亦有與鬼神之感通，以仁及於鬼神，是爲仁之至。此則爲孔子由下學而求極其上達之功夫之最後一步。至於此下之「六十耳順」「七十從心所欲不踰矩」；則是知命功夫純熟後之自然效驗。朱子謂此孔子六十七十之事，乃「只熟了，自然恁地去」。橫渠曰大可爲，化不可爲也」。（語類三十六）此皆非用工夫着力之境也。孔子六十耳順，聲入心通，如孟子言大而化之之境；孔子七十從心所欲不踰矩，如孟子言聖而不可知之謂神之境；亦略類佛家大乘七地以上以無功用行；皆不待工夫着力之境也。至於孔子之此知天命以知天之工夫，與其所言之樂，及人之行義時之自命之關係，則其旨最深微而難見。然亦顯然皆具存於孔子之言之中，故吾人上文不得不試加詳辨，而引申其旨以說之。

循上所論，則言孔子之求仁之工夫，其極必至於知天命、知天，故孟子言盡心知性以知天爲極，中庸首言天命之謂性。董仲舒以「道之大原出於天」爲說，更明視天爲天神，又言人必本天志以爲仁。漢儒之尊天之論，又無不連鬼神之說。此則似直承孔子之最後一步言仁於鬼神與知天命之學問工夫，所成之論。然自孔子之學問工夫之次第言，則初又不由此知天命之工夫而始。孔子之言仁，亦不自事鬼神始。孔子固言「未能事人，焉能事鬼？未知生，焉知死？」學固以事人而先盡生人之道爲始，如其言仁亦以愛人，而志在天下之有道爲始也。依孔子之教，則人果能先盡生人之道，並志在天下之有道，以志於仁，則其功，終必有己與人之生命感通、一己生命之內在之感通、以及於對天命之鬼神之感通三者。然爲學求仁之工夫，則不自知天命，事鬼神始。是方爲孔子下學上達之旨。此則明見孔子之學之不同於西方宗教之以知天命，事鬼神爲始，亦不同漢儒董仲舒之以人必本天志以爲仁之說，乃由上達而下學者也。凡本此一切由上達而下學之教，以釋孔子之言學與言仁，皆不明孔子爲學與爲仁之工夫之節次，而顛倒孔子之言所成之論，而未能契於孔子之爲學與爲仁之旨者也。

至於宋明儒，則大皆知孔子之爲學與爲仁，應由踐仁於人倫日用爲始，然後更及於知天命與對鬼神之誠敬，而識仁之工夫，亦要在于人之自心上先自識得。程朱陸王，其旨亦大體不殊。朱子注論語，謂孔子告顏淵，以克己復禮卽乾道，告仲弓則以敬恕卽坤道，亦是以循天地乾坤之道以爲仁之工夫，初當在一心之克己復禮而行敬恕也。故宋明儒之言，實較漢儒之言更合於孔子由下學而上達之旨。至於清儒之必就仁之見於事功，言仁之德必表現於利用厚生之事，更不喜自心之性理言仁，乃自人與己之情欲之相感通上言仁，則亦可說是更落實于事功以言仁。然就其言事功，而未嘗否認其原出於愛人之仁，言利用厚生，而亦言正德處看；則亦未嘗不有契合於孔子稱管仲之功，與言學者必先志在立人達人之道之旨。則清儒之言亦與孔子之言求仁工夫之第一步相通。然人之如何能定立其志；必賴於據於德之工夫；則人於此必當有內心上之自己反省之內在之感通之功，然後能由強恕而行，以至於克己復禮，而天下歸仁之境。由此更進，亦當實有與天命鬼神感通之知天命、俟天命、畏天命之工夫，然後人能樂且不憂，而人之仁更及於「體物而不遺」之鬼神。必兼此三者，而後人之仁，乃內有其自己與自己感通之深度，外有與人相感通之廣度，上有與天相感通之高度。此則皆非淸儒之所及耳。

第三章　墨子之義道（上）

一　略述墨學之演變，及本文宗趣。

周秦儒墨同為顯學，然墨學自漢而湮沒不彰。墨子書除晉魯勝墨辯注，與唐樂臺註已失傳外，自宋迄明，雖時有人道及其言，而未聞專治其書者。及清中葉，學者之校勘訓詁考證之業，由經史而旁及于諸子。畢沅始有墨子注。王念孫等繼對墨子之文，有所校詁。張惠言始注墨經。孫詒讓集諸家註，為墨子閒詁，並附墨子佚文，傳授考，墨學通論等，於其書後。自是，墨子之書，乃差可讀，墨學在中國學術史中之地位，亦漸以明。清末王闓運為墨子注，曹耀湘為墨子箋，更重申韓愈「孔必用墨，墨必用孔」之旨。汪中墨子注敍，張惠言書墨子經說解後序，及孫詒讓墨子閒詁自序，亦皆以墨子所言者，多為儒者所不可廢，以為墨學辯誣。然清末民初之學者，凡不自足于儒學之傳者，或求之于老莊，如早年之章太炎；或求之于墨子，如康有為之大同書，推墨子節葬之義，至於主張人死即燒骨成灰為肥料。梁任公早年即本墨家義，評儒者之學。夏曾佑為中國歷史一書，更重言儒墨之種種相反之義。自此以降，民國治墨學者日眾，而揚墨以抑儒之論，亦日以出。其流下接西方傳來之實用主義，社會主義，馬克思主義。民國以來論墨學之書出版者既益多，而專以治墨辯名家者，亦過十數。此則清末至今墨學史上之一大變，亦中國學術史之一大變也。

今暫舍墨辯不論，以言今人于墨學大義之評論，蓋皆是先平觀儒墨道諸家之學，以論墨學之異於諸家者。昔莊子天下篇嘗言墨子尊禹之道，淮南子言墨子「背周道而用夏政」，墨子公孟篇亦載墨子嘗非儒者之公孟，謂其「法周而未法夏」。近人遂多持此以謂墨子之學，乃承夏道之尚質，故別於儒者之尊周文，而謂墨與儒，「其爲禮也異」；孫星衍墨子後敍，固亦言之矣。民國初年江瑔讀子巵言，論墨子非姓墨，儒與墨皆學派之名，墨家乃以「瘠墨」之刻苦生活爲教者。其言甚辯。後此之學者，乃或就墨子與其徒，多爲當世之賤人刑徒，如今所謂勞苦大眾，以言墨學之基礎，在社會之平民，故不同于儒者之教，爲當時之士大夫而設者。此則純爲民國以來觀學術與社會階級職業之關係者，所爲之新說。或者又更謂墨子原爲殊方異域之印度人、阿剌伯人或猶太人，故其學亦異於中國固有之學術文化之傳。此則於史最無徵之怪說。然亦由今之學者必欲求墨之所以異於儒之故，而生之論也。又墨子魯問篇嘗言「凡入國必擇務而從事焉。國家昏亂，則語之尙賢尙同；國家貧，則語之節用節葬；國家憙音湛湎，則語之非樂非命；國家淫僻無禮，則語之尊天事鬼；國家務奪侵淩，則語之兼愛非攻。畢沅注以此證墨子之通達經權，近人又或以此證墨子之所以爲此異於儒之說，只爲補偏救弊而設。如陳柱墨子十論之言是也。昔淮南要略固亦已嘗謂諸子之學皆起於救時之弊，則墨子之所以與孔子以前之學異者，亦唯以其所處之時代不同，所見之時代弊患之不同而已。此喜自時代之不同，論學術思想之所由異，亦爲今世之一流行觀念。此與自一學術思想所自出之社會階級、與其所傳承、所宗法者之異，論學術思想之所由異者，皆同是自一學術思想之外在關係，論一學術思想之所以成之實際上的原因；而非論學術思想之內在的本質之異同之說也。

今吾人欲論諸學術思想之內在的本質上之異同，則賴於吾人之直就一學術思想之本身，而觀其所涵之義理觀念，與其義理觀念；如何次第衍生以相結，其諸義理觀念中何者爲本、爲第一義之義理觀念？何者爲末、爲第二義以下之衍生的義理觀念？以觀其義理觀念，與其所衍生者之限極之所在；然後更觀其與其他不同義理觀念、及其所衍生者之同異出入，與互相關涉之處。昔人之能緣此以論墨學者，則在周秦之世多以墨學之本在兼愛。故孟子謂「墨子兼愛」，莊子謂「墨子泛愛兼利而非鬭」，尸子謂「墨子貴兼」。至荀子之謂「墨子有見于齊無見于畸」，「尙儉約而僈差等」，則又不只以兼愛爲說。蓋兼愛固是愛無差等而尙愛之齊，然齊或無差等之義，不盡於兼愛也。荀子又言「墨子蔽於用而不知文」，「由用謂之道」，則墨學之本又當在重用也。

至近人之論墨子之根本觀念者，則又或以墨學之本在天志，持此說之人甚多。如張純一「墨子集注」，即持此說而更注墨子書者也。此蓋初有見墨學之尊天志，似耶教之說而來。耶教既爲今世之一顯教，今謂墨學之言天志在耶教之前，則宗耶者可視墨子爲一先知，而宗墨與宗中國文化者，亦可以此墨之言天志先於耶自喜。又由墨子言天志之義，以次第引出其兼愛尙同之敎，亦似理有可通。昔班固漢書藝文志謂「墨家者流，出於淸廟之守，宗祀嚴父，是以右鬼」，亦似與此說相類。然漢志所重者，在墨子之右鬼。墨子之以天鬼並舉，兼言明鬼與天志，乃顯爲二義而非一義。則近人之以墨子唯以天志爲本，亦昔所未有之說也。又順此近人以天志爲墨學之本之說，人亦可以尙同爲墨學之本。因尙同乃以尙同於天爲至極，則尙同卽涵天志之義。而今以馬克思主義釋中國思想者有郭沫若十批判書，則自墨子尙同之說，要在敎下之同於上，非儒篇亦屢以敎下叛上爲儒者之罪；以謂墨子之學非重平民，而重在上之階級者。則尙同或上同亦可爲墨學之根本義也。至於此外言墨學之根本觀念所在者，則或以爲墨子重立故，重說一事之爲什麼。如早年胡適中國哲學史大綱之說。一事之爲什麼之所在，卽其利之所在。由此而或以墨子之根本觀念在重功利，而同於西方之功利主義，其言天志明鬼兼愛，皆所以完成其功利主義之論，如馮友蘭中國哲學史之說。此則可取證於墨子之喜以愛利並舉，有「義，利也」之語；亦可上合於荀子言墨子蔽於用之旨。然爲此上之二說者，皆先知西方哲學之有此實用主義，功利主義之論，然後以之釋墨，又初非承荀子之言而生之論。其曲爲比附之處，亦可視爲當世之一新說，此外又或以墨子之學要在非儒，其非命、節葬、非樂、天志、明鬼、以及兼愛、尙同、尙賢之說，皆是於儒者之是者卽非之。由非儒，而墨學之論卽可次第立。此則淸末之夏曾佑爲中國歷史敎科書，已言之。昔淮南子要略謂「墨子學儒者之業，受孔子之術，以爲其禮煩擾而不悅，厚葬靡財而貧民，久服傷生而害政」。此乃謂墨子先學于儒，而後異于儒。近人則不重淮南子所言之墨子之學于儒之一面，而唯重其異于儒之一面，以謂墨學之根本義，卽由其非儒而衍出，亦前所未有之新說也。

吾今之此文，不重在論墨學之興起之外在的原因，而唯重在論墨學之根本義理觀念之果何所在，以及如何可由此義理觀念，次第衍出墨學所立之諸義，與其義之所限極，以爲與他家思想比較之資。蓋吾初亦嘗主墨子之根本觀念在兼愛，並以兼愛之說之形上學之根據，則在天志。由此兼愛、天志之說，卽有其非命、非樂、節葬之論，則不得不非儒，遂與儒之思想，成對立之二型。至於其兼愛之說之所以成，則吾於十餘年前，嘗作孟墨莊荀言心申義（中國哲學原論上），謂其原於一理智心或知識心，以普遍化此「愛」，並求此愛之必有其效果上之「利」，以成。此則自謂更能探出墨子之所以成其兼愛之說之人心論上的根據，而按之于墨子言兼愛之義之文，亦無不合。然墨子書之言心者，其明文不多。則吾亦不能逕說重此理智心，卽爲墨學之宗旨所在，或墨子之道所在。因吾謂墨子之心是一理智心，雖不誤，然墨學之宗旨或道所在，則可根本不在其論心之處。欲說墨學之宗旨或道所在，固當更就墨子明文所及最多，而又可由之以次第衍生墨學之諸義者言之。後忽念墨子之根本義理觀念，或卽在其所謂「義」，乃遍查墨子之書，見其除有貴義之專篇首言「萬事莫貴于義」，耕柱篇巫馬子謂墨子曰「子之爲義也…子爲之有狂疾」魯問篇載「吳慮謂子墨子曰義耳義耳，焉用言之哉」等外；其兼愛、尙同、天志、明鬼、節用，非攻、節葬諸篇，無不本「義」以立論。貴義篇又謂「爲義而不能必，無排其道，譬若匠人之斲而不能，無排其繩」。則義之爲道，亦如匠人之繩也，故更言義卽聖王之道，則墨子之學以義道爲本甚明。甚怪何以吾與昔人，皆忽此遍見之明文，而必欲另作他求，以爲解釋。因於論孔子之仁道文既畢，卽成此文。後乃更見陳拱君贈我之墨學研究，與李紹昆君贈我之墨子研究，亦重此「爲義」與「義自天出」之旨。在此點上，皆度越前人之別求中心觀念，以釋墨學之論。然吾文自單獨寫成。吾初於此之所悟者，唯是見墨子諸篇所謂「義」之義，正足涵攝吾前以「理智心」言墨學時所及之義，其次是思此墨家所謂義與其所謂兼愛，果是何關係？兼愛與仁義果是何關係？又墨子以天爲義，是否卽證其學之本卽在天志？以及此「義」之義，如何可內在的貫通於其兼愛尙賢尙同等諸說之中，而不只是外在的統括此諸說？此諸說如何由此「義」之義衍生，當以何次序說之爲宜？則吾之此文亦別有其用心。吾之結論是兼愛雖亦可說是仁，然實則是以義說之仁。墨子之說義，又在理論上原有由儒家所說之義，而轉出之可能。在歷史上看，則淮南子所謂「墨子學孔子之術，受儒者之業」，亦可能爲事實。再墨子雖有天爲義、義自天出之言，然墨子書亦隨處以天、鬼神、人三者並言，而以義道爲通貫，則義道之大，亦可說有大於天者。故於「天爲義」，「義自天出」之言，當另作善解，亦不可持以證其說卽以天志爲本。後文當辯。由此而吾不復重吾前此亦嘗以天志爲墨學之形上學根據之說，以爲此只是吾人習于西方之宗教形上學者之一可有可無之推述。今當純就墨子之自言其學之根本在「貴義」，以釋墨子。又于墨子由義之觀念所次第衍生之觀念，吾意亦當重觀其與儒家類似之觀念之同異。由此可見其不必皆與儒家處處對立。墨家之言義道，有不及儒家之廣大之處，然亦自有其精彩，而不可廢。自墨家重義，孟子乃輒仁義並言，而荀子之言政治上之「義」，亦正有類墨家言義處。如此以通觀儒墨之關係，而不爲一刀兩剖之論，亦可減除若干不必要之思想葛藤。此則本文辯墨學中之義道之宗趣也。

墨子之所謂義以古語釋之，卽「天下之公義」，以今語釋之，卽一客觀普遍之義道，而不必兼自覺其本在內心之仁者。其與儒之異，不得而泯，後文亦當更及。但此義一名，初固爲一公名。言義必及利，在國語周語中，已有其言。論語中時言及義。則墨子之貴義，初亦當襲用此公名之義。故於墨學之歷史起原，卽不說出于儒，亦必與儒學有同原之處。此雖非本文重心所在，亦當略辨。按墨子書，明多徵引詩書，其立言之三表，一曰必本於上古三王之事，故處處言上古之聖王，亦處處言仁義。莊子謂墨子尊禹之道，淮南子謂墨子背周道用夏政，乃自墨子之勤勞天下似禹，而輕周之禮樂處言之。然若謂墨子只上法夏禹之道，則與墨子書處處兼言堯舜禹湯文武之聖王之道之明文不合。清人汪中墨子後序，已嘗辯之。按墨子非樂篇明謂由堯舜至禹湯文武，乃世愈降、德愈衰，而樂愈多。禹湯之樂固少于文武，而堯舜之樂更少于禹湯，其尊尙堯舜，固可過於禹湯也。韓非子顯學篇謂「孔墨俱道堯舜，而取舍不同」，固更得其實。則謂墨子之道只爲夏禹之道，不足信也。至於墨子公孟篇載墨子之謂公孟子，只「法周而未法夏」，下一句是「子之古非古也」。此乃謂公孟子知法古之周，而尚未及更古之夏而言。夏之禮樂較周之禮樂爲樸實，固墨子視爲更當法者。故有此以「法周未法夏」，以責公孟子之言。然依墨子非樂篇之文，明謂堯舜之樂更少于夏殷之樂，則墨子之以未法夏責公孟子，固可更進一步以謂其未法堯舜也。此未法夏之責難，唯所以見公孟子所法之周非古，故引而進之，由周以及于夏；謂其尚未及于夏，更何論堯舜。此固非卽墨子以法夏禹爲至極之謂也。方授楚墨學源流第五章亦引汪中述學墨子後序文辯墨子之非只用夏政。今知此以墨子之道只爲法夏禹之道之說之非，則知韓非所謂儒墨俱道堯舜之說，更爲近是。再細觀：墨子之隨處徵引詩書言仁義，于堯舜禹湯等古先聖王，並加尊崇之言；則固當謂淮南子言墨子初「學儒者之學，受孔子之術」，正可能爲事實。至少墨者之學與儒者之學，自歷史上觀之，固同原於中國之傳統文化。其與儒之異，固只是韓非所謂取舍不同。是乃學術思想之流之異，非其原之異，固顯然無疑。至於謂墨學原自印度阿拉伯猶太之說，更不待辯矣。

吾人若知墨者之學與儒者之學之同原於中國傳統之文化，則墨子之言仁義，或專言「義」，雖有其特殊涵義，此亦必有本於傳統習用之涵義，而亦當有與儒者之用此仁義之名之涵義，有相類似而接近者。吾人欲了解墨子用此仁義之名之特殊涵義，亦當由此二名之一般之涵義，或儒者用此名之涵義，以觀墨子所增之涵義之何所在。

二　由仁義之不同，辨墨子之兼愛為以義說仁之義道。

按仁之一字從二人，其初義應爲愛人。孔子言仁，亦以愛人之義爲主。此對人之愛，卽吾自己與他人之生命之感通。然此感通，可不只表現爲愛人，亦可表現爲愛他人之亦能愛人者，並惡他人之不愛人者，而仁者亦惡不仁。故孔子言「唯仁者能愛人、能惡人」，則愛惡皆可出于仁。又此感通亦可表現爲敬人或其他對人之德，而孔子之仁可攝諸德。此具如吾論孔子仁道文所及，今不贅。至于義一名，則昔多訓爲宜，所謂宜者，初當是自行爲或行事之宜有者言。宜有亦卽當有、應有，而爲正當者，亦卽合于當有應有或正當之標準法則者。人之能知何爲當有應有，何爲正當，亦卽知義。尅就此知義之知而言，可稱爲智。此知或智，自在人之內心。然知當有、應有、正當、而不表見之于行爲行事，則不足言行義。有知義而無行義，不能稱爲義。行義而無畏，則稱爲勇。故義必連于人之行爲行事之表見于外者言，亦恒連于行之勇而說。此蓋爲「義」之一名之通義。孔子言仁，既以之攝智，亦兼攝義與勇，卽由知義、行義、原必連于智與勇之故也。然就此義之不特內連于知義，又必須外連于行義上說，則義對自己，爲一通此知與行之德，而對他人，則爲人所能共見之德。此便有其不同于仁之爲德，乃可不見于愛人之事，而只存于自己之內心，以爲一愛人之心者。人有一愛心，卽亦可稱爲有仁心。人之有仁心者，當其無愛人之事之表現時，此仁之爲德，卽只爲人內心所自覺之德，而非其外之人人所能共見之德。故仁之愛人，雖初是由我以愛及人，而此仁愛之心，則可只存于內，不爲人所知。至于義，則初亦只是自求其行爲行事之正當。義字從我，古音亦讀如我，故有「以義正我」之言。此義亦可初只爲人所自知。然以義正我之行事行爲，又必表見于外，以爲人所共知。此卽將仁與義之德對言時，二者之不同所在。由此，而仁人雖可兼爲義士，而不必能兼爲。重仁與重義，可相涵，而不必相涵。重仁者，重在開拓其一己之內心，以包括他人以至天地鬼神萬物，于其內心。重義者，重在實行其內心所知之義，而表現于其外之人之前，以至天下之一切人之前，或客觀之天地萬物鬼神之前。仁偏在內說，義偏在外說，原爲古義。此卽仁內義外說之遠原。孔子固不主張仁內義外，然于義之必表現于外之行事，亦無異辭。孔子言「君子之仕也，行其義也」，卽義必見于行事之謂。又曰「不義而富且貴，于我如浮雲」，卽謂以不合義之行事求富貴，于我如浮雲之謂。又言「君子之于天下也，無適也，無莫也，義之與比」，亦卽涵君子之比于義，必見于其應天下事時之無所適莫；亦涵君子之行義，可爲天下人所共見之旨。則將義與仁對言時，重義與重仁之有所不同，固亦未嘗非孔子之所許也。

然吾人若承認將仁義對言時，重仁與重義，其旨有所不同，則重仁而以仁說義者，與重義而以義說仁者，卽爲二不同之思想之道路。吾人如謂孔子與儒者之傳爲重仁，而以仁說義者，則墨子正爲重義而以義說仁者。此卽儒墨雖共本詩書言仁義，其原未嘗不同，而其流終以大別之故。此以仁說義、與以義說仁，其初固只有毫厘之差；然有千里之距，亦不可不察。

吾之所以謂墨子乃重在以義說仁者，乃由于有見于墨子書中雖恒兼言仁義，亦恒單言義而特標貫義之旨。此與孔子之言雖亦兼及仁與義智者，卻多單言仁，而恆教弟子以求仁之學者，正相對反。表面觀之，墨子言兼愛，此愛固明是仁。墨子之摩頂放踵以利天下，其爲人亦當是一敦厚篤實之仁者。但吾人論墨子之學術思想，可將墨子之爲人之人格一點，加以撇開。墨子之爲人之人格，固爲其所以有其學術思想之一主觀的精神背景之所在；其學術思想中之重兼愛，則亦可說初卽墨子之人格之爲一能兼愛者之直接反映于其思想。然墨子所以教人奉行此兼愛之教種種理由，方是其學術思想之核心。此理由卽墨子所謂「故」。墨子非儒篇言「仁人以其取舍是非之理相告」，使人「無故從有故」。則仁人之取仁而是之，舍不仁而非之，以教人仁，固必重在說出其理由，使人從其說，以爲仁也。自此墨子之教人仁之理由上看，卽可明見墨子之言兼愛，雖似亦爲一種仁教，而實只是一以義說仁之教或一義教也。

所謂兼愛似仁教者，卽兼愛乃兼愛一切人，此與儒家言仁者之博施濟眾，亦似無差別。莊子天道篇謂孔子嘗答老子曰「中心物愷，兼愛無私，仁義之情也」。此言固非必孔子所說，然要是莊子之以墨子之兼愛說孔子之仁之言也。後韓愈謂：「博愛之謂仁」，又謂「孔必用墨」，亦蓋以兼愛、博愛、與仁愛無別之言也。墨子言兼愛，要在言愛己亦當愛他人，愛其家亦當愛他人之家，愛其國亦當愛他人之國。儒者言治國平天下，固亦不能謂他人之家與他人之國不當愛也。則墨家之兼愛，明與儒家仁愛極相似，而亦爲一仁教。然墨家之兼愛，所以畢竟不同于儒家之仁愛者，則在墨家言愛必及利，而儒家之言愛則不必及利。此點亦爲墨家所提出。故墨子大取篇謂「聖人有愛而無利，儒者之言也；天下無愛不利，子墨子之言也」。此說儒者之聖人只愛人不求利人，儒者固不能同意。儒者之聖人有愛人之事時，亦固必對人求有所利也。然儒者以人有愛人之心，而無愛人之事，或有愛人之事，而其事未必實有利于人時，其人不必卽非一愛人之人，亦不必非一仁者。墨子則以愛人必求歸于利人之事，則對人之只有愛而無利者，卽不當稱爲愛人之人或仁者。後之爲墨學者更有「愛厚而利薄，不如愛薄而利厚」之說（大取），卽似輕愛而重利，則與儒者之言大異。然吾人如試問墨子之言仁愛何以必連利以爲言？則此中只有一個理由，卽在墨子意，愛人之心必當求表見于愛人之事，愛人之事，必當求同時爲利人之事。此卽所謂言「志」必及于「功」也。此言初正是純自義之當然上說。蓋純自義之當然上說，人有愛人之心，固當求有此愛人之事，而求此事對人有利也。自義之當然上說，人之愛人之心志，固義當見于事，此事卽必有利人之功。有志必求有功，儒者亦不能非。玆按左傳成公二年記仲尼曰「義以生利，利以平民」，成公十六年記申叔時曰「義以建利」，昭公十年記晏子曰「義，利之本也」，國語周語記單襄公曰「言義必及利」，又曰「畜義豐功謂之仁」，晉語里克言「義者，利之正也」。此併見古之賢哲共許此言義之連于利。但在儒者看，則吾人謂仁愛之心當見于事之有功，此義之當然，仍初在人之知義之當然之心志。故仁在內，而義亦當在內，此孟子之辯義內之旨也。又自儒者言，仁愛之心，固義當求見于事之有功，然事如不成，功若未就，亦不能謂此仁義之心即不存在，更不能以此疑人之心無仁義，而謂其不能稱爲仁人義士。當說無論仁人義士之事功之就不就，其仁義之德皆可成。此卽儒者之所以能肯定道德人格之本身價值也。然在墨者，則以仁愛之心既當求見于愛人利人之事功，然後爲義，則于無此事功之見于外者，便亦不可稱爲仁人義士；遂有「愛厚而利薄，不如愛薄而利厚」之說，乃重事功之利，而輕此人之原始的「欲成此事功」之心志。此則與儒者之教，大相對反。然此蓋又未必卽墨子之本意，亦不必後一切墨者皆如此說。觀墨子本人之意，蓋唯是倡愛人必當求利人之說，以矯當時儒者或空談仁義之心之志，而不求事功之弊耳。然墨子本人亦仍未思及如愛人而欲成此事功，事竟不成，功竟不就時，是否其人卽無仁義之一問題；亦未明言此時人之愛之仁，仍存在于人之內心。是卽只知仁之必當求有事功以行義，而不知行義不成時，其仁之仍在，其依仁而起之行義知義之心仍在；而不知此仁義之不行于外，未嘗不行于內也。此則初唯由墨子之只見于仁之必求歸于義，乃特貴此義，而只知以義說仁之故耳。讀者細思之。

墨子之言愛人，必求表見于愛人利人之事功，而以此乃義所當然。此卽墨子書所以言仁恒必連于義，而合仁義爲一名，又或以義統仁，或單言貴義之故。此重愛人之必表見于事功，即重此「仁」之客觀化亦外在化于此事功中，以爲人所共見。重此客觀化的「愛」存于客觀之天下，而愛即必求兼，並見其結果于利。是爲墨子之兼相愛交相利之論所由出。所謂客觀化的愛之存于天下，又可同時爲一普遍化的愛之存于天下。此一理想之所以出現者，則以人對他人之愛，原有可客觀化普遍化之理。如吾愛一人，而有愛人利人之事時，此事中有此愛之表現，則此愛即存在于此事中。此事既見于外，爲人所共知，即爲一客觀存在之事。此事既有利于人，此利亦爲客觀存在之利。則此愛亦即當視爲一客觀存在之愛，是爲客觀化之愛。至于所謂愛之普遍化者，則如吾人之愛一人更次第及于他人，即爲普遍化此吾人對人之「愛」。由吾人之愛人，人效我而學我之愛人，此亦可視爲我之「能愛之德」之普遍化于人，以爲人之德。我之觀此德之亦存于此客觀存在之他人，亦可視「其德」，爲「我所自有之此德」之一客觀化。凡此所謂吾人之愛之能客觀化、與其能普遍化，皆原有其可如是客觀普遍化之理。儒者之有仁愛之心者，亦未嘗不求其仁愛之表現于愛人之事，並次第及人，而望人之同有此仁愛之德，以有此上述之種種「客觀化普遍化其仁愛之德之表現」之歷程。然吾人更須說，儒者于此必同時更重一與此上所述似相對反之「主觀化並特殊化其仁愛之表現」之歷程。此即謂儒者于將其仁愛之心表現爲愛人之事時，必同時自知此事之原于其仁愛之心，知此事之能實現于此心，亦對此心而顯其主觀之價值。又儒者之于其普遍化其愛，以次第及人，並次第教人亦成爲具仁愛之德者之時，必同時重此「次第歷程本身之存在」。愛之次第及人，名爲推愛；敎之次第及人，是爲施敎。在此推愛或施敎之次第歷程中，吾人所次第遭遇之人不同，即有此同一之「仁愛」之心之不同的特殊化之表現，一一爲吾人之主觀所自覺，而加以主觀化，方見仁者之懷。又吾人之本其仁愛之心，以次第推愛于人，並次第對人施敎以使他人亦有此仁德等，皆所以自盡其仁心，而外無所求。則于他人之仁愛及于我者，我雖自覺義當有以報之，然我之愛人，則不期于其報。故可以義自責，而不必以義責人。此即純爲以自盡其仁爲主，而以義自輔其仁之敎。然吾人于此若純以義爲主，則我愛人，人即亦應有一報我以愛之義務，則亦未嘗不可兼以人之未盡此義務責人也。

吾人如識得上文所說之旨，便可知墨子之重兼愛，正是一以義說仁之義敎。此兼愛之遍及于人，固同于儒家之推愛之亦可遍及于人。然言推愛，必有自我之主體，言次第及人，即必然有親疏遠近之差。今言兼愛，則兼字原爲一手執二禾，即二禾同時並執之意。故兼愛之愛及人我，乃是同時並愛人我。此「能同時並愛之我」，乃如初在人與我之後，平等觀此人與我而愛之。則此中之人固爲客觀存在之人，此我亦爲客觀化之我。而「能兼愛此人與我」之「我」，則如隱于後于上而不見。則此明與由我之愛我而推及于人者，此「能推愛之我」之亦自始次第顯于當前者，大不相同。故儒者只言「老吾老，以及人之老，幼吾幼，以及人之幼」，以愛及他人之父母子女。此便是推愛。墨家之言「愛人之父若其父」，則此是先將人之父與吾之父，直下平等觀之而並愛之，此便是兼愛。此推愛與兼愛之毫厘之別，唯在兼愛之中所兼愛之二者，皆同爲客觀化了的存在。故在吾人行兼愛之道，對人旣有愛，人若對我全無愛，轉施還報于我時，吾人之心必有所憾。吾人于此必謂人當以愛還報我，謂此人當以愛還報我，乃人之義務，亦卽我所可責于人之義。反之，如人愛及于我，我亦自謂當報之以愛，此卽爲我所自責于我之義或義務。此人與我之義之所在，不必爲人與我之「已有之愛」之所在，而只是人與我之「當有之愛」之所在。凡當有而未有者，卽皆只是義或義務也。由此而順吾行兼愛之道，以求愛之客觀化普遍化，吾卽必要求人與我以愛相施報，以爲人我共有之義或義務之所在。重此義或義務，亦卽重此仁愛之客觀化普遍化者，所亦必然著重之敎義。如依儒家之言仁愛之事，重在實現仁愛之心方面說，則仁者在已能推愛之後，再還觀此愛之兼及人與我時，亦未嘗不可說其此時之愛已爲一兼愛之愛。如吾旣愛吾父，由推愛，而愛及人之父之後，吾固可謂此時吾已兼愛吾父與他人之父也。然此是依推愛之結果，而說兼愛。此仍是以推愛爲先。至于以兼愛爲先者，儘可不重此推愛，並將疑此推愛之事，或隨時停止而不推，不能達無所不愛之兼愛之結果，遂必以言推愛不如言直下言兼愛。是見兼愛之說與推愛之說，仍有不同。然吾人亦可謂人之推愛之情雖未及，亦理當愛及一切人，以天下爲一家，中國爲一人，以由推愛得兼愛之結果。此「理當無所不愛」，便是義。而儒者之善言仁者，亦固當依理、依義，以愛及一切人也。蓋必依義以愛及一切人，而又實愛及一切人，然後全盡其仁。此卽以義輔仁之敎，儒家之所不廢者也。然墨家于此卻並不由推愛以達于兼愛，而是直下標出愛一切人之兼愛爲教，卽又純爲自義之當無所不愛說，而明見其爲以義說仁之義教，而不同于儒者之以義輔仁之仁教者也。

又吾人上說，儒者之言愛人之事，可只求自盡其心，而不求施報于人，唯對人之愛我者，則我又必自知義當有以報之。然依墨子之言兼愛，恒以兼相愛交相利爲說，卻自始卽重此人與我之以愛利相施報之關係。此更明是重人與我間相互之義或義務。對人之愛他人而不求施報、亦不得他人之施報者，墨家固未嘗加以尊敬，而稱揚讚美之。墨子以愛利相施報，望天下人，視爲天下人所當共守之普遍客觀的義道之所在，儒者亦初不能有異議。因儒者之個人，固可愛人而不求施報，然其對客觀存在的天下人，固不願其人之能愛他人者之不得其報也。儒者于天下之爲子者盡孝于其父母，其父不慈，而無以報之者，固亦必視其父之行不合于客觀上應有之人義也。由此言之，則自客觀的觀點，謂人義當兼相愛交相利，儒者固不能以爲非。然儒者于此能盡孝之子女之能愛其親，而不得其親之愛以爲報者，又必特加尊敬，而稱揚之讚美之，由此而爲禮以祭之，美名以褒之，詩樂以頌之。儒者雖不教其子之自往責報于其親，然亦可自以義責其親，而教其親，亦以慈道待其子。此上所言，正爲儒者之「所以待天下之行義不求報之人　，與不知義而不知報之人」之義道。今墨子不言「對此行義而不求報之人，如何加以尊禮褒揚頌讚」之道；亦不言「如何教彼不知義而不知報之人」之道，而徒以兼愛交利，以相施報之義道望人，則人若不行此相施報之義道，而墨子之道窮。勢必唯有濟之以賞罰，以使人得盡其義道。此則入于政治，而非道德世界中之事，當俟後論。在道德世界中言，墨子之義道，于此固必窮也。然儒者于此義道之窮處，則仍有所以補其窮之更上一層，所以待「行義而不求報之人」與「教不知義不知報之人」之道，爲儒者之義道之所存，此則仍是屬于儒者之道德世界之中之事。是即「徒知以此相施報之義道之當立于客觀之天下」之墨子，所未能及者也。

總上所述，要不外謂在墨子兼愛之教中，其言愛雖似孔子之仁道，然實只是以義說仁，而爲一義道。吾人之意，在一方說明愛固是仁，然愛之必求歸于利，則初只是一當然之義。人之相愛，固初分別出于相愛者之仁。然平等的愛客觀存在的人與我，與愛之必求兼而盡愛之，則初亦只爲一客觀的當然之義。人能行此當然之義，固即所以更實現其仁愛之心，亦更充達其仁愛之心，則行義所以輔仁。然仁出自內心之情；知義而行義，亦初出自內心之情；又人行義之事，如不能成就利人之功于外，人亦未嘗不能行義于其內心。再人之由愛人以行義，只當先責己之于人之施未能報，而不當責人于己之所施未能報，然又未嘗不當望天下人之皆以義相施報，此望亦未嘗不出自人之內心。乃有上文所謂「待行義而不求報，與教不知報之人」之義道，爲儒者自身之所行。此即爲孔孟之儒者所共同之思想道路。依此思想道路，以觀墨子之言兼相愛交相利之義道，初未嘗不可皆加以涵攝。墨子之言兼相愛交相利之義道，亦初未嘗不知其原于仁。故兼愛篇亦恒以仁義並舉。然墨家只限于言此兼相愛、交相利以相施報之義道，而不言「人之能行義而不求報者」，其心其德之更足貴，其人之更足尊足敬，亦不知所以待此種人，與教不知報之人之道，以補其所言之義道之窮，則顯然與儒者之說異趣。墨子之徒自執其說以非儒，則儒者亦固必闢其言之偏執。此卽孟子之所以闢墨，而必兼言仁義之根于心，又必辯未嘗有利之義之仍是義，更必言禮與詩樂之教化之重要性者也。然若墨子不偏執其言以非儒，則儒者亦自原可望天下人之兼相愛交相利，而相施報，而視此爲天下人之公義之所存；而墨子之特重此人皆共行于此兼相愛交相利，而相施報之義道，亦所以輔儒；而其所以教人兼愛之論，亦自有其理趣。細觀其言之理趣，亦更可見墨子之兼愛之教之爲客觀的義教也。

三　由墨子之言人當兼愛之理由，辯墨子之兼愛為客觀之義道

憶昔年嘗讀伍非百氏之墨子大義一書，其書嘗言墨子主兼愛之理由有四。今就此四理由以辯墨子兼愛之道爲義道如下文。

㈠在墨子書之兼愛中篇言人當兼愛之理由曰：「仁人之所以爲事者，必興天下之利，除天下之害。……天下之害……以不相愛生，……天下之人皆不相愛，強必執弱，富必侮貧，貴必敖賤，詐必欺愚。凡天下禍簒怨恨所以起者，以不相愛生也。是以仁者非之。既以非之，何以易之？曰以兼相愛交相利之法易之，……」觀此節墨子謂仁人之欲興天下之利，除天下之害，卽是說此興利除害，初乃原于仁者之仁愛。于此，若依儒者之言以說，則仁者既能愛人，卽必在主觀上自知其爲愛人者。又由

己之爲愛人者，而亦必望他人之亦成爲愛人者，卽己有此愛人之德，而必望人亦有此德。此亦如己之有衣而望人之有衣，己之得食，而望人之得食，同爲己立而立人，己達而達人之事。我見人亦成爲有愛人之德者，卽我自見此我之愛人之德之普遍化而客觀化。此望人之有此德，求人之有此德，而愛人以德，以立己立人，達己達人，固人之義之所當爲也。此卽爲直接依仁而教人以仁，卽所以行其義之敎。然墨子于兼愛中篇，卻又不直下如此說，而說仁者欲興利，除害，當使天下人之相愛，否則仁者不能達其愛天下人之目標云云。此卻純是先視天下人爲一客觀之對象，而望其彼此相愛，以達仁者之愛天下人之目標。此卽初不是視天下人與己爲同類，而愛人以德，以立己立人，達己達人之義；而純爲望此爲客觀的對象之天下人，有彼此皆相愛之事實，遍存乎其中。此望固未嘗不當有，此望固亦合于義。然此望之所望之天下人之相愛之事實，旣尚未有，則其有，純只是義上之當有。于此若墨子更自「仁者之興天下人之利，而去其害之心」上看，則此心不只爲義上之當有，而亦爲實已有而現有之仁心，而其望天下人相愛之望，亦出于此實已有而現有之仁且義之心。則于仁者之望天下人相愛，亦當知其本于此實已有而現有之心。然墨子之言，則全不自此等處論；而唯自天下之人之當有皆相愛之事實，方得遂此仁人之爲天下人興利除害之目標立論。卽顯見其欲天下人之相愛，只爲一客觀之義敎，非自覺其亦依于主觀仁義之心之義敎，而不同儒者之旨矣。

㈢墨子言兼愛又一理由，見于其士有別士、兼士，君有別君、兼君之說。別士別君只自愛不愛人，不行兼愛之道；兼士兼君則能兼愛他人，而行兼愛之道者。故人若交友必交兼士而友之，擇君必擇兼君而事之。墨子卽以此證人之行莫不取兼士兼君，而謂人之非兼愛之說者，其在行爲上，亦同莫不交友擇兼士，事君擇兼君。是見其「言而非兼，擇卽取兼」，卽足以證其言行之自相矛盾，亦證兼愛之道，實不可非。此處墨子之論，似極其幼稚。因一般人之言而非兼者，以其欲自利也。而在交友擇君，取兼士兼君，亦以其能行兼愛之道，而能愛我，亦于我有利也。則自利之人之「言非兼，而擇取兼」，固不自相矛盾也。然此不自相矛盾，又乃只自此自利之人之行爲之動機上說。若自人之行爲之當然之義上說，則仍是自相矛盾。因我之在行爲上取兼士兼君，卽在事實上以能行兼愛之道之人爲是，而不得更以爲非。我旣以人之能行兼愛之道者爲是，則亦當以我之行兼愛之道爲是，而我卽亦當有兼愛之行。反之，我若以兼愛之道爲非，而不行兼愛之道，則亦當以人之不行兼愛之道者爲是，而我卽不當擇兼士而友之，擇兼君而事之。「言而非兼、擇卽取兼」，在當然之義上說，仍爲自相矛盾也。故在一般之道德判斷上，人亦固皆知己不愛人，專求人之愛之者，爲不義之人也。則墨子之據此論以教人之行兼愛之道，純爲本于義之當然以爲教，亦可知矣。

㈢墨子教人兼愛之再一理由曰：「欲人之愛利其親也……卽必先從事乎愛利人之親，然後人報我以愛利吾親也。……無言而不讎，無德而不報。投我以桃，報之以李，卽此言愛人者，必見愛也。」（兼愛下）此卽謂天下原有此以愛利相報答之理。然此理，在經驗之事實上看，初並無必然。如我雖先愛別人之親，而人不更報以愛利吾親之事，我愛人而不見愛于人之事，天下固多有之也。然自義之當然上說，則吾既欲人之愛我之親，則我固亦當求先愛利人之親；而我果先愛利人之親，人亦必當愛利我之親。言愛人者必見愛，此亦只是言必當見愛，亦爲自義上之當然說。若只純自事實上說，則此必固不必，墨子之愚，亦不至不知此。若墨子果愚至此，則墨子之此論，固不足以服人，而與墨子貴義之旨，不相干矣。

㈣墨子教人兼愛更有一理由，又見于耕柱篇所載其與巫馬子之辯。巫馬子曰「我不能兼愛，我愛鄒人于越人，愛魯人于鄒人，愛我鄉人于魯人，愛我家人于鄉人，愛我親于我家人，愛我身于吾親。故有殺彼以利我，無殺我以利彼也」。（據墨子閒詁校改）此即純爲一自私自利之道。然墨子謂之曰：「子之義將匿邪？意將以告人乎？」巫馬子曰：「我何故匿我義？吾將以告人。」墨子曰：「然則一人說（同悅）子，一人欲殺子以利己；十人說子，十人欲殺子以利己；天下說子，天下欲殺子以利己。一人不說子，一人欲殺子，以子爲施不祥言者也；十人不說子，十人欲殺子，以子爲施不祥言者也。天下不說子，天下欲殺子，以子爲施不祥言者也，說子，亦欲殺子；不說子，亦欲殺子。……」

此中之巫馬子，所以見困于墨子之言，唯由其不肯自匿其自私自利之道，而亦欲告之于天下人耳。今若巫馬子只自奉行此道，而不告之天下人，亦不告于墨子，則墨子亦無奈之何。然巫馬子若不以其道告之于人，則其道只爲私道，而不能成爲天下人共行之道，亦不足與墨子所言之兼愛之道，可爲天下所共行者相抗。巫馬子欲以其道，與墨子之道相抗，必須說與人。既說與人，則人無論悅或不悅巫馬子之此道，巫馬子皆將爲天下人所惡，而爲人所欲殺；則巫馬子亦不得自行其道。此卽見其道之不能「由說與人，以成爲天下人共悅共行之道，而又使其自己得安然行于此道」。又見此道之說出時，「必須求客觀普遍化，而又不能客觀普遍化」之一自相矛盾。今謂眞能客觀普遍化者，方爲眞正之義道，則巫馬子之說出此道，卽只可謂爲求成一義道，而又實不能成爲一義道者。自巫馬子求其成一義道言，故墨子仍稱爲「子之義」。自其實不能成一義道言，則只同于今所謂主義。主義固可爲求客觀普遍化，而又爲實不能客觀普遍化于天下者也。墨子之以其所謂眞能客觀普遍化于天下之義，折伏巫馬子求客觀普遍化于天下，而不眞能客觀普遍化于天下之義或主義，卽又見墨子之所謂義之所以爲義，亦卽自其眞能客觀普遍化于天下處說。此客觀普遍化之義，卽可以客觀而具普遍性之理智的理性，加以辯解，而可由與之相反之巫馬子之義或主義之不能成立，而反證其不可破者。故墨子貴義篇謂人「以其言非吾言者，是猶以卵投石也。盡天下之卵，其石猶是也，不可毀也。」以自私自利爲義或主義，欲毀兼相愛交相利之義道，誠哉其不可毀也。此墨學之尊嚴之所在也。然儒者之依仁而言義，則又不必待此客觀之理智的理性上之辯解，加以反證而後明，其故又正可深長思也。

四　非攻、節葬節用、非樂，與人民之生存及經濟生活中之義道

吾人若知墨子之兼愛之道，乃爲義道，則于其言非攻、節葬、節用，皆明依義與不義以爲論，卽輕而易解。其非攻節葬節用等，亦實皆由兼愛所必然衍出之義。依兼愛而以正面之愛人，爲義所當然，則其反面之害人殺人，必爲不義。殺人有死罪，而殺一人一死罪，殺十人十死罪。攻戰之殺人，恒及于千萬，則爲攻戰者，有千萬之死罪，而爲世間最大之不義。則欲行義，固必當非攻。世人之知殺一人十人之不義，而不知攻戰殺千萬人之不義，而或以之爲義者，則正如「少見黑曰黑，多見黑曰白」，而不知義不義之辨矣。人誠知義與不義之辨者，則必當非攻。此具詳墨子非攻篇，不一一引。至于墨子非攻而不非誅伐無道之戰者，則以無道者先爲不義，誅伐無道，卽誅伐其不義，是卽爲義。此亦有理之必然。若乎墨子非攻中之所以駁飾攻伐之說，如以攻伐可得「伐勝之名，」及「得之利」爲說者，則墨子以「伐勝之名，無所可用，計其所得，不如所喪之多」斥之。非攻下又以若能「以義名立于天下」，亦可不待攻伐而天下服爲說。此墨子之論似可引起爭辯。因人之貪伐勝之名者，可除得名之外，更不求其他之用。又攻戰之亡人國，而虜其子女玉帛者，亦可所得過于所喪；而

義名立于天下者，又未必皆能使天下服也。然吾可更代墨子辯解。卽墨子此處之言，唯意在破斥飾攻戰之說者。今將墨子之言純視作破斥之言看，則墨子之言未嘗不是。墨子此處所說者，唯是說攻戰所得之利，不必多于所喪；並言欲使人服，不必待于攻戰，亦可由立義名而致。墨子卽由此以證「飾攻戰之說，以攻戰達客觀上之得利，與服天下之目標」之說，無客觀上之必然性；卽亦不能成爲一普遍之原則，而人亦不能以攻戰爲義。反之，若天下人皆以兼愛交利之道爲義，而廢攻戰，則天下所共得之利，必然多于不廢攻戰之天下。又天下人若皆共行義，以求立義名，則行義最多者，卽最爲人所尊服。此則有一客觀普遍的必然性者。至于「貪伐勝之名」者，雖可在主觀個人上，不求其他之用，然只有此名，而無其他客觀上之用，卽無客觀的價值，其名只爲個人之名，如上述巫馬子之所求者之只爲個人私利之類。然上文已論及若人人皆只求個人之私利，則人不能自保其私利，而人人皆求伐勝之名，人亦不能自保其名。故人若只倡「求名爲義」之說，而此義又客觀而普遍的爲人所奉行，人人皆爭名，則必互毀其名，卽使倡此「求名爲義」之說者，亦不得其名。此中將產生一自相矛盾之情形，正同于上述巫馬子之倡自私自利卽爲義之情形。此卽已足證：凡以求得利、及服人，與以得伐勝之名，飾攻戰之理由，無一能眞正建立此攻戰之爲義之所當有。是卽足以破飾攻戰之說矣。攻戰既與兼相愛、交相利之義，相矛盾，則攻戰之爲不義，卽可確定無疑矣。

至墨子之言非樂與節葬，則固由其不知儒者言喪葬之禮與樂之旨。然其論亦同是依其所見及之義之所當然者而建立。依儒家如孔孟荀以降之說，多謂此喪葬之禮，乃人對死者之情不容已的表現，樂爲人歡樂之情之不容已的表現。若此哀樂之情爲當有，其表現亦卽爲當有；禮樂又可轉而養此人之當有之情。人民之聚合而聽樂行禮，亦足使人民之相與，更和親而有序，和親卽仁，序卽義。由此而禮樂卽爲人之義所當有，亦合乎仁義之道者。今墨子旣言人之仁義爲當有，則禮樂宜亦爲當有，而其所以當有之理由，固可客觀的普遍的對天下人而建立者也。然墨子則于禮樂之可養人之當有之情及仁義之心之處，未嘗加以正視。故不知禮樂之用，與其亦爲「義所當有」之義。其所以非樂而主薄葬，則觀其非樂節葬諸篇所論，蓋與其主節用之旨同。其節用篇言節用，要在言王公大人當節其飲食、衣服、居室、車馬之奢侈，而對大多數人民之利無所加者。奢侈于王公大人之利少，而節此奢侈，則對民之利所加者多。此固爲一經濟學上共認之事實。則墨子依兼愛天下人之義，固當主節用，以求天下人民之利之加也。墨子之反對厚葬久喪，亦要在反對王公大人之厚葬久喪，「輟民之事，靡民之財」，浸至「殺人爲殉，衆者數百，寡者數十」。而厚葬久喪，「久禁從事，扶而能起，杖而能行」，亦明足以怠事，而使人生財日少。是見厚葬久喪，明不足以「富貧、衆寡、定危、理亂」。故墨子謂主厚葬久喪者，唯所以「便其習，而義其俗」。便其習，卽只爲人之循其主觀上已往所養成之特殊習慣之事，義其俗，卽以風俗爲義，而不知「俗」與「義」之不同之謂。故墨子謂以厚葬久喪「爲政」「爲俗」「爲而不已，操而不擇，此豈實仁義之道哉。」是見墨子所以非厚葬久喪，唯由其有見于此厚葬久喪之習俗，不合客觀普遍之仁義之義，而後非之也。至後儒如孟荀之所以爲此喪葬之禮辯護，亦正不外言其足以養人之當有之哀敬之情、亦養人之仁義之心，而實未嘗不合于仁義之道云云。此其立論之標準，固與墨子同。唯墨子只見當世王公大人爲厚葬久喪者，其行其事之不合仁義之道之處，而不見其亦合仁義之道之處。此卽儒墨之言之所由異。此固非不可解之衝突。後儒之重喪葬之禮，乃謂天下之人人皆當重此喪禮。此亦卽使喪葬之禮，爲客觀普遍的人所當有之禮，非只爲王公大人所私有之禮者也。儒者欲使之成非王公大人之所私有之禮，則固亦不能謂王公大人之「輟民之事，靡民之財、殺人以殉眾者數百、寡者數十」，爲合仁義之道也。則儒墨于此所論之衝突，固非不可解，而亦實未嘗如世所想者之甚者也。

至于墨子之非樂，亦要在非王公大人之厚斂乎萬民，以爲大鐘鳴鼓，琴瑟竽笙之聲，「與君子聽之，廢君子聽治；與賤人聽之，廢賤人之從事；惟虧奪民之衣食之財，以拊樂如此多也。」墨子言「民之三巨患：民飢者不得食，寒者不得衣，勞者不得息」，而樂不能有補于去此三患，以興天下之利，除天下之害，故謂「樂之爲物，不可不禁而止」。此亦純依對天下人之客觀普遍之仁義以立言，與其非厚葬久喪之旨同。其所以異于儒者，亦唯在墨子不知樂之亦足養人之哀敬等當有之情，合眾而聽樂行禮，卽可使人相親，而使人之行合仁義之道。則此中儒墨之衝突之非不可解，亦如儒重喪葬之禮，與墨之言厚葬久喪，無不可解之衝突也。墨子言非攻，所以保人民之生命之生存中之義道，言節用節葬非樂，乃所以成人民之經濟生活中義道，固皆非儒者之所能廢者也。

第四章　墨子之義道（下）

五　尚賢、尚同，與社會政治上的義道。

在墨子之教中，兼相愛交相利者，人之德性生活之義道；非攻、節用、節葬、與非樂者，人民之生存與其經濟生活中之義道。至墨子之言尚賢與尚同者，則要在成就社會政治上之義道。此中尚賢之旨，重在舉天下能知義行義之賢能之人，以共治天下國家。尚同之旨，則重在集合天下人之意見、思想、言論之異者，而次第同化統一之於在上位者，以「一同天下之義」，以成一普遍客觀之公義，而更由上以施行之於天下。墨子尚賢尚同諸篇之文，卽更爲處處明舉「義」爲論者也。

墨子尚賢之篇，首論爲政於國家，當舉眾賢，以共爲政。今欲得眾賢以爲政，則要在「不義不富，不義不貴，不義不親，不義不近」，舉義「不辟貧賤」，「不辟疏」，而「不辟遠」；則「遠鄙郊外之臣，門庭庶子，國中之眾，四鄙之萌人，聞之皆競爲義」。由此而墨子主「列德而尚賢，雖在農與工肆之人，有能則舉之；高予之爵，重予之祿，任之以事，斷之以令。曰爵位不高，則民弗敬；蓄祿弗厚，則民不信；政令不斷，則民不畏。舉三者授之賢者，非爲賢賜也，欲其事之成。……以德就列，以官服事，以勞殿賞，……量功而分祿。故官無常貴，民無終賤；有能則舉之，無能則下之；舉公義，辟私怨。此若言之謂也。」此文旨已甚明。此中吾人所當注意者，唯是依墨子貴客觀的義之旨，爲政固必當舉能知義行義之賢能之人，而視此爲一客觀普遍之原則，亦必須對天下之任何階級、任何職業、任何地區之賢能之人，皆平等看待，而求有以舉之。則舉賢之事，固當「不黨父兄，不偏貴富，不嬖顏色」，（尚賢中）而不能不超拔於一切親近狎習之人之外。而此卽所以使客觀之天下中，一切地之一切人，莫不競爲義之道。天下人皆競爲義，則爲義之賢能之人遍於天下，而可舉之賢能，以共治天下者，亦日衆；天下亦愈易歸於治矣。此更顯然爲一求義道之普遍客觀的實現於天下之教。此中，墨子言以爵祿待賢者，使之貴富，並加親近，初固未有使一切人無貧富貴賤親疏遠近之別之旨。唯謂一切人之得貴富親近之機會，皆平等，而無人得常富、常貴、常親、常近，而民可爲官，官亦可降爲民耳。此乃唯意在使天下人之賢或不賢、能或不能者，得轉易升降于貴賤、貧富、親疏、遠近之間，而見此賢能與義之標準之至尊至上而已。則世之謂墨者之立論乃爲下層階級，所以反統治階級者固誤，謂其以上層階級爲統治階級者亦誤。墨子之尚賢，唯是欲以賢能者負政治之責，亦卽以義爲政治上之最高原則耳。

此墨子尚賢之教，唯在舉賢能者以負政治上之責，此自不同於周之封建政治，初要在以親親貴貴之原則，凝固上層之社會者。墨家言尚賢舉賢，儒家亦言尊賢舉賢。此皆同是意在使天下之賢者共政。然儒家之尊賢之尊，另有一道德情感上之意義，而尙賢之尙，則要在用賢能使居上位以爲政而已。又在儒家孔孟言尊賢，亦初尙未有此「無義必不貴、不富、不官」之論。故孟子言爲政，亦親親尊賢並重，而爲舜之封象一事辯。直至荀子言王制，乃有「王者之論，無德不貴，無能不官，無功不賞，無罪不罰；朝無幸位，民無幸生；尙賢使能，而等位不遺」之論，此實同於墨子。此卽見其前之儒家，在此點上初尙未能如墨家之求將此原則，貫徹的應用於政治，以爲普遍客觀的原則。墨子之將此原則貫徹於政治，明似更合乎仁義，而更爲理所當然。如孟子學生問孟子曰：「象至不仁，封之有庳，仁人固如是乎？在他人則誅之，在弟則封之。」孟子亦實不易答。因封不仁之弟，以禍及封地之民，固明爲不合於仁義之事也。然孟子之答，亦不能謂爲全無理。此則由於儒家原有親親之義。親親爲仁之始，故親親亦是義所當有。則舜本親親之義，亦不能自爲天子，以處貴富，而任其弟之爲匹夫，以悖此親親之義。然此孟子之答，亦只是別舉一親親之義爲理由，以言舜之封象，合於此義。亦終不能說象之以其不仁，禍及封地之民之事，爲合天下之公義也。於此，如依告子言，則親親是仁，屬於內，公義方爲義，屬於外，仁內義外，不可相混。然儒家則可說親親是仁，亦是義所當然。求天下之公義，亦出於仁。然無論如何說，此親親之義與天下之公義，在政治上如何兼立，則是一眞問題，孟子亦未能善答。對此問題，如不單取墨子與荀子所立之原則，以爲解決，而要求兼合此一親親之義，與天下之公義，以爲一解決，在中國過去之政治上，唯有對王室之親貴，使之有相當之貴富，而不使之實際負對人民之政事之責，以免不賢之親貴之禍及人民。否則卽須對王室之親貴，負政事之責者，亦有與一切官吏同等之法律，加以制裁，所謂王子犯法，庶人同罪。中國後世之法律，亦固未嘗不向此而趨。然在實際上，王室之親貴，可既不賢，又必欲問政，而其枉法行私，非法律得而制裁，則問題仍在。對此問題，在有世襲之天子與王室之制度下，實無一究竟之解決法。墨子荀子之不義則不貴不富之原則，若要貫徹到底，亦當歸於去除世襲之君主與王室之制度。墨子於此，亦似明嚮慕古代之世「選天下之賢者立以爲天子」之制。然古代之世之天子，如何選出，墨子固未詳言之，而在後世，又當如何選天子，墨子更未有所論。則墨子眞欲貫徹其原則，亦實無一定之辦法，而留此爲中國數千年政治之一基本問題。唯在今日確立一民主選舉制度，乃可言實有一貫徹墨子原則之辦法。但今日之民主選舉，是否必能選出賢者，亦是一問題。則墨子所立之政治原則，如何在今日眞能實現，又仍爲一問題。但此是別一問題，今可不及。

由上所述，故吾人如欲對此選賢之一問題，評論孟子與墨子之是非，卽不能以孟子及後儒之謂在實際政治上一面言親親，一面言尊賢之論，全爲悖理。因在君主世襲與有王室之情形下，此中卽設定王者皆爲聖王，全無私其所親之心；然人民對聖王，既望其負天下萬民之重任，而又謂其必不可亦不當使其所親者，稍貴富於天下萬民之上；亦未免對此聖王太苛，並不合於人之所以待聖王之義。誠然，在實際政治上一面尊賢舉賢，一面天子要親其所親，而貴其所貴，此二者亦必不免發生衝突。而政治上之親貴之問政，恒越出其當有之限制之外，如上所述。故外戚宗族之禍，遍於中國之歷史。然吾人卻又不能只由此歷史之事實以立一原則，謂在有世襲之君主制度下爲君者，只當一人終身負天下之責，其親近者，皆只當爲平民匹夫，君主必不當親其所親而貴其所貴。此除對君主太苛外，復須知此親親而貴貴，亦是君主之仁之及於其親貴者，此在義上，亦不能說全不當有。因若其全無有，君主之仁，亦不能由親及疏、由近及遠，而及天下之民矣。自此而言，則在有君主世襲之制度下，墨子之欲絕對貫徹無義則不官、不貴、不富、不親、不近之原則，卽勢不可行，亦非最高之義。昔日之儒者之兼肯定尊賢舉賢與親親貴貴之二原則，在昔日之君主世襲制度下，又實爲唯一可行，而亦較墨子爲合於一更高之義者。至於由其兼肯定此二原則，而有種種之外戚宗族之禍，則咎當在法制之不立，君主外戚宗族等之不賢，而不能說此二原則之必不當兼加以肯定也。至墨子思想之所以未能思及此中之問題者，則又正以其所謂義，只是一客觀普遍之原則，或天下之公義，而不知人之有親親之情，雖屬於特殊之一一個人之主觀，其本身亦爲人之仁之始，而不可斷，亦不當斷。就其不可斷不當斷，乃在原則上肯定其價值，因而亦容許在君主世襲制度之君主，在一定範圍內親其親，而貴其貴，與尊賢尚賢並重，亦正是政治上之一公義。故吾人亦不能謂昔之孟子與儒者之求於政治上兼肯定此二原則，乃純爲適應現實之有權階級之曲說也。

至於墨子之尚同之敎，則吾人前文謂其意在集合天下人之意見、思想、言論，以「一同天下之義」。其所謂天下之義，初卽指天下人之自視爲義之所在者。然人所自視爲義之所在者，不必眞爲可普遍化客觀化于天下之義所在，如巫馬子之以自私自利爲義，卽不能客觀化普遍化爲天下之義者也。此自視爲義而不必眞爲義之義，前文曾謂此乃同於今所謂主義之義。人之任何思想意見言論，凡自以爲是者，亦皆可說爲其人所持之或大或小之主義也。以致凡人之思想意見言論，其內容包涵有意義者，亦皆可稱爲義。此亦卽「主義」「意義」之一名，所以由「義」之名而引申以出也。墨子耕柱篇所謂巫馬子之義，與尙同篇所謂天下人之義，初皆是此一主義或意義之義，而又望其成爲天下人所視爲當然，而當知、當行之義者也。則今所謂主義意義之義，實乃導原於墨子耕柱尙同之篇所謂義。孔孟與墨子他處之言仁義之義，固非皆此主義意義之義，而多指天下之公義者。然人之抱一主義，而持一有意義之思想言論意見，又必求其普遍化客觀化，以成人人所共視爲義所當然之「天下之公義」。卽見此「義」之二義，又未嘗不相連。尙同篇言尙同之旨，則正在集中人之思想言論意見之有其主義或意義者，而觀其是否可成爲公義，更求一同此天下之公義；以使人免於各執其一己思想言論意見，彼此互相差別歧異，以至各爲其所執之義，而相爭相殺；卽所以使人得由其義之一同，而兼相愛交相利之道也。故尙同上篇首曰：

「古者民始生，未有刑政之時，蓋其語人異義，是以一人一義，二人則二義，十人則十義。其人茲衆，其所謂義者亦茲衆。是以人是其義，以非人之義，故交相非也。是以內者父子兄弟，作怨惡離散，不能相和合；天下之百姓，皆以水火毒藥相虧害；至有餘力，不能以相勞；腐朽餘財，不以相分；隱匿良道，不以相教。天下之亂，若禽獸然。」

此卽謂天下之亂，初唯由於人所謂義者之不同，而後人不相愛相利，乃更相爭，以致天下之亂。墨子在貴義篇，嘗謂人可爭一言以相殺。此可見墨子深知人所持之義之異同，對人與人是否相愛利或天下之治亂之關係。人所持之義不同，人必不相愛；則人必待其所持之義之同，而後能相愛。則人之相愛與否，爲人之所持之義之異同所決定。則人之相交相接時，其相愛與否，猶是次要之事；而其思想意見言論中所持之義之異同，方爲最重要之事也。是亦正足證前文所謂墨子之道在根本上爲一義道之旨者也。

由墨子之特有見於人所持之義之不同，爲人之不相愛不相利，而致天下於亂之原，故墨子尙同篇，卽更進而言其所以一同天下之義之道。此要不外人將其所知所聞之善不善者，告於里長，更上及於鄉長、國君、天子。一里之人，卽學里長之善行善言，以一同其義於里長；於里長之是者，必皆是之，於其所非者，必皆非之。一鄉之人，卽學鄉長之善行善言，以一同其義於鄉長，而於鄉長之是者，必皆是之，於其所非者，必皆非之。由此次第而上，一國之人，一同其義於國君；天下之人，一同其義於天子；於是天下之人，則皆學天子之善言善行，於天子之所是皆是之，天子之所非皆非之。此卽天下之人民次第一同其義於在上，以一同天下之義之道。在此人民之次第上同之道之中，人民將其所知之善與不善者告之於上，亦包括將其所見他人行爲善不善者，告之於上。由此而在上者卽可據天下人民之報告，而其「視聽也如神」，亦可不待一般人民之知之，在上者已先知之，而賞其善，罰其不善。又人民之以其所見之善不善，告或不告於上者，上亦可賞其告者，罰其不告者。此中賞罰之有效，必以上下之所謂義或善之標準之相同，爲條件。如善之標準相同，人民又告其所見於他人之善與不善者，又共知此「告爲善，不告爲不善」；則上下之所知之善與不善皆相同，而所謂義亦同也。如上下之所謂善或義之標準不同，人亦不以所知之他人之善與不善，告其上，並不以「告爲善，不告爲不善」；則上下之所知之善與不善，彼此不同，而所謂義者亦不同。在此後者之情形下，上之所賞，可爲百姓之所毀，上之所罰，可爲百姓之所譽；則「上之賞譽，不足以勸善，計其毀罰，不足以沮暴。此何故以然，則義不同也」。故一同天下之義，而一同上下之所謂義，以使上下所知之善，所知之義相同，亦卽賞罰有效之根據。賞罰有效，則上下之所謂義者，亦復更歸於一同。此二者又互爲根據，以合爲一政治上之尙同之道，以使天下歸於治，人與人皆兼相愛而交相利。此卽墨子尙同之大旨也。

此墨子所謂尙同之道，乃以下將其所謂義告於上，而由上者衡定其是非，而在下者更上同於其是非之道。此必須在上者之爲賢然後可。故里長必爲一里之賢者，鄉長必爲一鄉之賢者，國君必爲一國之賢者，天子必爲天下之賢者。是見尙同與尙賢之教，實相輔爲用。若不尙賢而上不賢，則下不肯同於上之義。若下不肯同於上之義，上下無共同之義，上亦不能據此義以爲賞罰之標準，而其賞罰亦將同。乃。所。以。一。同。天。下。之。義。則二者皆依於貴義而立，以為天下之義之所存也。

不為下之所重。必既尚賢而又尚同，然後能合眾賢，以使天下治。言尚賢乃以賢者能行義之故，言尚同乃所以一同天下之義。則二者皆依於貴義而立，以為天下之義之所存也。

然此墨子之言尚賢尚同之問題，則除上述之如何使賢者皆居上位，如使天下之最賢者得為天子之外，尚有此居上位之賢者，如何能集合天下之義，而皆一同之，使其是非莫不當，亦莫不為其下之所同是同非之問題。蓋賢者有不同之程度，而其是非即不必皆合於義。事物之是非有不同之方面，亦非一時之所能盡知。則一同天下之義之事，即只能為逐漸求一同，而亦一永無底止之歷程。在此求一同之歷程中，則上與下之間及天下人之間，其是非固有尚未能一同，而其義亦未能一同者。則此時人當先究察此不同之義，不同之是非，與其不同之理由，並當先任其俱存；以使持不同之義者，各得盡其是非之論。不宜先強求其同，而宜先以從容之態度相商，和而不必求同；此即孔子言和而不同之旨；亦或更當通觀其各有所是所非，而各有所當之處，而俱是之。此即莊子齊物論言「因是」而「和之以是非」之旨。中國之傳統政治中，則固有納言之官與議官之設；而在近世，則除依一定是非以行政之行政機關之外，尚有容人自由討論政事之議院之設，與自由言論之制度之建立等，以容人各得盡其對一事之是非之辭，而暢申其所謂義之所存。此皆初非意在立即措之於行政為目標者也。凡此等等，皆待於吾人於求一同天下之義，以形為賞罰之外，更知有其外之種種之事在。尤要在知此一同天下之義之事，原為一無盡之歷程。在此歷程中，人亦必將見有義之尚未能一同者，待吾人以上述之種種其態度遇之，而有其他種種之事在。然墨子言尙同，則未能及此。其言尙同，又教在下者告其所見之善不善於上，以便上之賞罰。其進一步，卽成法家之告姦，以便上之統治，則其理論之所必歸，而非墨子之始料所及者也。

六　天與鬼神之義道，及天鬼神及人交互關係之「宇宙的義道」。

墨子諸篇中，除依此義道，以興天下之利，除天下之害之外，幾每篇皆言及天與鬼神。凡事之無利於人者，亦無利於天與鬼神者，而凡事之合乎人之義者，亦爲天志與鬼神之義之所存者。故非攻篇言攻戰之事「上不中天之利，中不中鬼之利，下不中人之利」。非樂篇非樂，謂樂之爲物，「上者天鬼弗戒，下者萬民弗利」。節葬篇言厚葬久喪，旣「傷生害事，亦不能得上帝鬼神之福，而得禍焉」。（節葬下）尙賢篇言「聖賢王爲政於天下也，兼而愛之，從而利之，是故天鬼賞之，立爲天子；暴王則天鬼罰之，使身死而爲刑戮」。尙同下言人皆上同於天子，「天子又總天下之義，以尙同於天」。尙同中言「尙同乎天子、而未上同乎天，則天菑將猶未止」，必尙同於天，以明天鬼之所欲，而遲天鬼之所憎，而後天鬼之福可得，方爲尙同之至極。此所謂尙同於天者，卽上同於天志，而天志之所在，卽在兼愛兼養一切人，而皆利之。故人之行兼愛之道，亦卽所以上同於天志，而天志與鬼神之意又正相同。則墨學之諸義，似皆可歸於其言天志明鬼之義，而或乃以墨學之本，卽在其天志明鬼之論也。

墨子之諸篇皆言及天鬼，此不容疑。然以此而謂墨學以天志明鬼爲爲本，則似可說，而又實不可說。因墨子之言天鬼，亦與人並言。其曰「下事人」「中事鬼」、與「上事天」，明是以天鬼與人，爲上中下之三層，而加以並重之論。至貫於此三者之中，以統此三者，則應別有在。如言「上利於天」「中利於鬼」「下利於人」，卽以利爲之統。而人之求兼利此三者，則是人之義之所當爲，卽以義爲之統也。墨子固言天者義之所從出，言「天爲知」、「天爲義」，卽言天爲知義行義者。然天亦唯以其爲義所從出，而知義、行義，方得成爲天。義則固不只天有之，人與鬼神亦有之。墨子又初未嘗有人與鬼神皆天所自無中創出之論，如西方宗教之說。則言義爲天與人鬼神所兼，便是以「義」爲天與鬼神及人之統也。玆留此俟後詳，先一述墨子天志明鬼之義如下：

墨子言有天志有鬼神，然墨子所以論證鬼神之存在者，則明鬼篇唯舉史事，以謂昔人之百姓，皆嘗共見鬼神，而詩書亦皆載上古聖王之鬼神之存在爲說。然墨子未嘗疑此所謂人共見之鬼神，由於人之幻覺或思念存想，亦未嘗疑此詩書所載聖王之鬼神，或亦只爲人對其幻覺或思念存想之記載。此外墨子亦並無純理論的論證，或本特殊之啟示，以說鬼神之存在之言。則其所舉之歷史上之記載，以證鬼神爲人所見，爲人所信，其論證之效力，實極微弱。關於其天志篇之就天於人之「兼而食之、兼而養之」，以證天之「兼而愛之」，爲一有情感意志之人格神，吾于孟墨莊荀言心申義文中，謂其說乃由此人之耳目所見，人之共生養於此自然之天中，以逆推此爲人格神之天之存在，在理論上爲無效。近人乃或謂墨子實不信天志鬼神，唯姑設有天志鬼神之賞罰，以勸人兼愛行義。前如梁任公墨子學案，謂墨子乃用天神之說，以爲推行兼愛之手段；後如傅斯年性命古訓辯證，舉明鬼篇有「使鬼神誠無，猶得合驩聚眾」之句，以證墨子之教人信鬼神，不過姑設以之爲合驩聚眾之具。此則又推類過當，不合墨學之眞。蓋墨子明責公孟子之「無鬼而學祭禮」，其明鬼三篇皆力主有鬼。天志篇亦明言天有志。豈得謂墨子言天志鬼神，非誠信之言？實則此明鬼篇「使鬼神誠無」之句，乃當連前文之及於：不可不信鬼神，以合驩聚眾之言而說。其意是謂若鬼神誠無，豈猶得合驩聚眾？非謂鬼神爲無，而姑設之爲有，以合驩聚眾也。若然，則正是無鬼而學祭禮之類，乃必不可通之於明鬼三篇之全旨者也。

本上所說，則對墨子之天志鬼神之論，吾人一方須知墨子論證天與鬼神之存在之言，不必有效，一方須知墨子實相信有鬼神與天志。在另一方，吾人又須知墨子天志明鬼之論，原不重在論證天與鬼神之存在，而要在論此天與鬼神乃能知義，而本義以行其賞罰者。其中之天，尤自始爲一兼愛萬民，公而無私，至神至明，而恒能知義，本義以行賞罰，而其行賞罰之事，無不周遍者。蓋此天與鬼神之存在，固當時一般人民之所共信，墨子之所不疑。故其論證天與鬼神之存在之言是否有效，實亦無關大體。蓋在承認此天與鬼神之存在之前提下，則由天之「兼生、兼養、兼食萬民」，亦固未嘗不可證天之爲一「兼愛無私，兼愛萬民，而爲能知義，更本義，以行賞罰者」。又人所共崇敬之鬼神，其生前必爲知義行義人，則死而爲鬼神，卽亦必能知義，而本義以行賞罰者。今可試次第代墨子略說明其義於下。

在一般之觀念中，所謂天之存在，不過指一「廣大之空間，在時間中繼續包涵有種種萬物之相繼生出，而皆相繼得其養，以存在於此空間中」之一自然之全體。此自然之全體，只是一自然之萬物之和，其中固不見有爲一人格神之天之存在。然此中吾人如已信此自然之全體之上或之中，有此一爲人格神之天之存在；卻可直下由此自然之廣大，其中之萬物，皆相繼得其養，以生、以存在，而謂此天神之本性，亦必爲一廣大無私；而又以兼生萬物，亦兼愛萬民爲志者。在耶教新約，亦嘗由此天之雨露之無所不降，陽光之無所不照，以言上帝之爲普愛世人者。此實本於同一之義理。因若吾人信有此上帝之存於此自然全體之上之中，而又謂此上帝爲偏私；則決不能解釋此自然之全體之空間，何以能無所不包，其在時間中之生物生人，何以繼續不窮；其雨露之何以不限對一時一地之一物一人而降，其陽光之何以不限對一時一地之一物一人而照之故。至於在人之主觀心理方面說，人在思此廣大之自然，同時其心中呈現一廣大之時間空間，以包涵萬物時，此一心卽明同時是一廣大無偏私之心。

當吾人想彼陽光照物，雨露潤物之時，吾人之心亦卽隨此陽光雨露之遍照遍潤，以及于物。此時如吾人同時樂觀彼萬物之生，則吾人固亦可自覺願自施此陽光雨露，以遍及萬物而使之生；而自見其此心之卽一無偏私而兼愛萬物之心也。此卽可轉證世果有一天神之存在，遍在於此廣大之時間空間或宇宙與此陽光雨露之中，以使萬物生者，其心亦必然為一更廣大無偏私兼愛萬物之心也。吾人固不能直接由此自然之全體之時空之大，與有雨露之潤，陽光之照處，以證天神之存在，如吾之昔日之文之所已說。然吾人若先已意許或已相信有天神之存在，卻亦可由此所見此宇宙之大而無不容，雨露之遍潤，陽光之遍照，以證此天神必然為一無私而兼愛之天神也。由此言之，則人只須先已信天神之存在，則人卽可於觀此宇宙之大，與其光明雨露之不息處，體證此天神之兼愛無私之「德」與「義」，隨處表現，而更無難處。人亦實舍此更無直接體證其「德」其「義」之隨處表現之道也。由此言之，則墨子以人與萬物之兼生兼養於天地間之一事實，以論證天神之存在，吾前固嘗謂其論證尚不足。然若墨子已意許或相信此天神之存在，其所欲指證者，唯是此天神之德必為無私而兼愛，必非偏私而不兼愛者，則此一「人與萬物之兼生兼養於天地間」之事實，固亦足證此天神之必為兼愛無私者也。

此中，人尚可有對天神兼愛無私之疑，唯是由自然宇宙中萬物之自相爭殺，人物之既生而死，或不得終其生而死，更不得永生不死，以疑此天神之愛，並疑此天神何不止息此萬物之相爭殺，何不使之生而不死等。然此諸問題，初實皆是自一一人物之不免于偏私之情上着想，而非自天着想。物相爭殺而死，自是物之事，非天之事；天未嘗以此而死也。物相爭殺，乃物生後之事，物之生由天生，天固先使物兼生。此使之兼生，卽已見天之兼愛。物必於既兼生之後，乃有自相爭殺之事。此乃後於天之兼生兼愛之事。固不可以此後之事，疑其先之天之兼生兼愛之事也。又物之既生以後，而更相爭殺時，天亦未嘗使某物必勝，而物之勝於此者，莫不可敗於彼。此亦正證天之於此諸相爭殺之物，初未嘗有所偏私也。物之死固於物爲害。然天若生物而使物不死，以充滿於天地，而窒塞其後之物，使不得生，則正是天之偏私於其一時所已生之物。則天之生物，而又任之死，以使未來之物亦得生，又正見天之不偏私於其一時所已生之物也。故凡此一切由物之相爭殺或有死，而疑天之兼愛者，皆由初未嘗實信有此天神之存在，更自此人自身之偏私之情起念，對此天神有要求過多，然後引起之問題。若人先實信有此天神之存在，而又不自人之偏私之情起念，唯直就此天神之本身，看其遍在於廣濶之空間、長久之時間中，而其所生之萬物，亦初無不是兼生而兼養於其中；則只此「兼生」「兼養」之事實，固已足證明此天神之必然爲一兼愛無私者，而更不作他想，以更生疑。人卽可直下以此兼愛無私，爲天志所存，而更以此天志爲法，而亦法此天之德以爲德，法此天之義以爲義，法天之能行此義、知此義，以自成其行其知矣。此卽墨子之所以言人當知義、行義，而又言「天德」、「天明」、「天爲義」、「天爲知」、天爲人之「法儀」之所在，而教人法天之德、法天之義，種種之論之所由出也。若人既知此天之兼愛無私，而不直下卽求所以法之，乃更一念落下，依其偏私之心，在一個體之人物上着想，以更生疑，則其疑無窮，於墨子之教，必不能契，而又實全不相干、自成不足以動墨子言天志之一毫者也。是亦學者所不可不深長思者也。

然墨子之言天志，不只謂天志之爲兼愛而知義者，且亦爲能行義，而賞義罰不義，亦賞善而罰不善，並由史事以證古之聖王之爲義者，莫不得天之賞，而暴君爲不義，莫不得天之罰。此言則尤難爲今人所契。蓋說人之爲義者必得天賞，爲不義者必得天罰，以人所經驗之事證之，正未必然。如墨子弟子固嘗以墨子之爲聖賢之行，而未嘗得其賞爲問，見墨子貴義篇。世爲義而貧賤夭折，爲不義而富貴壽考者亦多矣。則天之賞義罰不義，詎可信哉。於此若依儒家之教言，則人之爲義而不爲不義，乃所以自成其德，固非所以得天之賞、避天之罰。爲求天賞避天罰，以爲義不爲不義，此亦不免於自私自利之情，不足以言至德。則天賞天罰之論，亦不必立者也。然此一問題，亦有其不同之方面。墨子之必言有天賞與天罰，乃先相信天神存在、天能知義行義之故。天能知義而行義，固亦必當有其對爲義者之賞，與對爲不義者之罰；而此賞罰之事之實有於此天地間，亦未嘗不可如墨子之以長時期人類之歷史經驗爲證者也。

所謂天能知義、行義，必有其賞罰者，此實正如人能知義行義者，必有其對他人之賞罰。如人知義，則人卽必樂見他人之爲義者，而是之、愛之、稱美之，亦不樂見他人之爲不義者，而非之、惡之、斥責之。此是非、愛惡、稱美斥責，卽人之行義之賞罰之始也。謂人能知義行義，而於人之爲義不義者，無所是非，無所愛惡，必未嘗眞知義、而眞行義者也。仁者必好仁而惡不仁，義者必好義而惡不義。儒墨於此，固皆不能有異議，任何人亦皆決不能於此有異議也。由或愛或惡，而或稱美或斥責，由稱美而至於行爲上之賞，由斥責而至於行爲上之罰，乃一貫之事。則人之知義行義者，固必然有其對人之賞罰也。人是否實能爲賞罰之事，可有客觀條件之限制。然求賞義而罰不義，則人之知義而行義者，所必有之志也。則世間若果有天神之存在，爲知義而行義者，此天之志中，亦固當必然有一賞義而罰不義之志。天以兼愛爲義，則天志必賞兼愛者，亦必罰不兼愛者。則天之有賞罰，卽必然之結論。故當儒者於謂天爲實有時，亦未嘗全不言天之福善禍淫，而能爲賞罰。世界任何宗教，凡信有天神，而謂其能知義知善，而行義行善者；此天神亦固無不能賞義或善，而罰不義與不善。此固同爲理之所必至者也。至於人之是否爲希天賞而爲善，或畏天罰而不爲不善，此則另一問題。吾人固可說人之不希賞而爲善者，亦非畏罰而不爲不善者，其德更高。儒者之勉人於此更高之德，故不喜言天神之賞罰，亦猶其在一般政治教化之論中，不以賞罰爲重也。然此與天神之自身，畢竟是否有賞罰，或若天神存在，吾人是否當說天神能爲賞罰，乃不同其問題。如人能知義行義者必有賞罰，則若天神存在，其知義行義之德，尙可說遠高於人者，自更必有其賞罰矣。今墨子旣謂天神存在，而爲能知義行義者，則亦固必更當說其爲能賞罰者，然後其天神之論，方爲備足也。世若謂有天神存在，亦能知義行義，但不能爲賞罰，或能全忘賞罰，而不用賞罰；則此天神必非眞知義而行義者矣。

吾人於此所最感困難之問題，乃在見世間之爲義不義者之恒不得其報。由此而即人之信天神者，亦恒疑天神之實能賞罰。但吾人仍可謂如自長久之時間與廣大之空間看，則爲義者確有得賞之理，爲不義者確有得罰之理。此固可證之於人心之要求，與長時期中之人類之歷史經驗。人心固或行義或不行義，或自以爲行義而實非眞行義者。然人之爲義者必惡爲不義者，則不義者必有被爲義者所惡之理。反之，則爲義者，亦必有被爲義者所愛之理。又一人之爲不義者，則亦同不被其他爲不義之人之所愛，而必有被其他爲不義者之所惡之理。如二自私自利之人之亦相惡是也。世之爲不義者，只能據其昔日所爲之事之合義者，或其父母等他人所爲之義之歸功于彼者，或其自所僞爲之義，以得人之愛，而邀世間之福祿富貴。若無其昔所爲之義，無其父母等他人所爲之歸功于彼，或其自所僞爲之義，被人所知爲僞爲；則凡爲不義者，固無不見惡於人。此隨處可證者也。由此言之，則世之爲不義者，雖可在一時以有其昔所爲之義等爲所據，以得福祿富貴；然若其長時期爲不義，或在任何處皆爲不義，則其昔日所爲之義之事，其父母等他人所爲之義，歸功于彼者，漸爲人所忘，其僞爲之義，又終必爲人所知爲僞；則其所據以得福祿富貴者，即終不足據。彼亦終將成爲世間所共惡之人，而受世間之罰。反之，人之爲義者，固可以其所爲之義，不爲人所知，而不得人之愛賞，以自居於貧賤。然如彼在長時期於任何處，皆爲義，則亦終將爲人所知，而見愛於人，而未嘗不可得世之福祿富貴。此亦世間隨處可證者也。

此中唯一之問題，唯在此所謂長時期畢竟是多長。人之爲不義者，固可終其身，皆在富貴中，而爲義者亦可終其身仍在貧賤中。此世之所以疑爲義之必得賞，爲不義之必得罰也。然吾人可謂此長時期乃無定限之長，而謂人之爲義不義者，人對之之賞罰，不限於當身，亦不必爲其當身之所實受。則人壽雖有終，而人對之所加施之賞罰，並不以其壽終而終。此卽後世之人對前世之人有褒貶毀譽，以爲賞罰之事也。後世之人於前世人爲義者，而知其爲義，必褒之、譽之，以至祭祀之，使血食千秋，卽後世之賞也。於前世人爲不義者，而知其不義，必貶之、毀之，爲之塑像，使跪於爲義者之側，卽後世之罰也。此中，吾人不須問彼已死之人，是否能知此後人之褒貶賞罰。吾人不能證其必知，亦不能證其必不知也。然在墨子，以其信人之死而爲鬼，則當謂其必知之，而實受此賞罰也。此中之要點，唯在人爲義，他人知之，必欲賞之，人爲不義，他人知之，必欲罰之。故其人雖已死爲鬼，而此後人之賞罰，固不以其已死而已也。此卽謂自人類社會中之長時期經驗看，卽足證此爲不義有此必受罰之理，爲義有必受賞之理。其所以必自長期經驗看方可證此理者，以義之所以爲義者，卽在其爲能客觀的普遍化於天下者；而不義者之所以爲不義者，卽在其爲不能客觀的普遍化於天下者也。一行爲之是否能客觀的普遍化於天下，則必待長時期而後顯出。故人之爲不義之行於家者，當其爲此不義之行於此家之外，而及於其鄉人之家，則鄉人或卽知其不義；而其不義之行，卽見爲一不能客觀的普遍化於其鄉者矣。如其不義之行，及於鄉人，而鄉人不知，乃更爲此不義之行，於此鄉之外，而及於國中之他鄉，則其國之人又或即知其不義；而其不義之行，即見爲一不能客觀普遍化於國者矣。由此推之，則人之爲不義之行，以欺一世者，後世亦可知其不義。即其不義之行足欺千百世，而必不能欺永世。故不義之行者，乃愈求客觀的普遍化，愈將見其不義，而爲世所惡所罰者，而見其爲實不能客觀的普遍化者也。反之，則義行之所以爲義行，乃愈求客觀的普遍化，愈將見其義，而爲世所愛所賞，而得見其爲實能客觀的普遍化者也。故名滿天下，而垂後世者，畢竟善人多，而不善人少。是見此人心中自有公是公非，與公賞公罰，由長時期經驗，而得見其實存在於人類社會之歷史中者也。在此中看，善與義之有此被賞之理，不善與不義有被罰之理，固無可疑。則墨子之由歷史以證堯舜禹湯實嘗見賞，桀紂幽厲之實嘗見罰，亦無可疑也。

此中最後一問題，唯是人或謂此所謂賞罰，皆人類社會所自爲之賞罰。堯舜爲義於天下，而爲天下人所歸往，後世所褒稱，固人自爲之賞；桀紂幽厲之爲不義於天下，而眾叛親離，身死國亡，爲後世所貶，亦人自爲之罰。皆非天之賞、天之罰，亦非鬼神之賞罰也。又鬼神乃死人之所成，死人又如何能更爲賞罰？然此皆是先設定天與鬼神不存在之論，此不足以難墨子。墨子之論，乃先設定天與鬼神存在，而信其存在之論也。設定其存在而信之，則吾人上已說，天果知義而能行義，必有賞罰之志矣。人在生前既能本知義行義，以行賞罰，方爲人所崇敬之鬼神。則其爲鬼神，亦必仍能知義、而行義，而能行賞罰。在人類社會中，不義之人終必見罰，則在鬼神之世界中，不義之人而爲鬼，在鬼神之世界中，自當終必見罰，亦必不能爲鬼神世界之主也。在人類社會中，唯善人名垂千古，以存在於後世之人心；則在鬼神之世界中，亦唯生前爲義之人，死而爲鬼神者，得長爲鬼神世界中之主，以行賞罰。是天與鬼神之賞罰之標準同，亦與上所謂長時期之人類社會之賞罰之標準同；則其所爲之賞罰之事，亦固當同也。則世之謂堯舜之見賞，爲人之所爲，桀紂之見罰，亦爲人之所爲者，卽不足證其只爲人之所爲，而非天與鬼神助人之所爲，或天與鬼神與人之所共爲者，以其事固同此一事也。吾人若不設定天神存在，固可謂堯舜爲人民所歸往，乃人民自歸往之。然吾人若設定天與鬼神之存在，則吾人豈不可說：此人民之歸往之心中，亦同時有天志與鬼神之意之貫於其中，以促進其歸往之心？豈不可說當人民有欲歸往之心時，其心之後，卽同時有天志與鬼神之意，在冥冥中，加以推動，以使人民之此歸往之心，更強而不可禦？此在後推動之天志與鬼神之意，爲人民者，固可不自覺其有，然爲人民者，亦復無理由，以逕斷其無。其不自覺其有者，以其原在其自覺所及之後也。則只本此自覺所及者，以推其有與無，皆無所當。然人若信其有，他人亦永無理由以證其必無。墨子固可信其有也。果信其有，則人之歸往堯舜，是人意，亦同時是天志與鬼神之意。人之歸往堯舜，爲人之所以賞堯舜，亦卽天賞之，鬼神賞之也。依同理，人之所以離叛桀紂，是人罰之，亦天罰之，鬼神罰之也。而天果原有賞義罰不義之志，固亦必當於人之本愛義惡不義之心，以爲賞罰之時，同時表現其賞罰於此人之愛惡之心中也。至於此外如堯舜時天所降之祥瑞，桀紂時天所降之災害，吾人今以爲純是自然現象，非天之有意之賞罰者，在信有天志者觀之，亦固皆可謂有天志鬼神之意，貫注其中，以表現其賞罰，亦同為人所永不能推證其必無者也。然此中，無論人之賞罰，天與鬼神之賞罰，皆依於為義者之原有當賞之理，為不義者原有當罰之理；由此義此理，為天與人所同不能外之故；然後有此為義者之實受賞，為不義者實受罰之事等。墨子之所重者，亦唯在證此義此理，為天與人所同不能外，與為義者之必召致賞，為不義者之必召致罰。此則吾人只須眞知不義之行，必不能普遍的見愛於長時期之天下，而必歸於見惡；而人之為義者，必愈在長時期之天下，愈見其能普遍的見愛；則知此賞罰之有，在人情上看，在人類社會歷史上看，為必然。吾人於此若更信天與鬼神之存在，則此賞罰之有，亦對天與鬼神為必然矣。則此賞罰之事屬諸人，是人之所為，亦皆可視為：天與鬼神之所共為者矣。

吾人上文謂墨子言天之志與人之意，皆同能知義行義以施賞罰，此即謂天志與人意，在墨子乃並行於義道之中。此即見墨子之言天志與人意，不同於西方宗教之說之重人之自天創出，人除以天之意志為意志之外，不能眞有獨立之意志與天並立之說者。由此而可更了解墨子之天人關係，為一對等的交互關係之意。墨子於天志篇上言，天之所以賞罰不義曰：「天欲義而惡不義，然則率天下之百姓，以從事於義，則我乃為天所欲也。我為天之所欲，天亦為我所欲，……我欲福祿而惡禍祟。若我不為天之所欲，而為天之所不欲，……天亦為我之所不欲」。此即謂人為義之所以見賞於天者，以天欲義，而我為其所欲，故天亦以我所欲之福祿施我也。人之為不義而見罰於天者，以天不欲不義，而我爲其所不欲之不義，故天亦以我所不欲之禍祟施我也。

由上所言，卽見墨子言天人關係，純爲對等的交互關係，亦如人間之施報關係，爲一對等的交互關係。我對他人愛之利之，而爲其所欲，則人亦報我以愛利，而爲我之所欲。此人與人之由施報而有兼相愛與交相利也，亦人間之義道也。然今墨子言人與天之關係亦如此，以天欲義，而我爲其所欲，故天賞我，亦正如人與人之投桃而報李耳。則此天與人之相施報之本身，亦正爲天與人間之義道。人投桃而不報李爲不義，不投桃而希李之報，亦爲不義。則人行義而爲天之所欲，而天不賞，天亦爲不義。反之，人不爲天所欲之義，而欲得天賞，亦爲不義。然爲義者天必有賞，如爲不義者天必有罰。墨子已由歷史事實證之矣。則人欲希天賞避天罰，人亦只有強爲義，以爲天之所欲而已矣。此墨子之論天之欲義、人之欲義，各爲一事，卽所以見天與人之分別有此義道。天欲義而人行義，以爲天所欲，而天報之，又使此天人之二事相關係，合以成一天人相施報之一事；卽於此事中，見天人之相施報，亦本於一義道。則墨子之天，亦如一大人，其與人之關係，乃對等之交互關係，在本質上正同于人與人之交互關係。此固迥不同於西方基督敎之先視人爲由天自無中創出，不能眞有獨立之意志，以與天並立之說也。則吾人於墨子所謂義自天出之言，固當求有善解。義自天出，與義之自人出，固不相悖。義固自天出，而天與人之交互關係中亦有義道，天亦須自遵此義道以待人，則義道有大於天者矣。至於墨子之所以敎人法天者，則以天恆知義行義，亦恆遵義道以待人，而人則或義或不義，故天之義道大，而人之義道小。又人之父母君師之行，亦或不義，故亦不必皆足為法（法儀篇），故不說義自人出，而人不可不法天，以期於如天之恆知義而行義，而可說「義自天出」也。由是而人亦卽當由天之兼養萬物處，思此天之恆行兼愛之義，念「天之行廣而無私，其施厚而不德，其明久而弗衰」（法儀篇）以為人之「法儀」。此亦如人之學聖賢者，當以聖賢為法儀之類。此固非謂義自天出，則義只屬於天，而不屬於鬼神與人。若其然者，則墨子當只教人以順從天之意志卽為義，而發展為西方宗教之教人在上帝之前，忘其自己之意志者。世之謂墨子之學純以天志為本，同於西方式宗教，而不能說明其何以竟全不向此西方式之宗教而發展，則見其說之不當矣。

七　非命，與外無限制之絕對的義道。

循吾人上文所論墨子所謂天人之不同，唯是天為全義、人則或義或不義之不同，而天人之關係，只為對等之交互關係，天以義道待人，人亦能本義道以待天。故墨子雖言法天志，而又不信天志之能決定人之意志。故墨子有天志之說，而無天命之說。昔詩書之言天志者，恆與天之命並言。孔子卽義言命，另有其旨，吾已論之孔子言仁道文。然春秋戰國時，世俗之所謂天命，亦漸變為人之死生富貴與行事，皆由天所命定之說。當時儒者，亦有習其說者。墨子則力言無命。若依西方宗教之說，人由天自無中創出，其所以創出，必依天之計劃，則其創出後之命運，可由天所預定。縱謂天於創人之時，賦以意志自由，對此意志之自由程度，天神亦必當對之有所限定。在此限定處看，仍將言命定。西方神學中之命定與自由之爭論，亦實一不可解之死結，恒不免歸於言上帝之命定，否則上帝終將失其創人時與創人之後之全知全能也。對此問題，今姑不多論。然要之，墨子無此人由天自無中創出之論。此人之初自何來，蓋墨子可問而非必須問者。墨子亦無天本其計劃以造人，與以自由，而更加限定之論。天之造人有無計劃，亦墨子可問，而非必須問者也。在未有此天依計劃以造一切人與鬼神之宗敎上或形上學之論時，必不能說一切義只屬於天，不屬於人與鬼神；亦必不能說人之行義，皆天之所命定；而只能視天與人之關係，亦爲一對等之交互關係。天自有志，其志在義。此志在天，爲天之所往，亦如人之志，爲人之所往。天志往在義，人志亦可往在義，人亦可以法天之志之故，而更往在義，與天更同道而同行。故天志之說，不涵人之意志由天定之說，亦不涵人之行義由天命加以決定之說。故墨學亦不發展爲西方式宗敎之一往皈依於天命之敎，而只發展爲後世之俠義之敎也。

墨子天志之說，不特不涵人之行義由天命決定之說。且謂人之自行其義之事，正與此「行義之事，必有命爲之限」之說相違。故墨子必非命。蓋此行義之事，在墨子乃純屬於人之自身者。人固可不行義，然亦可行義。人行義之事，自可隨時止，然亦可相續不斷。此時，人若先謂其行義之事，先有命爲限，人卽可以此命限之觀念，以自止其行義之事，而視義爲不能行，或不必行，而更不行矣。

此時「命限」之觀念，即成阻碍人之行義者。故曰「執有命者之言，是覆天下之義」（非命上）。而此命亦爲眞知行義之人、眞欲行義之人，所必當加以反對者。反對之，亦正所以成就人之行義，而其本身亦爲義之所當然者也。此卽墨子非命之論之所以必立也。

至於就墨子非命之文而論，則其非命上首謂「言必有三表，有本之者，有原之者，有用之者。於何本之？上本於古者聖王之事。於何原之？下原察於百姓耳目之實。於何用之？發以爲刑政，觀其中國家百姓人民之利。」此三表者，固墨子以之評論其他之說之標準。如墨子之言兼愛，非攻、節葬、節用、非樂、法天志而敬鬼神，卽皆以上古聖王之事爲本，更以其對國家人民之利，與百姓耳目之實所見之種種事實爲說者也。然命之爲物，則墨子言人無實見之者。又言上古之聖王皆只求爲義，由行義以致福，由去不義以去禍；由行義以生利，由去不義以去害；而更賞義罰不義，賞賢而罰不賢。此卽古之聖王之政也。至於人民之所以或受賞或受罰者，皆其義與不義之行所自致，初非由命定。如謂爲命定，則「上之所賞，命固且賞，非賢故賞也；上之所罰，命固且罰，非（依王引之校改）暴故罰也。」若然，則賞罰不足以勸善阻惡。人若信一人之富貴貧賤，國之安危治亂之事，皆是命定，卽皆不關乎人力；人必一切任命，「上不聽治，下不從事」，是「立命者必怠事也」。此卽見命之說，於國家人民無所利，而爲「天下之厚害也。」故非命下曰：「命者，暴王所作，窮人所術，非仁者之言也。今之爲仁義者，不可不察，而強非者，此也。」此其旨皆甚明晰，可更不多論矣。

八　總論墨學中之義道之大

總上所論，吾人之旨，要在依序說明墨子之義道之涵義。貴義篇首曰：「萬事莫貴於義，爭一言以相殺，是貴義於其身也。」公孟篇又曰：「夫義，天下之大器也。」墨子又常言「世之學者恆明於小，不明於大」。此在其書如尚賢、天志、魯問諸篇，隨處屢言之。吾人觀墨子言義之旨，亦實甚大。墨子之言仁義本於詩書，亦初不與儒者言仁義之旨全違。墨子固有非儒之篇，議及孔子之徒與孔子。然公孟篇亦言其稱於孔子，並說其故曰：「是亦當而不可易者也。」則墨子於孔子之言，當而不可易者，固亦有所承，如其於中國傳統之詩書之言仁義之論，有所承也。然孔子言仁義，尚以仁義分言，而其所重者則在言仁。孟子乃輒仁義並言，此則蓋當始自墨子之仁義並言。墨子言仁義，而其歸在義，故罕單獨言仁，而恆單獨言義，乃特貴義。吾文因更論此墨子之兼愛之教，亦為以義說仁之義教，而不同於孔子以仁說義之仁教。此皆具詳前文。前文既說由孔子之仁可涵義，亦論墨子之重義，以義說仁，而重點轉移至貴義。墨子之言仁者之愛，必求其與利相連，而求其兼，是即墨子兼相愛、交相利之教。此仁者之愛之必連於利，即重仁者之愛之客觀化；愛之必求其兼，則為求此愛之普遍化。客觀化普遍化此仁者之愛，即依理智的理性，以普遍化人之仁愛，以客觀的表現於天下，以成其望天下人莫不兼相愛、交相利之教也。愛至於望天下人莫不兼相愛，利至於望天下人莫不交相利。此人之愛利之範圍亦大矣。此墨子之言「義之大」之第一端也。

兼愛交利，正面之教也；非攻、節用、節葬、非樂，反面之教也。墨子之設教，必有所是，且有所非。非非而易之以是；既易之以是，亦必本之以非其所非。兼愛、交利，人相愛相利之至大者；攻戰，則人相賊惡，而害之至大者也。非攻者，所以去人之相賊惡之害之至大，以成之相愛相利之至大者也。故兼愛之義大，攻戰之不義亦大。人之知竊人桃李、傷人牛馬、取人性命之爲不義，而不知攻戰之不義，是明於小不義，而不明於大不義。世之君子明於小不義，知去此小不義之爲義；而不知去此攻戰之大不義，以成兼愛之大義。是明於去小不義以成小義，而不明於去大不義以成大義也。此墨子言「義之大」之第二端也。

至於墨子言節用、節葬、非樂之旨，則要在節人之財用之浪費於衣食住行與禮樂者，以成其對天下大多數人民之大利。利者少而愛不兼，其爲義也小，亦爲不義，而非眞義。利者愈多而愛愈兼，而其爲義也大，是爲大義，爲眞義。故墨子必言節用、節葬、非樂。至其對禮樂之所以爲義所當有，則未能知，蓋由其識不及之故，非墨子不本義以非樂節葬之謂也。

墨子言兼愛而非攻貴義，而非不義，故亦貴行兼愛之道之兼士兼君，貴爲義之賢者，而不貴彼不行兼愛之道之別士別君，亦不貴彼不爲義之不賢者。故墨子之言爲政，必尚賢。匪特尚賢，而有賢者足以爲用而已，且必求衆賢，以共治國。賢者能爲義，則尙賢亦是義。賢愈衆，而爲義者愈多，則能尙衆賢，卽爲大義。尙衆賢，而至於天下之遠近親疏，農與工賈賤人中之賢者，莫不有其所以得舉之道，至「無義不官，無義不貴，無義不富。」。此爲政之大義，卽墨子言「義之大」之第三端也。

墨子言尙賢，而以賢者居上位，更言尙同，以教其負一同天下之義之任，而後天下之人之不同之義，乃皆得集中於在上位之賢者之所謂義，而正之；以歸于在上位與在下位者之一同其所知之義，而同其是非。依此尙同之敎，天下之人又皆咸當告其所見之善不善者，于此上位之賢者，以使此賢者得據以施其賞罰，使義者得賞，不義者得罰；而天下之人，乃皆不特得一同其所知之義，亦一同其所行之義，以使天下之萬民、與爲政者之義，卽莫不趣向于一同。此墨子言「義之大」之第四端也。

兼愛交利尙賢尙同，乃人之愛利之遍及天下，更使選舉遍及於天下之賢者，以一同天下之義之道。此皆仁人君子所以待天下人之大仁大義也。仁義遍及天下，則正如天之愛利之遍及萬物萬民。故仁人君子必法天。尙同之極，卽上同于天。天之愛利之遍及于萬物萬民，天之所以爲天之大義也。法天之此大義，卽人之大義也。然墨子不只特信天爲義，亦信鬼神之爲義。則人之行義，不特行天之義，亦行鬼神之義。天與鬼神，在墨子固皆眞實存在，皆恆知義而行義，亦恆欲人之行義，而不欲人之行不義者也。人之欲他人之行義者，于他人行義者必賞之，于他人之行不義者必罰之；則天與鬼神于人之行義或不義者，亦必有賞罰也。賞罰，亦天與鬼神之照臨天下之大義也。則人欲得天與鬼神賞，而避其罰，固當力爲義，而不爲不義；亦如人民之欲得賢君之賞，而避其罰，皆當力爲義，以避不義也。賢君欲義，則人民能爲義，以爲賢君之所欲；故賢君亦爲人民所欲之賞以報之。天與鬼神欲義，則人能爲天與鬼神所欲之義；天與鬼神，亦爲人所欲之賞以報之。此皆同爲一「往來施報」之大義也。然此非特尊天與鬼神之義之說，亦如墨子言君上之義，亦無特尊君上之說也。天與鬼神固欲義；人爲義，則人使天得足其所欲。此卽人與天鬼間之交利也。故人爲義者，不只是爲人之愛人利人之行，亦人之敬天而利天，敬鬼神而利鬼神之事。凡此兼愛非攻以及節用、節葬、非樂、尚賢、尚同等，對人表現其愛利之事，皆人之敬天與鬼神之行，而爲人之利天與利鬼神之行也。故人爲義行，而人與鬼神及天，莫不受利。此墨子之所以恆言「下利人」「中利鬼」「上利天」也。此亦如人民之爲賢君所欲之義者，亦所以表見其愛君忠君，而亦所以利君也。由此言之，人爲義而天與鬼神受其利，天與鬼神乃賞人以福，以爲人之利，則天鬼神與人間，亦有兼相愛、交相利之事也。此亦猶人民之爲義，而賢君得其所欲于人民者，乃更賞之，卽人民與賢君之兼相愛、交相利之事也。墨子言兼相愛、交相利之義道，初見于人與人間，次見于人民與君上之間，而終則見于天下之人與天及鬼神之間。義道及于與天及鬼神之間，而義道充塞于宇宙，此墨子言「義之大」之第五端也。

義道大矣，然世間有能限制人之爲義者乎？有限制人之爲義，以使天下之亂不得治，危不得安者之命運乎？有不待人之爲義，而亂自成爲治，危自成爲安之命運乎？曰無。無命，故人爲義，則危莫不可安，亂莫不可治；人不爲義，則安亦未嘗不可化爲危，治亦莫不可化于亂。于是天下之治亂安危，卽全繫在人之爲義與否；而人之一切吉凶禍福富貴貧賤之事，亦莫不可由人之爲義與否而變。人之爲義與否，而天與鬼神，亦變其賞罰。則天之賞罰，非命定之賞罰，乃由人之爲義與不爲義之所定之賞罰也。人爲義而天與鬼神之賞罰定，此外天對人別無所命定，則義誠爲天下之至貴，爲天下之大器。此墨子言「義之大」之第六端也。

能明上述六端之義之大，則于墨子之義道之旨，庶幾乎皆會之而無遺，然後可稱爲明于墨學之大，而不只明于墨學之細也。以此六端之義之大，以觀古之論墨學者，則孟子莊子之謂墨子重兼愛與非鬭，荀子之謂墨子有見于齊，與「由用謂之道」，皆可謂能知墨學之第一二端之義之大。司馬談論六家要旨，言墨家強本節用，則只及于第二端之節用。班固漢志論墨學以明鬼爲主，而有尙賢尙同之說，此乃只知上述第五端之旨爲本，而及于第三四端之旨。然謂尙賢尙同只由明鬼而出，明爲不賅不備之說。尙同尙賢，固可直接由兼愛貴義，而尊兼士兼君之義而出，亦可由法天志而出也。至于今世人之謂墨學重功利者，則本于墨子之言仁義必及于愛利，言志必及于功，又重政治上之賞罰與天及鬼神之賞罰而說。然墨子言仁義，固必及于功利，亦未嘗不以仁義爲本。其言君上之仁義，天與鬼神之兼愛而知義，必表現爲對人之賞罰，亦仍是以仁義或義爲本也。此猶未識第一端之大旨也。至近人之見及墨子有天爲義，天爲知，天能知義行義，並教人法天之說，遂謂墨學之諸端皆由天志而引出，而以墨子之學同西方宗教之論，則皆不知墨子之言天與鬼神及人三者並列，而各爲其義之旨，與義道縱貫于天，鬼、神、人三者之旨，亦不知天及鬼神對人，仍依一對等之義道爲賞罰之旨。此于墨子之第五端，亦猶未識其全也。至于近人之由墨子言尙同尙賢，又喜言王公大人，其尙同卽上同，賢者亦居上位之賢者，而疑其爲統治階級說話者；與人之見墨子之謂農與工賈及賤人之賢者，皆可爲官而富貴，而謂墨子乃代表平民階級說話者；此皆同是以階級之觀念，橫裂墨子尙賢尙同之全旨，于墨子之第三四端之旨，皆未能識也。凡此等等，皆于墨子所言之六端之義之大，徒舉一端，或數端之一部份爲說。通此六者，以見其義之大，非上列諸說之所及。此諸說皆于墨學，「明于細而不明于大」也。觀墨子之諸篇，反復言當世之君于「明于細不明于大」，公孟篇言「夫義，天下之大器也」，則明于大固非易事。明墨子之所言之義之大，亦非易事。吾于墨子，亦嘗徘徊于上列諸說數十年，而未能見及此「義之大」之義，足以貫通于其學之全。今乃自謂差見得。此墨子之言義道，亦實可稱爲「通貫于愛與利之間，人與我間，一切人間，在下人民與在上之爲政者之賢者之間，賢者之義與人民之義間，生人與死人之爲鬼神者及天志之間」之一「不受其外之任何命運之限制」之一「絕對普遍而客觀之義道」。其說之原，又正當說亦由孔子所重之仁道，外轉而出。然既轉出之後，而墨子或忘所自轉出之本；則其普遍而客觀之義道，卽可成一外在于人之仁心，而只存于客觀之天下之義道，是卽成義外論矣。墨子公孟篇言，「告子言義而行甚惡」，墨子嘗嘆其行，而仍稱其言。此告子蓋墨子之後輩或學生，考其年可爲孟子所及見，其言義又與孟子書中告子之思想相合，當卽孟子書中之告子。孫詒讓墨子閒詁謂別是一告子，而未言其所據。然宋王應麟困學紀聞卷八，已疑其或是一告子。淸末陳澧東塾讀書記卷十二，亦論其爲一告子。唯陳又以之證趙岐之言告子兼治儒墨之學，則亦無據。吾意孟子書中之告子，當卽傳墨子言客觀天下之義道之學，而明主義外者。然孟子又非告子之義外，而主仁義皆出于內在之心性，以承孔子之學。則由孔子之重心之不違仁，至墨子之重義道之立于客觀之天下，告子之言義外，再至孟子之以仁義皆出于內在之心性，正見中國古代學術之大開大合。墨子能開此「義」之涵義，至于如此之大，誠莊子所謂「眞天下之好也，將求之不得也」，豈非豪傑之士哉？

第五章　孟子之立人之道（上）

一　導言　述中國歷代孟學之三變，及孟子之興起人之心志以立人之道。

孟子初只爲孔子後學之一，未嘗與孔子並稱。先秦人唯恆以孔墨並稱。論語乃七十子之後學所記，唯稱顏子、曾子、子游、子夏、子張等。荀子乃以子思孟軻並稱。韓非子謂儒分爲八，其中有孟氏之儒。漢儒言其經學之傳，于春秋之公穀與毛詩，皆溯原子夏、于魯詩、韓詩、左傳、禮記，皆溯原荀卿，易則溯原商瞿；皆未嘗明溯原于孟子。董仲舒嘗非難孟子之言性，王充書有疑孟之篇。唯揚雄有「竊自比于孟子」之「闢楊墨」之語。此非謂孟子所述之義理，後無人緣之而加以發揮。如禮記諸篇文，正多承孟子義而進是也。董子非難孟子之言性，而兼合荀子言以論性，此與揚雄之合孟荀而論性者略同。漢儒言詩書之義，亦多循孟子以意逆志之旨，而言之。後趙歧注孟子，其序乃謂孟子通五經，尤長于詩書。趙序又謂孝文帝爲孟子及孝經、論語、爾雅，皆置博士官，後又罷之。唯諸經通義，得引孟子以明事，謂之博文云云。此乃本經學之觀點，以言孟學之地位。由漢至唐孟子注，只有趙岐注、宋孫奭乃疏之。昔賢之推尊孟子于荀揚之諸儒之上者，蓋始于韓愈之言孟子醇乎醇。然在宋初，孟荀揚之地位，仍略相等。司馬光、王安石、曾鞏等，皆推尊揚雄。司馬光、李覯，並嘗疑孟。晁說之亦詆孟。然王安石亦推重孟子以堯舜之道望于其君之精神。二程乃尊孟子之性善義，而貶荀揚。朱子遂訂孟子爲四書之一。然程朱于孟子，其辭皆若有憾焉。如明道謂「仲尼，元氣也；顏子，春生也；孟子並秋殺盡見」，「孟子儘雄辯」，「露其材」，「仲尼無迹，顏子微有迹，孟子其迹著」。此皆朱子所編近思錄最後卷所徵引，故亦爲朱子所同意者。朱子又謂「孟子說心，後人遂有求心之病」（朱子語類卷十九）唯象山之學，自謂由孟子得，特推尊孟子之發明本心。自宋以降，而孟子與孔子，並稱孔孟，以易唐以前之周孔並稱。以周孔並稱，重在孔子之言政，故孔子于漢稱素王，在唐封文宣王。以孔孟並稱，重在孔子之教，故至明而孔子改稱至聖先師，至清而改稱大成至聖先師。宋明以後，孟子乃稱亞聖，其書亦列爲經書之一。孔孟並稱，則荀子見抑。清之學者乃更爲荀學辯誣，謂其除言性惡之外，其言禮義等皆儒者之言。然亦未嘗以荀與孟平列也。唯孟子之思想中，尚有「民爲貴，社稷次之，君爲輕」之言，則漢以後之儒者，罕加以發揮。明太祖朱元璋見之，嘗欲逐孟子出聖廟。然孟子之此旨，則爲明末之大儒，如黃梨洲等所重；延及清末，而爲其時之言變法革命者所重，于孟子言民貴之義，大加以推尊。孟子又成中國民本民主之政治思想之宗師。民國至今，一切反專制極權之思想，皆有此孟子民貴之義爲其本。此自民貴之義，推尊孟子，則不同于宋儒之自孟子之言性善言本心，以推尊孟子者；更不同于趙歧之自羽翼五經、推尊孟子者。此上三者可謂之爲中國歷代孟學之三大變。然孟學之精神或孟子之道其核心果何所在，則亦尙待于更加考究。

吾初意從宋明儒之說，謂孟學之核心，在其言心性，而尤在卽心言性，此吾已論之于孟墨莊荀言心之義與原性篇。唯以人之心性是善，故人皆可以爲堯舜，而有其良貴，遂得言民貴。吾素不取趙歧之孟子長于詩書，純自經學觀點，推尊孟子之說。然近忽有會于孟子言心性之善，乃意在教人緣此本有之善，以自興起其心志，而尙友千古之旨。論語記孔子嘗言「興于詩」「詩可以興，可以觀……」而書之所載，正多古之賢聖之事，足使後世之人們聞風而興起者。吾乃于趙歧所謂孟子之長于詩書，自謂另得一善解。更觀孟子之貴民，亦正處處重在興民。孟子之言人性之善，則下在使人自別于禽獸，上則在使人由自興起其心志，以爲聖賢；故言「舜何人也，予何人也，有爲者亦若是」。爲政則重在以天下爲己任者，自興起于草野之中，更升舉于上位，以爲民望。于是吾對整個孟子之學之精神，遂宛然見得其中有一「興起一切人之心志，以自下升高，而向上植立之道」，自以爲足貫通歷代孟學之三大變中之義旨。斯道也，簡言之，可姑名之爲「立人」之道。古今學者唯陸象山最能契此義，故言發明本心，卽所以使人得自樹自立于天地間。然其所論說者，不甚成條貫，亦未擧孟子言以實之。而吾今玆之所論，則將循孟子之明言所及，更加以連屬，並連于其時代，以見其興起人之心志，以立人之道，雖自謂是承孔子，然實則要在針對當時之墨學，以別開一道，而發明孔子之道。孔子之仁道，乃對人、對己、對天命鬼神，四面平伸，如成一渾圓。故程子謂其如元氣之無迹。而孟子之道，則教人下別于禽獸，而向上興起，以盡心知性、存心養性，以知天、事天，而尙友千古之聖賢；更興起人民之心志，皆以「天民」自居，「天爵」自貴，若爲政則以「天吏」自任之道。此道之所在，卽人之義所當行。是爲人之配義與道之事。反此，而安于凡俗者，卽皆只知利害，而不知道義之禽獸之道。故義利、人禽之辨不可不嚴，而其辨大人小人之道、王霸之道、夷夏之道、文野之道、異端與正學之道、大丈夫與妾婦之道，出處、去就、辭受，取與之道，皆基在此人禽義利之道之辨，以次第引申而出者。故孟子之雄辯，不可不有，才氣不得不露爲闢異端，爲秋殺，此皆孟子之精神必有之表現也。然于此須知孟子之言人之義，乃歸本在人之仁，故不同墨子之逕以義道爲本。孟子言「仁者，人也；合而言之，道也」。人而能仁以有其義，而立此人之道，方爲孟子之道之所存。此唯有將孟子之學與孔子墨子之學，先加以比對，而觀其所言之種種之義理；方可次第見孟子之道，在興起一切人之心志，以立人之道也。

二　孟子言道與孔墨之不同，及孟子之人禽之辨

吾人前論孔子之言仁，本在言爲仁由己。仁者之修己、以安人、安百姓，而己之生命與他人生命相感通，乃一「次第由內以及于外，而未嘗離其一己之仁之流行」之一歷程。吾人前論墨子以義說仁，其言義或仁義，則重在其表現爲對他人之實際上的愛利，而見于事功，以建立普遍客觀的「人與人以愛利相施報」之義道。在此普遍客觀的義道中，能行此義道之我，亦客觀化爲人之一，以與其他人平等的兼相愛、交相利，並客觀化爲一國家中之居下位之人民之一，或居上位之爲政者之一，或衆賢之一。其所知所行之義，則又爲當與天下人之義，求「一同」，以成天下之公義，可更上同于天與鬼神之義者。由此而成之墨子之重客觀化之義道之思想系統，便與孔子之重人之一己主觀生命之爲仁，以感通于人與天及鬼神者，成爲異流。又墨家之言仁義，重在愛之必有利，事功之必可加利于民者，故以禮樂爲無用。墨子更不見禮樂之足以表現人之情意，以暢通人我之生命，養人仁義之心，使人行仁義之道等價值。此尤與孔子之重禮樂之旨相對反。于是孟子起，重發明孔子之道，乃不得不一方闢墨學之言義之只重歸于客觀化之實利之思想，亦重發揮孔子以仁言義之旨，乃說仁義皆內在于人心，並重申儒者言喪祭之禮與樂之價值。孟子之言，自大不同于墨子。然墨子之學既爲新出，孟子之重申孔子之學，亦自必當有其新立之義，而其言亦不得皆全同于孔子。孟子固亦自有其學，自有其道，皆可與孔墨之言相較而見者也。

孟子所言之道，卽上說之「立人之道」或「人之自興起其心志，以爲賢爲聖之道」。故上文引孟子曰：「仁者，人也；合而言之，道也」之語爲證。此仁者人也之語，中庸中有之。春秋公羊傳成公十六年傳文，亦用此語以爲言。蓋皆後于孟子。孔子墨子所言之道，固亦皆要在言人道。然孔子言人道，要在辨君子與小人之道之分，夷夏之道之分。墨子言人道，要在言辨義與不義之分，聖王與暴君之道之分。此皆在人道之內部辨。孟子之言人道，則除亦在人道之內部作種種之分辨外；卻要先對人與禽獸之道，加以分辨。孔子未嘗特論人與禽獸之不同。墨子以人與鬼神及天並言，上者爲天，中者爲鬼神，下者爲人，亦未嘗更及于人以下之物。自墨子之天爲兼生兼養人與萬物者看，則人與萬物之地位，對天而言，尚不甚相遠。然在孟子，則特重言人與人以下禽獸之分別，以凸顯此人之道。此則重在言人之居禽獸之上，而將其在天地間之地位，加以升舉；便不同于墨子之言人之位居天與鬼神之下，亦不同于墨子之重在言人之上法天而事鬼神，以立人之義道于天下者矣。

孟子之以人與禽獸對觀，而言人與禽獸之別，與墨子之以人與天鬼對觀，而言人之法天鬼之事，二者雖不同，然又皆可說是將人客觀化爲天地間之一類存在，而後有之論。此即不同孔子言人道，未嘗將此人之自身客觀化爲天地間之一類存在，而與禽獸、天及鬼神對觀者。孟子視人與禽獸爲異類之存在，孟子書亦時言及「類」。類之觀念非孔子所重。墨子則特重「類」，而其立言、論故，亦必求明于事物之類。則孟子之言類，亦當有所承于墨子之用名，猶孟子之合言仁義，亦初當始自墨子之合言仁義也。此孟子之重辨人與禽獸之類之不同，固亦是將人客觀化爲天地間一類之存在，而後有之論。若人只如孔子之生活在己與人與天命鬼神相感通之世界中，或只生活在人倫世界中，而不將此人類客觀化為天地間一類之存在，固無此人與禽獸之辨可說也。

孟子之言人與禽獸之辨，雖必待將人客觀化為一類之存在，而後有此辨；然孟子此辨之目標，又不眞在客觀的辨萬物之類之有種種，而要在由辨人與禽獸不同類，以使人自知人之所以為人。此自知，則要在人之能重返于其自身之主體，而加以反省自覺。由此反省自覺所得者，唯是人之生命心靈之自身之性，為其仁義之德之根之所在者。此其思路，又大不同于墨子，而同于孔子之言學言仁，必在人自己之生命心靈上立根，而重人之內省自求之功者。然孔子之言人之內省自求之事，要在對他人而言。學者當內省而求諸己、以盡己，而行己之當然之道，以成就其內在之德性生活；不可只求在外之聞達，亦不可只多所求于人之所以待我，更不可求之不得，而怨天尤人。故孔子以「古之學者為己」與「今之學者為人」，「君子求諸己，小人求諸人」，相對較而說。後明儒劉蕺山言聖學三關，以此「人己關」為首是也。今孟子進而將人與禽獸相對而說，則學者之學為己之學者，亦兼所以別人于禽獸，方見其學乃所以學為人，而盡人倫。故孟子言學特謂「學則三代共之，皆所以明人倫也」（滕文公章），亦特重即人而言人道，與人之所以自興起其心志，以為聖賢之道之故也。

孟子之學，重人與禽獸之別，而此人與禽獸之別，孟子又謂其初只有幾希之別。故曰：「人之所以異于禽獸者幾希，庶民去之，君子存之。」又曰：「山徑之蹊間，介然用之而成路。」（盡心篇）因此「別」初只在「幾希」，如山徑之介然；則人可不見此幾希之別，而忽之、去之。今欲存此幾希之別，以「用之而成路」，以立人道，使人自興起其心志，以爲聖賢，則爲大不易事；而人之行事，乃恒不免同于禽獸。故明王船山謂「庶民者，流俗也；流俗者，禽獸也」。（俟解）又謂「人與禽獸，自形而性，自道而器，件件有幾希之異……幾希嚴詞，亦大辭」（讀四書大全說卷九）「壁立萬仞，止爭一線，可弗懼哉」。（俟解）如實言之，人欲不爲禽獸，只有順此幾希而存之充之，並盡人之所以爲人之道，至于成賢成聖，然後乃得全免于爲禽獸。是卽後儒如曾國藩所謂「不爲聖賢，便爲禽獸」也。由是而此人之地位，卽或升至萬仞之上，以爲聖賢；否則墮于萬仞之下，而失其所以爲人。人乃如恒在壁立萬仞之危崖之旁，升降繫于一線，故不可不懼。此則唯由孟子之識得此人與禽獸之別，在此幾希之故。識得此幾希，則人只有或仁而爲聖賢，或不仁而爲禽獸。人道只有二，「仁與不仁而已矣」；爲人之道亦只有二，求爲聖賢，或爲禽獸而已矣。人果爲禽獸則亦已矣，如其眞不爲禽獸，則又不只爲一般之人而已，亦必將爲聖賢之人而後止。人與聖人同類，不與禽獸同類，則人之與禽獸，正有天淵之別也。

于此當附及者，孟子之辨人與禽獸之不同類，雖是辨類，然其目標，在使人自覺其所以爲人，以至盡人道，而爲聖賢。故此孟子之辨人與禽獸之不同類，又不同于西方哲學家如亞里士多德之辨萬物之類，而謂人是理性的動物等。此西方式之辨類，純爲邏輯或知識之觀點上之分類，故小類屬于大類，如動物亦爲人與其他禽獸所共屬之大類。此大類，初只是一邏輯上之大類之概念，而非眞實存在者。論小類屬于大類，則亦當重人與禽獸之共同之處，故亦可說人是動物。然孟子之辨人與禽獸之別，則只重此幾希之不同之處，而無「人是動物」之可說。若只說人是動物，則此動物之概念中，無此「幾希」，則猶同于說人是禽獸矣。若重此「幾希」，則當說人非動物，亦如其非禽獸也。故如由孟子之辨人與禽獸之類，而謂孟子之辨類，如西方邏輯與知識觀點上之分類，此又不知此二「類」之義之不同類，而不知孟子之所謂「類」之義者也。

孟子言人與禽獸不同類，聖人與我同類，故謂「聖人之于民，亦類也」。此所謂人與聖人同類，乃由「人之自存其與禽獸相異之幾希，而充之盡之，以至于極，卽是聖人」上說。此乃自人之內在的存有此幾希，及人可充之、盡之，以使人逐漸同于聖人之歷程上，說我與聖人同類；而非外在的、邏輯的將人與聖人比較，見聖人亦是人類之一份子上，說其爲與我同類也。若如此說，聖人乃于人之涵義上，加一聖之涵義，聖人乃人類之大類中之小類，如人是動物之大類中之小類。則吾人亦可說人非一般之動物，聖人非一般人，人與動物或禽獸不同類，聖人與其他之人亦不同類。此卽明與孟子意相違。孟子言「泰山之于丘垤，河海之于行潦，類也；聖人之于民，亦類也。」蓋充行潦之水之量，而成河海；充丘垤之土之量，而成泰山；充人之所以異于禽獸之幾希之量，而成聖人。故河海與行潦同類，泰山與丘垤同類，聖人與人同類也。故言人與聖人同類，只是內在的說人自存有此幾希，而充之盡之，便至聖人之謂；非外在的說、或邏輯的說：聖人與人有相類之處。蓋只外在的說、邏輯的說，則人與聖人有相類之處，亦有不相類處。聖人乃人之大類中之小類，小類與大類，乃不同之類概念，又豈可必說聖人與我同類哉。

此人之異于禽獸之「幾希」，卽人之心性。此人之心性，初見于人之有惻隱、羞惡、辭讓、是非之四端之心。此四端之心，可說爲人之仁義禮智之四德之端始，然尚不足稱爲仁義禮智之全德。孔子言仁義禮智之德，卽直對此諸德而言，而未嘗就此諸德之端始而言。墨子言仁義之德，則就其表現愛人利人之客觀外在之事功上言。孟子則要在就人之主觀內在的心性之自動表現，爲此諸德之端始本原處言。故不同于墨子向外看此諸德之客觀的意義價值者，亦不同于孔子之未嘗多及心性之原始表現者。此孟子所說之惻隱羞惡之四端之表現，又初只是一人之心靈或生命，一種內在的不安、不忍、不屑之情，尚未及于實際之愛人利人之行爲者，故亦初全無客觀之事功之可說者。如人之見孺子將入井，而不安、不忍，動一惻隱之心，此時人固可尚未有往救孺子之行爲。然此不安、不忍，已是往救孺子之行爲之開始，亦是救孺子之事功之開始，而爲仁之端。則此仁之端，不能以墨子之「愛利」之有客觀事功者爲說。惻隱之心之初表現爲不安、不忍，只是純主觀之消極的不安、不忍之感情。此感情，卽是人之心靈生命之一內在的感動。此感動則禽獸所無，而爲人所獨有，人亦初不知其所自來，而只見其突然生起者。此處卽見人與禽獸之差別之幾希。孟子之教，卽要人自識此幾希，而存養之擴充之，以實成其仁德；並知此幾希雖微，然人之成爲具仁德之仁者，而至有如墨子之愛天下人、利天下人之無盡事功，其本原亦只在此幾希。故學者卽當首在此本原處，自施存養擴充之功，爲其先務，而不可如墨子之只向此愛人利人之客觀的事功上，看仁之價値與意義矣。

孟子之言仁之端在不安、不忍之惻隱，而言義之端，則在羞惡。人有惻隱之心，固直接表現人之所以異禽獸；而人有羞惡之心，亦直接表現爲人之不甘自同于禽獸。禽獸可食嗟來之食，人有羞惡之心，卽不屑食此嗟來之食，並以食嗟來之食爲羞辱，而惡之，以至寧死不食。人之所以不食此嗟來之食，初不自知其所以然。人初只覺人之與以嗟來之食，無異待之如禽獸。人直下不願自居于禽獸，卽直下不願人以禽獸待之，而寧死不食此嗟來之食。此人之不食，卽人之所以自表現其不同于禽獸，而亦表見人之心性之不同禽獸者。孟子卽說此爲義之端。人有此義之端之表現，卽見人之能自制自守，亦見人自己之心性，自有其內在的尊嚴。然此對他人有何利益，初全說不上。墨家之謂「義，利也」于此卽顯然不能說。然此人之能自制自守，卻正是人之不侵犯他人之所有，而亦尊重他人之所有，使人與我各得其利，以及依人我之平等，以立種種義道于客觀天下之本原所在。此外，禮之始于辭讓，智之始于是非，初亦只直接表見人之不同于禽獸之心性，而亦未必有客觀的利人之價値與意義者。人之有此四端之表現，初只所以見其不同于非人，故曰「無惻隱之心，非人也；無羞惡之心，非人也；無辭讓之心，非人也；無是非之心，非人也」。人有此四端之表現，得見其不同于非人，以爲其仁義禮智之德之端本原始，即其價值與意義之所在也。

三　仁義之心，與義外義内之辨

孟子之言人之心性之表現，初只是人與禽獸不同之幾希之四端。然順此端始本原，而存養之、擴充之，則其所成之仁義禮智之德之用，又是無窮無盡。故孟子謂「人能充無欲害人之心，而仁不可勝用矣；人能充無欲穿窬之心，而義不可勝用也」。無欲害人，更使人不受害，則墨子所謂兼愛，利天下之事，皆不外乎是。一切利天下之事，亦不外充此使人不受害之心之量而已。人無欲穿窬，自不侵犯他人所有。墨子所以言非攻、節用、節葬、非樂，亦唯以「攻」爲侵犯人之所有，王公大人之侈用厚葬聲樂，不加利于民，又不免奪民之衣食財力，無異侵犯民之所有之事之故也。則墨子所以必言此非攻、節用等，亦只是充此無欲穿窬，不侵犯人所有之心之量而已。此外，墨子所言一切仁義之道之表現于其他尚同、尚賢種種之論者，無論其說之是否皆能立，然墨子之所以言之，要本于墨子之仁義之心。然此仁義之心，皆由此人人所共有之「無欲害人，無欲穿窬」之心，充量發展之所涵及，而不能溢出于其涵及者之外者。然此心之充量發展之所涵及者，則墨子之言，又尚不足以盡。後文當次第及之。知此則孟子之學孟子之道，進于墨子者可見矣。

此孟子之學及道，與墨子之學及道之不同，在孟子始終把穩住「人之仁義之心之有其端始本原之表現，而由存養擴充，可至無窮無盡」之一義。故此孟子之道，在本質上爲一由本而末，由內而外，亦由末反本，攝外于內之一道。人之行于此道，亦同時爲人之自別于禽獸，自盡其與禽獸異之心性，以使其心之志向上興起之道。此人與禽獸異之心性，爲人之「大體」，乃人所獨有；而不同于人之耳目之官之「小體」，乃人與禽獸所共有者。故人之盡其心性，卽養其大體，而爲大人。只順其耳目之官之小體之欲，卽養其小體，而只爲小人。人爲大人，而至于聖人。人爲小人，而不遠于禽獸，亦終不免爲禽獸。故人之心志之向上興起，卽人之所以成大人，而上爲聖人者。反是，則爲向下陷溺其心于耳目之官之欲，而成小人爲禽獸者。故孟子之道，亦卽教人之心志，由下而上，由小而大，以自興起，而成大人之道也。

緣此上所謂「由本而末，由內而外，亦由末反本，攝外于內」之義，故孟子必重爲「人之仁義之原始的表現」之孝弟之德、喪葬之禮，及「與人同樂」之「音樂」者。孟子之言仁義之道，與人之爲仁義之事，亦必自其根于仁義之心，而爲此心之表現而說；便不同于墨家之只歸在一客觀之義道之建立者。只歸在客觀的義道之建立，而不知其根于心，爲此仁之客觀的表現，卽是以義爲外，而爲義外之論。則孟子以仁義之事，必根于仁義之心，固必闢告子之義外之論，亦必以墨子之不重此孝弟之德，爲仁義之心之本原的表現，而只泛言兼愛者，爲無父之論；並亦必以墨子之薄葬、非樂之論，爲不然而非之也。

關于孟子闢告子義外之說，可由略分析孟子與告子辯之辭以明之。按告子言「仁，內也；義，外也」，而以「吾弟則愛之，秦人之弟則不愛也」，爲「仁內也」之證。此卽謂在仁愛，乃以我個人之特殊之主觀，爲一決定之原則。同爲「弟」，我或愛或不愛，則此愛有主觀性，亦有特殊性。告子言「義，外也」，則以彼長而我長之，故長楚人之長，亦長吾之長爲說，並以「彼白而我白之」爲喻。此乃謂吾人之敬長之義，乃以所敬者之客觀的原爲長，爲一決定之原則。同爲長，無論是吾之長與楚人之長，皆同以敬之爲義。則此敬之義，有客觀性，亦有普遍性。此中告子之分辨二者，非全無理。因人之對人之德，固可有此具上述之具主觀性特殊性者，與具客觀性普遍性者二種之分也。

告子之以後者爲義而義爲外，如此「外」之意義，同于具此上之普遍性客觀性之意義，亦非不可說。墨子望天下人之兼相愛交相利，而相施報，以立義道于天下，此中，只須客觀對象是人，卽皆當兼愛而利之，亦可謂一切是人者，皆有此當兼相愛交相利之義。此義，卽爲亦有客觀性、普遍性者也。墨子固未嘗以此之故，明謂凡有此客觀性、普遍性之義爲外，更與爲內之仁相別。此則由墨子之言仁，必表現爲兼愛，乃以義說仁，而使仁歸于義，則仁義可無別之故。然墨子言義道爲具客觀性普遍性者，而視之爲天下之公義，亦天與鬼神之所共知，所共欲，卻未說其爲本于人之內在心性之表現，則亦卽無異于只視義爲外也。細觀孟子之闢告子義外之說，亦非謂此義如敬長之義，無此客觀性、普遍性，而唯是謂此敬長之義，亦原于我對長者之特殊之關係，故我對長馬之長不敬，而對長人之長乃敬之，則此敬亦發自我之主觀內在之心性，故不可只視之爲外，亦當視之爲內，而與仁之爲內同也。若視之爲內，則內可攝外，義之爲客觀普遍，亦同時爲主觀內在之心性，表現于「我與所謂客觀對象之特殊關係中」，而具特殊性者。依此，則由仁而有之愛、與由義而有之敬，卽皆同爲主觀內在之心性之表現矣。後之墨辯謂「仁，愛也；義；利也。愛利此也，所愛彼也。愛利不相爲內外，所愛利不相爲內外。」此卽謂自主觀愛利方面看，仁義無內外之分，自客觀之所愛利方面看，仁義亦無內外之分。此則蓋爲墨家後期之論，而亦不同告子之分仁內義外者，或抑亦由孟子之駁仁內義外之說，而更有之墨家新說也。

孟子告子篇所載孟子與告子之辯，及公都子與孟季子之辯，其旨略有不同，而人或忽之。在孟子與告子辯之一章，孟子之言，要在言敬長之義有客觀性、普遍性。在敬長中，長吾之長亦長楚人之長，正如吾之嗜秦人之炙，亦嗜吾之炙，其皆有客觀性、普遍性。然此不礙此敬長之敬，兼出自我之特殊個人之主觀，正如嗜炙之嗜，出自爲特殊個人之我之主觀。與公都子辯之孟季子之論，要在言吾人之敬，隨客觀情境、或所敬者所處之地位而變。如在平常情形之下，鄉人長伯兄一歲，則敬兄；在鄉人之聚會中，則先酌鄉人。在平常情形下，敬叔父；在弟爲尸之情形下，則敬弟。此則重在言吾人之同此一敬心，隨客觀外在情境之特殊性，而變其所敬。此在孟季子，卽取以證吾人之敬，乃爲客觀外在之情境之特殊性所決定，便不由吾之主觀內在之心性所決定，以證其義外之說。孟子之意，則謂此隨客觀情境之特殊性，而變吾人之所敬，仍出于吾人之內在之心性，有如冬日飲湯，夏日飲水之事之仍由內發。此則注重在言吾人之內在的心性如敬，原能在特殊的客觀情形中，有其種種不同之特殊的主觀的表現。此表現爲義，此義亦由內發，由內在的心性所決定，而非由客觀外在之特殊的客觀情形所決定。今亦必合此二段之義，然後知孟子之通此主觀與客觀、普遍與特殊，以言義內之全旨也。

玆按孟子公孫丑篇述孟子之立身處世之辭受、取與、進退、出處之道，恒以所在情形之不同，而或辭或受、或取或與，或進或退，或出或處。孟子弟子蓋嘗疑孟子前後所行之不一致，而孟子皆一一答之。此卽見孟子之于義與不義之辨，固依人所在之具體的特殊之情形而定。然在各具體特殊情形下，何者爲義、何者爲不義，固又皆由人自己決定。故皆不足持以證義外，而唯足以證吾人內在之心性，原能隨各具體特殊之情形，而各有其所表現之義而已。

四　孝弟與行義之道

由孟子之言義，不同于墨子、告子、孟季子之只視義爲客觀普遍之道，而亦兼爲吾人主觀內在之心性，在種種特殊情形下之表現，而亦在內者；故孟子言仁義之原，必在此心性之原始表現，見于吾人之生命之始生時所在之家庭，而有之孝弟之情、孝弟之德上言。此中孝爲仁之始，弟即爲義之始。吾之生命，生自吾父母，而吾與吾父母有一原始的感通，此即一切感通之仁之本。此中不說慈爲仁之本者，則以人之愛其子女，雖亦爲生命之感通，然人必自爲父母，而有子女，而後有慈。故慈爲人之後有之情，非如孝之爲生而即有者也。又吾繼先吾生之兄姊，而同爲一父母而生。此兄姊，爲在吾家庭中之先已存在之生命，吾後之而生，遂能自然本此同爲一父母所生，而更對此先已存在之生命，有一直接的肯定尊重，是即一切敬長之義之本。孝爲吾之生命直接對生我之父母，而有之縱貫之情，弟則爲對同此父母所生之兄姊，而有之橫施之情。由孝父母，而及于父母之父母；此縱貫之情，遂可上通于過去百世之祖先之生命。及人有子女，而知慈于其子女時，人亦更可緣其對祖先之情，而慈愛及于同出一祖先之家族中之後裔與幼輩。再由孝父母，更老吾老，以及人之老；幼吾幼，以及人之幼，而此敬老之情，可橫施于天下之一切之老；此人之慈愛之情，可橫施于天下一切之幼。此中，吾人之敬吾之老，敬吾之兄、之長，而敬天下一切之老、之長之情，合爲一敬天下一切之老與長之義。此吾之敬老敬長之義之所至，亦即吾之生命與老及長之生命相感通之仁之所至。此是儒家由孔子至孟子言孝弟之情爲人之仁義之原始表現之大旨。由此而孟子謂「仁之實，事親是也；義之實，從兄是也。無他，達之天下也」；又言「堯舜之道，孝弟而已矣。」孟子之特稱舜，更要在舜之以孝之至，而感化其不慈之親。故離婁篇謂「舜之爲君，視天下悅而歸己，猶草芥也」；而唯以「不得乎親，不可以爲人，不順乎親，不可以爲子」爲念。及舜盡其事親之道，而「瞽瞍底豫，而天下之爲父子者定，此之謂大孝」。大孝之舜，視天下大悅而歸己，猶草芥，必使瞽叟底豫，使天下之爲父子者定，方爲舜之大孝。則孝弟之道之立于天下，其事，固有大于爲天子者矣。

孝弟之敎，乃中國昔所固有。孔門言學，亦以「入則孝，出則悌」爲首。人之知孝弟者，固多有之。然亦有只知孝弟，而自限其仁義之心于一家者，則其仁義之心未充量表現，其仁義之德與仁義之事，亦未得眞實成就。故充達此孝弟之情，如孟子所說之「老吾老以及人之老，幼吾幼以及人之幼」，敬吾長以及人之長，如孔子所說「老者安之，朋友信之，少者懷之」；遂爲一當然之道。然此中，卻又決不容許人之有見于此人之有孝弟者，可自限其仁義之心于一家；遂因噎廢食，謂人不當以孝弟之情之德爲本而忽之，更不以孝弟立敎。故墨家之不以孝弟立敎，卽爲儒者所不容。然墨子亦實未嘗非此孝弟之道，唯常謂人愛其親，而望他人之愛其親，則當兼愛人之親耳。依儒家義，老吾老，亦當及人之老，亦非卽無此墨家所說之兼愛。儒與墨于此之異，則要在儒者之知此中人之愛父母與愛他人之父母，不能無先後之次第，而有次第卽必不能無差等。故與孟子辯之墨者夷之，謂「愛無差等」，又謂「施由親始」，卽不可通。因旣施由親始，則施之及于親者，尚未遽及于人，卽已有差等在。吾之特殊之生命，與吾父母之生命，有原始之特殊的感通關係，固與他人之父母之關係不同。此特殊關係爲一眞實存在，而不容抹殺者。則其愛固不能無等差，而不能如墨子之只重愛之普遍性平等性，而忽此特殊性差別性也。復次，墨子之謂欲人之愛吾親，我當先愛他人之親云云，此固不必是以愛人之親爲手段，以使人愛吾親之謂。因當吾欲人愛吾親之時，而念及我當先愛其親；此亦如孔子所謂「所求乎朋友，先施之」，亦是義恕之道也。但墨子之以此言勸人兼愛他人之親，以使人愛其親，卻忽此人之仁愛之心之先表現于自己之愛父母，更推及于愛他人之父母時，初非與「欲他人愛我父母之念」相雜者。若本此以言愛，可說已落至愛之第五義以下。因人之仁愛之初表現于自愛其父母時，此中只有自己與父母生命之直接的感通，而初無「我」之想，亦無「他人」之愛我父母與否之問題在心。此爲第一義。至人由自愛其父母，而及于伯叔，及于他人之老時，人亦初只是循自然之理性，而自然擴充其情之及于父母者，以及于他人之老。此中，亦初無欲人愛我父母之念在心。此爲第二義。唯在我已知敬人之老後，或他人之亦循其自然之理性，而由愛其父母，以及于吾之老之後，吾乃知他人有愛我父母之可能。此爲第三義。由此第三義，而後我乃本我愛我父母之心，更望他人之愛我父母，此爲第四義。再後我更念我既望他人愛我父母，我亦義當先愛他人之父母，遂有此墨子之教，此卽是愛之第五義矣。至于由此而降，我或只以愛他人之父母爲手段，以使他人愛我父母，此則無異商業上之交換，非眞正之道德，亦非眞正之義。此可說爲第六義。若乎爲欲使人愛我父母，而僞爲愛人父母之行，則成不道德而不義，此可說爲第七義。吾人固不能謂墨子之教同于此第六七義。此未免侮辱墨子。墨子固貴義，其言欲人之愛吾親，當先愛人之親，其旨蓋在此第五義。然彼不知在此第五義中，吾之欲人愛吾親，正根于吾之已知自愛其親，亦根于我之原能推愛及他人之親，他人亦原能推愛及吾之親，然後有之想。又在吾初之知自愛其親，更「推愛」于他人之親之事中，實卽已有吾之仁義之情之心之表現。在此表現中，乃根本尙無「欲他人愛吾親」之欲望之出現；亦尙無第五義中「爲足此欲，則吾當愛他人之親」之義務感之出現，自亦尙無第六七之義中之事之出現，則言仁義之表現于此「愛親」之事者，固決不能由此第五義說起，而當先認清前此之四義。敎人以仁義，亦當先在敎人自愛其親，更推愛及人之親處說起，亦卽在自己盡孝于父母，更老吾老及老人之老處說起，如孔孟之論；而不能是墨子之自此第五義說起矣。讀者細思之。

此墨子之言仁義之表現于愛親之事，自第五義說起，除不見此仁義之原始的表現之外，亦忽人之本此第五義以愛他人之親者，可降墮而爲依六七義以愛人之親。凡依墨子之敎，謂欲人對我如何，則我當如何者，無不可降墮而爲以此「當如何」爲手段，或僞爲此「爲如何」，而自陷于不義。蓋吾人欲人對我如何，初只是孔子所謂求于人。此乃吾人對他人之一欲望。此欲望初只是自私。卽吾欲他人愛我之親，此亦可說是自私。人由此自私之欲望，而更念欲達此欲，我當先愛人以及其親，雖是一義務感，人由此義務感，亦可更升至只愛人之親，而不問人之愛我親與否，有如人之初爲有求于人，而知其義當先足他人之求者，可更升至只足人所求于我者，而更不問人之是否能足我對之之所求，而不求其報也。此方是更高之道德境界。此卽只行己之義所當爲，而不求利之道德境界。吾人之敎人而眞愛人以德，亦當指向此更高之道德境界爲說。因必指向此更高之境界，人乃得免于下墮至其下之第六義第七義之境界。故孔孟之教人行義，恆不連于人之如何報我爲說。此方爲以「心志之向上興起」望學者之事。人亦唯由只求其自己之行義，而不望報之利，人乃得不爲小人，而更異于禽獸，以成其所以爲人，爲大人，爲聖人。故孔子言「君子喩于義，小人喩于利」，孟子亦必辨義利，皆不同墨子之言行義必與報之利並言者。墨子之教，只言欲人對我如何使我得如何之利，則我有當對人如何之義云云。此固亦是教人以義。然此乃就人之能喩于利，以教其喩于義；亦是先視人爲能喩利之小人，而後教其爲能喩義之君子。此固未能如孔子之直下便以君子望人，亦自始不就人先所喩之利以設敎也。至于在孟子，則正由其對人之原有異于禽獸之仁義之心性，認識眞切；而遂更能直接上人之此心性，以立言施敎；而更嚴辨義利之分，以使人之心志直向上興起，見義而不見利。故孟子謂「我非堯舜之道，不敢陳于王前」。此方眞正尊重人、尊重學者之敎。墨子之敎，必斤斤連他人之報以爲說，或君上與天與鬼神之賞以爲說，而更不能上進一旨，焉能及此哉。

誠然，自客觀之天下社會上言，人之行義于他人者，他人亦義當報之以利。父母慈于子，而養其子；子亦當孝于父母，而養父母。此中固當有人與人之兼相愛交相利之義道存焉。此吾人于論墨學時，亦以爲此義道當立于客觀之天下，儒者亦未嘗不以此爲人義之所存。儒者于人之受他人之施，而不知報恩者，亦必敎之以報恩，或賞其知報者，而罰其不知報者；而爲名敎法律，以爲勸懲。此儒墨之所不相遠者也。然此中之勸懲之最後目標安在，則仍有不同。依儒者之義，則此勸懲，仍所以使人各得自成其爲人。謂忘恩負義爲非道者，此不僅是謂此客觀之天下中，人無此恩義之相報，爲天下之不美；而是彼忘恩而負義者，尚未眞成其人之所以爲人，自盡其義之所當爲，而于德性有虧；亦尚未自遠于禽獸，未自盡其心性也。君子欲自盡其心性、自成其德，自遠于禽獸，以自爲君子；則不忍見人之不自盡其心性，不成其德，而爲禽獸、爲小人。故不可不望人亦自成其德以爲君子。若君子只自爲君子，而任天下人之爲小人；則君子自私其君子之德，亦猶是小人也。故大君子必不私其君子之德，亦望人之成其德、成君子，則其教人之不忘恩負義，以至于殺彼忘大恩負大義之人，以爲大懲：仍是本其望人成德成君子之志之所爲，而殺之，亦所以免其長爲不義之人，而仍是愛之。故可「殺之而不怨」（盡心篇語）也。由此言之，則墨子之只言行義于天下，彼固是樂見此義道之行于天下，而以天下之不義，爲不美也。然墨子果知其賞義罰不義，乃所以使人各自成其德，以自盡其心性，而得自免于爲禽獸小人，以成君子乎？吾不能無疑也。墨子之言中固未有行義于天下，所以使天下人各成君子，使人皆可以爲堯舜之言也。天下之不義固爲不美，人亦固樂見天下有義道。然此所樂見而美之者，與吾心成相對，此仍只是客觀外在之義也。必義道立于天下，而天下之行義者，皆由行義而自盡其心性，自成其德；然後此義道，乃分別存于「行義者之主觀內在之心性之自盡」之中，非對天下人，只爲客觀外在者。又必吾于望見此義道之立于天下時，更自知其本于吾欲義之心性，而吾亦能本此心性之欲義，以行義，使義道得實立于天下；更視其實立于天下，即我之欲義行義之心性要求之表現或實現；然後此義道之立于天下，方不只爲客觀外在之事，而兼爲我之主觀內在之事，此義道乃非只外在，而兼爲內在，以進至此孟子之說。墨子于此二者，固皆未能及也。

上言儒家之孔孟未嘗不欲「人與人以恩義相報」之義道立于天下，而其最後之目標則與墨子不同。儒家之望義道之行于天下，亦猶其望仁道、禮道、智道，與一切「其所自有之德性所由成之道」之立于天下，其目標皆不外望天下之共有此德，以更自成其德。此即所謂化民成俗之業也。在儒者之望天下之人，皆有其自己所已有之德，亦卽望此德自身之普遍化而客觀化。求此德之客觀化普遍化之本身，固儒者之義所當爲也；而此義亦仍是內在于儒者之此望者也。此望中所望之世界，乃人皆成德，皆爲堯舜爲君子之一人格之世界。此人格世界之人格，皆能主觀內在地享有其德，知自美其德、自樂其德，亦稱美他人之享有其德，而樂見之，更可稱美他人之「有能稱美人，而樂見他人之德」者。故儒者亦必尊賢，而亦尊彼「能尊賢者」之賢。則儒者固亦有墨子之尙賢之義。賢者之言行，爲其他賢者之所共稱美，其言乃足爲天下法，其行足爲天下則，則儒者亦有尙同之義。然唯以我之心性，原能知賢之可稱美，方稱美賢者與其言其行，則此稱美之事，非只稱美一客觀外在之賢者之事，亦卽此我之心性之表現。則君子當「賢其賢」之「義」，亦如其當「親其親」之「義」，皆非外在而仍爲內在也。則尊賢、尙賢、尙同之事，凡義所當爲者，皆義內也。賢者歿而爲鬼神，則我祭祀其鬼神，乃此尊賢之意，不以其歿而遽已，如陶淵明詩所謂「其人雖已歿，千載有餘情」。故千載之後，仍有對其鬼神之祭祀也。如實有墨子之所論天神，更賢于世之賢者之歿爲鬼神者，爲天下之至仁至義而最賢者，則我之敬祀天神，亦猶我之敬賢之至者。此敬祀天神與其他鬼神，爲我義所當爲，亦猶敬賢之爲我之義所當爲者也。今更設此天神與鬼神，能本義以賞義、罰不義，吾固亦當敬且畏之。然此亦猶吾人之敬畏彼賢者之爲政之公正嚴明，同爲吾人之義所當爲也。凡義所當爲者，其原皆在吾人之心性，能知其爲義所當爲，皆爲內在而非只爲外在，則天下尚有何義之可徒視爲客觀普遍，更不屬于此主觀特殊之我之心性，而外此心性者哉？此上文所發揮而說者，固大詳于孟子之明文所及，然實亦未嘗越孟子之言本有之涵義以外，讀者可細思之。

五　孟子言學者之志，及生與義

上文既述孟子言義非外在而爲內在，則吾人于孟子之教人向上興起其心志，自拔于禽獸，以由小人而爲大人爲聖人，至于「萬物皆備于我」，「盡心知性以知天，存心養性以事天，修身以俟以立命」之境，其義卽皆不難解。依墨子之教，在客觀存在之世界，上爲天，中爲鬼神，下爲人；在人中，則君與賢者爲上，民爲下；而未及于人以下之禽獸。墨子更不重此人之原是位在禽獸之上，可由小人爲大人爲聖人，亦不知人能敬賢者與君上，以敬鬼神而敬天，此敬卽上達，而無所不至。天與鬼神果爲實有，亦不能存于此敬之上達之所及者之外。若其果在外，人又焉得知天與鬼神而敬之哉。天與鬼神在此敬之內，則天與鬼神雖高，此人之敬亦與之俱高，而未嘗低。則必謂鬼神與天，高居人上，乃未嘗自反省主觀內在之敬之之心，而不見此心性之陋說也。

人果能成大人聖人，其仁義之心無盡，愛人澤物之德無盡，則鬼神與天之德，亦不過如是。大人聖人在其生之所爲，非已往之鬼神之所爲，可得而限之者也；亦非天之所已爲，可得而限之者也。則大人聖人，固當與上天鬼神合其德，而其所爲之事，則更有進于已往之鬼神與天所已爲者矣。于此謂天與鬼神之德，亦與此大人、聖人新爲之事共流行，並與大人、聖人共成其事，固亦可說。而世果有天與鬼神之德之事，亦必當如此說。然既共流行，則于此共流行處看，天、鬼神與聖人之德之事，卽合而爲一，又豈有墨子所謂上、中、下之三者之懸絕者哉。至于學者如何得成大人聖人，以與天及鬼神合其德業，以共流行，則下文試聚孟子之言以略釋之。

孟子曰：「士何事？曰尙志：仁義而已矣。殺一無罪，非仁也；非其取而取之，非義也」。尙志卽孔子志于道之意。仁義之始，只是有所不忍而不殺，有所不屑而不爲不取，如惻隱羞惡之心，只初爲有所不忍不屑。此固純爲人之存心之事也。

孟子曰：「生亦我所欲也，義亦我所欲也，二者不可得兼，舍生而取義者也。生亦我所欲，所欲有甚于生者，故不爲苟得也。死亦我所惡，所惡有甚于死者，故患有所不避也。如使人之所欲，莫甚于生，則凡可得生者，何不用也？使人之所惡莫甚于死，則凡可以避患者，何不爲也？由是則生而有所不用也；由是可以避患，而有所不爲也。……人皆有之，賢者能勿喪耳。」

人之所欲，必有超越于其求生惡死之事之外者，故下文舉人不食嗟來之食爲證。實則豈特人不食他人之嗟來之食哉。父母對子女之斥責，子女不以爲然，則家家戶戶皆有子女之賭氣而不食者矣。子女賭氣之不食，因其以父母之斥責，爲非義也。其不食也，固可繼而又食。然其一時之以父母之斥責爲非義而竟不食，則其于此一時，固已視義不義之辨爲重于食矣。如食所以求生，則其此時固以義不義之辨，重于其生矣。此卽已非禽獸之所有者也。充此一時之視義不義之辨，重于食重于生之心，而至于不受人之無禮之嗟來之食，以食之爲不義；再充之以至于一切不義皆不爲，此卽由泉源至于江海之事，其心固未嘗不同也。則識得人之有此欲義過于欲生之心，卽人之自識其不同于禽獸之第一義也。禽獸只欲生，而人則能欲義過于欲生，此人心之欲也。此人心之欲，能超越于其一人之生之上，而其由此超越之所達，則更可于其一人之生之外者，無不能達。此理且難知哉。繪一圓于紙，而超出此圓，則此圓以外之無限空間，皆由超出此圓而能達者也。人之心靈，一朝而突破其一己之生之限制，則他人與天地萬物，固皆此心靈之自依仁以行，所能次第加以感通關切之地，而亦此心靈之自依義以行，所欲次第使之得其所者矣。

第六章　孟子之立人之道（下）

六　孟子言君子之所樂、所欲、與所性

孟子曰：「君子有三樂，而王天下不與存焉。父母俱存，兄弟無故，一樂也。仰不愧于天，俯不怍于人，二樂也。得天下英才而教育之，三樂也。廣土眾民，君子欲之，所樂不存焉。中天下而立，定四海之民，君子樂之，所性不存焉。君子所性，雖大行不加焉，雖窮居不損焉，分定故也。君子所性，仁義禮智根于心，其生色也，睟然見于面，盎於背，施于四體，四體不言而喻」。此言君子之三樂，就君子所已得者而言之也。君子之所欲，就君子之義所當欲，而未得者言之也。君子所性，就其自盡其心性，以成其德，自踐其形色，使其身之自然生命，成爲德性生命之表現，而言之也。父母兄弟者，君子本其孝弟之情，而有之原始的生命之感通之所在者也。仰不愧、俯不怍者，君子自知其已成之德，而自享有之事也。君子有此樂，則德得其償，而可不待他人與天及鬼神之賞。天與鬼神之賞，卽在君子之自賞其德之中也。有此自賞，亦無更能罰之者矣。若君子于此樂外，更希其外之賞，則未嘗自知其德在己，而自享其德，自樂其德，則亦不得稱爲眞有德之君子。故君子之學，必有其樂。未有此樂，卽

德不眞在己，亦未眞有其德之證。故孔子首言「學而時習之，不亦悅乎……人不知而不慍，不亦君子乎」。待人知之而賞，待天與鬼神之知之而賞之，卽皆不能于不被知之時不慍，而自悅自樂其德者也。故孟子亦必言「禮義之悅我心，猶芻豢之悅我口」。儒者言德之成，必及于樂。此非世之快樂主義之說。乃謂未至于樂，不足以驗其德之成也。此在前文論孔子處，已及之。既至于樂，卽已自得其賞，則不須更希望他人與天及鬼神之賞矣。墨子與世之宗敎家，必求賞于天及鬼神者，無論說得如何神妙動聽，皆對「有德而尚未至于自樂者」，加以安慰之言也，非眞對成德者之所說者也。此乃眞知儒者之德樂一致之義者，所必視爲第二義以下之說者矣。至于孟子之第三樂，所謂得英才而敎育之者，則君子之旣成其德，而望人之成德，必自望英才始之謂也。人固皆有其異于禽獸之心性，然自知其有此心性，非英明之才者不能也。君子固望天下人皆爲君子，然唯當自得英才，先使之爲君子始。君子之仁義始于孝弟，君子之敎始于敎英才，皆貴本始之旨也。有孝弟之行，而後老吾老、以及人之老，長吾長、以及人之長；英才育，而後敎澤次第化及于天下之衆民。徒言敎育羣衆，如墨子之遍上說下敎，非儒者重本始之敎也。亦猶不先敎孝弟，而只敎仁義，非儒者重本始之敎也。

君子之樂，在父母兄弟之存，在仰不愧、俯不怍，在得英才，此自其最切近于己，而亦最易得者，而言之也。易得之所在，則樂之所在也。至于「廣土衆民，中天下而立，定四海之民」，則此君子之充達其仁義之心之所欲得者，恒欲之，而亦恒不能得者也。故三樂不在是。三樂不在是，其願欲固未嘗不在是。願欲而未遂，則不足以言樂，且有終身之憂也。然其願欲，固亦本于其德。自其本于其德處說，則其可自樂其德，亦能自樂其對此天下之有此廣大高遠之願欲。故君子「憂以天下」，亦「樂以天下」；憂以終身，樂亦終身也。樂則不希賞于外，憂則不懼罰于外。蓋天下之罰，又豈有過于君子之「憂以天下」者乎？爲天下憂，卽已爲天下身受其罰也？既已身受其罰，外卽無更能罰之者矣。莊子大宗師篇載孔子曰「丘，天之戮民」。其原旨暫不問，今如以此意說之，則聖人卽天之戮民，身受天罰者也。此以西方神學言之，卽耶穌必代萬民受罰之旨。耶穌之代萬民受罰，卽其代萬民受上帝或天之罰也。耶穌既代萬民受此上帝之罰，則上帝亦卽更無此外之人民之可罰，故基督教卽以此言一切人民之罪，皆由耶穌贖之矣。耶穌受罰贖罪，而上帝之罰盡于耶穌；上帝亦不能更有所罰，而上帝遂化爲賜恩之上帝、純愛之上帝。上帝不能更有所罰，則上帝于此失其獨有之威嚴，而使之失其獨有之威嚴者，則耶穌也。耶穌出而上帝之獨有威嚴失，則耶穌之德之力與上帝相等，而耶穌與上帝，卽同爲全德而全能。此卽成耶穌與上帝爲父子而一體之說。上帝之威嚴以耶穌而失，而上帝之威嚴，化爲耶穌之威嚴，耶穌乃稱爲君王。此皆西方神學之論也。然若以中國之聖人之教言之，則聖人之爲天之戮民，其憂以天下、憂以終身，卽不得不爲天之戮民，而亦躬受天罰，然卻無代萬民受罰，而使一切人罪皆盡贖之說。若果一聖人出，一切人之罪皆盡贖，他人更不得有爲戮民之聖者，亦更不再出代一切人受罰之聖人；則一聖人出，而使天下人不得更爲聖人。此自私其聖之聖人，非大聖人也。西方神學之論，只許耶穌能贖罪爲天之戮民，而不知天下之聖人，無不爲戮民。此自私其聖之說也。未嘗聞大道也。夫天下之罪，豈可由一人而贖哉。耶穌之後，仍多不信耶穌能贖罪者，固亦仍有爲罪人者也。故天下永有罪人，亦永有願爲人贖罪，自甘爲戮民之聖人。聖人固自甘憂以天下、憂以終身也。世之學聖人者，亦皆學此憂以天下、憂以終身者也。吾人今欲學此聖人，又安得而逃于此憂之外哉。故莊子謂孔子之爲戮民，乃天刑之，而不可解。學聖人者，亦甘于自投此天刑之羅網者也。如眞學耶穌者，皆終必爲甘上十字架者也。然甘之則樂之。如理而言，則耶穌眞甘上十字架，必其所欲有甚于生者。其上十字架，爲自得其所欲，而求仁得仁之事，則亦必有其樂。賢者如文天祥被囚，尚有「鼎鑊甘如飴，求之不可得」之言，豈可遽謂耶穌之上十字架，純爲代人受罪受苦受難哉。今吾人若念耶穌嘗受苦受難，願代吾人受罪，至于涕泣淋漓，此固可見吾人不忘恩之義；然以爲耶穌只有苦而無樂，則非知耶穌之聖者也，否則耶穌亦非眞聖也。凡謂吾人之說爲不然者，皆實未嘗知人之所欲有甚于生者，得其所欲之甚于生者，則其生其死，其心皆未嘗不兼有其樂也。以此觀孔孟樂以天下，憂以天下之言，雖至簡而義則至深。豈淺見者之所能測哉。順筆所之，遂說至于此，然亦非不相干者也。

至于君子所性一段，則要在言君子之仁義禮智之德，皆由于君子之實現其心性而成。君子之實現其心性，而有仁義禮智之德，其德亦卽表現于其具形色之身軀，以使其自然生命，成爲德性生命之表現之地。人之有此形色之身軀，乃人與禽獸之所同。依此身軀，而人有其耳目之欲等，亦人與禽獸之所同。然人有其德性生命，充滿于此形軀之自然生命之中，則可使此具自然生命之形軀，全變其意義與價值，以爲其德性生命之見于其生活行爲，以表見于外之地；而此形軀，卽亦如爲此德性生命之光輝之所貫徹，而化爲透明。由此而形軀之所在，卽其德性之所在。故曰「形色，天性也。唯聖人然後可以踐形」。聖人必踐此形如踐地，而後形色爲天性之表現，方有天性之在此形色中。固非泛言形色卽天性也。

七　孟子言成德之歷程

孟子曰：「可欲之謂善，有諸己之謂信，充實之謂美，充實而有光輝之謂大，大而化之之謂聖，聖而不可知之之謂神」。

「可欲之謂善」者，猶言人之義所當欲，或所欲之義爲善也。人知義或善之可欲，而唯見義與善，當生則生，當死則死。此學者志于仁義之第一步之事也。「有諸己之謂信」者，謂得此可欲，而居仁由義，以使仁義之德，實有于此己，而更由此仁義行；非只視仁義爲一可欲之對象，而行仁義之謂也。墨子之望天下人之兼相愛以爲仁，交相利以爲義，共視此仁義爲一客觀普遍之道德標準，而依之以行，此猶是視仁義爲客觀之對象，而行仁義也。必也知此仁義，本于吾人之心性，此心性原自能欲仁義，而仁義內在于此欲，卽順此內在之欲仁義之心而行，方爲由仁義行，而非只行仁義也。「充實之謂美」者，實有仁義于己，而由之以行，更充滿此仁義之心之行之量于內，而更無不仁不義之念，爲之夾雜，則其表現于外者，皆其德性生命之流行。此卽上文之人踐其形色、至于「睟于面、盎于背，施于四體」之謂。美者德性生命之充內形外之名也。「充實而有光輝之謂大」者，此德性生命之光輝之形于外，而普照于人，亦見其人之爲大人之謂也。「大而化之之謂聖」者，此則言此大人之德，化及他人之功。聖者通也，德化及人，而人之德亦成，己之德卽與人之德，亦可相感通。「君子所過者化」，卽言其所過之處，皆足化民成俗，而己之德與民之德相感通。此卽聖功之著見于外者也。至于「聖而不可知之之謂神」者，則是謂其感化之功，亦不可預測預知，不可以人之已有之知，加以限定，恒不期至而自至，亦不知其所以然而然，故謂之神。非謂在聖之上更有一神；而是卽自此聖德之內在的深度之不可測，與其見于外之感化之功，不可測處，名之曰神。此神固內在于聖德與聖功之中。故孟子言君子「所過者化」，同時言君子「所存者神」。若謂此外尙有鬼神之神，天神之神，則此天神與鬼神之爲聖人所祭祀，其德亦卽與此祭祀之心共流行，亦與此聖人之德合一而不可二。故學而至于聖，其德卽「上下與天地同流」，「萬物皆備于我矣。反身而誠，樂莫大焉」。孟子之只言聖而不可知之謂神，更不言其外之鬼神與天神，亦正見其不更外聖德，而言鬼神天神之德，以見聖德之無所不備之旨者也。孟子離婁章曰：「君子深造之以道，欲其自得之也。自得之，則居之安；居之安，則資之深；資之深，則取之左右逢其原。故君子欲其自得之也」。君子深造其道，至于「所過者化，所存者神」「上下與天地同流」，唯是左右逢其原，與之共流行之事，固未嘗出乎其自得之聖德之外者也。

八　孟子言盡心知性以知天、存心養性以事天、及立命之涵義

孟子曰：「盡其心者，知其性也；知其性，則知天矣。存其心，養其性，所以事天也；殀壽不貳，修身以俟之，所以立命也」。

孟子言人之心之性，固言此為天之所以與我者，卽言其有其所自之本原是名為天。今謂此天為自然為天神或上帝，皆無所不可。人之生固不由其自己而生，而由父母所生，亦由得天地萬物之養而生。則謂人與其心之性，由一整個之自然而生，更謂此整個之自然中，有天神在，或此自然卽此天神之所表現或創造者，亦皆無不可。然此皆非要點所在。人亦可各自有其神學與形上學之說。當知此類之說，初皆原自人之推論想像，或人自以為獨得之啟示。此中，人之種種想像推論與啟示，互不相同，永相辯爭，卽見其說之無定。然人如眞面對此天之所以與我之心性之自身而觀，則又可直就此心性之表

現于人「生而卽有」之愛親、敬兄、惻隱、羞惡之情，次第擴充升進；以見此心性之表現，乃繼續向上興起，向前生長，以由卑而高，由小而大，而在吾人有生之年，未嘗知其限極之所在，亦卽當自有其本原者。則吾人思此心性與其本原之天之爲何物，亦唯當順此心性表現之繼續而不斷擴充升進之次第歷程中，加以識取；而不當逆此序，以反溯至吾人之生前，以問此吾心性，在吾未生前，存于何處，及爲此心性本原之天，其初之畢竟爲何物。此乃吾人思想之逆此吾人之心性之表現之序，以由前而後，而退縮其心，如降落至吾人未生之前而思之。此中吾人之思想；旣退縮降落至未生以前，又何能眞識得此心性之表現之向上興起，向前生長之歷程中所包涵者，爲何物乎？凡人作如此類之形上學與神學之思者，果嘗自思其思想之出現于何時乎？此種種思想，在生前卽有乎，抑在生後始有乎？此自思想其生命之心性之本原之思想，果能超出于此心性之表現之外乎？若其更如實自思其此思想之出現，則當知此思想之自身，亦其一生生命心靈中之一事，其生命心靈之性一表現；則又焉能以此一表現，窮盡其一切表現乎？今如必欲窮其一切表現，則亦唯有順其一切表現之繼續興起生長，以由卑而高，由小而大處，思之，然後方能自知此心性所以爲心性，而知其必有本原也。則吾人欲知此心性，舍充盡此心之表現，而更自知此心如何興起生長，固別無他道。此外亦無知「與我以此心性，爲此心性之本源」之「天」之道。此心由爲其本原之天與我，此心自出于天。然于其所自出之天，此心永不能自出于此心之外，以知之。欲自出于此心外者，皆只在此心之中，自旋轉其思想，實皆未能出也。故孟子曰：「盡其心者，知其性也；知其性，則知天矣」。盡其心者，充盡其心之表現，知其性者，由此表現，而知此心能興起生長之性也。知天者，知爲我之此心性之本原之天也。此知心知性知天之功，卽在順心之相續表現，以自默識此心如何興起生長之性，而知其有所自本自原之天。此正有如人順水流行，而全身在水，卽知此水之寒暖等性，亦知此水有其泉原。水有水性，水有泉原，豈難知哉。人身在水中，寒暖在肌膚，又覺此水相續而至，卽知水性，亦知水有泉原矣。且必待出于水之外而至水之始流處，然後能知此水之性，與水之有泉原哉。人不能自離心性之相續表現以知其心性，亦如魚不能出于水，以知水之原泉。出于外則魚死矣。人離其心性之表現，非人也。然人固可不待離此心性之表現，以自知其心性，與爲其泉原之天也。知此，則知孟子言盡心、知性、則知天之旨矣。

至于所謂「存其心、養其性、所以事天也」與「盡其心者，知其性也」「夭壽不貳，修身以俟，所以立命也」之不同處，則在昔賢如王陽明答顧東橋書(傳習錄卷中)嘗以盡心知性，當爲聖人之境；存心養性，當爲賢人之境；以下所說之夭壽不貳、修身以俟，當爲學者之境。然朱子在孟子盡心章注及語錄，則以「盡心知性」卽盡心以格物窮理而知其性，此當爲學者之事。存心養性，則由知而行，而存養得此心性，應爲賢人之境。夭壽不貳，爲全其天之所付，乃聖人之境。然吾意則以爲此盡心知性與存心養性，可只是分說一事之二面。盡心知性之盡心，卽心之求充量的繼續表現，此中自已有「行」在，非只有「知」也。知性者，卽知此心之求充量繼續表現中自能興起生長之性也。言存心，則是自此心之不放失，而說此心之存在。然心無其繼續表現而盡心之事，亦無此心之存在。養性，則當是自當下之盡心存心之工夫，與其前後盡心存心之工夫之互爲根據，使互得其養，而更盡其心，更存其心說。則「盡心知性」「存心養性」二者，乃一事之二面。至于「知天」與「事天」之別，則亦只是知與行之別。人有其盡心之表現或盡心之行，而知其性，卽知爲其本原之天，故曰知性則知天。旣存得此心，亦自養其心，使更興起而生長，則如波波之相繼，後波奉前波以起，而繼長增高，正同出于一泉原之不息。此泉原之所在，卽所以喻本心之所在，亦卽與我以此心之天之所在。後波之奉前波以起，卽所以喻人之奉此本心此天前有之表現，以成其新表現。此奉天之事，卽事天之事也。盡心知性以知天，如易傳之言「先天而天弗違」，存心養性以事天，如易傳言「後天而奉天時」。此二者固相依爲用也。人有事天之事，而自知其事天之事，亦是知天。人之知天，必有其心之盡，于此心之盡之中，見有一泉原之不息；則亦必有更奉此泉原前有之表現，以成其新表現之事天之事。故盡心知性以知天，與存心養性以事天，乃一事之兩面而相依爲用者。非必一高而一低也。註

由此以說下文所謂「夭壽不貳，修身以俟，所以立命」，則亦可說其與存心養性，盡心知性，無高下之分。夭壽不貳，修身以俟，所以立命者，言能盡心知性，存心養性，以知天事天者，則其命之

註　吾寫上段文既畢，偶讀湛甘泉文集卷二十六玉泉書堂諸章，釋孟子此章，亦言盡心知性存心養性「其實一段工夫，卽盡卽存」，並評及朱子以養心知性爲聖人之境之說，但未提及陽明之說耳。

夭壽，不足以貳其心；而唯自修其身，以俟其命之臨，而亦自立其「盡其道而死」之正命。此孟子之言俟命立命，固承孔子知命之旨而來，而異于墨子之非命之說者。蓋人之自然生命，固與外境相接，而有其得失、利害、順逆、吉凶、禍福，而或夭或壽，固有非人所能自主者。此人之所自主者，唯自盡其道，此亦如墨子之言人自能行義也。然墨子言行義，則必非命。其必非命，乃謂若命皆有定，則人將不自盡其力以行義。孟子言命，固未嘗謂命皆定，而不可移；然人要必有其所遭遇之命。此所遭遇之命之爲如是之境，卽自定然如是。卽以人加以轉移，在轉移之後，其一一之時，仍各有其所遇之定然如是之境。然人在其所遇之一一定然之如是之境之前，人皆時時有其當行之義。此人所遇之一一定然如是之境，亦如命人之自行其義、自盡其道，則人時時遇其所遇之境，亦卽時時俟其命之臨。人自盡其道，則命得其正，而此正命，亦卽可說爲由人而立矣。至于過此以往，而問人之自盡其道者，何以夭壽終有死，死後此自盡其道者之心靈與德性生命又安在，則觀孟子之言人之盡心知性、存心養性，蓋無此類之問題。謂此盡道而死者，必不爲鬼神，孟子固未有此論。若謂其鬼神常在，孟子亦當承認。然孟子亦不必斤斤證明鬼神之有與其常在。蓋人爲盡心知性，存心養性之事者，其一生只見其心性之表現爲其心自興起生長，以擴充升進，而不息不已，未嘗見其限極；則其盡道而死，亦只見此道未嘗見有死。如欲義甚于欲生者，只見義而未嘗自見其生，則亦未嘗見其生之死。而其心志之在興起生長，而不息不已之歷程中者，卽未嘗一念自遁逸于此歷程之外，而不必更想及其自身在死後之不存在，亦不必更想及在此不存在之時，以鬼神之資格而存在等。凡人于未死之時，而先以死後之將爲鬼神以自慰，皆人之尙未忘其「個體之自然生命之求存在」之「欲」者，方有之出位之思。若彼已超出于此欲之外，而只見道義者，固不必究心于此；而孟子亦不須更論此盡道而死之鬼神之仍在也。在固當自在。人在有生之年，能超越其個體之自然生命，已見其德性生命有其超自然生命者在。其在有生之年，旣已超于其自然生命而在，自不當以其自然生命之死而不在。然在自在，不論之而亦在，不思其在而亦在，孟子固不必論其在也。吾今之謂其在者，固亦唯所以明其非不在也。知其非不在，亦不必更思其在。此方爲眞「只見道義不見生死，一生只見其心性之表現爲其心志之興起而生長，更不見其他」之大人君子也。

九　孟子之養氣，與知言之學

孟子弟子問夫子惡乎長，曰「我知言，我善養吾浩然之氣」。此知言與養氣，卽孟子之所以存心養性、盡心知性，而修身以俟命之工夫。養浩然之氣，猶言養性。知言則本于知人，知人本于知己，知己本于自知其心性。人有浩然之氣，塞于天地之間，而無所畏怯，則亦能盡道而死，而不見有死生。然養氣之名，與養性盡性等又不同。其不同，乃在氣之一名，連于形色之身軀，故曰「氣、體之充也」。然君子之養性盡性之功，至于「其生色也，睟于面、盎于背，施于四體。」此卽踐形之功，使德性充實于內，而光輝自見乎外者。故曰：「充實而有光輝之謂大」。則所謂浩然之氣盛大流行，卽德性充實于內者，其充于體之氣，皆爲其德性所彌滿，而其充體之氣，皆如透體而出，以散爲光輝，以塞乎天地之間之謂也。然孟子言「充實之謂美，充實而有光輝之謂大」，其先必有「有諸己之謂信」與「充實之謂美」之功。故孟子言養浩然之氣，其先亦必有集義之功。集義之功，卽由欲義，而使此義實有諸己者也。則孟子之言養浩然之氣之旨，固與其上文所及之存心養性，以及言善、信、美、大之旨，密切相關。不可以養氣與養性爲二名，而疑養氣爲養性以外之又一事也。

至于就孟子知言養氣章之文句而論，則初由不動心之義說來。此不動心之義，又初由外無所畏怯說來。故下文論及北宮黝、孟施舍之養勇，與曾子之大勇，再及于告子之不動心之道之評述，方及于孟子言集義，以持志毋暴其氣之旨。此不畏怯，乃要在對他人無所畏怯，而亦對他人之言行，皆無所畏怯。此則更連于知言之論。知言者，卽知他人之言也。已能養氣以有大勇，又能知人言以有智，此卽兼勇與智之學，勇之本則在集義。此蓋孟子以集義成勇，而以知言成智，以求孔子所謂仁之學歟。

關于養勇之義，北宮黝之養勇，乃直下自恃其氣，而「不膚撓、不目逃」，知進而不知退，以求勝之勇。戰國時之武士之對時君曰：「士之怒也，伏屍二人，流血五步」，固亦可使時君自謂其怒能「伏屍十萬，流血千里」者，爲之懼矣。然此在孟子，則爲養勇之最低者。孟施舍則曰：「舍豈能爲必勝哉，能無懼而已矣」。求勝不必勝，知不必勝而不懼難。蓋此須能于不勝之時，猶能自勝其畏懼之情也。此不勝他，猶能自勝，卽「視不勝猶勝也」一語之旨也。此則固難于自信其能勝，而求勝者矣。自信能勝而求勝者，自恃其氣之足以勝人者也。知不必勝，而能自勝其畏懼之情者，則是無勝人之氣可恃，而能自歛其氣，以自補其氣之虛歉，更不有虛歉之感者也。此乃自充其氣之虛，使之實，故尤難于自恃其氣之足以勝人者，原有實足據者也。然此孟施舍之工夫，仍只是直在氣上用之自制工夫，而未能本義以養氣。在氣上用工夫，而自恃其氣者，氣或不足恃；自制其氣者，其自制之力，亦有時而窮。則其養勇皆不能至于大勇，而全無所懼。至曾子之大勇之功，則在先自反其言行之是非。若自反而非，則焉有氣以凌人？故曰「雖褐寬博，吾不惴焉」。若自反而是，則心先無虛歉，而氣亦無虛歉，故「雖千萬人吾往矣」。此則本義以成其勇，而爲孟子之所尊者也。

至下文言不動心，則是以告子之說與孟子之說對論。前言曾子之大勇，固本于知義，然其「義」由何而知，人尙可有疑。告子之不動心，則固亦本于知義。告子之知義，亦能至于不動心，亦似同曾子之「雖千萬人、吾往矣」。然孟子則以告子之不動心，乃本于義外之說，而其不動心之道，亦未善。由此遂引至孟子之言義內而主集義，持其志而毋暴其氣之說。告子曰「不得于言，勿求于心；不得于心，勿求于氣」。于此告子語，孟子書之趙歧注、朱子集注及焦循正義，皆于此所謂「言」之一名，無善解，故不能暢通文旨。玆按墨子公孟篇謂告子言「義」，而行甚惡，墨子謂其稱我「言」，以毀我行，愈于亡」。吾于論墨子章之末，已謂此當卽孟子書中之告子。告子主義外，卽同墨子之視義爲客觀外在之公義。墨子貴義篇亦曰：「爭一「言」以相殺，是「義」貴于身也。」此亦以「言」與「義」，更迭成文。是見墨子告子所謂「言」，卽「義」，亦同今所謂主義。而孟子之知言，亦卽知人之主張主義，而知其是非之謂也。則告子所謂「不得于言，勿求于心」，猶謂于客觀外在之義有所不得，只須求此義之所在，不當求之于主觀內在之心也。然人果能求得客觀外在義之所在，而心卽著于其上，亦可更不他求，而不動心。如今之一偏執一政治上之主義之黨徒，與宗教信徒之堅信一教義者，亦可更不動心也。至于「不得于心，勿求于氣」者，則蓋謂心若不能求得義之所在，而著于其上，卽不當求之于其身體之氣，求之亦無助于心之不動也。然心果能外求得義之所在，而著于其上，卽亦可不以其身之處境之如何，而自動其心矣。此亦如今之政治上之黨徒與宗教信徒及墨子之徒，皆能由偏執堅信其主義敎義或義，以赴湯蹈火而不辭也。然瘋狂之人有一念之堅信偏執者，亦能赴湯蹈火而不動心。此未必皆足貴也。孟子之異于告子，則要在謂此義乃是內在于心，而非外在于心者，故謂「不得于言，勿求于心，不可，」又謂「告子未嘗知義，以其外之也。」然孟子亦以心爲主，以自率身體之氣。則不得此內在之義于心，亦不當求諸身體之氣。故謂「不得于心，勿求于氣，可，」此卽謂在尙未得義于心之先，固不當逕求之于氣也。此孟子所謂內在于心之義，卽爲人之心之性之表現，更爲吾人所自知自行者。孟子之不動心之道，則爲心之相續自知義自行義而集義之功。蓋人心性之表現于知義行義，日積月累，至于全無所愧怍于心，則內心無餒，而有其自信自慊，充實于己者在。故能不動。告子只外用外注其心，以外著于義，其不動心易；故告子能先孟子而不動心。如今之政治上之黨徒與宗教之信徒，亦能二十歲卽不動心也。然孟子則必集義。集義必在種種不同情形，知其義所當爲，而爲之，則初不能不動心也。孟子嘗言「天之將降大任于是人也，必先苦其心志，勞其筋骨，餓其體膚，空乏其身，行拂亂其所爲；所以動心忍性，增益其所不能」（告子章）。人心之有動者，乃人之心之自求知義所當爲，而初尚未得之兆也。此初不可非者也。然心亦能自興起生長。心既興起生長，而爲一知義之心，而志在行義以達其道，則必以形色之軀體踐之，以成其行，卽必更以志率氣，而「志至焉，氣次焉」。志者心之所之，心之所往。心志壹往而氣隨動，故曰「志壹則動氣」。若氣不隨志往，而自壹往，則「志」將只隨于此不往之「氣」而動，是謂「氣壹則動志」。人之心志之所以雖向在道義，而不免有動搖之情形，恒由心志孤行，而氣未隨之，則心志還將退墮。體氣原能隨志而往，故必心志既至，氣卽次之而往，兼此「持其志」，而又「無暴其氣」之工夫；以使心志充于內，形于外，更有光輝，方有配義與道之浩然之氣之盛大流行，「至大至剛，以塞乎天地之間」也。此氣之盛大流行，乃集義工夫之所致，亦持志養氣工夫之所致。若工夫有所不及，亦不能強慕而強求之；而虛提起此氣，以求其盛大。故集義持志、養氣之工夫，不可忘；然亦不可助長，如不可揠苗以求苗之長。助長卽虛提起其氣，以強求、強慕一浩然之氣之盛大流行也。

至于孟子之知言之功，則要在知人所持之主張主義之是非。孔子謂「不知言，無以知人也」。孟子蓋以養浩然之氣立己，以知言之學知人。孟子言知言，要在知人之言之不是者，故當「詖辭知其所蔽，淫辭知其所陷，邪辭知其所離，遁辭知其所窮」。蓋義理有多端，不可「執一而廢百」。執一者其心蔽于一，則言有詖辭。墨子知仁義而不知孝弟，知義之可有利，而不知義之不必有利，知兼愛而不知差等；楊朱知為我而不知家國天下；許行知勞力者之價值，而不知勞心者之價值，皆為詖辭也。詖辭而更誇大其說，則淫辭矣。詖淫之辭，離于正道，而據之以反正道，則邪辭矣。今斥其邪辭，而為邪辭者，更遁而之他，別造作一理由以自文，則為遁辭矣。然此知言之事，初唯由知是者之為是，乃知不是者之為不是，而人之所以能知是者之為是，不是之為不是，唯賴人之是非之心。人之是非之心，初固未必為知他人之是非之心，而是自知其是非之心。人之有是，由心性之自盡其用；人之有非，由人之或放失其心，而心未能盡其用，乃只見一端，而自蹈于非。是非之心，固為心性之表現，而其心之所「是」所「非」者，亦心性能盡其用時之所成之「是」，與尚未能自盡其所用時，所自蹈之「非」。如以心之蔽于一端，即有詖辭之非。其由心之陷離窮，而有之淫辭邪辭遁辭，皆由此始。此心之蔽于一端，即心性之未盡其用也。此心性之盡其用、或尚未盡其用，同為此心性之事，亦同為此心性之一種表現。則人不能自盡心，以有是而無非，或不能自盡心，以自知其心性之未盡其用時，所自蹈之非，而更自「格其非心」；則亦不能知他人之言之是非，亦不能如孟子之知言而善辯，以闢天下之詖淫邪遁之辭，以達其是非之心于天下。故孟子之知言之學，固連于其集義養氣，以盡心知性之學，而不可視爲二者也。讀者幸會之。

十　孟子之言王者之政與民之興起，及聖賢豪傑與王者、學者之興起

對孟子之言政，人論之者至多。吾今將說者，唯是謂孟子言政之精神，亦不外此使人向上興起其心志之義。孔子罕言王霸之辨，孟子多言王霸之辨，而恆教人君行王道。王道霸道之分，在王者乃以德服人，而霸者則以力服人。王者之于仁義，如「堯舜，性之也」，霸者之于仁義，則「假」之。然孟子更言「王者之民，皞皞如也；殺之而不怨，利之而不庸，民日遷善而不知爲之者」。（盡心篇）王者之政，在使人民日遷善。則王霸之分，即有善教與無善教之分。有善教而民日遷善，則人皆可自成其德，無善教則只有政而已。則王霸之分，有教無教之分也。人或謂孟子言王者之政，唯是保民，使民衣食足。此固不足以盡孟子所謂王者之政之義。「飽食暖衣，逸居而無教，則近于禽獸」。則王者之政，固亦必有教，以使人遠于禽獸也。然無論王政霸政，皆能使人民有一心志之興起。孟子言「霸者之民，驩虞如也」。驩虞乃人生命之歡欣鼓舞，即人之心志之興起。此由于霸者之亦能用仁義以鼓舞

人心志之故。然霸者于仁義，只是用之。用之卽假之也。此乃視仁義爲外，而效其行，非其心志之自悅仁義，而由仁義行。故亦不能眞使人民自悅仁義，而自興起其心志也。進于霸者爲王道。王道依于王者之先實有一自悅于仁義，而由仁義行之心志之自興起，更本之以興起人民之心志。故孟子與梁惠王言王道，則首辨義利，以使其心自悅義。孟子與齊宣王言王道，則言推恩而保四海，舉此斯心以加諸彼，以使其心自悅仁。孟子與齊襄王言王道，則由仁者之不嗜殺人，以言其能一天下，使天下之民，引領而望，如天作雲下雨，旱槁之苗，皆浡然而興。（皆見梁惠王章）是見由王者自身之生命中，心志之由仁義行而興起，而以仁義之政興民，使「沛然德教，溢乎四海」（離婁），正孟子言王道之宗旨所在也。此亦猶孟子之教學者之爲聖賢，亦必以自興起其心志，由仁義行爲本也。

孟子之言王道之言，其要旨尙非教當時之大國之君，而在其教小國之君者。故孟子答滕文公之問者，其義最深摯。滕小國也，地五十里，處于齊楚之間，事齊事楚，兩皆未可。孟子滕文公及梁惠王兩章，皆載孟子告滕文公之言。于滕文公爲世子，而教之以道，告之以舜學文王周公之事，又告之以禮，告之以仁政，告之井田之制，以使民有恒產之道；更告之以「苟爲善，後世子孫必有王者矣。君子創業垂統，爲可繼也」；再告之以如齊楚來攻，則當與民守之效死而勿去；更告之以庠序學校之教，「三代之學，皆所以明人倫也；人倫明于上，小民親于下，有王者起，必來取法，是爲王者師也。」孟子常言湯以七十里，文王以百里，而孟子則蓋嘗深寄望于五十里之小國之滕，以爲其平治天下之所據，亦正類柏拉圖之嘗試建一理想之小國也。然柏拉圖之理想國，原爲小國，而孟子則是以小國之政，可爲王者之所取法，以平治天下。湯之七十里，文王之百里，皆可以爲平治天下之據，則滕小國亦未嘗不可法堯舜湯文。人之異于禽獸者，初只幾希之微，擴而充之，則萬物皆備于我，故小可大，而卑可升于高。學者之道如是，政治之道亦如是也。

孟子之所以言王者之可以數十里之地而起，在其信王者之必爲人民所歸往。此則由于孟子之信人民，皆原有向善之心。王者起，天下之民必往而歸之。堯舜禹之得天下者，以人民之朝覲者、訟獄者、謳歌者，皆歸往之也。文王爲西伯善養老。「伯夷辟紂，居北海之濱，聞文王作，興曰：盍歸乎來」，「太公辟紂居東海之濱，聞文王作，興曰：盍歸乎來」。（盡心）故孟子心中之人民，皆時時待王者之興起，而亦能自興起之人民也。王者興起，而「民之歸仁也，猶水之就下也，獸之走壙也」（離婁），而天下謳歌之，讚嘆之，王業成而天下大悅。孟子言君子之修德之要點，全在禮義之悅心。心悅德而樂德，德之至也。民悅王者，而安于王者之政，「使之主祭而百神享之，是天受之；使之主事而事治，百姓安之，是民受之」，是爲「天與之，人與之」。故天未嘗諄諄然命人爲天子，昔日之天子亦不能以天下與人（萬章）；而唯人民之心悅而歸往之，安于其所爲之政事，能使王者得爲王者也。孟子此義爲漢儒所承。董仲舒春秋繁露、班固白虎通皆言王者爲民之所歸往而歸心。安悅之而歸往歸心之政，政之至也。霸者之民，驩虞如也，固不如王者之民之皞皞如也。皞皞者，驩虞之充滿，朱註所謂「廣大自得」，天下大悅之謂也。若非驩虞之極，天下大悅而安之，又焉能「殺之而不怨，利之而不庸」哉。故孟子之言政治之理想，乃與民同樂，而至于天下安悅之政；亦猶其言君子之學，由悅歸于樂，而論君子之必有三樂也。

知孟子之言政，以人民之興起，而歸往于王者，而使天下安悅為歸，則知孟子之教學者，亦必以其生命中之心志之興起，而嚮往于古往今來之王者，與聖賢為歸。聖賢與王者皆「奮乎百世之上、百世之下，聞者莫不興起者也」。孟子曰：「待文王而後興者，凡民也，若乎豪傑之士，雖無文王猶興。」後之學者亦有豪傑之士，固亦可不待古人而自興起。初為凡民者，則雖待文王而後興起；然既能興起，則亦不是凡民，而亦是嚮慕彼百世之上之聖賢與王者之豪傑矣。孟子之言昔之聖賢與王者之自興起曰：「舜居深山之中，與木石居，與鹿豕游，其所以異于深山野人者幾希。及其聞一善言，見一善行，沛然若決江河莫之能禦也。」（盡心篇）又萬章篇言「伊尹耕于有莘之野，而樂堯舜之道焉。湯使人幣聘之，囂囂然曰：我何以湯之以幣聘為哉。我豈若處畎畝之中，由是以樂堯舜之道哉。湯三使往聘之，既而幡然改曰：吾豈若使是君為堯舜之君哉，吾豈若使是民為堯舜之民哉，吾豈若于吾身親見之哉。天之生此民也，使先知覺後知，先覺覺後覺也。予天民之先覺者也，予將以斯道覺斯民也，非予覺之而誰也。」此伊尹之自興起于畎畝之中也。伊尹自稱為天民之先覺，如公孫丑篇言仁者之無敵于天下者，為「天吏」。君為天吏，則不只為一國之君；民為天民，亦非一國之民；而皆是能獨立于天地間，以自興起，而爲先覺或後覺之民，卽皆是天民。堯舜伊尹與古之聖賢，皆天民之爲先覺或後覺，而忽然興起，以兼爲天吏者也。民皆爲天民，而能爲先覺、爲後覺，爲王者、爲聖賢、而爲天吏、故民貴。民貴卽天民貴，天民貴，則以人原自貴。自貴者何？則因其心性之善，亦原能自興起其心志，而「人皆可以爲堯舜」之故也。

孟子又曰：「舜發于畎畝之中，傅說舉于版築之間，膠鬲舉于魚鹽之中，管夷吾舉于士，孫叔敖舉于海，百里奚舉于市。」 此猶論語言「禹稷躬稼而有天下」，皆謂爲政者，自農工商而出也。爲農工，則爲勞力者，爲政，則爲勞心者。孟子言「勞心者治人，勞力者治于人」。今人或以爲此乃勞心之階級統治勞力者。不知治之字原，乃爲治水之治。治水者須順導水使能流暢，治民者須順導人民之生命，使能流暢，非今所謂統治之治也。孟子固已言勞心者由勞力者而出矣。勞力者更自興起其心志，卽得舉而成爲政者，以勞心爲事。豈階級統治之論哉。然勞力者之得舉爲勞心之爲政者，又孰舉之？則或其先之君上舉之，或者自興起而自舉，以爲王者。然必其人之先自興起其心志，以自爲賢者，而後君上舉之，或自舉以爲王者。此則不同墨子之言舉賢，未嘗言賢者之如何自興起，以成爲賢者，亦未嘗言其可不待他人之舉，而自興起，以爲王者也。古今聖賢與王者往矣，然其人之心志奮乎百世之上，以自興起，後人得聞其風而亦自興起，則雖往而未往也。故曰「聖人，百世之師也。故聞伯夷之風者，頑夫廉，懦夫有立志；故聞柳下惠之風者，薄夫敦，鄙夫寬。」（盡心）古人奮乎百世之上，以自興起，後人聞風，更興起于百世之下；而時間之今古，不足成限隔；地之相距，亦不足成限隔。故「舜、東夷之人也；文王、西夷之人也。地之相去也，千有餘里；世之相後也，千有餘歲，得志行乎中國，若合符節」。聖賢之道，正由異時異地之人之聞風興起，而得通此百世千歲之久，與千里萬里之遙也。孟子之自言其所以自興起，則嘗曰：「伯夷，聖之淸者也；伊尹，聖之任者也；柳下惠，聖之和者也；孔子，聖之時者也；……乃所願則學孔子也。」然及于言政，則曰：「夫天未欲平治天下；如欲平治天下，當今之世，舍我其誰也。」（公孫丑）又嘗三宿而出晝，而望齊君用之，則「豈徒齊民安，天下之民舉安」。孟子未嘗不欲自興起，以爲王者師也。然孟子終不得用于世，而孟子盡心章之終篇則曰「由堯舜至于湯，五百有餘歲；若禹皐陶，則見而知之；若湯，則聞而知之。由湯至于文王，五百有餘歲；若伊尹萊朱，則見而知之；若文王，則聞而知之。由文王至于孔子，五百有餘歲；若太公望、散宜生，則見而知之；若孔子，則聞而知之。由孔子而來，至于今，百有餘歲。去聖人之世，若此其未遠也；近聖人之居，若此其甚也。然而無有乎爾，則亦無有乎爾。」此孟子歷述古人之興起者，而嘆其不見于今之辭也。此中之見而知之者，自奮乎百世之上之先覺，而獨自興起者也。聞而知之者，百世之下，聞風興起之後覺也。見知與聞知，先覺與後覺不同，其皆有以自興起其心志則同。興起心志者，人之所以自拔于禽獸，以使人自免于爲小人，以成大人或聖賢之必由之道也。人之生命心靈，卽恒以自興起而生長，以爲其性者也。孔子之嘗嘆曰：「聖人吾不得而見之矣，得見君子斯可矣；善人吾不得而見之矣，得見有恒者斯可矣。」此與孟子之嘆之旨略同。當孔子之有此嘆之時，固已忘其已超乎君子而爲聖，而唯自興起于此嘆之中。孟子生于孔子歿後百有餘歲，更嘆未有「見而知之、或聞而知之者」。孟子亦自忘其自爲一能有見知與聞知者，而亦唯自興起于此一嘆之中。則吾人生于孔孟之千百之世之後，安能不求會于此孟子所言興起心志之道，以自興起乎哉。

第七章　道家之起原與原始型態

一　道家思想之起原與楊朱之說

漢司馬談論六家要旨，以道家能合諸家之長而用之，乃自道家之學可養人之精神爲言，未及道家之所自起。漢書藝文志乃謂道家者流，其原出於史官，其學以淸虛自守，卑弱自持爲宗。此乃唯本老子傳嘗爲史官，及其學之兩義，以說道家。此明不足盡道家之旨。漢志所載道家之書，有管子、鬻子、伊尹、太公，以至黃帝之書。然道家書，世皆知其多後人僞託。姚際恒古今僞書考，謂僞書以子書爲多，而子書中又以道家書爲多是也。由宋之葉水心、黃東發至今之學者，更多疑及舊傳老子之年代，迄今未有定論。而謂道家者流皆原自史官之言，亦于史未必有徵。吾今言道家思想之起原，則不擬先自歷史考證入，而先自道家之精神意識之形態入。此一精神意識之形態，吾將謂其在根本上，乃始於求自拔於一般世俗之精神意識。人之所以欲自拔於世俗，則由世俗之事物，確有無價值，或反價值者，其中之有價值者，又恆與無價值、反價值者，相夾雜混淆，如泥沙與水相雜，以成汚濁之故。世俗固有一汚濁性。凡人在感到世俗之汚濁性時，人直下生起之第一念，亦恆是求自拔於此汚濁，而自保其一身之心靈之清潔、生命之清潔。直下順此措思，則可有種種高遠之思想，次第生出；然人在有種種高遠之思想之後，又可再還求如何應此世俗之道。是則道家思想之發展之道路也。

本上述之意，以言道家思想之起原，則亦可由人類社會中有汚濁處，以言人之道家式之精神意識之生起。若人類社會永有汚濁，人亦永有此道家式之精神意識之生起。則道家形態之思想，自有一永恒性。吾人亦可說任何個人在見世俗之汚濁時，皆可直接生起一「此求自拔於汚濁，以自清，而向於高遠」之道家式意念或思想。故儒家所宗之孔子，在其感道不行，欲乘桴浮於海時，其心情卽爲道家式。其言「賢者辟世，其次辟地，其次辟色，其次辟言」。此避之心情，卽道家式。孔子嘗言「隱居以求其志，行義以達其道」。如實言之，重行義以達其道者，卽墨者之原始，故前文論墨子之道爲義道；而重隱居以求其志者，卽道家之原始也。孔子兼此二者，故不純順隱居求志之一心情而發展，以成道家人物。然亦未嘗不稱許特具此心情之隱者與逸民，唯惜此類人物之「欲潔其身而亂大倫」，「清矣而未仁」，亦未「行其義」耳。吾人今如斷自孔子之言，以論道家思想與人物，則論語書中之長沮、桀溺、楚狂接輿、荷蓧丈人，以及孔子所稱之伯夷、叔齊，卽皆是具道家型思想之人物。孔子弟子顏淵，就其簞食瓢飲，居陋巷而如愚言，其行亦類道家人物之自潔其身者。然顏淵嘗問「爲仁」，問「爲邦」，則清且仁矣；其如愚非愚也，故爲孔子之徒。然後之道家如莊子之稱顏淵，固以其清且如愚。故以心齋坐忘之功，皆歸諸顏淵也。則道家之學，在孔子顏淵之生活與思想，固有其根原。近人章太炎氏剳漢昌言論莊子之學傳顏氏之儒，于史不必有徵；然超世拔俗之情，固有同者也。又孔子弟子子夏爲人狷介，少許可。禮記檀弓言其退而老於西河之上。韓愈送王秀才序，謂莊子之學，遙出子夏，亦於史無可考，然歸隱告退之行亦同也。由此再上溯，則孟子所言伊尹之耕於有莘之野，初不受湯之幣聘，以自樂其道時，亦即此道家式之心情。故道家書有後人僞託之伊尹書。文王傳嘗囚於羑里，以善養老聞，而初未嘗必欲代殷紂而興，故有託爲文王師之鬻子之書。太公傳先隱於渭濱，後武王師之，故有託諸太公之書。世又傳黃帝常登僊而上天，以浮游於世外，故亦有託諸黃帝之書。老子其人，一生事蹟，於史不詳，而史記言其出函谷關而去，則亦終於爲避世之人。孔子固嘗稱彼隱者與逸民，於荷蓧丈人，嘗使子路往見之，莊子外篇乃多載孔子問道於老子之言矣。老子之爲人，其一生事蹟，既於史不詳，其書之出於何時，亦難考定。抑亦正以此之故，其人乃如天際游龍，在此塵世之上；其書之言，亦如其咳唾之聲，自九霄而降，而被視爲道家之宗祖也。

今如必本歷史之所確證者爲論，則孔子以後之道家型思想，蓋首當以楊朱爲代表。楊朱之書未有聞。莊子、列子及其他書所載楊朱言，亦不足盡據。楊朱亦蓋未嘗著書。孔墨之書，皆爲弟子所記。孟子之書亦當非自著。則楊朱固當亦未嘗著書也。然孟子謂楊墨之言盈天下，則爲楊朱之一形態之學者固多，楊朱其代表耳。孟子又言「逃墨必於歸楊，逃楊必歸於儒」，此二言深有理趣。其下句之旨，非今之所及。上句之旨，在言人恒初爲墨，後乃爲楊。墨者急欲救世，而初不見世之汚濁者也。

然人欲救世，而涉世而入世，再見其汚濁者，則必求自清，而必欲逃世、避世。故亦必逃於墨之外，以歸於楊也。孟子言「楊子取爲我，拔一毛而利天下不爲」。人之爲墨而欲救世，固欲利天下；然當其見天下之汚濁，不能救、亦不值救時，則人固必不欲更利天下，以求自潔其身、自全其性矣。後淮南子氾論訓言「全性葆眞，不以物累形，楊子之所立也。」楊子之爲我，其旨蓋當如是。形卽身，不以世間之物累形，卽自潔其身，亦自全其性之旨也。如實而言，則人只須不去救世、利天下，而閉門歸隱，亦皆無不能多多少少「不以物累形」，而多少得此「自潔其身，自全其性」之效。至於人閉門歸隱以後，如何自潔其身，自全其性之道，皆初可不必問者也。又列子楊朱篇載，楊子嘗謂「人人不損一毫，人人不利天下，則天下治矣」。此義不難解。因人人欲利天下而入世，人卽可自染於汚濁，亦可自本一汚濁之心，而以利天下爲名。世之名曰利天下，而實出自其一人之貪欲野心者多矣。此人之名曰利天下之行愈多，而天下亦愈汚濁，亦如人之以汚濁之手，入汚濁之水而攪之，以求去其汚濁者；水愈蕩愈搖，而手之汚濁，與其下之汚濁並起而益不可清矣。此時人固宜不更以手入於水，先自清其手，而亦當任水之自定，而自澄清。然後天下可治。故人人不利天下，卽所以治天下。楊朱是否嘗有此言不可知，然凡道家言不利天下，卽所以利天下，蓋皆涵具此義。而此義亦實一切言利天下者之所不可不知，而其中有一顚撲不破之眞理在者也。楊朱之言爲我，其說之行於天下，蓋亦當持有此一理由。信其爲我之說者，亦當嘗依此理由以信其說。若謂楊朱之爲我，只是教人自私自利，自足其一人之耳目聲色之欲，如列子楊朱篇若干段文所記，則此乃出自人之本能，亦禽獸之所共能，不待立說爲之敎也。依孟子之說以言人性，人性中固亦原有關切家國天下之心。人初固未嘗不欲其行之有利於天下。仁義之心，固原人所共有。順此心以求利天下，凡人在青年時，固皆爲多少有之也。則人固皆生而能爲墨者也。夫然，人在其更不求利天下，而只爲我之時，亦必初有一理由，方足以自安。謂我之不利天下，以天下之未嘗利我而嘗害我，此一般人之不肯利天下之理由也。至於謂我之不利天下，由於天下不待此區區之我之利之，我實無能以利天下，利天下之事，當讓諸能者，則爲較高級之理由。若乎既有感於人與我之名曰利天下之行，實包藏禍心，適足以害天下；遂更不以利天下爲名，而與人共勉於不利天下，使天下實少受其害，卽使天下蒙大利。則爲一更高級之理由。人亦唯有對此高級之理由，信之而不疑；然後於其不利天下之行，更無所愧慊於心，而其爲此不利天下之說，乃可更爲人之所奉行，而皆無愧慊。此不利之可以爲利，既有其不可拔之眞理在，則世必有見及此眞理，而據之以爲人不當求利天下之理由者。則楊朱固亦可依此理由，以倡不利天下以治天下之說。卽楊朱未嘗自覺及此一理由，此理由亦必爲道家之徒，當其決定不作利之天下事時，所必能思及者，而爲道家思想中所必涵。否則道家之徒，將自覺於心有愧慊，而道家之思想，亦更不能有進一步之發展，以自恣其說矣。此義可細思之。

二　陳仲史鰌之忍性情、與它囂魏牟之縱性情之說

吾人於上文唯自義理上說，楊朱或已持不利以利天下之說。然純自歷史考證上說，亦不能遽下斷定。在孟子時持類似楊朱之說者，亦不當只限於楊朱。此則由上述人感於世之汚濁，而求自潔其身，乃一人類思想之一共同的基本形態之故。如孟子所言之陳仲，以兄之祿爲不義，而處於陵，以瀕於餓死，卽一只求自潔其身之當世之賢者也。荀子非十二子篇謂「忍性情，綦谿利跂苟以分異人爲高，不足以合大衆，明大分」，爲陳仲史鰌之說。不苟篇以二人爲「盜名不如盜貨」者。此欲分異人以爲高，卽本於欲避世遁世，以超世俗之心情而有者。此固可成一特殊之思想形態。是否以之盜名，不必問也。荀子所謂史鰌，蓋卽莊子書時以曾史並稱之史。莊子駢拇篇成玄英疏謂史卽史鰌，字子魚，孔子弟子。王先謙荀子集解不苟篇注，亦言史鰌字子魚。則史鰌卽孔子所稱之史魚。孔子曰「直哉史魚，邦有道如矢，邦無道如矢。」則史鰌亦不問世之有道無道，以獨行其是，而能自異於世俗之賢者，其行亦類同陳仲。故荀子以二人並舉。觀此二人皆爲獨行其是，以分異於人爲高，則亦正同於楊朱之爲我，而不利天下者。故荀子謂其不足以「合大衆，明大分」也。

此外荀子非十二子又言「縱情性，安恣睢，禽獸行，不足以合文通治」者，爲它囂魏牟。它囂之

名，世莫能詳。魏牟卽莊子與呂氏春秋所言之魏公子牟。漢志道家書有公子牟四篇。公子牟乃主貴生貴身，以其生其身貴於天下者。莊子讓王篇謂：「今使天下書銘於君之前，書之言曰：左手攫之則右手廢，右手攫之則左手廢，然而攫之者必有天下，君將攫之乎？昭僖侯曰，寡人不攫也。」人之攫天下者，乃人之野心貪欲。人不肯爲此野心貪欲而廢其手，固見人之身有貴於野心貪欲所攫之天下者，亦見能貴身之人，卽不肯本野心貪欲以攫天下。人皆本野心貪欲攫天下，而天下亂，則能貴身，而不攫天下，亦卽未嘗非天下之利。魏牟之貴身不攫天下，是否亦所以爲此天下之利，固不可知；然其能貴身而不攫天下，以止其野心貪欲，固亦有其清高之處。其不攫取天下，而視天下如無物，卽其清高之處。既不攫天下，只貴身貴生，卽求自養其生命之情性。故荀子謂之曰「縱情性」。視天下如無物，卽藐視天下，而自恣其心，故荀子言其「安恣睢」。而謂其禽獸行者，蓋亦當是言其如禽獸之自外於人世與人文耳，故更言其不足合文通治。固非謂其如禽獸之放縱其耳目身體之情欲，方爲縱情性，安恣睢也。則荀子所謂它囂、魏牟，與陳仲、史鰌及楊朱，皆在避世、超世、外世一點上，屬同一形態。唯以陳仲史鰌之避世，只要在消極的避世之不義，而獨行其是；而它囂魏牟，則由其更積極的自見其生、其身之有貴於天下者，以藐視天下而自恣。故荀子所說之二派，實亦未嘗不可說之同於楊朱爲己爲我之一型態思想之下之二派也。

三田駢、彭蒙、慎到之棄知去己之論及其意義與價值

至於此外之道家型之人物，則如莊子之書之所舉肩吾、連叔、長梧子、子輿、子來、子犂、叔山旡趾、列子、庚桑楚等，或爲寓言，或實有其人，然要皆爲隱者逸民，而非汲汲於世間事功之人物。莊子天下篇論天下學術，其中唯老聃、關尹與莊子二派，爲一般所共認爲道家之學者。然天下篇於論老聃關尹之前更及于田駢、彭蒙、愼到之說，亦應同屬道家。漢書藝文志道家者流有田子書，班固注曰名駢。史記孟荀列傳亦言田駢學黃老道德之術。莊子之書，時及田子方。吾疑田子方卽田駢。駢爲兩馬幷，方爲兩舟幷，古音方讀若旁，田子方名無擇，亦與天下篇言田駢之學「與物無擇」相合也。韓愈送王秀才序，據史記儒林傳言田子方受業子夏，謂「子方之後，流而爲莊周」。若田子方卽田駢，則與莊子之學，固有類似處也。莊子天下篇言田駢師彭蒙；田子方篇，又言田子方師東郭順子。吾又疑順子卽愼子，荀子書「愼、墨」或作「順、墨」。順愼二字，固音形皆近也。後見姚振宗漢書藝文志條理，謂梁玉繩已謂愼亦作順。則田駢或亦兼師愼子耶？愼子嘗論政而貴勢。荀子非十二子篇謂愼到田駢「尙法而無法」。韓非子難勢篇卽評愼子貴勢之說。漢志有愼子書，卽列入法家者流。呂氏春秋愼勢篇，亦引愼子論政貴勢之說。錢熙祚輯校愼子因循篇，有「天道因則大，化則細」，「用人之自

爲，而不用人之爲我」之言，皆因循爲用之旨。淮南子道應訓與呂氏春秋執一篇，皆有文謂田駢嘗以道術說齊王，言「無政可以爲政」。呂氏春秋不二篇言田駢貴齊。尸子廣澤篇言田子貴均。尹文子記田駢言事，亦有數則。其記田駢言「君人者之使人，使其爲自用，而不使爲我用」，蓋卽君與民齊，無政以爲政之旨。戰國策齊策卷四言「駢設爲不宦，而貲養千鍾，徒百人」。則田駢亦以言無政之政，而致貴顯。然愼與田之言政，只其學之一面，不可據以謂爲法家。田駢既列爲道家，愼到亦道家也。故莊子天下篇論此愼到田駢學術，不在其言政，而要在謂彼等一面順世、一面求自爲「道人」，而反於世之人處。卽見諸人之正爲道家之徒。然此諸人所以爲道家之徒者，則又不同于孟子所言楊朱之爲我，及荀子所言陳仲、史鰌、它囂、魏牟之只求分異人爲高，而以恣睢之心，藐視天下者。此不同，蓋在其有此「道」之一觀念之正式提出，而彼等所慕之「道人」，亦不在表面上以清高自居，又不倡「貴己」；而言「去己」，以成其「公而無黨，決然無主」之「無己」之義；更高視此一「無己」之義，以「笑天下之尚賢」「非天下之大聖」。則又實不止藐視天下，而亦藐視天下人所共尊之賢聖。其不自以爲高，亦正見其高之至。此則較荀子所謂「以分異人爲高」者更高。此乃不以己分異於人，而以此無己之義，「分異於天下共以爲高之賢聖，而笑其高，非其高」之一不高之高。故戰國策齊策卷四言田駢亦以高義聞也。田駢、愼到、彭蒙皆明言「道」，則爲道家思想之正式形成爲一學術理論者。其與老子莊子之學術理論之形成，未知孰先孰後。然自此理論之型態而言，則蓋循於上述之楊朱、陳仲、史鰌、魏牟、它囂之「有我可爲、有己可高、有身可貴，而有高可高者」，進至於「無己、不高」之「高」之一形態之學，而又尚未達於老子自覺的明顯的「無己以成己，忘身以貴身，外身以存身，以知我者之希，言我之貴」之境者；亦未達於莊子言無己喪我，以與天地精神相往來，與造物游之境者也。此愼到等之不如老莊者，下文當更說。今先本莊子天下篇略說此一型之道家之學，其別於天下篇所言之墨翟宋鈃之學，與其前之道家之學者；以言如何循此一型之道家之學，而升進其旨，即可至於老子莊子之義矣。

今先抄莊子天下篇論愼到等之學一段全文于下：「公而不黨，易而無私，決然無主，趣物而不兩；不顧於慮，不謀於知，於物無擇，與之俱往。古之道術有在是者，彭蒙、田駢、愼到聞其風而悅之，齊萬物以爲首。曰：天能覆之，而不能載之；地能載之，而不能覆之；大道能包之，而不能辯之。萬物皆有所可，有所不可。故曰選則不徧，教則不至，道則無遺者矣。是故愼到棄知去己，而緣不得已；泠汰於物，以爲道理。曰：知不知，將薄知而後鄰傷之者也；謑髁無任，而笑天下之尚賢也；縱脫無行，而非天下之大聖。椎拍輐斷。與物宛轉，舍是與非，苟可以免。不師知慮，不知前後，魏然而已矣。推而後行，曳而後往，若飄風之還，若羽之旋，若磨石之隧，全而無非，動靜無過，未嘗有罪。是何故？夫無知之物，無建己之患，無用知之累，動靜不離於理，是以終身無譽。故曰至於若無知之物而已，無用賢聖，夫塊不失道。豪傑相與笑之，曰：愼到之道，非生人之行，而至死人之理，適得怪焉。田駢亦然，學於彭蒙，得不敎焉。彭蒙之師曰：古之道人，至於莫之是，莫之非而已矣。其風窢然，惡可而言？常反人不見觀，而不免於魭斷。其所謂道非道，而所言之韙，不免於非。彭蒙田駢不知道。雖然概乎皆嘗有聞也。」

天下篇之文論彭蒙、田駢、愼到之學，古今注家多未能順通其文理與義蘊。玆按此文首所謂「公而不黨，易而無私」云云，乃對較天下篇上述墨翟、禽滑釐，與宋鈃、尹文所聞於古之道術者而言。墨翟、宋鈃，在荀子非十二子篇視爲一派，其學大體相近。天下篇論墨翟、禽滑釐以繩墨自矯，而備世之急，乃只知公而無私者。墨子書亦重「公」與「無私」。論語孟子書，固未用此二名也。墨子只知公而不知私，故曰「其行難爲」，「反天下之心，天下不堪」。而天下篇言宋鈃尹文，則曰「願天下之安寧，以活人命」，以求「人我之養，畢足而止，以此白心」。則重公亦不忘私者。天下篇言彭蒙、田駢愼到之所聞之道術，則曰「公而不黨，易而無私」。則其重公而無私，似墨子；然其道又「易」，則不同墨子之其行「難爲」。曰不黨，或謂當作不尙，然不黨亦自有心無所主尙之旨，則與墨子之重天下之公義，敎尙賢尙同者不同。墨子之道，重在以知慮取擇於利害是非之中，故墨子書多言「取」，亦多言「擇」。取擇卽取擇於兩者之中。取擇之事，必待於有所主尙。墨子言義與利，雖以之爲客觀外在，然吾人之取義而捨不義，取利而去害之事，固由人之自有所主尙。而尙賢尙同，於上之賢者之所是，必皆是之，於其所非者必皆非之，亦卽所主尙者，在以上之賢者之義，求「一同天下之義」也。墨子之學，明有其所主尙之義。天下篇言墨子之弟子，「俱誦墨經，而倍譎不同……相謂別墨」，「以巨子爲聖人，皆願爲之尸，冀得爲其後世，至今不決」，卽必求有所主尙之「義」，所宗之巨子之故也。彭蒙田駢愼到之道，則不以知慮取擇于是非利害之「兩」，而直趣乎物，故曰「趣物而不兩」。不黨不倚，「決然無主」，歸於「於物無擇，與之俱往」。則明與墨子之道異。荀子儒效篇以愼墨並舉，則二人之所言，固亦有相異，而相引相發者在也。天下篇言宋鈃尹文之道，雖不同墨子之全爲人而忘公而無私；而是乃兼求人我之養之足，公私兼顧者，只自爲太少，爲人太多耳。天下篇又言宋鈃尹文「接萬物以別宥爲始」，則亦重辨別。又言「語心之容，命之曰心之行，以聏合驩，以調海內請欲置之以爲主：見侮不辱，救民之鬬、禁攻寢兵，救世之戰，以此周行天下，上說下敎」。則宋鈃尹文亦持其所主尙之義，以上說下敎，並有本「心之容，心之行」，以知所主尙之意。彭蒙、田駢、愼到之不以心之知慮擇物，而決然無「主」，則亦異於宋鈃尹文之有別宥辨別，本「心之容、心之行」，以求知所主尙者也。

由上文所述，卽見彭蒙、田駢、愼到之學，要在去除由心之知慮，而有之取捨選擇辨別，以自去其內心之所主尙；而不說敎，卽不同墨翟宋鈃等之說敎者，故曰「不敎」。此則由於彭蒙、田駢、愼到有見於「選則不偏，敎則不至」之故。選之所以不偏，敎之所以不至者，以選此則遺彼、選彼則遺此，卽如天能覆猶不能載，地能載猶不能覆，則選萬物之一，其不能徧可知。萬物固皆有所可，有所不可。以此物可取，不知其亦有不可取；以彼物不可取，不知其亦有可取。則以其可者爲是，本之說教，則未及於不可處之非；以其不可者爲非，本之說教，則未及於可處之是。故凡有說教，皆有所未及，而有所未至。則人唯有棄其取捨是非之知慮，以大道包之，以求「無遺」，則將不重知慮之辯。故曰「大道能包之，而不能辯之」。此所謂之辯，卽如墨子宋鈃於說教時之辯。墨宋之辯利害是非，乃以利者定爲利，害者定爲害；是者定爲是，非者定爲非；可者卽無不可，不可者卽無可。今反此說，卽無此辯，唯知萬物之有所可者亦有所不可，有所不可者，亦有所可；而不作一定之利害是非之辯之謂也。若然，則作一定之利害是非之想之知慮，皆所當棄，而可任萬物之陳於前，更不作一定之利害是非之選擇，不以不可者定爲不可，亦不以可者定爲可。則人只須任物勢之不得已者，而與之俱往。是爲泠汰於物，以爲道理。按莊子逍遙遊言「列子御風而行，泠然善矣」。郭象注曰「泠然，輕妙之貌」。今按汰當如沙汰之汰，言去水之重濁者。則「泠汰於物，以爲道理」，卽言任順物勢之不得已，而與之俱往，以此爲道理，則己之負累輕也。王斯濬愼子校正引太平御覽七百六十八所輯愼子之言曰：「燕鼎之重，予千鈞；乘於吳舟，則可以濟所托者，浮道也」。泠汰於物之道，卽去負累以自輕之「浮道」也。

至於下文曰「知不知，將薄知，而後鄰傷之者也。」則吾意蓋是謂「知萬物之有所可、有所不可」之知，亦同於不知。蓋知與物俱往，而此知化同於物，卽更無知，則言知亦歸在薄此知，以傷此中相鄰之知，以至無知也。既已無知，則聖智皆無可尚。人只隨物勢俱往，如椎之拍，以與物合；如輐之斷，（輐圓也，完車之輪恒圓也）其斷恒圓。言隨物勢之宛轉而宛轉，則可「舍是與非」，以求免是非，「不師知慮」，以瞻前顧後；亦任順物勢之轉，而與之俱轉，「若飄風之還，若羽之旋，若磨石之隧」。己無所取捨，則於物勢之轉，無不任順，卽「全而無非」；動靜皆隨物勢，而已不任過，亦不受罪責，而皆未嘗離於理。此卽由自棄其知慮，以化同於無知之物之功。人有知慮、有取捨是非，意在建立自己；而建立自己，則不能與物勢俱轉，而有得有失，有利有害；而不免於「建己之患、用知之累」。人能無此患累，則動靜皆緣「不得已」之道理，而無他人之罪責加於我，亦無他人之稱譽之可施于我。以此人之化同無知之物爲道，則人如土塊，而土塊亦不失道；而或者則笑之以「非生人之行，而至死人之理」矣。

至後文言彭蒙之學，原於其所謂「古之道人，莫之是莫之非」者，則亦當是謂有此道之人，非世俗之罪譽之所及之謂。蓋其對世既無是非，則人亦莫能是之非之，「其風窢然」，如在穴，非人可得言。「常反人不見觀，不免於魭斷」之一句，其義不詳。王先謙集解謂魭斷卽前文之輐斷，則亦卽「與物宛轉」之謂。此語蓋謂其道既非人所得而言，而反於人，今人果棄知，以至同無知之物，此道亦不被見，而不被觀；則其行于與物宛轉之道，化同于無知之物，亦不能知此道。則其所謂道，亦可視爲非道，其所言之韙者或是者，亦不免於非。此則爲天下篇者評論彭蒙田駢愼到之論，言其「欲化同于無知之塊，勢不可能」之辭也。

依天下篇之評論此流之說，謂人果以化同無知之塊，爲不失道，則人亦不能知此道。知道之「知」，固知道者當自謂其有者也。若果化同於塊而無知，固不能知道也。此評論固具深義。然舍此具深義之評論以觀，人亦實未嘗不在一時欲化同無知之物，而求能無知。詩經中之詩人固有「樂子之無知」之語矣。蓋人固可感其用知慮之事，恆不免於累。凡用知慮以辨是與非、可與不可、而慮利與害者，皆時不免見其所謂利者之未嘗不害，於其所是所可者，旋自非之，而見其不可。卽用知之累也。則人固可有「厭棄此利害之慮，厭棄此是非、可不可之辨」，以自甘化同於木石土塊之時。人之有利害之慮、是非、可不可之辨，皆依於人之有其己所建立之標準，以建立其自己於所選擇之物之中。則選擇不當，或更易不定，或不能常得其所選擇者，人卽不能建立其自己，而時有「建己之患」。人果能化同無知之物，縱別無所得，而能去此「用知之累，建己之患」，卽亦大有所得。蓋此累患，如人生之病患。能去此病患，卽別無所得，人固亦願去此病患也。當人之病患，至不能愈，或病患之苦，至不堪忍受之時，人亦固可寧死，以化同土壤之無知也。此時人果得化同土壤之無知，亦人之至大願望也。由此推之，則人之求無知，固對深感「用知之累、建己之患」者，可爲一至高之理想，而亦人所不易達之一理想。亦如小乘佛學之只求斷盡煩惱，而灰身滅智，西方斯多噶派之求無情 Apathy，爲一人所不易達之理想也。人若果眞能達此理想，其自制之功，亦可謂至難能而可貴矣。又人果能達此理想，不建己，而無己，亦不見人之罪責與稱譽，而無人；此卽無我無人之境。而在天下篇卽視之爲高於墨翟有以「己」爲「人」之心，宋鈃之求「人」「我」之養畢足之旨，而未忘人我之分別者。將田駢彭蒙愼到之徒，與楊朱、陳仲、史䲡、魏牟、它囂等相較而言，則凡言爲我而有我可爲，言貴身而有身可貴，卽皆不免於以「分異人爲高」或「藐視天下之情」，而爲未忘人我之分者。則以天下篇之田駢、彭蒙、愼到不知道者，乃唯對其忽此知道之「知」而言，亦對較其後所言之老子莊子，有更高一層之知道之知而言，非謂其理想之必不足貴也。

人之達此愼到田駢彭蒙之理想之所以不易，在人恆不免於欲用智以建己。凡人之欲用智以建己，而自定利害、是非、可不可之標準以應物者，則當吾人之所可者在此，所遇之物亦合此所可者，吾人之行爲固有其「由內以直通達外」之道路。然當吾人所可者在此，而所遇之物非其所可，而爲其所不可者，則吾人之行爲，卽無「由內以直通達於外」之道路，此道路如爲外所遇之物之所阻滯。今欲使吾人之行爲，在任何時對任何所遇之物，皆有其通達於外之道路，以田駢彭蒙愼到之說言之，卽賴於吾人之此行爲，對物勢之轉變，無不能順應，而隨之以轉變。此時吾人之行爲所循之道路，卽爲一與物宛轉，無任何特定之方向，而可向任何方向運轉之一道路。此卽爲無一般所謂特定道路之道。此則大不同於儒墨之言道，初皆爲特定之道者。如儒言子對父之孝道，父對子之慈道，對國之如何治之道，對天下如何平之道，墨言如何兼愛、如何尙同、尙賢之道等，皆吾人依特定方向，對特定之事物之特定之道也。此與物宛轉之道，則非依特定方向，對特定之事物之特定之道，而只是隨事物之轉易變化於前，而與之俱轉易變化，若飄風之還，若羽之旋，卽見吾人之行於一「轉易變化，而與物相順應」之道上。此道初不以有特定方向，對特定事物而得名，故亦不可名之曰特定之道，而只可名之爲「道」或「大道」也。老子莊子所謂道，亦皆涵具此一義，而亦皆在其非特定之道之一點上，不可以特定之名名之，亦不可以特定之言更道說之。故老子曰「道可道，非常道」，而名此常道之常名，亦非如一般之名，可更以名名之者，故曰「名可名，非常名」。此亦與愼到、田駢、彭蒙之所謂「大道能包之，而不能辯之」之旨，不甚相遠。依大道以包萬物，而謂物皆有所可、有所不可，以齊萬物，而任其勢之轉，卽與之宛轉，更「莫之非、莫之是」，亦似莊子言齊物論之是非，而與物俱化以爲道之旨。此卽見老莊言道之旨，與田駢彭蒙愼到之旨之相通處。然老莊子之言道，則更有不限於此者在。莊子之齊物論與愼到田駢彭蒙之齊物之論，亦似之而非也。吾人若能知老莊與田駢、彭蒙、愼到之學之同而異之關鍵，則于吾人之說明老莊之學之重點之所當在，亦可思過半矣。

四　老莊對知與己之觀念，及老子之道與田駢、彭蒙、愼到之道之異同之分際

此老莊之道與田駢彭蒙愼到之道之不同，吾意要在愼到只言棄知去己，有如佛學中小乘之灰身滅智，上已說。老莊則棄一般之知與己，而亦有其不棄之知，不去之己，則有如佛學中由小乘趣向大乘者。天下篇固已言及此。故其論老聃關尹所承之道術曰：「澹然獨與神明居」。獨卽己也，神明卽知也。故於關尹唯曰「在己無居，形物自著。」此唯言己之無居，以使形物著。此使形物著，亦卽心之知也。其下文言「其動若水，其靜若鏡，其應若響，芴乎若亡，寂乎若淸」，皆指此己之心知之狀態。此固不同一般之知慮之知，意在建己於物者；而重在使此己之心知自身之靈活如水，安靜如鏡，應感如響，而寂且淸者。然固非無知也。天下篇於老聃，則首引其知其雄，守其雌，知其白（依王弼本之老子文，應加「守其黑知其榮二句」）守其辱。此知，固不同一般人之知之所在、卽欲之所在、守之所在，知雄則慕雄、知白則慕白，知榮則慕榮者；然亦是知也。下文言「人皆取先，己獨取後；人皆取實，己獨取虛；人皆求福，己獨曲全。」則固有「己」，以有其所取，非如愼到等棄知去己，而無所擇取者也。唯下文更言「常寬容於物，不削於人」，則老子之己，固不同於一般人以己爲主，而求建己於物，不能寬容他人與萬物者矣。至於天下篇言莊子之學，則言其「神明往歟」「與天地精神相往來，而不敖倪於萬物」，更言「其充實而不可以已，上與造物者游，下與外死生無終始者爲友……其應於化，而解于物也，其理不竭」，亦非只棄知去己之謂。乃是言己本神明之往，以「與天地精神相往來」。此己固有其充實於內者，而自然不可已者以見於外。此卽非愼到田駢彭蒙之只循外之物勢之轉之「不得已」，而與之俱轉之「棄己」之說也。言「其應於化，而解於物，」固已先有己之知，以應之而解之，其理乃不竭。此亦非只「泠汰於物」，徒順物勢之轉，「以爲道理」之說也。唯莊子之己，與造物者游，與外死生無終始者爲友，乃「天地與我並生，萬物與我爲一」之己，故無一般之己，亦非老子之求「己之曲全」，或只以己「容物」之己。其知能應化而更解之，則知亦自解，故不可以一般之知名之，其知亦不同於老聃關尹之靜居之神明之知，而唯是一動往之神明之知。此知之見於外者，則見于其卮言之曼衍，「以重言爲眞，以寓言爲廣」，其言之自流行於天壤，其言中之理之不竭。此固超於田駢彭蒙愼到之棄知去己之境，亦異於關尹老聃所言之知與己，只爲一靜歛之知、靜歛之己；而爲一「至充實以與天地萬物爲一」之「己」，其知皆「由內以表現於外之言中之理，而與之共流行」之「知」者也。

吾人今更純自義理上言田駢彭蒙愼到之言道之思想方向，如何可轉至老莊之言道之思想方向處說，則當知此愼到、田駢、彭蒙之道，在根柢上初只爲對物勢之變，一往加以順任之道。後王弼注老以因應、無主、不宰、不違自然爲說，正多無意間本此類似愼到等之義以釋老，唯又更重由此以使物自得其性，而自濟之義耳。由此一往之順任，而更求己與物宛轉，此己與其知，即只應當前或「斯須」之物，而化同之，更與之合爲一，以忘知忘己，即可玄同彼我，亦忘物勢之變，而勢非勢。後郭象又多無意間本此類似愼到等之此義，以釋莊；唯更重觀物之獨化、自生之義耳。人眞作到一往順任，不違自然，其心知只應當前或「斯須」，以玄同彼我，而內無所執，外無所擇，亦可無往而不順適。老莊書亦非不涵具此諸義。故王弼郭象之注，亦有其所得。然老莊義之進於此者，則非王郭注所能盡也。大約老子之進於田駢彭蒙愼到之論者，要在於見物之勢之轉時，更用工夫以自撤回此己之知，不與之相冥爲一，以更往遙觀此物勢之轉。愼到言物而貴勢，老子言「物形之，勢成之」。物之轉固有其勢之所向，此恆有非己力己智之所能移者。故愼到棄己力己智以就物，而與其勢相宛轉，若飄風之還，若羽之旋，則物勢亦不傷己，而自然相順適，而勢亦非勢。然老子則於此物勢之轉，不遽棄己之知，以與俱轉，而更向後退一步以靜處；而己之知，則自物勢之轉中拔出，方可更往遙觀此物勢之轉。故愼到等順物勢之轉，而不必觀之。其只順物勢之轉而行，亦可無所觀，亦非人所得而觀。故曰「常反人不見觀」。而老子書則明重此觀。故老子首章有「常無欲以觀其妙，常有欲以觀其徼」之言。他處又言「萬物並作，吾以觀其復」「以身觀身，以家觀家，以邦觀邦，以天下觀天下」。老子固明重此卽物而觀其物，亦重觀物勢之自轉。凡老子所謂「有無相生、長短相形、前後相隨、高下相傾」「堅則毀，銳則挫」，「柔弱勝剛強」，皆物勢之自轉也。然老子之所以能觀此物勢之轉，則要在於物勢之轉於前時，己不與之俱轉，自退一步而靜處。則己與物勢間，如有一距離或空間，而己則可以其知，更往遙觀此物勢之轉。此中卽必須有此一己，亦有此一己之「觀」，以成其「知」，不能遽言棄知去己也。人於物勢之轉時，自退一步，以遙觀其轉，則可言一切物勢之轉之始終，其始生也恒由「無」而生，其生之初，恒微弱柔和；繼而剛強銳利，而大顯其「有」，而其終則剛強銳利者，無不歸於挫折隳敗，而歸於死亡，以復歸於「無」。故無爲天地之始，亦萬物之終，而此「有」，則中間之一大段事，合以見芸芸萬物之盛衰成敗者。無則無名可名，有則有名可名，故曰「無名天地之始，有名萬物之母」。然此中人之所重者，在觀此天地萬物之始終之際其「有而無，無而更有」之妙，更求觀此萬物之「有」之邊際外之「無」。此則賴人於無欲之時，無所希求，方能於「有無相生」之際，以常觀得此妙。妙至微而亦至小，唯「見小曰明」，必常無欲乃見妙見小，故曰「常無欲以觀其妙」，「常無欲可名爲小」也。又必待於人於其有欲之時，由其所欲之物，在「此物勢之轉之全程之歸向」之所在，以常觀得此歸向，以知其有之生於無、亦歸於無。故於「常無欲以觀其妙」之外，又言「常有欲以觀其徼」。玉篇：徼要也，求也。卽歸向也。合此無欲之際與有欲之際觀，卽所以觀物勢之始終之觀法也。人既有此觀法，以通物勢之轉之始終而觀之，卽恒見萬物皆在此一「有無相生、剛柔互易、自相反復」之常道上。萬物依此有無相生之一道，而始而終，此道卽常道，亦爲主乎萬物之太一。故天下篇曰「建之以常無有，主之以太一」也。此中唯無爲有之本，亦卽虛爲實之本，靜爲動之本，柔弱爲向於生，而爲生之徒。則人欲得生，當致虛守靜而自居柔弱，「以懦弱謙下爲表」。而在另一方面，則吾人之觀物勢之心，既能遍觀萬物，亦卽能以其虛靜之心，兼容萬物，故能「以空虛不毀萬物爲實」，「寬容於物」，而「不削於人」。由此而老子書中乃有容公之道，同於天之能於萬物無所不容者。天容萬物，以兼利萬物而不害；人之有此容公之道，而爲聖人者，卽能兼利萬物，而有其慈以孩民。此則可通於聖王之無爲而無不爲之治天下之道，非只如王弼之以順任因應爲事也。由此更上達，則可言得道者之恒「生而不有，爲而不恃，功成而不居」之玄德。此則爲由觀一般之物勢之知之「博」，以更觀其所本所根之道之「約」，而由外反內，以更上達於容、公、慈之心境德量，以法天法道之老子之學。而其法天法道之義，雖至深遠，然其始則在觀物勢之轉，而知以柔弱虛靜自處。此以柔弱虛靜自處，則爲法地上之牝雌水等，能靜而似柔弱之物，亦法地之退處於下。故老子之學，始於法地。而此法地之旨，與愼子言「塊不失道」之旨，則似同而實不同。其不同則在愼子乃學塊之無知以爲道，而老子則初只學地之退處於下，以歸柔靜，而法地也。大約先秦之學，初皆只及於則天、法天、以尊天，後文當更及此義。自愼到言塊不失道，而有一法地之無知之旨，老子乃以法地之退處於下爲始教。法地卽包涵觀地上之物之客觀外在之物勢之歸向於卑下之地。愼到等順物勢俱轉，初亦卽順客觀外在之物勢俱轉，更使己之知，與物俱冥，而無我與物之別。老子觀物勢之觀，雖由人之此知自物勢撤出而後有；然其所觀之物勢，初亦爲一客觀外在之物勢，其法地，亦初只是法一客觀外在之處於卑下之地。但其由觀物勢而有之種種處卑下柔弱虛靜之思想，所引致之義，更有上述之容、公、慈之主觀內在的心境德量之開闢，以上達於得道者之玄德耳。關於此老子由觀物勢而法地，以進至法天、法道、與法道之自然之思想之次第歷程，卽由「物之粗」以至「本之精」之次第歷程，則詳論在下章。上文乃先略述其大旨。至於莊子之道與老子之道及愼到田駢彭蒙之道之異同之分際，則下節亦先略述之，詳論在更下之章。

五　莊子之道與老子之道及田駢、彭蒙、愼到之道三者之分途

關於莊子與老子之學之不同，莊子天下篇已言之。荀子于老子莊子之所見與所蔽，亦分別說之。漢人宗黃老，亦未與莊子並言。唯淮南王書雜取老莊言以成其書，史記亦以莊子爲能明老子之術者。魏晉人乃更漸有通老莊儒道之論。然阮藉之通老與達莊之論，仍分撰。而王弼之注老，郭象之注莊，亦分別爲注，初無必以莊注老，或以老注莊之意也。老莊易三玄，亦各自爲一玄也。道教立而宗祖老子，唐人乃多以莊列注老。宋人多承之。然至晚明，則學者又多知老子莊子之不同，而多以莊子爲更近於孔子者。如王船山其著者也。老莊時代之先後，自史記以老先於莊亦先於孔，後人多承其說。然上文已言宋人已有疑及此者。近人則大皆以老莊之學，後於孔墨。吾意亦云然。唯老莊之成書先後，則甚難定。老莊之書皆可非其自著。則難以成書之先後，遽定其思想之先後。而謂莊子之思想，皆承老子而發展出，或謂老子思想由莊子發展出，皆難有確證。觀莊子言之恍洋自恣，老子之自謂「知我者希，則我者貴」，皆不似自附於他人之下以立說，而實皆自謂有其特獨之思想者。道家之徒之歷史

文化意識較淡，不同儒墨之徒，皆重其學之上有所承，後有所開，而各有其所宗師崇敬之賢人與聖王。故老子莊子之學之師承，皆無可考。老子之事蹟固可疑。莊子之事蹟，唯見莊子書，又惡知其非為莊子書之寓言？亦同有可疑。至專就老子莊子之書之言而論，則莊子外雜篇，明有釋老子之言者，而老子書之言，亦似有本莊子書中之言而出者。然老莊之言之似同者，亦可同出於前之為道家之說者之公言。章實齋文史通義，固有古之學者之「言公」之論矣。則徒由其言之似同者，亦不足遽定其思想之相承。又若只就其言之相承而同者以觀，則有老無莊，有莊無老，皆不為少，亦無甚學術思想史上之價值。如老之外必有莊，莊之外必有老，則吾人固可只重觀其不同何在，其思想出現之先後，亦無足重輕也。

吾今論老莊之異，自亦將略及其所同，且擬先自一更廣大之角度，言莊子與老子及愼到等之學之一同處，而共異於儒墨者，更及莊子與老子與愼到等之學之不同。此愼到等與老莊之言道之一同處，即其言道，皆以其生命面對天地萬物之全體，而言人之所以應之之道。上文言先秦之學，初皆只及於「則天」「法天」，孔子之言道，初乃自吾人之如何對己、對人，而及於知天命、畏天命、更及於貴天道，而則天。如謂「巍巍乎惟天為大，惟堯則之」是也。墨子言道，則自人如何愛利天下人，行天下之義，以言法天之仁，而得天與鬼神之賞，以「下利人、中利鬼、上利天」。孔墨之道，存於人與己、及人與天及鬼神之間，皆初未及於人以外之萬物與地。然墨子書已嘗偶言地之仁有過於天之仁者。（墨子閒詁墨子佚文引藝文類聚）則人當兼法地之仁。孟子言人之別於禽獸之心性，此心性乃天所予我，而重人之自盡其心性，以至備萬物于我，又言君子之德，上下與天地同流。此乃以我之盡其心性爲主，而附及其能備萬物，與天地同流者。蓋自此以降，而先秦學者於天地萬物多並言之，乃更面對天地萬物之全，而求所以知之，與所以應之之道。其中人面對天地萬物陳於前者，各有其類，而順墨子之重客觀天下之義之態度，更客觀的分別不同類之物之所以然之故，與人之「所以知之」，及人之如何依故或理由，成論辯，「所以使人知之」。此卽墨辯一流之科學、知識論，邏輯之說也。順墨子之兼愛天下人之義，更泛愛萬物，而視天地萬物爲一體；並觀天地萬物之在時空中同異、大小、高卑、四方與中央、今昔、往來等分別，無不可泯爲一體，卽說之爲一體，卽惠施之宇宙論形上學之說也。墨辯之學意在成客觀之科學、知識論與邏輯，惠施之學爲一客觀之宇宙論與形上學，是皆原于人之心知之散於天地萬物而不返，而未詳人之此生命面對天地萬物全體而應之之道。故皆非道家之流。道家之流之愼到田駢彭蒙，順天地萬物之轉易變化之勢，而見天能覆不能載，地能載不能覆，萬物皆有所可、有所不可，以去建己之患，用知之累；卽已自有其生命之面對天地萬物之全體，而應之處之之道在。老子之教人於物勢之轉易之前，自退一步，以凝斂其心知於自己，以觀物勢之轉，自居於虛靜柔弱以法地；進而以寬容之心，對天下人利而不害，以法天，以慈孩民；更由「無名天地之始，有名萬物之母」，以知有此爲天地萬物之始母之道，而法道，以成其上德與玄德，而由末之粗，至本之精。則又爲人之生命面對天地萬物之全體，而應之另一道。莊子之道，自其不同於此二者而言，則在其既非面對天地萬物轉易變化之勢，棄知去己，爲順應之道；亦非如老子之自退一步以居虛靜，以知觀物勢，自居柔弱，以曲道自全爲始；而要在既化人生命中之心知爲神明，以往向于此天地萬物之轉易變化於前者，卽更游心於其中，亦更超越於其外，昭臨於其上，以成神明之無所不往，見「天地與我並生，萬物與我爲一」，爲其根本。故其神明之運，自始爲開展的，放達的，六通四闢，而無所不通，無所不往，亦無定所，爲其所必適者。故天下篇曰：「芒乎何之，忽乎何適」。則其所見之一切天地萬物之變化轉易而無常，亦無有定常之形勢之萬物，足以歸心。故天下篇論莊子之學曰：「芴漠無形，變化無常……萬物畢羅，莫足與歸」。則「死歟？生歟？天地並歟？」以更超越於此天地萬物之變易，一身之生死之外，以至乎其上。故天下篇更言「與造物者游，與天地之精神相往來」。神明往至天地萬物之外之上，至於接天地之精神與造物者之「大本大宗」，而更回到此吾人之生命之自身，求自成爲至人、眞人、神人、天人、聖人。則莊子之道也。此人在成爲至人、眞人等時，雖無一般之己，而自是天地間之一人。莊子自是要使人「貴在于我而不失于變」。郭象之「與物冥」而「玄同彼我」，亦不足以盡之也。莊子之「人」爲能外死生、超乎生死之人，固大異於愼到之順應物勢之變，而棄知去己以同「死」人之理者，亦異於老子之先全此一己之「生」，再求容人與物，以大其心境德量者也。

上來所陳，乃本莊子天下篇言，加以發揮，以見莊子之道，可自始與田駢愼到等之道及老子之道爲三型。此三型之道，乃原自吾人自己面對天地萬物之全體之轉易變化於人之前時，人原可有之所以應之三方式。此三方式，各有一獨立意義，以自成一思想之途。則老莊與愼到等之學，固可無相師之關係。若必謂其相刺激影響而生，則老子之學可由見於愼到等之學，始於順應當前物勢，而更向後退一步，以觀此物勢，更法天法道，以成。莊子之學，可由見於老子之學之重收斂，而更轉其用心思之方向，以向前開展放達，以成。亦可說莊子之學，初由見於愼到等之學，只順天地萬物之勢，而更超進一步，以游於天地萬物之中，更至乎其外其上，以成。再亦未嘗不可說老子之學，初由不滿於此莊子之超進一步，而縮回一步，自退於世間之下，一己之內，以成。又未嘗不可說愼到等之說，乃由不滿於老子之退縮與莊之超進，皆將與當前之物勢相離，而不切實際，人卽不能順勢以應世，以成。愼到之貴勢之學，固能應世而用於現實之政治也。則此三型之思想，固可互相刺激影響而生。然孰先孰後，依上所說，則皆有其可能，未易遽定。至於自此三型之思想所成之生活之價値高下言之，則愼到等之順應物勢，至於棄知去己，以冥於物，而未有升進一層之神明之知、與眞己之發見，故爲道猶低。老子之學，先收斂其心知，以曲道自全，初亦未脫楊朱爲我之遺。然自其以物爲粗，以本爲精，由容、公、慈以求心境德量之大，至於具玄德，而有一爲道之眞工夫。故老子有「古之善爲士者」與「聖人」，爲作人之範，不同愼到田駢之一往非笑賢聖，無作人之範者矣。莊子更直下化心知爲神明之無所不往，無所不通，以游於天地萬物之中，更超乎其外其上，以與天地精神往來，與造物者游，而調適上遂於大本大宗，更直下標出至人、神人、天人、眞人、聖人爲作人之範。則在開始點之地位上，又較老子更佔得高，佔得大。田愼似孟子所言之柳下惠，與世隨和；若因而同乎流俗，合乎汚世，則可淪爲鄉愿。老近狷而莊近狂。狂者進取，則莊固有進於老者。然老子之收斂其心知，以居虛靜柔弱，以更修道成玄德，亦自有其「微妙玄通，深不可識」，足以涵高明廣大於至卑至微者在。人之循老子之學以爲道者，亦可謂莊子之學尙浮游於天際，廻旋於空濶，未嘗落實至「深根固蔕，長生久視」之境者。故太史公嘆「老子深遠矣」。則老又有進於莊。老莊之優劣，亦似未易一言而決。此亦後世道家之所以宗老與宗莊，各異其途之故。然循吾上文旨，則莊仍當進於老也。若人類思想之發展趨於進，則宜先田駢彭蒙愼到之說，至於老，再至於莊。老莊之成書，同當將時間推於田愼等後。然人類思想亦進退無常，則思想史中先後問題，或終有不可決者。然此固不礙其思想形態之異同，可直本其所言之義理而決也。

第八章　老子之法地、法天、法道、更法自然之道（上）

一　老學簡史，及吾論述老學之經過

老子一書，文約旨遠，世所公論；而老學之傳，亦最爲複雜。漢志、隋志、及經典釋文，所著錄之老子經說及注，今大皆已佚。然韓非解老、喻老，及淮南子與司馬談之言道之語，並能發揮老子之義，各爲老學之一型。魏之王弼注老，則爲老子注之大宗，亦爲老學之另一型。佛學入中國，鳩摩羅什、僧肇並有老子注，以見老學之旁通于異國之學，開近世以老學通西學之先河，此又爲一型。道教以老子爲宗祖，唐代君王多重道教，而老子之地位益尊。韓愈謂二氏之徒，以孔子爲「吾師之弟子」，即以老在孔上，故韓愈非之。然宋人如司馬光、王安石、蘇轍、呂惠卿之老子注，併以儒道之義，未嘗相妨。唯程朱之傳，則視老子爲異端，而加以貶抑。葉適、黃震于老子之爲人與書之時代，始致疑。元明儒者，爲學又漸尚通達。元儒吳澄有老子注，明儒則陳白沙、王陽明與其徒，皆有取于道家之義。然湛甘泉則疑道德經非老聃著（甘泉子集卷十七）泰州王門之學者如焦竑更爲老子翼莊子翼之書，亦以二書羽翼儒學。明代學者多兼通三教，王船山亦爲老子解、莊子解、莊子通諸書。淸儒姚鼐亦爲老子注，汪中述學更繼而疑老子之爲人與書之時代。然清末民國初年，則學者多輕儒而尊老。江瑔爲讀子卮言，張爾田爲史微，並以道家之老子之學，爲孔子及百家所供出。然民國十年以後，學人之疑老子之其人、其事、其書者又多，顧頡剛古史辨之諸子叢考嘗輯其文。及今而老子之不先于孔子，漸成定論。人亦知孔子之學不可說原自老子，而當是直承其先之人文學術之傳者。吾書亦主此說。然老子是否必先于莊子，則尚爲世所聚訟。然此問題則不甚重要。因非學術之大統所關也。老子一書，古今注解者甚多。譯本亦數十種。由近人嚴靈峰編老子集成，可見古今老學之書，誠可汗牛充棟。蓋其文既約而義豐，人固皆可自本其聰明智慧，加以演繹，並依聯想，而任情爲類比之論，其論述遂不可勝窮。吾于諸書亦不能盡讀。上文所及，唯是略述古今之老學之數變。世有更爲一老學史者，吾願馨香以視之。

以吾一人之見而言，則吾對古今中外之老學之論，其粗略之印象是大約昔之學者釋老子者，多是隨文註解，而宗趣所在，則隱于註文之內。今之學者，則其解釋老子，大皆先提出若干觀念、更舉若干老子之言爲證，以自成其說。然今之學者，于老子所言之道，宜以何等觀念，加以解釋，又幾于人各異說。如以老子之道卽無，或自然律，或人生態度，或物質，或生命之本體，或在帝之先之God-head，或自然之全體……。皆似可由若干老子之言，以得其證。然觀中國學術史上老子之影響，其及于莊子外篇之言，韓非子解老、喻老之篇，淮南子原道諸訓，及漢、魏以來一切注老之家，與為道家或道教之思想者，則又見老子一書明有種種涵義，可容後人各引一端，以自成其說。則吾人勢難只舉一二單純之觀念，以說老子之所謂道之義之全。吾于九年前，嘗作論老子之道之六義一文，發表于香港大學五十週年紀念刊，後收入拙著中國哲學原論中。吾于此文上篇，嘗就老子言道之義，先析為六。即形上實體之道、虛理之道、道相之道、同德之道、修德之道，與其他生活之道、為事物及心境人格之狀態之道。並說明老子言道，原有此諸義，故後之為老學者，遂可各引一端以為說。如韓非子之以理說道，即初以道為一虛理之道；王弼老子注之以體無與自然之義說道，即以道之相，得道者之心境上說道；後之道教之以精氣神之實質說道，則亦緣自老子之道之具實質、實體義，與老子之言亦嘗及于精氣神而出；至一般中國社會所傳之道家人生態度、處世態度，則又大皆由老子之修德之道、及其他生活之道而來者也。然老言道，又不當只是散陳此六義。故在拙文下篇，更試以上列第一義為本，循序解釋其餘之五義，以見此六義未嘗不可通貫而說。拙文書就，嘗自以為差勝時賢之先只設定一二觀念，即持之以解釋老子之言，而忽其義之多方者。然吾在此文下篇，以上篇第一義為本，以通其餘之五義，唯是吾一人之臆釋；而老子之道是否必須視為一形上之實體，亦實原為不易定之問題。吾于三十年前，亦嘗作老莊易傳中庸之形上學一文，固以為老子之道，只是一「有無之統一」之義理；而注老各家如王弼等，亦初不以老子之道為一實體也。又吾于該文，論老子言道之第五義，所謂修德之道、與其他生活之道時，嘗謂其要不外由「致虛守靜，以自收斂凝聚其智慧、精神、生命與人生之一切」云云，乃唯意在對史記所謂「李耳無爲自化，清靜自正」，漢志言道家所謂「清虛以自守，卑弱以自持」，更作進一步之說明。然老子所言之修德之道與生活之道，其涵義亦似明有高下之不同，宜更加以分別說明。此中不同之大者，即其言之似涵對個人之功利意義者，與全不涵此功利意義者之不同。如老子言「富貴而驕，自遺其咎」，又言「自伐者……自矜者……物或惡之，故有道者不處」。爲「免咎」或「物或惡之」，而不自伐，不自矜，即似仍自個人功利上打算也。又老子言「五色令人目盲，五音令人耳聾，五味令人口爽，馳騁田獵，令人心發狂，難得之貨，令人行妨。」此亦似以人之縱嗜欲而貴財貨，將害及人之五官，使人心勞于猜妨，不能自安；方教人勿縱嗜欲，勿貴財貨也。此外老子之言「欲上民，必以言下之；欲先民，必以身後之；是以聖人處上而民不重，處前而民不害，是以天下樂推而不厭」，又言「夫唯不爭，故天下莫能與之爭」，「以天下之至柔，馳騁天下之至堅」；亦似皆可說是以「下民」、「後民」、「不爭」之柔道，爲「居上位」而「爭勝天下」之手段。此外老子書中，更明有種種類似權術之對人處世之道。如三十六章言「將欲歙之，必固張之；將欲弱之，必固強之；將欲廢之，必固與之」之言是也。韓非子喻老篇，亦嘗明舉其時人之運用此種權術之史實，以注老子之此三十六章之言。朱子嘗本程子之謂老子之言，竊弄闔闢，並舉此三十六章之言，以證老子之學，乃「教人佔便宜而至忍」，而「學老子之學之虛無卑弱，而用爲權術者，如張良之流，實至可畏」云云。（註一）然在另一方面看，則老子又明謂「我有三寶，一曰慈」。老子最後一章之最後二語爲「天之道，利而不害；聖人之道，爲而不爭」。老子更屢言「生而不有，爲而不恃，長而不宰，是謂玄德」。此則皆全無此上之功利意義之言也。老子又言「修之于身，其德乃眞；修之于家，其德乃餘；修之于鄉，其德乃長；修之于國，其德乃豐；修之于天下，其德乃普」；則宛若儒者之言修身、齊家、治國、平天下之論。則謂老子之言爲權術功利之論，卽不可通。畢竟老子之言，是以此二者中何者爲本，卽成一問題。觀古今學者于老子之言，或褒或貶；或以爲與莊子同，或以爲莊子異；或以爲可與儒家言，並行不悖，或以爲老子之學是儒學之異端，與儒如冰炭之不相容；亦大皆視吾人于此老子一類之言，取何者爲本，以爲定。此外老子或自物上言道、或言天道、或直言道、或言常道，其文句之義，亦似明有高下之不同。此卽足證吾昔年論老子言道之六義一文之第五義項下，只泛言老子之修德之道與生活之道，皆有致虛守靜，以收斂其智慧心靈之旨，尚不足以說明老子所言之道，有不同其涵義者。吾今之論，則意在沿此而更進一步，先橫斷老子

註一：朱子語類百二十五除引及將欲取之言外，又謂老子「窺得此道理，將來竊弄，如所謂代大匠斲則傷手者。如人之惡者，不必自去治他，自有別人與它理會。只是佔便宜，不肯自犯手。」又謂「老子之學最忍，閒時似箇虛無卑弱底人，莫教緊處，發出來，更教你支梧不住。張子房是也。……與項羽講和了，忽回軍殺之。這個便是他柔弱之處，可畏可畏。」

所言之道為四層面，則上述老子之言之高下不同者，即皆可分別納之于不同層面之中；然後觀其如何可逐步轉進，以層層上達，更相通貫。此與吾之前文之只縱析老子之道為六義者，雖不相衝突，然旨趣不同。或合此橫斷與縱析之論，即為老子言道之全，亦未可知。又依吾今茲之橫斷老子言為四層面之論，則老子之所謂道，自某一層面觀之，可說有形上之實體義者，自另一層面觀之，亦可無一般之實體義，而只是如吾前文第二義中所謂虛的義理，或第六義之一心境之表狀之辭。則謂老子之道為實體與否，皆無不可，此亦將于本文之末，略加論及。再吾今之別老子之言道者為四層面，其間雖有通貫之義可說；然人不見及此中通貫之義，則亦自不免各引一層面之義，以自成其老學。則後世之老學之所以分流之故，亦當可由茲以得其說明。唯此則不在本文範圍之內。又老子書中若干之文句，為昔之注家所難通，或唯混然加以解釋者，依此四層面之論，則皆可分別其意義而說之。吾今之此論，其言之是否，固未敢必。然于哲學義理之會通，與文義之疏證，亦力求其兼顧；冀少免于昔人之膠滯于章句，與今人之浮泛作論，宰割求通之二失。望大雅之士，細察其微恉，而教之為幸。

吾之所以意此老子之言，可別為四層面以說之，乃初由老三十八章言「失道而後德，失德而後仁，失仁而後義，失義而後禮」，明言此道、德、仁、義、禮，有層面之高下之不同。後又于二十五章之末，言「人法地、地法天、天法道、道法自然」之四句，亦見老子之思想，宜非只在一平面上；遂忽然思及。吾意此後引之四句中，即涵有人由法地以法道，人由法天以法道，人直接法道，與人法道之自然爲四層面之事，而又皆可統名曰人之法道之事，其間亦自有其可相通貫之義在。故此下之所說四層面，亦卽據此四句，以爲其標題。然在正文之先，宜先討論此四句之文義之解釋問題。

按此四句之註解，據吾所見，仍以王弼老子注爲最詳，亦最足資討論。王注曰：「人不違地，乃得全安，法地也。地不違天，乃得全載，法天也。天不違道，乃得全覆，法道也。道不違自然，乃得其性，法自然者，在方而法方，在圓而法圓，于自然，無所違也。自然者，無稱之言，窮極之辭也。用智不及無知，而形魄不及精象，精象不及無形，有儀不及無儀，故轉相法也。道順自然，天故資焉；天法于道，地故則焉；地法于天，人故象焉。所以爲主，其一之者主也。」

此王弼之注，乃純自人、地、天、道、自然四者輾轉相法處說，可謂已能正視四語之具不同之四義者。其言「所以爲主，其一之者主也」，此句意雖不明，（註二）然用「一」之一字，則又見其重此四者之通貫義。此皆與本文之宗趣大體相類者。今當討論者，則在其以「人之有知，不及地之無知；地之有形魄，不及天之只有精象；天之有精象，不及道之無形；道之有儀，不及自然之無儀」云云，是否卽可將人、地、天、道、自然，分劃爲高下不同之五者，則是一問題。緣此而「人法地、地法天、天法道、道法自然」之四法，是否眞可視爲四層面之言，卽亦成問題。因依其道法自然之注，所謂「在方卽法方，在圓卽法圓」以推之，似明當說在「地之無知」，卽「法地之無知」，在「形魄」

註二：此句似明有錯字，嚴靈峯陶鴻慶老子王弼注勘誤（無求備齋出版）二十頁，謂主爲王之誤。蓋是。

卽「法形魄」，在「精象」卽「法精象」，在「無形」卽「法無形」，在「無儀」卽「法無儀」，方爲隨處法自然。則此四種之法，卽皆在一平面，而爲「法自然」之一層所兼攝矣。又此中人之法地，其意義是否卽是限于法地之無知，法天是否卽法天之精象，亦未能定。其謂「人不違地，乃得全安；地不違天，乃得全載；天不違道，乃得全覆」云云，只是說及人之依賴地而全安，地之依賴天而全載，天之依賴道而全覆，而未及于地之如何以天爲法，天之如何以道爲法；亦未及于人如何以地爲法，更未明文言及：人之是否可分別以地爲法，亦以天爲法，以道爲法。王弼蓋唯由道法自然之義，以隨處言人之當法自然。然王弼何以不據此四句之形式之相類，以謂人亦當以「地」爲法，以「天」爲法，以「道」爲法乎？人若可直接跳過此「地」、「天」、「道」三者，而直以「自然」爲法，則人當亦可跳過此中之「地」，而直以「天」爲法，以「道」爲法；而此以「道」爲法，亦不當全同于以自然爲法；而後其對此四句文義之解釋，乃能一致。然循王弼之解釋，旣唯在以法自然之一層面，統此四者，則其文雖分別釋四語爲四義，而又實亦未嘗眞有此四層面之義。故亦非吾今之所取者也。

由吾人對王弼老子注之討論，而吾人之問題，卽爲此四語畢竟是否眞可視爲說四層面之義，而每一層面各有其相對的獨立之意義者？又于人法地，與王弼所謂人當法自然之外，是否兼可說人之法天與人之法道之二者？則吾以爲就此四句之句法而論，理當皆作正面之答覆。蓋老子書明于言人法地外，隨處言人之當法天、人亦當法道之旨。在此四句中，于人雖只說法地；然地既法天，則人亦理當法「地之所法之天」；天既法道，則人亦當法「地之所法之『天之所法之道』」；道法自然，則人亦當法「此道所法之自然」也。此猶如人之以其師爲法者，亦當以其「師之師」，與「師之師之師」……爲法，以層層擴大其所師法之範圍也。由此四句之涵有人由法地，而層層上法于天、于道、于自然之義，則此四者，卽理當爲四層面之義。更由此四層面之相通，則人之法地卽法地之道，法天亦卽法天之道，與法道及法道之自然，可合說爲「法道」之四層面矣。

按焦竑老子翼引李約注，謂此四句斷句，當改爲「法地地，如地之無私載；法天天，如天之無私覆；法道道，如道之無私，生成而已」，其意是謂如舊讀，則人、地、天、道、自然共爲五大，非前文之四大矣。近人高亨（註三）更據道藏，引李氏道德經新解語，則與焦竑所引，大同小異：並謂此中多一地字、天字、道字，當改爲「人法地，法天，法道」云云。又李氏與高氏，皆謂人字當改爲王字。玆按李氏于舊讀有五大之疑，實不難解。因此中之名，雖有五，然能法者只有四，卽人、地、天、與道，故只有四大；所法亦只有四，卽地、天、道、自然，故只爲四法。則李氏必改舊讀，便無必然之理由。高氏之說，本李之疑而來。李之疑既解，則高氏之再刪三字，更無必然之理由矣。至于人字是否當作王字，則亦無大關係。李約與高氏之改作王，乃據前文有「道大、天大、地大、王亦

註三：高亨老子正詁（中華書局出版）六十三頁。

大」之文之故。然吾人何以不可據後文之「人法地」，而改前文之「王亦大」爲「人亦大」乎？近人朱謙之老子校釋，言作「王亦大」者，乃河上公本；依此而改「人法地」爲「王法地」者，爲寇才質本。又據范應元說，「傅奕同古本」，于「王大」亦作「人大」。（註四）近人奚侗與陳柱，則皆嘗據古多以天地人並稱，及說文與段注大字下，「天大、地大、人亦大焉，像人形」之言，以改前之「王亦大」爲「人亦大」，似更有據也。（註五）然此等處之校勘文句之事，實無大關于義理，亦不值多所爭辯。因王亦是人，人亦可爲王，而諸本既皆作人，卽似當以「人法道」爲是。李約與高亨之謂此法地、法天、法道，皆各爲人或王之一事，亦正與吾人之意相合。唯不須如李約之另作斷句，亦不須如高氏之刪去三字，以將此四者平列。因本吾上之所釋，則人法地，固理當層層上法，以及于地之所法之天，更及于道與自然；則法地、法天、法道、法自然，既各爲一事，又有次第升進之義。若如李、高二氏之另作斷句，或刪去三字，以將此四者平列，則其間之次第升進之義，反隱而不見；則又不如仍其舊文之一般斷句，而循吾上文之解釋爲愈也。

吾人以上既純就此四句之文義，說明其當涵四層面之義，下文卽當進而試引老子其他之言（皆暫依王弼本），以論證老子之言，實可分爲人之由地以法道、由天以法道、直以道爲法、及以道之自然

註四：朱謙之老子校釋（一九五八年上海龍門聯合書店出版）六十頁所引。

註五：奚侗老子集解（民國二十五年自刊本）上二十一頁。

爲法之四層面，各有一確定的意義，而亦有相通貫之義可指者。茲依次論之。

二　人法地，與地上之物勢中之道

老子所謂人法地，吾意此決非如王弼在其項下之注所謂自「人之有智，不及地之無知」而言。王弼之此釋，蓋本莊子天下篇言愼到之學，嘗有「塊不失道」，人當「至若無知之物然後止」之意，以釋老子。然愼到之學，非卽老子之學。勉求老子言與王弼意合者，只是老子之嘗有「和其光、同其塵」之言。此乃言人當和其智慧之光明，以昏昏悶悶而若塵，此亦可說有愼到之「塊不失道」之旨。塊與塵皆屬地。然塊與塵，乃地上之物，而地上之物甚多，未可言老子之法地，卽同塊同塵也。此外，王弼注又喜言「地之載」，似法地卽法地之載。諸家亦多有以人當法「地之載」，釋老子法地之旨者。此由儒者喜言地以兼載萬物爲德，人當法之；故諸爲老子注者，卽意老子亦重此地之載德。然實則老子並無明文言地之以載養萬物爲德，其言法地，亦儘可無此涵義。老子言所常及者，唯是自道之玄德上，說其生養萬物；自天道上，說其對物之利而不害，而未言地道與地德。吾意今若求對老子所謂法地，有一較切合之解釋，首當以老子所謂法地之教，卽教人法地之處于卑下爲釋。老子固常及「貴以賤之本，高以下爲基」而恆言人當以卑下自處，不自矜高也。然此仍非最切合之解釋。因老子之言人當以卑下自處，多取喻于地上之水，或江海與谿谷，而未必取喻于地。故曰：「水……處眾人之所惡，……故幾于道」。谿谷江海皆有水。谿谷又爲地更往下陷落之所成，而爲百川之所歸者；江海則又爲百谷之所歸，而最下，亦最近地者。故老子曰：「江海所以爲百谷王者，以其善下之」。「則對老子言人法地之一更切合之解釋」，卽當爲法地上之物，如水與川谷之向下而流、而落，以趨于下，至如江海之處于下，而安于下，以爲由上而來之百川之水之所趨所歸。「趨下」「居下」與「安于下」，卽切近于地，而其所法者爲地也。然此中「居下」、「安下」乃原于「趨下」，又此「居下、安下」，乃所以爲自上來者之所歸所趨；則法地之要，在法地上之物之「趨向于地，以爲他物之所趨向」之道；非只是直求居地安地，更非只求同于地之謂。蓋唯在此中之「趨向」處，方可實見其中有一「道路」在，而可謂之道也。在水、川谷與海三者中，老子之言之最深遠者，乃取喻于谷。故言「上德若谷」、「曠兮其若谷」、「居其榮，守其辱，爲天下谷」。此蓋由「谷」不只其自身由地之自趨下而陷落以成，自爲其上之水之所歸；亦更不留水，還任之入于江海；乃見其沖虛而用不窮。故言「谷神不死」，以喻道之玄德。此則其義甚深，非可卽視同一般之法地之言，亦非上所謂：「就物而可觀得之趨卑下，以爲高大之物之所趨」之義，所能盡者矣。

此外老子之言似法地之類者，則老子恆言「守雌」，以「玄牝之門」言「天地之根」，以「母」喻道，視道如天地萬物之母，而貴「食母」、「守其母」。此雌、牝、母皆陰物，亦世所謂坤道、地道之所在之物也。則老子之言守雌、法牝、守母，亦皆爲法地道之類。然老子之言知雄守雌，而至于「爲天下谿」，以「常德不離」等，則涵義亦極深遠，不止于上文所謂處卑下之義。其言「玄牝之門」爲天地根，此玄牝之義，明高于天地之層次；言道爲天地萬物始母，此始母之義，亦在天地萬物之層次之上。正如其言「谷神不死」，而爲玄牝之門，此中之谷神之義，亦在天地之層次之上也。凡此等等，皆取喩于地下之物，而又通極于天地之上之道、與常德玄德之言，而當視爲後文所謂人直接法「道」、法「自然」之言者，固不可只視同其一般法地之言者也。

然觀老子之言守雌、法牝等，亦似有屬于低層面之意義者。老子之言「牝常以靜勝牡」，卽明可是直指地上之牝物，能以其靜勝牡而言。此與其言「玄牝之門」之沖虛，而其用不窮，無所謂勝物之義者，顯然不同。則人之法牝與守雌，卽亦可只爲法其安靜卑弱、而「能勝」之義。老子之言水之義，雖亦多有通更高之層面者，後第七節文亦當及之。然其言水「以天下之至柔，馳騁天下之至堅，以無有入無間」，則明似由直觀此地上之水，能無不滲透，以柔弱取勝堅強之物，而見得。凡此所言物之柔弱，又不止爲可外勝剛強，而亦爲物之所以能得自生自存而長成之本。此則可由地上之草木與人之初生之狀以證之。老子嘗曰：「人之生也柔弱，其死也堅強；草木之生也柔脆，其死也枯槁」，又曰：「物壯則老，是謂不道，不道早已」；故曰「柔弱者生之徒，堅強者死之徒」。此二語蓋卽自人物之自己生命狀態之柔弱，爲其得更向于生長之本而言；非只由物之柔弱者，能往勝其外剛強之物而言者也。然無論自物之柔弱者之能生長而未生長，能勝剛強而尙未勝之處看，則皆同可謂其力量乃歛抑于內，而居在下位，則皆可謂之爲近乎地。故老子法地之敎，恆兼涵處卑下，與保柔弱之二義也。

此上所說「物之高者之趨向于下，卽得更爲高處來者之所趨向」，與「物之柔弱，乃內爲其自己之得更向于生長之本，而外則爲能往勝其他剛強之物者」之二義；皆是由吾人之自往觀地上之萬物之生命或存在狀態，與其相對地位時，隨處可觀得之地上萬物之物勢中之道。凡趨向或向往，皆勢也。老子曰「物形之，勢成之」。物有形而隨勢轉，以定其存在之狀態與相對之地位，卽由勢成也。物勢卽物之趨向。今謂此物之趨向、或物之勢，卽「物之道」，或謂其中有道，皆無不可也。由此而吾人可謂老子之所謂法地之基本意義，卽在由知此地上之自然物，有此等物勢中之道；以知：凡萬物之狀態，類似于柔弱者，皆生之徒；其類似剛強者，皆死之徒；凡萬物在其相對之地位中，其所居之位之類，似高者，皆必趨下，亦當趨下；而人亦當求柔弱方得生；復當居下，方得爲一切居高者之所歸往。此卽人之效法此地上之物勢中之道，以法地之道也。柔弱者似「小」、似「少」、似「寡」、似「無」、似「靜」、似「缺」、似「短」、似「虛」、似「不足」、似「曲」、似「枉」、似「拙」；而一切「小」、「少」、「寡」等，皆柔弱之類也。剛強者似「大」、似「多」、似「有」、似「動」、似「成」、「似長」、似「盈」、似「有餘」、似「全」、似「直」、似「巧」；而一切「大」、「

多」、「有」……者，皆剛強之類也。凡柔弱者之力，無不斂抑在內，而外若無力，故在與他物之相對地位上看，卽亦皆若只似「居卑」、「居下」、亦「居後」，爲「隨從者」。凡剛強者則力皆張舉于外，而在與他物之相對地位看，卽皆似「居高」、「居上」、亦「居前」，爲「先行者」。柔弱與居下者，又似無所得益，而有所失，若爲「禍」、爲「害」；剛強、居上者，則似有所得益，若爲「福」、爲「利」。人之有富、貴、功、名者，卽居上，而似大，似多之剛強之類；而世所謂人之得其所欲，而「福」之所在，「利」之所在，亦「祥」之所在也。人之貧、賤、或無功、無名者，則似小、似少之柔弱之類；而世所謂人之不得其所欲，而「禍」之所在，「害」之所在、亦「不祥」之所在也。然老子則由知柔弱者爲生之徒，剛強者爲死之徒；位高而居上者，必降而之卑；位卑而居下者，則爲高而上者之所歸；以言居高者之危而不安，強梁者之不得其死，多欲適以傷生，多財貨使人心勞于行妨。由此更知此中之凡爲正反兩面者之「有無相生，難易相成，長短相較，高下相傾」，而相轉互易；則知「強大處下，柔弱處上」，「禍兮福之所倚，福兮禍之所伏」；「物或損之而益，或益之而損」，「爲者敗之，執者失之」；更知「禍莫大于不知足，咎莫大于欲得」，而知足則常足而自富。遂能「去甚、去奢、去泰」，不求有而寧無，「圖難于其易」；寧短毋長，寧下毋高。于是「少私寡欲」以「外其身」，不求居天下人之先而「後其身」，亦不求爲剛強以勝人，寧「受國之垢，受國之不祥」。由此更進，而不自見其有勝人之處，故「不自見」、「不自是」、「不自矜」、「不自伐」；唯求勝其爭勝之氣，以「挫其銳、解其紛」，而知「自勝者強」，「守柔曰強」，「心使氣曰強」。凡此等等，其在最低一層面之意義，皆可說初不外由老子之有見于地上之萬物之物勢中，原有此高下之相傾之道，柔弱之爲生道，剛強之爲死道；而更法此卑弱之道，以爲人之道之所致。卑弱卽所以近乎地，而人亦得如水之「居善地」，以爲萬物之所歸，故能「後其身而身先，外其身而身存」，「受國之垢，是爲社稷主；受國不祥，是爲天下王」，而眞正之「利」、「福」、「祥」，卽正由此卑弱自持而致。此卽見老子之言卑弱，正爲其所謂「人法地」之教。其旨固甚明，而其義亦皆不難解也。

在上述老子之法地之教中，吾人所最當注意者，是老子未嘗直言地道，亦未嘗言法地之載萬物之道，而只言法「地上之萬物如水等之趨向于地，而安于地以成江海，更爲在上之川谷之水等之所歸」之道；亦只言法「地上之人與草木，其原生于柔弱，與柔弱者如水如牝，原能以其柔勝堅強、靜勝躁動」之道。此中人之所以不當爲彼屬于堅強一類之事，與人爭勝而于物多欲者，則一方以人將由此而自竭其力，而自傷其生；一方亦以其力既竭，其生既傷，卽將爲他物所勝，其力亦愈竭，其生益傷，乃愈歸于自敗之故也。是見老子之言法地而以卑弱自持，實又非重在法地之居卑下，而在法地上之物之「由卑弱而趨向地，以得生成于地，更爲他物之所歸趨」之道。簡言之，卽「法物之趨地，而更爲他物所趨之物勢中之道」；更簡言之，卽法物之「由趨地而得生存、或存在于地上之道」而已。則此老子所言之使人得所以生存于地之道，雖全與世人相反，而其目標，則又似正與世人同。唯世人欲由爭勝而多欲以得之者，老子皆由不爭勝與寡欲以得之而已。則在此法地之敎一層面中，老子之所言之道之異于世人，卽非必其「目標之道」之不同，而可說唯是「所以達同一目標」之「方法上之道」不同而已。

由老子于此法地之敎中所言之道，皆可說是方法上之道，而其目標亦似正與世人同在求得生存于地者，則此道卽有一對人之自己之一功利的意義，而亦有一使人用之爲權術之可能。蓋人之循此中老子所言之道，以不爭勝而寡欲者，儘可外面看來，似極其淡泊謙卑，而其心之所顧念者，則可唯在其自己箇人由此以得生存于地上。由是而其「外身」而寡欲，卽可純是爲箇人之身存，其「後身」亦可純是爲求其居人之先。再進一步，人卽儘可外示謙卑以居後，而意在勝人以實居先，外示淡泊，而內實多欲。更進一步，卽可用其對人之謙卑柔弱與不爭勝等，以使他人「更自矜驕、自張大，而逞其剛強」；再依老子所言之「剛強者之必折」之道，「以歸于自毀，而不得其死」；而己卽可不費吹灰之力，以坐收漁人之利，以遂其多欲而爭得勝。此卽人之可本老子所言「將欲歙之，必固張之；將欲弱之，必固強之；將欲取之，必固與之」而運用之權術也。蓋老子之法地之敎，旣可是以人之得存在于地爲目標，唯是其方法之道之異于世人；則世人之同有此求存于地之目標者，固可于所以達目標之方法，不同于老子之所見。世人之逞剛強、多欲而不知足者，亦可自謂此爲其所以求強，得生存于地之道也。世人固亦可由聞老子之言而知「知足者富」、「自勝者強」，卽信老子之道眞爲人之所以求強富，以生存于地之道，而依之以實行。然世人亦未嘗不可仍存其逞剛強與多欲之心于內，而于聞老子之言之後，外示弱而內仍求強，外示淡泊而內仍多欲；以至本老子之言，用作權術，以爲此乃眞所以求強富，而自生存于地之道也。若此三者，皆同爲人之所以自存于地，唯其方法之道不同；又何者必爲可，何者必爲不可乎？觀老子之言，固未嘗教人用卑弱等作權術，然老子亦似未嘗明白禁止人之本其言以用權術；而人之本其言以用權術者，卽亦可自謂其亦是行老子之道矣。則吾人將何以得解于此中之疑，以確知老子之法地之教，其目標之果何在乎？

對上列之問題，關于老子之言是否可用作權術一層，實不難答覆。卽上述老子之言若爲眞，而人亦信其爲眞，則決不能同時用之以爲權術，以爭勝而遂其多欲。此何以故？以人若用其言以作權術求爭勝而足其多欲時，卽亦知：「當其爭得勝而足其多欲後，依老子之言爭勝者必敗，多欲者必自害，卽仍將再敗而受害」故。則眞知老子之敎，而欲本老子之言用權術者，卽同時知其權術之無所可用，而不用之爲權術矣。再如老子之說其言時，若自信其言爲眞，並望人之實信其爲眞，亦決不能同時意在教人以權術，亦可決定而無疑矣。

人之眞知上述老子之言者，雖不能用老子之言爲權術，然上述老子之言，畢竟有一對箇人之功利意義，人亦可從此功利意義，以了解老子之所謂「道」，乃只視不爭勝、少私寡欲等，爲人所之以生存于地上之「方法上之道」。如老子思想止于此一層面，則其思想之目標，仍未高于世人之上。今欲定老子之思想是否有屬于更高之層面者，則當細觀老子其他之言。若老子其他之言，實有超過此一層面之上者，則將此一層面之言，連繫于高于此一層面之言以觀，其意義即可隸屬于更高之層面，隨更高之層面之意義，而提昇矣。

此老子思想屬更高層面者，即見于老子直對天地萬物之全，而言天道，與法天道者。此天道、與法天道之義，必須人自始即有一超箇人之求生存于地上之私的目標，以觀天下萬物之全中之道，乃能契入者。人欲由此法地之第一層面，進至法天道之第二層面，亦無妨由此第一層至第二層之辯證關係處了解，而見人之行此法地之道，至乎其極，原有轉進至眞正之「無私而全外其一人之身，以知天道而法天道」之義。蓋人之行後其身之道者，雖初可仍意在其身之實爲人所歸，而居人之先；然人之行後其身之道至極，至于居後無可後之位，即可不見後來者更居我先。蓋彼居先而有後者，皆有後來者得更居其先，而變爲居後；則其先非必先，我亦即可不見其爲先。而我甘居後無可後之位，而更不欲居先，則亦不見有後來者更居我之先，而不再變爲居後；我即自爲先。是爲不與「後」對之先。又人少私寡欲者，雖初可意在外身以求身存；然人行外身之道至極，必至于己身之事無不外，以至外無可外；而後外不見物可傷我之身，方能如老子所謂「善攝身者不避兕虎與甲兵，而更無死地」。外無可外，外不見物可傷我之身者，而身自存。是爲不與「亡」對之存。此即以少私始者，必極于無私，無私至極，而無私可私，亦無私可失；而天下之物之所在，皆己私之所在，而私恆自成。是爲不與天下之物相對之私。此卽由老子之言法地之義，可導人至法天道之層面，而亦未嘗不可通于更上之層面之義，而爲吾人可就老子之言之義，試引申而說之者也。

三　地法天、與人由法天以法道之義

老子之言天與天道之言，自量而言，似較上文所謂法地之言爲少；然其重要性，則不由此而少。茲先徵引老子之明及天道之言，更說此天道之義，與人之法天道之義，與上文所已及者之不同何在。

老子之言天道者，有下列數章之文。

老子七十七章曰：「天之道，其猶張弓歟？高者抑之，下者舉之；有餘者損之，不足者補之。天之道，損有餘而補不足；人之道，損不足以奉有餘。孰能有餘以奉天下？唯有道者。是以聖人爲而不恃，功成而不處，其不欲見賢。」

七十三章曰：「勇于敢者殺，勇于不敢則活，此兩者或利或害。天之所惡，孰知其故？天之道，不爭而善勝，不言而善應，不召而自來，繟然而善謀。天網恢恢，疏而不失。」

又七十九曰：「天道無親，常與善人」。第五章曰：「天地不仁，以萬物爲芻狗；……天地之間，其猶橐籥乎？虛而不屈，動而愈出」。第八十一章曰：「天之道，利而不害；聖人之道，爲而不爭」。

此上所舉老子言天道，實與吾人在導論下所述左傳國語諸書所記其時人以「盈則毀」爲天道，大旨不殊。可見老子之學前有所承。此老子言天道乃自二義言。一是天道乃自其表現于天下萬物之總體而言，而非如上節所謂物勢中之道，乃自地上之一一特殊之物如水、川谷、江海、嬰兒等之「現實的狀態」，如柔弱剛強，或「現實的相對地位」，如居高或居下等，與其相轉互易之趨向趨勢而言。二是天道乃自天下萬物之客觀的公言，而非自特殊之個體物之主觀的私言。此二者卽正使老子所言天道之言，居于老子所言物之在地之道之高一層面，而可包括之；並使其言人之法天道，爲人法地之高一層面之言，而亦更提昇擴大其法地之言之意義者矣。

譬如以上舉之第一段文來說，此段文中所謂天之道如張弓，于高者則抑之，于下者則舉之，于有餘者則損之，于不足者則補之；其所指之實事，卽不外上節所謂：「高處水之向低處流，以入谿谷，歸于江海，而如往補江海之不足；與嬰兒之日生而日長，物壯者之日老而近死，強梁者之不得其死等」一切「高下相傾，剛柔相勝」等正反兩面，互相轉易之物勢。然此處所說者，則要在將此一切的天下萬物，合爲一總體，而謂其中表現一「抑高舉下、損有餘補不足」之天道，而不說之爲「一一分別之物之剛柔高下之狀態、地位之轉易中」之物勢之道。此中之天之道之抑高舉下，損有餘補不足，亦非自一一分別之個體物，其自身之主觀的私的願望而說，而唯是說一公的客觀的道是如此。如草木嬰兒之必日生長，而補其所不足，固未嘗先自覺有此補其所不足之願望，物壯者亦非自覺的願死亡也。然客觀之道既如此，則草木、嬰兒，必自生長，壯者亦必老死。吾人于此卽勉強說此嬰兒草木之生長，與壯者之老死，爲其自身不自覺的願望；然吾人仍不能說天之損此物之有餘，以補他物之不足，抑此物以舉他物等，乃在此中之任一物之個體的願望之中。蓋壯者之自願老死，仍未必卽願望其他柔弱者之生也。是見天若果有此抑舉損補之道，此天道卽必爲在此所損補抑舉之物之主觀願望之外之一客觀的天道。此天道有所抑，必有所舉，有所損，必有所補，而以抑損成其益補；則對所抑損者，雖似害，然此害所以爲益補，其歸仍在利。故老子曰：「天之道，利而不害」。此利而不害，乃自客觀的天道之所歸上言，固不在萬物之主觀願望上言也。若在此天道之表現于物之主觀的願望上言，則被抑損者既必受害，則不得言天之道利而不害矣。由此二者，故見老子之言天道，與上節之分別就一一個體之物，求存在于地之道，以言其高者之趨下，柔者之勝剛者，義雖相關，而其言則全不同其層面。此天道之抑高舉下，損有餘補不足，乃在一一個體之物之上一層面，以平其中之不平，而更重新規定「此或高或下、有餘或不足之地上之物之存在的狀態、與相對地位」；則一切所謂地上之物之存在的狀態與相對地位，自亦屬于此天道之全部所涵之內。然在此天道全部所涵之中，此天下之萬物之「此抑彼舉，此損彼益」之「交互關係」，固唯可用以說「包涵一切互爲彼此之萬物之全體」之天，而不能用以說彼物或此物之自身者。故只爲天之道，而非一一之地上之物之道。然此地上之物之道，又正由此天道，加以規定而包涵之，卽以天道爲其所法。是卽「地法天」也。

上言老子七十七章所謂天道，爲一直對全體之天而言之道，而居于一一之物之和或萬物之上一層面，以規定其交互關係者。故上引老子七十二章文，更喻此天道之包涵于萬物之上，曰天網。謂天之殺彼「勇于敢」之「有餘者」，本于天之所惡；則天之活彼「勇于不敢」之「不足者」，卽本于「天之所愛」，其意可知。故此段文乃更由此以言天之「不爭而善勝，不召而自來，繟然而善謀」。此亦顯然爲將天道視爲在物之上之一層面之言。由此天道之在一一之物之上一層面，則老子之言人之當法此天道，亦當在「損有餘以奉不足」，以學天之「利而不害」，如聖人「爲而不爭」。此義乃超出一切個人功利之打算，以升進至上節所謂「法地」之一層面之上，亦卽可定然而無疑矣。

此老子之言天道之「恒損有餘補不足，舉下而抑上，以平天下之不平」，畢竟其客觀之眞理意義爲何，則人可異說。人固可由天下之正多不平之事，以疑天道能平「一切不平」也。又人自天之平不平，必于有餘者高者，有所裁抑殺害上，看天之道乃由害以歸于利，亦可謂天實亦未能不害而利，而疑老子所謂利而無害，非眞是利而無害也。又人亦可謂：天生物而任物之有死亡，老子亦固明有「天地不仁，以萬物爲芻狗」之言，又何得謂天道眞利而不害乎？然凡此諸疑，皆可實不礙老子之言天道爲利而不害者，則在：人于此能純自天道之表現之全體的結果上看，則可見天之所殺害者，畢竟少于天之所生所利者。萬物之生，固如芻狗之旣陳而卽廢，然「天地之間，其猶橐籥乎？」恆「虛而不屈，動而愈出」，則所生所利，仍多于彼旣陳之芻狗；則其不仁，仍非眞不仁也。人若本此觀點，以觀天道之全體之表現，則天地萬物卽銷毀淨盡，只更生一物，仍可見天道之利而不害也。則知老子言天之利而不害，固可同時言天之「以萬物爲芻狗」而若不仁；而言天道對「有餘之物必有所損害，而後有對不足者之利」，仍可同時言天道之爲「利而不害」也。老子之不諱言天之兼爲一「司殺者」，以成其對物之利而不害，是卽以天道，乃由有所「反」而後成其「正」者。此正爲老子言天道之特色所在。此亦正如其言物之存在于地之道，乃恆必先處卑弱，而若有缺，有所不足，而後能安于其所不足以知足，方得存在于地上，皆同此「有所反而成其正」之義者也。人若必于此老子所言之天道，致其不滿，而問其何以不「自始不以萬物爲芻狗」，亦無對有餘者之損害之事，則蓋非老子之所能答。然老子亦未嘗不可本上節所謂：人于世間之物當知足之義，而推廣之以說：吾人于天道之所求，亦當知足；而不可于此天道之已有之利而不害之事，更作分外之貪求也。唯由人恆對天道之有分外之貪求，而不知足，乃或只見天地之不仁，而疑天之道利而不害。此乃人不知足之所爲，非天之道不歸于利而不害之謂也。若天道非歸在利而不害，則應早已大地平沉、虛空粉碎，更何有芸芸萬物之可見乎？唯此老子之言天道，乃由有所反，以成其正面之利而不害，而不如墨子之自始正面的直就天之兼利萬物，以言天之兼愛，亦不如儒者之自始正面的直就天之並育萬物，而言天之德；則見老子與儒墨之言天道，仍有所不同耳。

八　由此老子之言天道，乃以抑損有餘以舉補不足，以平不平爲事，而歸在利而不害，故老子言人之法天道，亦卽一方當「損有餘以奉不足」，以平人間之不平，此卽世所謂義之事也。在另一面，則人又當專法此天道所歸之「利而不害」，而慈于人物，此卽老子所謂三寶之第一寶也。老子之慈，卽近乎世之所謂仁者也。其不同者，唯在老子之言慈，重在以慈衞其所慈者，故曰「以慈衞之」，「衞之」者，言將所慈者全納于其懷，而保衞之謂也。慈之名，原取喩于父母之愛其子女。父母之愛子女，乃唯以子女心爲心，而不必計子女之善惡。故老子言慈，而同時亦不重「于人之善惡，先存分別待遇」之心。故有「善者吾善之，不善者吾亦善之，德善」；又言「善人者，不善人之師；不善人者，善人之資」；再言「道者，善人之寶，不善人之所保」；更言「天下皆知美之爲美，斯惡矣；皆知善之爲善，斯不善矣」。此其旨明不同于世之君子之分辨善人與不善人，而嚴拒不善人之旨，亦正通于老子言天道之義者。蓋人之或善或不善，正如天下之事物之或利或害、或損或益。天則固兼涵天下萬物之相利相害之事于其中，而天之道亦不免以損害與不仁，成其利而不害之事。故天道亦有「包涵善惡，而以惡成善，歸于渾化善惡」之義。故人法天，亦當兼容善人與不善人，以渾天下之心，不必過重善人與惡人之別。如法天之利而不害，至于有慈心之極致；亦當知善人與不善人之未嘗不有其相資而相師爲用之處，而俱善之，以渾天下之心。固不可只如世之君子之只知善之爲善，以與不善爲敵對。故老子謂只知「善之爲善、美之爲美」，則「斯惡」「斯不善」，而非「德善」之極致也。

由老子之言，人當法天道以平不平，而更行慈。聖人在上皆「無常心，唯以百姓心爲心」，亦當好靜無欲，在其個人身上「爲無爲」，而「事無事」，而唯有「爲人」之爲。此「爲人」而愈能「以百姓心爲心」，則其心愈廣，卽是爲己。故曰「既以爲人己愈有，既以與人己愈多」。爲政之多欲者則反是，乃食稅多而使民饑，「朝甚除、田甚蕪、倉甚虛」，而自「服文采、帶利劍、厭飲食、財貨有餘」，則無異「盜夸」；緣此而更多事多爲，只求「法令之玆彰」，而忘「盜賊多有」；欲以死懼彼已「不知畏死」之民；以至窮兵黷武，致凶年；則爲老子所深責。老子乃教爲政者，當于民「無狎其所居，無厭其所生」；于不得已之兵戰，而殺人之眾，亦當以「悲哀泣之，戰勝以喪禮處之」。此皆明由其慈心所出之言。其所想望之天下世界，則在使小國之寡民，皆有以遂其生，「重死而不遠徙，甘其食、美其服、安其居、樂其俗，鄰國相望，鷄犬之聲相聞」，人至老死，而未嘗有待于往來轉徙于道路。則固皆同本于欲平天下之不平，與「以百姓心爲心」而發之論也。

老子言三寶：一曰慈，二曰儉，三曰不敢爲天下先。後二者皆可攝在上一節所言之法地之道中說。儉卽少私寡欲，不敢爲天下先，卽處卑下之教。此二者，皆尚可說爲人之自求所以生存于地上之教。然「慈」則必賴于人之先超出其自求生存之目標，平觀人我之私；更以爲人卽爲己，而「以百姓心爲心」，然後有之。此人之有慈，亦正爲人之能專法天之利而不害之道之所致。知此三寶中之慈，與餘二者之不同，卽更可確證老子此第二層面之言，不同于第一層面之言矣。

第九章　老子之法地、法天、法道、更法自然之道（下）

四　天之道、與道、及人之直接法道義

至于老子言中是否除上述之法天道、法地之外，尙有所謂具獨立意義，而又在更高一層次之法道之言，似是一問題。蓋人可謂：法天之「道」，卽已是法道，似不必更有法道之本身之一層面之言。然法「天之道」，是否卽等于法「道」，亦當看「天之道」之一名，是否能全包括「道」之名之義，並當觀老子之言道者，是否皆連于天道而定。然吾人細觀老子之言，則見老子明有單言道之言，而「天之道」之一名，尙不足以盡之者。則所謂天之道，儘可只指「道之表現于人所對之天之全體、或已成之天地萬物之全體」而言，而道之自身固可有更超越于此以上之意義在也。謂老子之道之自身，有其超越于天地萬物之上之意義，其證在老子之明言「道可道，非常道；無名天地之始，有名萬物之母」。又言「有物混成，先天地生……吾不知其名，字之曰道」。又言「道冲而用之，或不盈，淵兮似萬物之宗，吾不知誰之子？象帝之先」。道尙可說在帝之先，則其在天地萬物之先，更可知矣。今欲知道自身必有此超越于天之意義，可姑循下說思之。卽無論謂天之道爲何，然要之，此道之名之

義，不能卽全同于天之名之義。其所以不能卽全同于天之名之義者，因吾人至少可說：在思天之名所指，而爲吾人心思所對「天地萬物之全體」之時，此全體必有其範圍；此範圍中，總不能包括未來之天地萬物。因未來之天地萬物，尙未存在，卽不在此全體中故也。然未來之天地萬物，雖未存在，吾人若信此道爲天地萬物所必具之道，則仍可于今日說：未來之天地萬物如一朝存在，亦必將同法此道，以具此道而存在。則此道之意義，卽已超越于「此已存在之天地萬物之全體」，亦已被吾人肯定爲「先于未來之天地萬物而在之道」矣。循此以更返觀現在與過去之天地萬物，則亦當說其在未有之先，其道已先在，乃得爲其所法、所具矣。此中縱吾人謂天地萬物無始無終，其所經歷之時期爲無窮，吾人仍可說在此無窮時期之任一時期，其天地萬物之道，皆先于此一時期而在。則在此無窮時期中，此道仍時時爲一「有其所先之天地萬物」之道也。任何時期之天地之道，若後一時期之天地中有之，則此道卽至少有先于後一時期之天地之意義。卽此一點，已見「道」之意義，必有不同于「天地萬物」之意義者；因任何時期之天地萬物，皆無「自己先于自己之意義」故也。人只須知道之意義不同于天地萬物之意義，則亦當知分別以天地萬物爲法、或法「天」之道之義，不同于直接法道之義矣。至于就其他之義，說天地萬物之道，不同于具體之天地萬物自身者，自尙有種種義理可論，今不必多及。以其皆非老子之所嘗明說也。吾人今姑爲上說，以辨此「法天之道」之與「直接法道」之意義之不同，唯在使吾人先確知天之道之意義，不如道之意義之大，則亦知道之意義，在天之道之意義之上一層面矣。

老子之教人直接法道之義，可說首在教人循此道之有超于天地萬物之意義，即自求超越于所見之天地萬物，更不見天地萬物，而只見此道；亦只體證此道之「超越于天地萬物之意義」，以為道而修道。人欲不見天地萬物，即待于人之自抑損其一般之向外看天地萬物之感覺、對天地萬物之欲望、逐取紛馳之意念、與一般之學問知識，以和其智慧之光明，以只見道、體道、而為道、修道，更求至于其極。故老子嘗曰：「為學日益，為道日損；損之又損，以至于無為」，「塞其兌，閉其門；挫其銳，解其紛；和其光，同其塵」，「不出戶，知天下；不窺牖，見天道；其出彌遠，其智彌寡」。又言「絕學無憂」，「荒兮其未央哉，眾人熙熙，如享太牢，如春登臺；我獨泊兮其未兆，如嬰兒之未孩，儽儽兮若無所歸；眾人皆有餘，而我獨若遺。我愚人之心也哉?沌沌兮，俗人昭昭，我獨昏昏；俗人察察，我獨悶悶。澹兮其若海，飂兮若無止；眾人皆有以，而我獨頑似鄙」。此上所引之言，固未易解釋，然要皆為老子所謂人之直接求法道、見道、體道、而為道、修道者，將其感覺、心思，自外面之世界撤回；而若于外面之世界，一無所依傍寄託之言。故謂之「于未兆」「無所歸」「若遺」「無止」，斯達于天地萬物皆泯于「昏昏」「悶悶」之中之境。天地萬物依道而生，而道原為天地萬物所自始之母，由知道為母，而知天地萬物之只為其子，（註六）即五十二章所謂「既得其母，以

註六：此「子」可能有其他之意義，如指由道而生之玄德，然謂指天地萬物亦可。因天地萬物在此第三層面，即表現道，而有得于道之玄德者也。見下文。

知其子」。必得其母而後知其子。知其子者，言知子只爲母之子，非只往求知子也。知母，而知子皆母之所生，故仍歸在超于天地萬物以知道，而爲道修道，以只守道，卽五十二章所謂「旣知其子，復守其母」也。人欲守母，則待于不見天地萬物，故下文繼曰：「塞其兌、閉其門」。塞兌卽塞言，閉門卽不見天地萬物，而只見一道。此所謂道，無論其最初爲吾人所知時，其所呈現之內容爲如何，然當其爲吾人所知、所見、所體，而只顯其爲天地之始、萬物之母之超越之意義時，吾人若以一般說天地萬物之名言說之、詰問之，卽皆不能切合；而以觀一般感覺世界之天地萬物之視聽等觀之，或以一般由感覺事物所得之概念、觀念、思慮之，想像之，亦皆不切合。乃皆若有得，而實無所得，若有狀、有象，而無狀、無象。故曰「視之不見名曰夷，聽之不聞名曰希，搏之不得名曰微。此三者，不可致詰，故混而爲一。其上不皦、其下不昧，繩繩不可名，復歸于無物。是謂無狀之狀，無物之象，是謂惚恍。迎之不見其首，隨之不見其後」。「視」「聽」「搏」之不得，卽不可以感覺得；「不可致詰」、「不可名」，卽不可以一般之名言說之、詰問之；「惚恍」卽一般之思慮想像無所用；而人乃唯有「和」其一般之智慧之「光」，以「同其塵」也。感覺、言說、思慮、想像所不能得之狀與象，卽爲「無象之狀」「無物之象」也。

此上所引諸文之解釋，其中自包括種種文義訓詁及哲學義理之專門問題。然吾今亦不能一一加以詳說。吾今之意，唯在指出老子言人之直接法道之事中，確有直循此道之超越于天地萬物之意義，以更求「不見天地萬物，而唯見此道」之一境；此亦即見此道之「不能以一般之言說、感覺、思慮、想像而得」之一境。此中人之法道之要點，不在此道之內容之如何。此道亦可即以「此超越于天地萬物，與由此超越之所得者」，爲其內容，而別無其他之內容。此中之要點，唯在知此道之只是道，知此道之有超越于具體之天地萬物之意義，而更循此意義以見道、體道、爲道、修道；以使此道之內容，如被攝受吸收于此「見道、體道、爲道、修道之心中，更不爲心知之所對」，即亦終必歸于無可說；而所超越之天地萬物，亦以被超越而同爲無可說也。

至于人既循此道之超越意義以超越天地萬物後，若欲更循此道之超越意義，以還觀此天地萬物時，則人又可更實見得：此天地萬物之原即亦具此超越其自己之意義，而吾人在第一層面中，所見得之「剛柔相勝，高下相傾」之一切正反互易之物勢，皆當視爲萬物之「表現其超越自已之意義」者，亦即具此道之「超越天地萬物之意義」者。蓋剛柔相勝，則剛非剛、柔不柔；高下相傾，則高非高、下不下。此中之剛柔高下之正反兩面之互易，而互相過渡，自第二層面觀之，則爲一蕩然公平之「損有餘補不足之天道」之表現。然在此天道之表現中，「有餘」被損，則「有餘者」亦非「有餘」；「不足」被補，則「不足者」亦非「不足」，以各見一超越其自已之意義。由此有餘者之損而成非有餘，不足者之補而成非不足，即見天道之「利而不害」。于此如吾人更不自天與其中之萬物看，而只自此中之道看，則此道即爲「使有餘者非有餘，以生彼不足者」之天道，亦即一「不有」此有餘者，以「生」不足者之道，又即一「生而不有」之道。而凡任何已有者之自「不有」，而別有所「生」，即皆此「已有者」于其「有」上表現「無」，于其「實」上表現「沖虛」之事，亦即皆表現一「超越其自己之意義」之事，又即皆表現此道之超越意義之事。由是而凡吾人于第一層面中，所見得之萬物之正反互易之物勢中之道，以及第二層面中所見及之「損有餘而補不足」之天道，在此第三層面上看，即皆不須黏附于天地萬物或物勢上說；而可只由此中之正反之互易，與「有餘者之損、不足者之補」上，以見天地萬物之恆超越其自己，以具此道之超越意義，以「不有」其自己，而更有所『生』矣。此道即爲韓非子解老所謂「天地萬物之共由」之道，或當前之天地萬物由之以「不有」，繼起天地萬物由之以「生」之道也。繼起者由道以生，則可說爲此道對繼起者之德。然當前之天地萬物由此道而生者，亦更不有；則又見其除有得于此道之外，別無所得，亦別無所有；又見此道于天地萬物「生之而不有之」之外，亦更無德。「生而不有」，則其生之「有」，皆表現「無」，其「實」皆表現「沖虛」。然「不有」而更有所「生」，則「無」復非「無」，而爲「有生于無」之「無」；其「虛」亦非「虛」，是謂「虛而不屈」之「虛」。有無相生而同出，謂之「玄」。故道于物之德，名曰「玄德」，而物得于道者，亦只此「玄德」。人之本此道或道之玄德，以觀天地萬物者，則天地萬物之所在，即無非道之玄德之所在、或此道之所在。則天地萬物即非天地萬物，此天地萬物之相續生，皆只是一「不有」之生之流行，即生而不有之道之流行。人乃可只見此道之「周行而不殆」于天地萬物之中，而天地萬物之相續生，亦皆可說由道生，道遂可說爲天地之始，萬物之母。人斯可隨處見此道、體此道，于其與天地萬物之相接之事中，更同時「爲道」而「修道」矣。

至于人若求一更切實而確定的了解老子所謂由人法道而見道、體道、爲道、修道之事，其層次之高于法天道者，亦可姑置上一段文，而直本上節所說者，更進一步言之。蓋上所謂天之損有餘而補不足，以平其不平，以利而不害等，亦可說爲：天超臨于其所生之物之上，皆加以涵容，而待之以公平之道。人之法此天道，而能容能公，則其心思，亦即爲一超臨于其所對之天地萬物之上之心思，而爲具有「超越意義之道」之一心思。正如天之超臨萬物，而待之以容公之道，原爲具有超越意義之道也。今吾人若暫不管天之自身，是否有此容與公之道，而只直本此「容」與「公」，以存心，即人之心思之直接法此「容」與「公」之道。依老子十六章所言，人欲以容與公存心，則必先「致虛極，守靜篤」，知「萬物並作」者，無不「歸其根」，以「靜而復命」。此天地間「並作者」之必「復命」，即天地間「生」而「不有」之常道也。唯人能知此常道，于「作」者更「復」之，于「生」者更「不有之」，然後人之心乃能容能公，故下文曰「知常容，容乃公」；而此容公之道，亦即此「常道」也。反之，則爲「不知常，妄作凶」。至于容公之下文，更有「公乃王，王乃天，天乃道，道乃久」四句者，則以人果能容能公，而人道即同天道，亦同于王者之「容」「公」之道，故曰：「公乃王，王乃天」。此人道之合于天道，儘可純由人之自「知常」，而行「容」「公」之道之所致。

故其合天道，乃「知常」而「容」與「公」之一結果。于是其合天道，卽不止于合天道而同于天；而是直循其所知之常道之自身，以體此道、行此道，與此道同一。故再曰「天乃道」。此「天乃道」，言其自同于常道；不只是知此常道，亦不止是同于天；故此語在「王乃天」之後，而其意義，亦自更高一層矣。其所以能更高一層者，又正由其乃直接由知常道，以直接法此常道，而體之行之之故。則直接法此常道，高于法天道之一層面，卽不待言而可知，讀者可細心自按之。此十六章「王乃天」之後，言「天乃道」，正與二十五章之人法天以後言天法道之次序，互相對應；亦見人之只法天之道者，當更進至如天之法道，以直接法此常道之一層面也。至于此十六章在「天乃道」之下，再有「道乃久」之一句，則應爲由法「此常道以爲道」，更進至確知確證「此道爲常爲久」之義；然後此「道乃久」之句，乃非隨意泛說，而有其獨立意義。則此句理當爲更高一層面之言，亦當爲與二十五章天法道之下一句「道法自然」相對應而說者。此人之「由法道至于確知確證此道之常與久，而使人能自安于道，而亦自久于道，並于此中同時見及道法自然」，則又爲人之法道之最上一層面之事。此亦吾人不難更分別其義，與前三者之不同，而說之于下文者也。

五　修道者之安久于道、與道之常、及道法自然義

此上所謂「人法道又能安久于道，而于此中同時見得道法自然」之一層面，卽指人之法道之工夫之相續，至于與道浹洽，安之若素，久而「不失其所以」，守道皆出乎「自然」之境而言。此卽由行而證果之工夫之事。在此工夫中，一方有修道爲道者之心境，可加以描述，以知人如何于此心境之安、久、自然中，可同時見得「道法自然」之義；一方人亦可有如何自達于安、久而自然之境之種種內在的疑問。此則老子之第十五章，四十一章與第十章之文，最當爲吾人所注意。其十五章之文曰：

「古之善爲士者，微妙玄通，深不可識。夫唯不可識，故強爲之容。豫焉若多涉川，猶兮若畏四鄰，儼兮其若容，渙兮若冰之將釋，敦兮其若樸，曠兮其若谷，混兮其若濁。孰能濁以止？靜之徐清。孰能安以久？動之徐生。保此道不欲盈。夫唯不盈，故能蔽不新成。」

此卽明爲就修道之士，其內在心靈之狀態境界而言。其問「孰能濁以止？孰能安以久？」則明表示其修道歷程中所感之問題。亦見求「安以久」，正爲此修道之目標，而此久，卽正當爲十六章「道乃久」之久。此謂「安以久」，乃明在修道者之心境上說。求安以久，卽求修道之達自然之境之謂也。第四十一章：

「上士聞道，勤而行之；中士聞道，若存若亡；下士聞道，大笑之。明道若昧，進道若退，夷道若纇；上德若谷，大白若辱，廣德若不足，建德若偷；質眞若渝、大方無隅，大器晚成，大音希聲，大象無形。道隱無名。夫唯道，善貸且成。」

此則明言人由聞道而修道之歷程中，由「明道」、「進道」而「夷道」；以至于有「上德」、「廣德」，以「建德」；至于「質之眞」、「成之大」，而又若恆望道而不見，如「隱于無名」之中之事。在此歷程中，必若昧而後明，必若退而後進。亦正如四十五章之言「大成若缺，其用不弊；大盈若沖，其用不窮」。是皆謂必常若有貸而不足，然後成，故曰「善貸且成」。總不外說人之修道歷程中之心靈之狀態境界事也。至其第十章之言則曰：

「載營魄抱一，能無離乎？專氣致柔，能嬰兒乎？滌除玄覽，能無疵乎？愛民治國，能無知乎？天門開闔，能無雌乎？明白四達，能無爲乎？生之、畜之，生而不有，爲而不恃，長而不宰，是謂元德。

此是人在修道歷程中，自問種種問題，自驗工夫之淺深，而歸于言「生而不有，爲而不恃，長而不宰」之玄德。唯人能常生而不有，常爲而不恃，常長而不宰，以安于道、久于道，乃有此玄德，而實得道之常。老子第一章之言道，並正當緣此解之。此章「常無欲以觀其妙，常有欲以觀其徼」二句，自昔有二種斷句法，或自有無二字斷句，或自二欲字斷句。吾昔本莊子天下篇「建之以常無有」之言，而主前說。今則以爲老子他處既有「常無欲可名爲小」之言，以本書證本書，仍主後說。此二句之的解，則吾今以爲「生而不有」中之「不有」，或「爲而不恃」中之「不恃」，「長而不宰」中之「不宰」，即是「無欲」；而其中之「生」「爲」「長」，即是「有欲」。「生」「爲」「長」，即有所歸向要求。玉篇：徼、要也，求也。說文：徼、循也。故言常有欲以觀其徼也。「而生、爲、長所歸向要求，又在此不有、不恃、不宰；而又能生、爲、長」，卽如少女之妙。故言常無欲以觀其妙也。此中「爲而不恃」「長而不宰」，又皆可統于「生而不有」之義中。人果能常生而不有，卽其心常有欲、常無欲，以常體道、常修道，而安于道、久于道，而人卽可謂實具此玄德，而得道之常矣。又當人之安于道、久于道，以得道之常之時，卽其修道達于自在、自如、自然之心境，亦必然同時見得此道之恆如其自己，自然其所然，以自爲長久之道；一面「繩繩不可名」，一面亦「自古及今，其名不去，以閱衆甫」，以獨立而不改；而又如以其「自己之自然其所然，或常久」爲「其自己之所法，以自成其自己」者。故人于此中，可同時見得道之自身之法自然也。人見得此道之常，道之法自然，而更自此常道、此自然之道之表現于天地萬物之上看，則人所見得者，卽天地萬物之常「生而不有」；而每一生而不有之事物之上，皆若更浮現此一「生而不有之道」，超臨于此事物之上，以爲其所表現，亦爲其所歸往，以更爲繼起之生而不有之事物，所依以生者。然事物既常「生而不不有」，則前生「不有」，乃有後生；則後生之然，非前生所「使然」；前生之「然」，亦不「使」後生「然」；而皆各自然其所然。則道法自然，而天地萬物亦莫不法自然矣。于此人若純就萬物之自然其所然上看，則亦更不見有道爲之主，道卽隱于無名；而若只見「天地萬物之一一自然其所然，以平鋪于無邊際之平原」之上，此卽近一般之自然觀矣。但此中若無此生而不有之道，則後生之「然」，皆可說是前生「使然」，此卽一般自然觀中之因果觀也。依此因果觀，則前生有「使」，後生「被使」，卽皆不得言自然其所然。此乃不見老子所謂道之論，亦終不能成「自然義」之論。實則唯賴有此生而不有之道，然後一一之事物，得各自然其所然，則道正爲一一事物之自然其所然之主。唯其主之、且遍主之、常主之，以法其自身之自然，而後有「一一事物之自然其所然，若不見道爲之主」也。主之而若不見主，是爲「不爲主」之主。此正道之玄德也。然若人未嘗由法道、體道、修道，以至安于道、久于道，而具道之德，得道之常，並于此中先見得道之自法其自然之義；則人亦不能實見得「天地萬物之一一自然其所然，如平鋪于一無邊際之平原」。則此「平原」，實是人之心境，進入此最高之層面後，所見得之一「高原」，而不自見其高者耳。是見此人之修道而安久于道，而至于見得道法自然之義，以及緣此而見得天地萬物，莫不法自然之義，固爲較人之直接以道爲法，而尙未安久于道者，居一更高之層面，即可無疑矣。

吾人上文釋老子道法自然之義，乃由人之修道至安久于道達自在、自如、自然之境時方見得者，其證在老子書中第十六章之言「道乃久」在「天乃道」之後，而在二十五章中「道法自然」亦在「天法道」之後，二者之文句正相對應，則義當相連。又十五章有「孰能安以久」之句，則自然之義通于「安以久」之義亦可知。此吾人之解釋與王弼之謂自然，只是在方法方，在圓法圓，直下便從心之應物上說者，頗有不同。然吾人之言，亦未嘗不可包涵王弼之義。因修道而能安能久，能時時生而不有、爲而不恃……；則自能在方法方，而不滯于方，在圓法圓，而不滯于圓，即亦能在方法方，在圓法圓也。然依吾人之意，此自然之根本義，要當在人之修道至于安與久者，達于自在、自如、自然之心境，與在此心境中所見于道之自身之「恆如其自己，以自然其所然」上說。王弼之言法自然，唯曰「在方法方，在圓法圓」，「于自然無所違」，「自然者無稱之言、窮極之辭」，則其語意皆有未圓足處。觀王弼之言，自然固不當只是指方之自是方，圓之自是圓之言。若然，則「自然」純在外，而與修道者之心境不相干矣。其謂「在方法方，在圓法圓」，應是順物之方而方之，順物之圓而圓之之意。由是而唯有人之不滯于其所見、所知、所爲、所生，而具不有、不恃之玄德，以安久于道，而達于自在、自如、自然之心境者；方能見此道法自然之義。則此自然之義，無論在爲道者、修道者之心境上說，與此心境中所見于道之自身者上說，皆正爲「無稱之言、窮極之辭」。王弼自亦可有吾人所言之意。然若其眞有此意，則不宜直下說「在方法方、在圓法圓」，「于自然無所違」；而當言修道之極致，爲安久于道，以達自然之境；並于此境中見道之自然其所然，而如以此「自然其所然」，爲其自身之所法，然後人乃實見得天地萬物之自然其所然，方自方而圓自圓；人乃能「自然地」在方而法方，在圓而法圓。則其只直下消極的說此「不違」之言，固尙不能「正面的」昭顯此諸義也。

吾此上所釋之老子之自然義，乃以修道者安久于道，以達自然之境爲本，更可由老子他處言自然之義以證之。如老子嘗曰「功成事遂，百姓皆謂我自然」。此所謂「功成事遂」，卽「功遂身退」，能「生而不有、爲而不恃」之謂。「百姓謂我自然」者，卽「百姓自謂得自然其所然而安」也。至于六十四章所謂「輔萬物之自然而不敢爲」，此所謂自然，意固較泛，因萬物不必能修道也。然此所謂萬物之自然，亦同可涵有此爲萬物之所安處之意也。至二十三章言「希言自然」之一句，則此句殊不易釋。按此語之下文曰：「飄風不終朝，驟雨不終日，孰爲此者？天地。天地尚不能久，而況于人乎？……同于道者，道亦樂得之；同于德者，德亦樂得之。信不足焉，有不信焉。」此中之上下文，亦似不相連。吾意吾人如純自飄風下之四句看，則所說者似爲天地之損彼風雨之有餘者之事，而與此「希言自然」之語，若全不相干。然吾人如通觀此段文，則此飄風下數句，雖是說天地之抑損風雨之有餘者之事，亦是說天地之所生之風雨之不能久之事。後文之言「同于道者，道亦樂得之，信不足焉，有不信焉」云云，則又正意在言人之「同于道」，則爲「道所樂得」而久于道，更于道無不信之處。則此段全文，乃意在言久于道之足貴，而以天地之尚難久，以言人之修道之難常久。難常久，即難言達自然之境也。希言之意，正卽「難言」之意。則此「希言自然」，正言人之爲道而達于同于道，爲道所樂得之自然之境之不易，而爲世之所希有、難有者耳。

六　老子言道、德、仁、義、禮之層面，與法道之四層面之對應關係之討論

至于人之修道，必歸在人之得道之玄德，以「生而不有，爲而不恃，長而不宰」，則除第十章

外，在第五十一章亦有相同之言。此與第七十七章之言「聖人爲而不恃，功成而不處，其不欲見賢」，及第二章之言「萬物作焉而不辭，生而不有，爲而不恃，功成而弗居，夫唯不居，是以不去」，亦大同小異。其爲老子言玄德之主旨所在甚明。而老子三十八章言「上德不德，上德無爲而無以爲」，亦正言上德不自有其德之謂。「不自有其德」之上德，卽就人之能在事上不自居其功，而能「生而不有、爲而不恃」者，更進而說「其事上之所以能如此」之德也。上德不自有其德，則有德同于不有德或無德，而只有一「不有德」之德，「無德」之德；則人之欲有此上德者，亦必「常有欲」而「常無欲」。有無相生而同出，曰玄，故名曰玄德。則老子專論德之三十八章中之上德，亦卽義同玄德。蓋亦唯在人之修道爲道，至于自然之境之極致，亦方能有此玄德，故又名之曰上德也。

在老子三十八章于上德之「無爲而無以爲」之下，更有下德之「爲之而有以爲」者，又曰「下德不失德，是以無德」。言下德無德者，言其無上德；其所以無上德者，正以其不能如上德之「不德」、「無爲」而「無以爲」，而自謂「不失德」、「有德」、「有爲」、「有以爲」之故耳。至下文之更有「上仁爲之而無以爲，上義爲之而有以爲，上禮爲之而莫之應，則攘臂而扔之」之數句；則又明見一下德之下之仁、義、禮之高下次序。後文更總言之曰：「失道而後德，失德而後仁，失仁而後義，失義而後禮，禮者忠信之薄而亂之首，前識者道之華而愚之始」云云。此中在失道之下爲失德，失德之下爲失仁，則以前文所言配之，失德當指失下德，而失道則同于失上德，然後其先後之文句，方相對應。吾人固不可謂在失上德之上，更有一失道。因所謂上德即玄德，玄德即得道之常之德。失此上德、玄德，即失道之常而失道矣。人有上德玄德，即亦不失道矣。此後之下德與仁、義、禮等，則明較上德玄德或此所謂道，處于較低之層面者。則王弼注以下德即仁義禮節，非是。至何以在上德或道之下有更此四層面，則又正有可與吾人上文所謂法道、法天、法地三者之義，可相連而說者在也。

依吾人之意，上德、或玄德，即指人之眞法道、修道、得道，而達安于道、久于道之境者。能達此境，則眞能「生而不有、爲而不恃」，有「上德」而「不德」，此爲最高之一層面之說，即法「道之自然」之境也。此乃上所已說。然若人之修道而未達此安于道、久于道之境者，自不能直下「生而不有、爲而不恃」，亦不能「有德」而「不德」；則其修道而求有德，即必求不失德，而只能有下德，此即次高之層面之一般法道之境也。

至于爲仁義者之愛人利物而平其不平，則尚未達于「直接法道修道，以純求內得于己以有德」之境，而重在對外在之人物，加以愛利而平其不平。此則皆不免于向外求有功，而皆未能實得道而有德。此中之愛人利物，則正同于上文所謂第二層面之人之「法天道之利而不害者，而能慈時」所屆之境界。至人之爲義，以求平人間之不平，則是法天道之損有餘而補不足，以平萬物之不平之事。此二者皆原同涵于吾人先前所謂法天道之一層面中。在此一層面中，吾人前固已說明慈乃直法天道之利而不害，此乃居于法天道之「損有餘以補不足，以平不平」之上者。慈爲仁，平不平爲義，卽仁本在義上也。至于老子所謂禮者，則指人與人之相對而有其往來與施報之禮。人爲禮而莫應，則攘爭由之起，故爲最低一層。此則蓋由于老子視禮，乃連于人之自矜、自持、自是、自見之心之故。人原有此自矜、自持、自是、自見之心，而在人有禮上之來往施報之時，又可不見于外。唯當禮之「應」不足，則此心卽暴露而出。此卽禮之所以爲「忠信之薄」。「忠信之薄」者，言此中只有薄薄之忠信，包住其下之人之自矜、自持、自是、自見之心也。此人之自矜、自持、自是、自見之心，既暴露而出，卽又可轉出求勝人之心，及與人相爭之事，以導天下于大亂。故禮爲亂之首。言亂之首，非言其卽是亂，乃言其下頭之一截，卽是亂也。此禮之意在制人之爭亂，其目標與老子之法地之教，意在使人以卑下自處，不求勝人之旨正同。唯一般之言禮，多自社會風俗上言，或自人之當如此而言。而老子之教人卑下自處，則兼自強梁者不得其死，而天道亦必損有餘等上言耳。是見老子所謂「人法地」之一層面之教，正與此三十八章所謂禮之一層次相當。昔人言老子原習禮，孔子嘗問禮于老子，則事之有否不可知，然謂老子之法地之教之一層面中，有禮意存乎其中，則亦正可說也。

至于此段之下文，所謂「前識者道之華而愚之始」，則更不易講。何以于此獨言「道之華」，尤難索解。韓非子解老謂「先物行、先理動，謂之前識。」其言大致不差，但其下文之解則不切。吾意人凡由老子所言物勢之轉易，而知由此一面必轉至彼一面，而預爲之備，卽事先之前識。此卽包涵韓

非子之「先物行」「先理動」矣。故知強梁者之必死，知高者之必傾下，而知「欲上民則以言下之，欲先民則以身後之。」（六十六章）皆爲人之前識。人知今日言下，來日卽可上民；知今日身後，來日卽可先民；知「將欲取之，必先與之；將欲弱之，必固強之」，由此而知今「與之」，後卽可「取之」，今「強之」，後卽可「弱之」，皆前識也。人之所以能有此人之前識，又正依于知天地間之原有一正反相轉易之道存焉。則人之有前識，固本于知道也。然人有此前識者，未必眞能卽行「言下」「身後」「卑弱以自持」之道，則有此前識者，卽非必眞能樸實行道，而只爲得「道之華」，非得「道之實」者也。又人之有前識者，或可據此前識而用權術，如吾人于第二節之所論，如表面處卑弱而意在取強之類。然此用權術以取強者，依老子之言強梁者不得其死之道，又終將自敗，而爲此道之所勝，亦如吾人于第二節所論。則用權術者似智，而不自知其似智，正爲愚之始也。如吾人上文之解釋爲不誤，則此上德不德章之文，可前後相貫，而皆可講通，以與「人法地、地法天、天法道、道法自然」之旨相對應。讀吾文者可細思之。若以爲不然，而于此章之文，更有切合老子全書貫通全文之解釋，則吾固願舍己以從之也。

七　老子通貫四層面之言、與正反相涵之四義、及道之諸性相

由上所論，吾人可知老子之言人之法道，確有法地、法天、法道、法自然之四層面，而此四層面之間，亦原有可由最下之法地之一層，轉至法天；由法天轉至法道；由法道轉至法自然之最上之一層之義，如前文所及，則亦自可由較上之層次第下降，以次第統其下之一層之義。由此吾人于老子之取義于較低一層面之言，有通至較高之層面者、與其言最高之層面者之義，有通至最低之層面者，亦卽皆不難解。如老子之言「深根固蒂，長生久視之道」，此長生可爲實際上之長此自然生命，則屬第一層面；然亦可通至有玄德者之「生而不有」之最高之層面，則長生卽常「生而不有」也。

又如老子言「致虛守靜」，于「萬物並作」，更「觀其復」，則「觀復」可爲第一層面之觀「物壯則老，而歸于死」之復，亦可爲第二層面之觀「天道之如張弓之損有餘補不足」之復；更可爲體道、修道者超越于所知所見之天地萬物，而「復歸其明」，見天地萬物皆「復歸無物」之復；亦可爲「有玄德之常生而不有，亦常不自有其德，使其所生與所有之德，皆復歸于不有與不德」之「復」也。

此上文最後一層「有德而復不德」之「復」之義，卽通于老子言「上德若谷」之義。言「上德若谷」者，乃謂其德皆不自視爲德，如川谷中水之不留于谷中，以復歸江海。「上德若谷」，卽常生而不有，常有德而不德，則其安久于此道此德，亦無有止極，故曰「常德不忒，復歸于無極」。由是而其依此道、此德，以生而不有之事，與不德之德，亦皆虛而不屈，動而愈出，無窮而無極，故曰「谷神不死。谷神言「若谷」之此德此道之神用。此神用不死，以常生而不有，常有德而不自有其德，即是玄德。由此神用、此玄德、此道，而人有其爲而不恃，功成而不居之事，而人亦同時見得天地萬物之生，亦爲不自有之生，皆依此神用、此玄德、此道而生。此神用、此玄德、此道，即爲天地間一切事物之母體，而可名之曰玄牝。事物之自此玄牝出，即如自「玄牝之門」而出，其根則在此門中。故曰「玄牝之門，是謂天地根」。「玄牝之門」在，「生而不有」之生，即無窮而無極。故曰「綿綿若存，用之不勤」也。此玄牝與谷神，即皆取喻于最低一層面之地上之物，而以之喻最高一層面之此道、此玄德、此神用之常生而不有者也。

此外如老子言天地之所爲，固非必然長久，如飄風驟雨，即天地所爲，而依第一層面之物勢之轉易上言，而必不能久者。然天地亦有一義之長久，此則自其通乎道之生而不自有其生處說。故曰：「天長地久，以其不自生，故能長生」。再如老子二十八章言「知其雄、守其雌」，而歸于知常德之「不離」、「不忒」、「乃足」，則亦是由第一層面以通至最高之層面之言。又老子所言之嬰兒與樸之義，亦皆可徹上徹下而說。復次、地上之物如水，自其至柔而入無間，以馳騁至剛處說，即只見水之以弱勝強之道。至于自水之下流說，即水之趨下而安于地之道。故老子第八章言水「居善地」。至于自水潤澤他物，而善利萬物處說，則又見水之「與善仁、正善治、事善能、動善時」，而見水之同于天道之利萬物者也。至其言水之「心善淵、言善信」，則蓋當自水之瀠洄反復，與其直往其所往之眞信處說，則此兼通于道之自身之反復與眞信，是又爲通于法道以上之層之言矣。

由老子之言之有通貫此四層面者，卽亦見此四層面間原有其相通貫之義。此通貫義，除吾人以前所說者外，亦可由此四層面中，皆同具有一反正相涵之義以說之。如在第一層面之法地中，人固可由萬物之柔弱者爲生之徒，剛強者爲死之徒，高者之趨下，下者爲高者之所歸，以見一物之「正反兩面、相轉互易」之義，而見正反之相涵。在第二層面之由法天以法道中，人亦可由天之「損有餘補不足」，以見此天道之「反損此物、正補他物」，以「利而不害」之義。唯此中人之所見者，則非一物之「正反兩面之互易」，而是「一物之反損，與他物之正補間」之正反相涵耳。在第三層面之直接法道中，據前所論，不外言人之當知「此道之超越于天地萬物，而非天地萬物」之超越意義，而更本之以觀天地萬物之自身，無往而不表現此道，而以容公之心涵之。是爲卽就「道之非天地萬物之反面意義」，以觀「天地萬物之自身之正面的表現此道之意義」，而可稱爲「卽反以見之爲正」之正反相涵。至在最高一層之人之安于道、久于道，以至于自然，以具玄德，見道之法自然時；則又可只見天地萬物之法自然，而不見道，是爲「正面之見道，涵不見道之反面于其中」之正反相涵。又此時人以其玄德之表現爲生而不有、爲而不恃，以「上德不德」，則其有德卽涵「不有德」，又爲卽「有德之正面，而涵不有德之反面于其中」之正反相涵。此四層面各有一正反相涵之義，皆捨「反」無以見「正」而成「正」，亦無以見道；而道亦必通過「反」，先有此一「反」，方能自見其爲道。此「反」

卽一動，故曰「反者道之動」也。此「反」自物（此廣義之物）看，固皆可說是物之自反，如剛強者之折，卽其自折而自反。而此自反，亦可說爲其自身之道。然復須知：物循此自反之道而自反時，物卽自失其原來之所以爲物。物之「自反之道」見，而物卽自失。物既自失，而物非物，則此道卽當說爲一「自能反物」之道。此反卽不可說爲物之動，只當說爲「道之動」矣。至于老子之「反者道之動」一句，下文之有「弱者道之用」，與「天下萬物生于有，有生于無」二句者，則以道有此反之一動，卽于所反者，必有所弱；而凡有弱，亦皆是由自反以成其弱。故「強大處下」、「少私寡欲」、「損有餘」、「絕學」、「棄知」，與修道歷程中之自疑自問工夫之如何，皆同爲「弱」或「柔弱處上」之事也。然正由此「弱」，方有種種之用，如上所述，故曰：「弱者道之用」。又「弱之」卽是「無之」，然「無之」而有用生。是卽此二語下一句之「天下萬物生于有，有生于無」之旨也。以弱爲用，卽以無爲用，故十一章言「有之以爲利，無之以爲用」也。此正反相涵之義，固原具此由一「反」之動，以成「弱」之用，而使「有生于無」。此卽皆見一辯證之義理。人之說此辯證之義理，卽須假反以說正，而意在說正之言，若皆只是反言。故老子有「正言若反」之語也。「正言若反」，則言若不言，有名若無名，有無相生，而同出曰玄。故老子之言皆玄言也。

然吾人亦當知老子之言雖皆爲正言若反之玄言，而四層面之玄言，仍有不同。此四層面中之正反相涵之義，亦彼此不同，讀者可再細看上之所說。由是而此四層面之玄言之所以說，其目標亦自有其高下。此即具功利意義之第一層面之言，不如第二層面以上者之具超功利意義者之高；第二層面之連天地萬物以爲說者，又不若超天地萬物，以直就法道爲說者之高；而直就法道而說修道爲道者，更不如經歷修道爲道之工夫，並自問種種問題，以求修道工夫之達于安、久、自然之境者之高。此中之高下之所以分，則由人之知第一層面之義者，即原可進而知以上層面之義，以次第升進。故人之學道者，初固可只知第一層面之義，以往觀地上之萬物之一切「剛柔相勝、高下相傾」等，正反互易之物勢；而知柔弱爲生之徒，處卑下以法地，乃少私寡欲，不爲天下先，以求生存于地上。然人旣知少私寡欲，知必無私乃成其私之後，即可進而直下無私，自超出其個人之私欲，以平觀人我與天地萬物，而由觀天道之「抑高舉下，損有餘補不足」中之正反之相涵，以超出一切剛柔高下之差別，而見及一切萬物皆橫陳于「平一切不平」之普遍的天道之下，與此天道之歸在「利而不害」；人即可更法此天道之「平一切不平」以爲「義」，法此天道之「利而不害」以爲「慈」。則由第一層面進至第二層面矣。人能平不平又能慈，即其心之能容能公。依容公之道以存心者，則更見得此道之自具超越所對之天地萬物之意義；即可進而直接法道、體道之超越意義，以「爲道日損」而修道，而更本此道，以觀天地萬物之超越其自己，皆爲此道之表現，則進至第三層面矣。至由人之修道之久，而達安且久之自然之境，則更實見道之常久、道之法自然，與天地萬物之莫不法自然，而人可自具玄德，以有上德而不德，此即通至最高之第四層面矣。此諸層面中，在前者可升進至在後者，以爲在後者之所據，而在後者亦即包涵在前者，而較之爲高一層面者矣。

在此四層面中，于第一層面，只可言人之法地以法道，而見道之貫徹于地上之萬物，而分別生養之，于此即可見道之普遍而分別的內在萬物，而生養之之「普遍性」、「內在性」與「創生性」。老子三十四章所謂道「衣養萬物而不爲主，常無欲可名爲小」，三十九章之言「萬物得一以生」，即自道之普遍的分別內在于萬物，而生養之之義而說者。人之所以可言道之生養萬物，乃由萬物之生，皆原爲依于「負陰而抱陽」以成之沖氣之和以生（四十二章），而其生之原，亦爲柔弱。此「負陰而抱陽」而原爲柔弱，即萬物之所以生之「道之一」，亦即道之玄德之內在于萬物，而萬物依之以生者也。此「負陰抱陽」「原爲柔弱」，即先居「反」；則由之而生者，即依上所謂道之「反」與「弱」之用以生之「正」也。至於第二層面，則由法地而法天道，而人即可于道之「普遍的分別內在于萬物而生養之之義」之上，更見道之「統體的包涵萬物之包涵義或廣大義」，見道之「絕對性」、「無限性」。如其三十四章之言「大道氾兮其可左右，萬物恃之而生，而不辭……萬物歸焉而不爲主，可名爲大」，則偏自道之統體的包涵義或廣大義而說者也。此義則至少賴於人法天，而見萬物之並在于一統體之天時，方可見得者也。在第三層面，則人法道自身之超越天地萬物之意義，更觀天地萬物自身之無往不表現此道，而以容公之心涵之；而道之超越義或先天義，于此即最顯，而見道之「超越性」或「先天性」。而吾人言此道之超越義，又言其表現于天地萬物時，亦自當兼攝上述之廣大義；唯廣大義又必隸于超越義之下說。如第二十五章言道爲「有物混成，先天地生」之下，旣以「大」說道，又以一逝」、「遠」、「反」說道，卽由逝以超過、越過一切物，而更與之遠，而反于物，以唯見道之廣大。天地人王之大，皆依其所具之道而大。故又曰「道大、天大、地大、王亦大」也。此卽皆以由道之超越義，以統道之廣大義之言也。至于在第四層面，則道之恆常義、悠久義、「不爲主」之主宰義最顯，而見道之「永恆性」「不變性」。此則若老子第一章與他章之言道之常、道之久、道之「自古及今，其名不去」、「獨立而不改」。四者之義自不同而相貫之處，讀者可循前所言更自細察之。故吾人謂老子之言法道之言，唯是一層面之言固不可；謂其唯是分爲各層面，無其間相通貫之義亦不可；而見有此通貫之義，遂混淆此中各層面之義，尤不可也。

八　餘論：老子之道是否爲實體之問題，與本文之宗趣

吾人若識得老子之言道有此四層面，而此四層面間亦有相通貫之義，則于老子之所謂道爲一形上之實體或一虛理之問題，則吾今以爲不宜再執定而說。謂之爲實體者，乃自此道所連貫之具體之天地萬物而說。蓋具體天地萬物爲一般所謂實體，則其連貫于道，以混而爲一，而泯于道之玄中，卽當仍爲一「有物混成」實體也。此卽吾昔年所作老子言道之六義下篇之旨也。然自吾今所謂法道與法自然

之二層面而說，則人之體道，要在體道之超越于天地萬物之上之種種意義，則于老子之道，卽不宜說之爲實體，而所謂「有物混成」者，實亦無物，只喻之爲物耳。所謂「無物之象」也。此象亦非如一般之象之可見，故曰「大象」；而「大象無形」，則若只是一意義矣。若然，則道似應只是一虛的義理，或一「純粹意義」。然此虛的義理或「純粹意義」，當其爲體道者之所體時，卽被攝入于體道者心思之內，亦顯其用于體道者之一切修道之事之中，則此道又終不能離此能體之之心思，以爲一虛懸無寄，而亦無用之義理。則道仍應屬于體之之心思，而當爲與此心思，合爲一實體者。則在此第三四之層面上，道雖超越具體之天地萬物，可無連貫于天地萬物之實體義，仍有一「與體之之心思共爲一體」之實體義。然再翻一層看，則此體之之心思，正在體之之時，亦可不見其爲一實體，而只見其爲引導此心思進行之一義理、一道路。此義理道路乃開放者，則又不能凝聚爲一實體以觀之。是見道之爲實體與否，當依種種觀點而定。其義皆幽深玄遠，非今之所能詳論。然此老子之所謂道，是否當以實體之義爲本以解釋之，亦實爲吾等後人求解釋老子時所自造之問題。老子書中固無此所謂實體虛理等名，則吾人對解釋老子是否當以實體義爲本之一問題，暫存之而不論，亦無不可。然要之可見吾昔年老子言道之六義一文之下篇，以實體義爲本以解釋老子，只爲解釋老子之言之一可能之方式。吾昔之所言，固未必非，然其他之論，亦可是也。至吾今之此文，所說老子之言之有此四層面之論，則其中固亦多有非老子之明言所及者在。然吾之目標，則意在本老子之所自言之「人法地」、「地法天」、「天法道」、「道法自然」之四層次之言爲據，以分老子所言義理之層次，更觀其會通。此則明皆一一可由老子之言以得其證者。則無論吾人于老子之所謂道視爲一實體與否，或在何義上視爲實體，何義上非實體，吾人要皆可說老子有此諸層面之言。此諸層面之言之有不同，亦復同可據以說明後之爲老學者，所以有不同之流別，與後人何以于老學有不同之估價之故。此則皆非吾今茲之所能一一細論者也。

第十章　莊子內篇中之成爲至人神人眞人之道（上）

一　莊子之道，與老子田駢愼到之道不同，與其關連之際

前章述老子之道，吾唯由老子之「人法地、地法天、天法道、道法自然」一段文句之疏釋，以次第透入老子言道之勝義，而不重老子諸篇章之次序。吾今述莊子之學，則擬循莊子內七篇次序，以攝述其言道之旨。此莊子之道與老子之道及田駢、彭蒙、愼到之道，爲周秦道家思想之三型，吾已論之於前文。此要在本莊子天下篇所論者而說。後世言道家之學者，則漢世之司馬談論六家要旨、及班固漢書藝文志，初不重此老子與莊子與彭田愼之異；而偏在自老子之學，以言道家之所以爲道家。後之道教之流，亦初以老子爲宗祖。魏晉爲玄學者如王弼、何晏、嵇康、阮籍，並以儒道互參，亦於老莊並重。然其精神意趣，則與莊子爲近。向秀郭象注莊，爲玄學之一大宗。佛學東來，支遁講逍遙游、亦傳有莊子注。僧肇妙善老莊，其論更多用莊子語；其流爲成玄英以佛家言爲莊子疏。歷南北朝至隋唐，而道教之勢盛。唐以天子姓李之故，而宗祖老子之道教，在政治上之地位，時或高於儒釋二教之地位。玄宗封老子，爲玄元皇帝，而封孔子爲文宣王，莊子則與列子、文子等併位居眞人之列。則

老固位在孔上，而莊列之於老子，亦猶文殊普賢之於釋迦。道教之徒，遂唯視莊列等書，爲老子之註解，莊老之異，亦恆爲人所忽。宋人之注老莊者，就焦竑之老子翼及莊子翼所輯者以觀，亦多重其同而忽其異。直至明末學者，乃多有見於老莊之異，亦多有見於莊子之言之有近於儒者。如王船山其著者也。此乃對莊學之理解之一大進步，而還契於莊子天下篇之言老莊之異之旨者。唯莊子之內篇，宜與其外雜篇分別而觀。內篇之每篇，其文大皆自分體段，合之則可見一整個之思想面目，當是一人所著。外雜篇則內容甚複雜，可謂其後之道家言之一結集，其新義之所存，亦當分析而觀。故吾今論莊子書，乃以內篇爲一單元，外雜篇別爲一單元。因內篇之每篇之文，大皆自分體段，故宜循文撮述。於外雜篇，則吾初亦嘗就每篇之文，一一錄其要義，然後更加歸納，以見其新義所存，約之爲九條，加以總述。此卽吾今論述莊子一書之言道之宗趣與方式，宜先加以指出者也。

于莊子之言道，吾固本天下篇之說，謂其不同于老子及田愼彭之徒之言道。然天下篇之言此道家思想三型之異，猶嫌抽象，爲初學所不易把握。今如更落實，而先自淺近處說，則吾意此莊子之言道，如以內篇所說者爲本，則其特色，乃在直下扣緊人生之問題，而標出人之成爲至人、眞人、天人、神人之理想，如前章所及；而其所言之道，亦卽皆是如何實現其人生理想之道。故其中雖言及自然之天地萬物，然非直就自然之天地萬物，而法其道以悟道，乃是由人之如何遊心於天地萬物之中、與人間生活以悟道。故其言道，亦恆取喩於種種常人生活中種種實事，如逍遙遊之庖人治庖、宋人爲洴澼絖，齊物論之南郭子綦隱几而臥、仰天而噓，養生主之庖丁解牛，人間世之奉命出使、匠石過樹，德充符之與兀者同游，大宗師之問病、弔喪，應帝王之神巫看相，初皆人之生活中事；在外雜篇中，則亦有天道篇之輪扁斲輪，天地篇之抱甕出灌，達生篇之丈人承蜩、津人操舟，田子方篇之解衣爲畫，徐無鬼篇之相狗馬，達生篇之鬭鷄，外物篇之釣魚，秋水篇之觀魚等，種種生活上事；並皆爲莊子或莊子之徒所取之爲喻，以說其所悟之道者。至莊子之即自然界之物，以悟道而喻道者，則恒取其物之大者、遠者、奇怪者，以使人得自超拔於卑近凡俗之自然物與一般器物之外。故莊子逍遙遊及於北溟之鯤，化爲大鵬，由北海而南海，更扶搖而上，至九萬里之遠；齊物論及於天風之過山林，入眾竅，成無窮之聲；人間世有「卷曲、軸解、嗅之使人狂酲三日而不已」之怪樹；德充符有「頤隱於臍、肩高於頂、勾贅指天」之奇人。雜篇中則知北遊篇有爲道所在之螻蟻、稊稗、屎溺；至樂篇有對語之髑髏；寓言篇有對語之罔兩與景；則陽篇有爲二國所居之蝸牛角。此莊子或莊子之徒所取之爲喻，以說其所悟之道者。今按老子之言其所悟之道，則罕以人之生活上事爲喻，唯多取常見之自然物，如地、天、水、江海、百谷、淵、谿、雌雄、牝牡、本根、毫末，或常用之器物，如橐籥、戶牖、輻、轂、輜重、芻狗等爲喻。此老子所取以爲喻之常見常用之諸物，則皆近物、小物，而非遠大怪奇之物。老子之教，亦重人之自處卑近之地，以觀小物，而言「不出戶，知天下」「見小曰明」，固不同于莊子之恒以遠大怪奇之物，喻其所悟之道之所在也。老子之取常見常用之近物，小物爲喻，尤不同於愼到、田駢、彭蒙之以順應當前天地萬物之勢之變，而欲化同於無知之物者。莊子與莊子之徒，蓋最能充人之心知之想像之量，以見人之日常生活之事，無不有妙道之行乎其中；而亦能更及於自然界中遠大奇異之物，以使其神明自拔於卑小常見之物之上之外者也。

至於吾人如欲言莊子之由觀人與天地中之事物，以悟其道之用心方式，與老聃愼到等之用心方式之關連，則吾人可說莊子之用心方式，要在於其與物勢之變相接，而游於變化之時，更求其心思直下透過亦超出於此物勢之變之上之外。蓋物勢之變，呈於吾人之前者，固密密相連而無間。故人可只求順應，以乘其變化之勢，而與之而俱行，此卽愼到田駢彭蒙所悟之道。然人之心知，固亦可乘此變化之勢，更溯其原於往古，窮其流於方來；卽可還觀此當前之物勢之變，爲須臾之事，視此當前所接之天地萬物，如稊米。此卽成莊子之一直下透過而超出此當前之物勢之變之外之上之道。復次，循老子之道，以言物勢之變，則物勢之變，咸有其始終，亦始於無，而終於無。此始終之無，亦卽爲吾人之心知可緣之而透出於物勢之變之外之上之間隙。人於此固可謂此物勢之變，此終彼始，中無間隙。然當彼之始，彼中畢竟無此，而此之有，卽在無中；彼更終而另一彼始，此彼之有，卽亦在無中。循此以觀，則卽物勢之此始彼終，其來也無窮，亦皆在無窮之太虛或無中，相繼以有，亦皆只爲行於此太虛與無之中者。今更透過此虛無以觀其有，則有者亦皆若有若無，而芴漠無形。吾人之心知亦卽可超出於其「有」與「形」，之外、之上矣。由此而天地萬物無窮，此心知神明之所遊履，亦無窮。然此心知神明之遊履，既及其所及，又必更自透過而超出之，則此心知遂宛若能窮此無窮，以及於造物者，便可與天地之「造物生物而有物之精神」相往來，而不與此所有、所造、所生之已成天地萬物，相往來矣。此即謂緣愼到等、及老子之道，而別出一道，以成莊子之道。此即所以見莊子之道，與愼到等老子言道之關連者也。

二　莊子之至人、眞人、天人、聖人、及內七篇中之問題，與其關連

此一莊子之所以達至人、眞人、天人之理想，在根本上是一爲人之道，正與孟子有相同之處。然孟子之爲人之理想止於聖賢，與孔子同。墨子老子亦只言聖王之道。然老子言爲政，不重尙賢。此與儒墨言爲政，皆重尙賢尊賢之旨異。愼到田駢彭蒙，則既笑天下之尙賢，亦非天下之大聖，乃欲自化同於無知之物，以塊爲不失道。然既爲塊矣，焉能笑聖賢。故人亦可笑之爲死人之理，如前所說。此則由其別無正面之爲人之理想之標出。唯足成其與天下人互笑之論而已。莊子則亦不言尊賢尙賢，而於聖人之外，更言天人、眞人、至人。則明重在人之成爲聖人之外，亦成爲至人、眞人、天人。至人者亦人之至，乃自作人之作到極至之量者而言。眞人者對僞而言。眞人無其反面之僞妄，即就其人

之質之純而言。神人者就人之心知神明之無所不運而如神言，天人卽就此人之同於天，而亦同於帝而言。人能爲神人天人，卽更無墨子之以天與上帝爲上、鬼爲中、人爲下之說，亦非老子於人外別出鬼神，人當由下法地、至上法天之說。莊子言人神明之無所不運，而同於天、同於帝，其在道家思想中之地位，亦正同孟子之言「盡心知性，卽存心養性，卽事天」，及「萬物皆備於我」之思想，在儒家思想中之地位。唯孟子之教，在本孩提之愛親敬長之心、四端之情，而充達擴充之，以成聖人之爲人倫之至者，而備萬物於我。莊子則游於天地萬物之中，而更透過之，超出之，以游於無窮，而成其所謂眞人、天人、至人、聖人，卽皆兼爲超世間人倫之人耳。

循此以觀莊子之學中人求爲至人、眞人、神人、天人、聖人之義，則似首當知此諸人之名，畢竟指一種人，或有高下之不同種類之人。於此諸人，莊子逍遙遊篇及天下篇嘗並言之，他篇亦恆及之。天下篇言：「不離於宗，謂之天人，不離於精，謂之神人，不離於眞，謂之至人。以天爲宗，以德爲門，以道爲門，兆於變化，謂之聖人」。此似以天人最高，神人次之，至人又次之，聖人更下。然聖人兼以天爲宗，則亦同天；以德爲門，卽不離其精；以道爲門，卽不離其眞；而又兆於變化；則聖人之德最全。天下篇言內聖外王之道，固以聖爲宗，以統天人、神人、至人；未必以天人神人至人高於聖人也。（後有專章及此天下篇之全旨）至莊子他篇如大宗師之言眞人，德充符之言至人，逍遙遊之言聖人、神人、至人三者，自其於儒墨之聖人之外，別出至人眞人神人之名而言，則見其有視至人眞人神人更高於聖人之意。然逍遙遊言「至人無己，神人無功，聖人無名」，亦可說是一種人，就其無己而言爲至人，就其無功而言爲神人，就其無名而言爲聖人。大率後之郭象注莊，則重言聖人神人至人只是一種人，道敎之徒則言眞人神人在聖人上。吾則以爲二者皆可說，莊子實兼具二旨。然莊子之必就其理想之人之德，而別出至人神人等名，以名之，則正可見莊子之重人之德，而又不自足於儒墨所言之聖人之德者也。

至吾人欲於莊子之所理想之人之德，有眞實了解，當首求對逍遙遊篇所謂「至人無己，神人無功，聖人無名」之義，有一確解，與其別於儒墨、及其餘道家作人之理想者何在，以確定此莊子之作人理想。此要在對逍遙遊篇之言更作一分析。次當論莊子之本無己以言吾喪我者，所以合物我和人我之言說之是非之道，此要在明齊物論之大旨。由齊物論，亦可知其學不同於愼到、田駢、彭蒙之學者何在，亦知近人之或以齊物論爲田愼等所作者，其言之非是。再次，則當知此莊子所理想之人，如何調理其心知與生命之關係，以成一生人之道，而非死人之道。此卽要在知養生主一篇之大意。又次則在知莊子之所以處此人間世，而得遊於此人間世，亦如其遊於天地萬物之中之道。此則要在知其人間世之大旨。再次，則當知莊子之所以說人之德，與其生命及形骸之關係，此則主要見於德充符一篇。再次則在莊子言其理想之人處生活對死亡之道，與其理想之人之如何修成之工夫等，此則主要見於其大宗師一篇。最後則爲其理想之人之如何自用其心知以應世，而與人相感應相知之道，此則主要見於應帝王一篇。此內七篇者，明是各說人如何成理想之人之一眞實問題。故皆各有一標題，此標題亦當是原有。此諸篇中，所論之諸眞實問題，乃關聯於人之當有一理想之人之觀念，亦當求其所以處物我，應人我之言說是非之道，調理生命與心知之關係，而處人間世，以及人之德之必亦連於其生命與形骸，及人之必有其生活，亦必求所以對死亡，而人與人間亦有相感應以相知之關係，而必然產生者。莊子之內七篇之各就一問題以爲論，固顯然有一系統關聯之義理，存乎其中。昔成玄英爲莊子序，已于內七篇本佛家義，通貫而說之矣。至於莊子外雜諸篇，則皆只以篇首二三字爲題，顯見爲纂集者之所增，而其所論者，亦言非一端，義多歧出，與內七篇之旨，或相應相關，而不必皆相應相關。以之證內七篇之旨則可，以爲足以與內七篇並重則不可。昔人多以內七篇爲莊子自著，外雜篇則莊子之徒所作。此固亦不必然。然外雜篇要可別裁而另論，卽天下一篇，蓋亦非莊子所爲，以其雖盛稱莊子在諸子百家中之地位，而亦未嘗以其能得內聖外王之道之全。若以此爲莊子之所著，亦莊子自超於其學之外，更本內聖外王之道之全，以自評其學之所成之論。此亦無異乎爲另一莊子之所著，故仍當視爲非內七篇之莊子所著爲是也。此下之文，則本內七篇次第文，攝其大旨，評涉異釋，銷其疑滯，以中說其義理之關聯，以便學者之參對原文，而更細觀之。

三　逍遙遊之無名、無功、無己之義

逍遙遊篇，要旨在說其理想之人，爲無己之至人、無功之神人、無名之聖人。必無己、無功、無名，人乃至無待之境，而可言逍遙。故晉支遁謂莊子之逍遙遊之旨，在明至人之心。然逍遙遊之文，則自北溟之大魚名爲鯤者，化爲大鵬說來。此鵬亦爲孟子之所謂禽，而魚則不同孟子所謂獸。莊子書喜言魚，亦喜言蟲鳥，而罕及於獸。魚游於水，而鳥飛於天，蟲俯於地。獸則或如野獸之殘，或如牛羊犬豕，只供人用；不如魚鳥與蟲，足以寄超世者之心。莊子逍遙遊由魚之大至數千里，其化爲鵬之背之數千里者說來，則兼大魚大鳥之遊之飛，以說「化」，其後文又言上古之大椿，以八千歲爲春，八千歲爲秋，則是以大春大秋說椿之大年；而言小年之春秋不及大年之春秋，以喻小知之不及大知。莊子固未嘗以大魚之化大鵬爲逍遙，因其必待風之積，以負大翼，而未能無所待也。然莊子亦未嘗非意在舉此大魚大鵬大椿，以使人知有大物有大年，以由小知而至於大知。秋水篇言「大知觀於遠近」，大知固大於小知也。而逍遙遊篇末莊子謂惠子拙於用大，則鵬之能用大翼，以水擊三千里，摶扶搖而上者九萬里，而絕雲氣，負青天者，固非斥鴳小鳥之所能比。則斥鴳之笑大鵬，固是以小知笑大知。由此觀之，則郭象謂逍遙遊之旨，乃以大小並觀，小者自適於體內，卽自足無待，而可得逍遙，大者不自足，則大者亦不得逍遙云云，卽與莊子明言大知小知之不同，而實有小大之辯者不合。依郭象意，小者自足，卽可忘其小而無小，大者不自足，卽見其尙小，而非大。則無大無小，乃可超小大之辯。此固是一義。然以小比大，則大固大於小，大可涵小，小不足以涵大。如大知涵小知，小知不足涵大知。固仍當尙其大，以超於小之外也。則謂大鵬，卽是逍遙者，固非；大鵬之飛固有待，卽無待，亦只是鳥，其不能有人之逍遙，不待辯也。然莊子此篇之必由大鵬之飛說來，而又歸在善用大，則郭象之謂莊子之於斥鷃與大鵬，自始平觀，亦非是也。莊子自是欲人由小知以及大知，亦望人之由小人以更成大人，而世之王公大人，則在莊子視之猶小人，大宗師篇所謂「人之君子，天之小人，天之小人，人之君子」也。今以逍遙遊文而論，則其首言：「故夫知效一官，行比一鄉，德合一君，而徵一國者，其自視也，亦若此矣」。此所指者，正爲世之能爲官而合一君之君子，亦本儒墨之尙賢尊賢之義，所當由國家徵選而出，以爲墨子所謂王公大人、儒家之在朝之君子者也。然此在莊子，則只爲立功名於世間之人，而爲其所論之人之種類中最低之一級。故莊子以「宋榮子猶然笑之」之一語，而視之爲不足論者矣。

宋榮子蓋卽宋鈃。天下篇謂其學「願天下安寧以活命」，而以「禁攻寢兵爲外，情欲寡淺爲內」，固非只求自己之功名之人也。荀子謂其倡見侮不辱之說，則亦無意與人爭勝，而求世間之名榮者。則下文所謂「舉世譽之而不加勸，舉世非之而不加沮，定乎內外之分，辨乎榮辱之境」。其所指者卽宋榮之行。天下篇亦言宋鈃「上說下教，強聒不舍」，卽舉世非之而不加沮者也。逍遙遊篇下文更謂「彼其於世，未數數然也；雖然猶有未樹也」。此卽謂宋榮子之不顧世之毀譽，亦世所罕有，然猶有所未樹。於其所未樹者何在，則未明言。以理推之，蓋謂其辨內外，以自求「情欲寡淺於內」，「人我之養，畢足而止」，卽尚未忘人我之分，而未能無己，以爲至人也。

至於下文言「列子御風而行，旬有五日而後返，泠然善也」。列子蓋較宋鈃爲能無己者。御風而行，卽忘我而順風勢以行。此與天下篇所言愼到、田駢、彭蒙之順應物勢，「若飄風之還，若羽之旋」者，其精神正不相遠；亦類逍遙遊之大鵬，能絕雲氣，負青天，以行於空者。然莊子則謂「彼於致福者，未數數然也」。「雖免乎行，猶有所待者也」。此卽謂其雖可謂善致福，能致福如此者，亦不數數遘，然其致福之功，猶待於風；如大鵬之待風之積也，然後能負其大翼；亦如愼到、田駢、彭蒙之徒之與物宛轉而乘勢以有其功者，有待於此物勢而後行。此卽意在言列子之雖能無己，而未能無功，以爲神人也。

由此以觀逍遙遊篇之下文，則要在分舉數例，以言聖人之能無名、至人之能無己、神人之能無功者。堯讓天下于許由，許由不願受其名，卽能無名者也。下文言藐姑射之山之神人，「乘雲氣，御飛龍，而遊乎四海之外，其神凝，使物不疵癘而年穀熟」，「磅礴萬物以爲一」，「孰弊弊焉以天下爲事」，卽人之能超世，由天下至天上，以其己與天地萬物爲一者也。此卽言神人之超于事功，而更能無功者也。至于下文言「堯治天下之民，平海內之政，往見四子于藐姑射之山、汾水之陽，窅然喪其天下焉」。卽言堯之能從此神人游，以求如至人之無己者也。

此無名、無功、無己之人，以世間之眼光而觀，固無用。知效一官，行比一君之賢士，辨內外之宋榮子，皆求用世而有用。列子御風，亦自有其用。此無名無己無功之許由，藐姑射之神人，及堯之窅然喪天下，固似皆無用。此篇最後二節之宋人有善爲不龜手之藥一節，則要在言能不求用于此，然後有更大之用于彼。如人之不以此藥爲洴澼絖，然後能以此藥用于水戰。至于最後一節，論惠子之有大樹，則要在言于此無用之樹，可任之無用，而樹之于無何有之鄉，廣莫之野，而人大可「彷徨乎無爲其側，逍遙乎寢臥其下」。此逍遙彷徨于大樹之下之事，固無用，然此仍是人之一逍遙自得之生活。此卽謂人能任無用者之無用而不求用，卽所以成人之逍遙自得之生活。此生活卽人所宜有，亦人所未嘗不知樂之者。人能無名、無功、無己，而有此一逍遙無待之生活，卽至人、神人、至人之生活。能有此生活，固不需更言此人之生活之用；而人亦唯有不求用，任無用者之無用，乃有此人之生活。則莊子逍遙遊之旨，在成就一人之生活之理想，或人生之理想，亦可知矣。

四　齊物論中之齊物我是非義

人眞欲成無名、無己、無功之聖人，至人，神人，而有逍遙無待之生活，言之似易，而得之則難，因其中亦原有種種眞實之問題在。茲先就如何無己之問題而論。蓋人之情恆以己爲主，而欲他人與物之從己。欲他人與物之從己者，歸根到底，卽欲他人與物之合于我所視爲是者，或我心之所知爲是者。則如他人與物不合于我所視爲是者，我必以之爲非。是之所至，卽利之所在，非之所在，卽害之所在也。依墨子言之，是之所在，卽人所自以爲「義」之所在，非之所在，人之所視爲「不義」之所在也。我以此爲是爲義，而人非之以爲不義，則是非、義不義之爭起。爭一言之是非，而足以相殺，墨子由此以見義之貴于身。然雖至于相殺，而是非終不能定奈何？此卽人之所大苦也。此大苦之原，在人心知之原必有其是非。孟子所謂「是非之心，人皆有之」是也。然人各有其是非，而必爭自己之是，則由其各自有其心知，亦各有其己。今欲去此「爭是非，而與人相殺，而是非終不能定」之大苦，似唯有棄知去己。此卽愼到、彭蒙、田駢，由萬物皆有所可，有所不可，以言是者皆原可非，以齊萬物，因而求「莫之是，莫之非」，寧學「無知之物」之敎也。至于老子，則凡在己與人物相爭之際，皆先自退一步，任人取先，而自取後，以全身遠害。則亦可不與人爭是非，亦不對人自是而自伐；唯獨抱其是，使道隱「無名」與「不言之敎」之中。此爲求自拔于人我之是非之場之又一途。然人果如愼到、田駢、彭蒙，以棄知去己爲道，則又將無「知」以知此道，而此道亦有而若無。又人若果棄知，以化同于無知之物以無己，則生人之道喪。人固亦有覺其是非不白，寃屈不伸，而寧死者，則爲免于此是非不白之苦，人固有棄知去己，甘同無知之物者。然亦大可哀已。至于學老子之退一步，以全身遠害而獨抱其是，固可以「知我者希，則我者貴」自慰。然此獨抱之是，永不被人知，人又果能自安乎？老子又何以嘆「吾言甚易知，甚易行，而天下莫能知、莫能行」也？莊子言齊物論之旨，蓋又兼異此二者。齊物論首言吾喪我，固卽逍遙遊之無己之論，然不同于「去己以同無知之物」之說。逍遙遊言至人無己，則無己之至人仍在。齊物論言「今者吾喪我，若知之乎」，則喪我而吾自在，吾喪我而忘我，是同于大宗師所謂坐忘。此一般所謂我之己，固已忘矣。坐之人，坐之「吾」，則仍在也；知吾喪我之知，亦仍在也。故齊物論只言去其一己之成心之知，亦更不與此有成心之我或己相對成偶，亦不與其外之物與人相對成偶。但亦不言無心與無知。人之超于此成心之知之外，固仍有爲其眞君或眞心之眞知，爲人所當存。故心未可如死灰，而言「哀莫大于心死」。此固不同愼到之言棄己去知也。又莊子之求超一般「由成心而有之是非之知」之道，亦明有不同于老子之教人「自退一步，不對人自是自伐，而獨抱其是以自貴」者。齊物論嘗言人之本成心而爲是非，其發乃若機括；而使之不發，則又「留如詛盟」；其深心仍自守其成心之所是，深閉固拒以求勝。此卽是一近死之心。則人循老子之道，人之不對人自是自伐，而自抱其是以自貴者，又焉知其非此深閉固拒之類？若其是也，老子又將奈之何？觀莊子之教人之自拔于成心之是非之道，則唯在教人更開放其心，以通觀人與己之是非，而只因其是，而使人我之所是，得互觀而兩行。此方爲莊子所謂「和之以是非，而休乎天鈞」之齊物論之道。于莊子之齊物論，或謂即愼到、田駢之說，因天下篇言愼、田、彭之學時，固有「齊萬物以爲首」之言也。然此說非是。蓋天下篇于此只言其齊物，而未明謂其齊「物之論」或齊「論」也。愼田彭之言齊物，只及于知「萬物之有所可，有所不可」，而以大道包之，更不辯之爲止，亦只至于知「可者皆有所不可，是者皆有非」，乃以非銷是，至于「無是無非」，而「棄知去己」爲止。此乃以齊物之可不可，以銷論之是與非。是非兩銷，而取捨兩銷，則只任物勢，以「趣物而不兩」。然莊子齊物論之言因人我之是，以使人我之所是者，得互觀而「兩行」，乃所以使人我之是非，得相和而兼成。此中之人與己，固皆同爲一「能開放其心，而通觀其是非之心知」之所包涵。固異于愼到之「無是無非，而去知，去己，而反人」之說也。此齊物論言如何用「以明」之工夫，而通觀人我之是非；而因其是，以和人我之是非，而任之「兩行」；以知有「不言之辯，不道之道」，自見其眞君，靈臺之心，而「葆」此心之「光」耀；與萬物爲一，而「物化」，與天地並生；更不見是非，亦不見利害與生死；其中自有精義重重；須節節次第而觀，不可顚倒混說。吾已詳釋之于中國哲學原論上，論中國先哲對言默之態度之中篇，讀者宜取而觀之。今不更贅。

五　養生主中之生命與心知共流行義

在莊子內篇中，逍遙遊篇在提示一對至人、神人、聖人之理想嚮往。齊物論則言喪我，而更通人我、物我，以知「與萬物爲一，與天地並生」之眞君眞我。養生主所論，則要在還觀吾人每一人之生命與心知之關係，而自求加以調理之道，以使之得不自相對反，而相摧損。此調理之道，卽所以養爲吾心知之原之生命主體，亦卽所以養此心知。通觀此篇全文，自是貴生，然尤貴此心知之行于生命之中，而于與生相反之死，則當不見其是死。故與齊物論之重靈臺之心之知之通物我，知是非，而不見利害生死之旨，亦正相照應。然養生主之文，則落實在吾人一人之內部之生命與心知之關係上，說如何加以調理，而免其互相摧損之道，故義理規模，不如齊物論之廣大而高明，然亦自有其切實精微之旨也。

此養生主之文不多，然于其字句，加以前後貫通而論，則亦不甚易。其首段文之言「吾生也有涯，而知也無涯，以有涯隨無涯，殆已。爲善無近名，爲惡無近刑，緣督以爲經，可以保身，可以全生，可以養親，可以盡年」明是全文總綱。然吾嘗讀徐廷槐鈔閱南華經引蔣金式玉度偶說，謂「養生主一篇開手生有涯、知無涯，結尾換過頭來，薪有盡、火無盡，見知有涯，生無涯」。謂此文首尾各說一面之義，則似相矛盾。下文之爲善、爲惡二句，亦稱難解。人大皆以莊子實肯定吾生之有涯，而呵斥無涯之知，故謂人不當求無涯之知，以傷此有涯之生，方能養生全身云云。然此首句，大可只是指一某特殊情形之下之吾生爲有涯，並非代表莊子之主張。莊子亦可無呵斥無涯之知之意，而大可是謂「若生有涯，而知無涯，更以有涯隨于此無涯，則殆。」其文于生知二字之後用也字，卽表示其爲條件之語句，而非定然肯定「生爲有涯」，以與「知無涯」相對照之語句。若謂莊子定然肯定生有涯，知無涯，則吾人可謂知固出于人之生，若生有涯，知固亦可說有涯；若知無涯，則具此知之生亦當是無涯。人之謂其生有涯，唯由人之心知自居生外，以觀其生，然後或可說者。則生有涯、知無涯，初不可決定說。又莊子若只意在呵斥求無涯之知，以養此有涯之生，全此有涯之身，何異一般自甘愚昧，以苟生苟存之人？此未免視莊子之學太淺。觀莊子之他文，則多不將心知與生命對言，恆謂心知當內在于生命之流行中。卽此養生主全篇之旨，亦歸在言人之心知當內在于生命之流行。在此情形下，則莊子亦未必以生爲有涯，更不必偏斥知之無涯。若以此章後文之「薪有盡，火無盡」之文言，雖不必涵蔣氏所謂知有盡之義，然自是涵有人之心知不能知此生之盡之旨，卽不能知此生之涯，而不能謂生必有涯也。莊子恆言神人「乘天地之正，而御六氣之辯，以游于無窮」，則其心知之用，固亦無窮，而亦無涯岸。人間世言「彼且爲無崖，亦與之爲無崖。」崖卽山涯。心知與無涯者俱無涯，亦卽游于無窮。則莊子于知之無涯，亦非盡加呵斥也，知亦未必今所謂知識也。若言呵斥，則徐无鬼嘗有「不可以有崖，不可以無崖」之語。則有涯無涯，應皆加呵斥。于生之有涯及知之無涯，亦應皆加以呵斥，不可謂專尚在觀生有涯，以偏斥知之無涯也。

由上所說，吾意對此養生主之首節文，宜對之別求善解。此中所謂生與知，乃對有特定意義之生與知而說。其中之重點，乃在以「有涯隨無涯」之一句，或此句中之「隨」之一字。今按莊子外篇庚桑楚嘗有「以生爲主，以知爲師，因以乘是非……因以己爲質，使人以己爲節……」之文。此雖不必莊子本人所作，然亦當是莊子之後學所作。其中以生爲主，正似養生文之篇名，其連「知」及「是非」而言，則見此知非泛說之知，而爲連于是非之知。以此觀養生主之「而知也無涯」之知，則亦當連于是非，加以理解，則知之「無涯」，宜連于齊物論之言知之是非之「無窮」，而加以理解。然則此「吾生也有涯」之有涯，如連于齊物論之文而觀，又當作何解乎？

吾人如由齊物論以求此所謂吾生有涯之意義，則此初唯是連吾人之生命于吾人之百骸、九竅、六臟之形骸；然後可由此形骸之有涯岸，以謂吾人之生爲有涯。繼由此形骸之與物相接，而有吾人之定型之生活習慣，及緣之而起之成心。此成心者，乃吾人之定型之生活習慣，與吾人之靈臺之心，相結合之一產物。人不能無定型之生活習慣，則不能無成心。人之靈臺之心知，自是能游于無窮，而初無涯岸者。然人之生活習慣與成心，則如人之形骸，爲一有定限而成型之物，亦有其特定之所望、所是，而自有涯岸者。則有涯岸之形骸、生活習慣、成心等，隨從于「能游于無窮無涯之心知」之後，以約束桎梏其進行，即是以「有涯隨無涯」。由此以解庚桑楚之文，亦卽輕而易解。以生爲主者，卽言人之生命與其生活習慣等，爲心知之主也。心知與生活習慣相結合，而有成心，人更本其成心，以運其心知而接物，則有「知」，而其知亦各以其成心爲師。此卽庚桑楚「以知爲師」，亦卽齊物論之「隨其成心而師之，誰獨且無師乎！……愚者與有焉」。以有成心之知爲師，則于物之合乎其成心之所是所望者，則是之，而納之于其自我之內；于不合者，則非之，而深閉固拒于其自我之外。其接物無已，則其是非之知亦無窮，而亦無涯。此卽人之心知之「乘是非」之事，以進行也。而齊物論則以此「本成心之知，以于是者則納之于自我之內，于非者卽深閉固拒」，爲其心之「老洫而近死」之徵。其本成心以與物接，而其知之是非，「是亦一無窮，非亦一無窮」，爲「與物相刃相靡，其行盡如馳，而莫之能止，不亦悲乎」。則齊物論之呵斥嗟嘆者，正是人之以其有涯岸之成心，隨從于其知之是非之不止而無窮者之後，亦卽此有涯者之隨從于無涯之後。則養生主之以有涯隨無涯爲「殆」，其旨所在，固可逕以此齊物論之義釋之也。

若吾人以上之解釋爲不誤，則養生主之根本問題，唯在求免于此以有涯隨無涯，以化除此中之「有涯與無涯之對反」，亦卽化除吾人之生命與心知之內外間之對反。此則要在使吾人之生命中之生活習慣，不與心知結合，形成一定型之成心，以桎梏此生命與心知之流行。則其生命中，亦不復有此一「以有涯岸之物，以隨從于其心知之無窮無盡而無涯之後」之情形。然後此心知之接外物，亦不復師成心，以對其外之人物，爲無窮之是非；而如自向內退還，以自處于其生命之流行之內。則若其生命有涯，此心知自處在此生命之有涯之內，亦不見此生命之有涯。此心知不見有涯，則其自處于生命之內，卽只是一片無涯之靈臺之光耀。反之，若此心知，果可說爲無涯，則具此心知之生命，亦可說爲無涯。總之，無此「內有涯」之從「外無涯」之對反，而召致之危殆。則于此篇之後文，言薪盡火傳，于此生之死可不知其盡，而此生可爲無盡無涯之義，亦皆可會通而說矣。

養生主以有涯隨無涯殆已之下文曰：爲善無近名，爲惡無近刑。按所謂爲善無近名，卽當是逍遙遊聖人無名之旨。有名者如逍遙遊所謂「知效一官，行比一鄉，德合一君」，皆有特定之賢能之才之可名者。此卽其生之事之有涯，而其知之所效，行之所比者，亦有涯者也。然當其「自視若此」，以爲天下之知行唯此爲是，違乎此者，皆謂之爲非；則卽皆本其成心以爲無窮之是非，而莫之能止，更無涯岸矣。此卽其人之緣其「有涯之生之事而有之成心」，隨從于一「無涯之是非之知」之後，而形成一內有涯與外無涯之對反，以使人迷亂不自得者也。此亦卽「爲善」之有特定之善可名，而「自視若此」者所常有之情也。至於下之「爲惡無近刑」，所以與「爲善無近名」對言者，則以此「名」爲「爲善者」之桎梏，使其爲善之事爲有涯者；正如刑爲「爲惡者」之桎梏，而使其爲惡之事爲有涯者也。此二句之相對成文，卽在言人無論爲善爲惡，皆不可本此有涯之爲善爲惡之事，以爲無窮之是非而莫之能止，更無涯岸，而以有涯者隨從於無涯之後也。此非意在教人爲善或爲惡，乃意在教人不可以有涯隨無涯，而以此爲善爲惡之事爲證。否則此二語終不得善解，而與上下文皆不見其關連矣。故莊子之教人不以有涯隨無涯，未嘗專以有涯爲足責，亦未嘗專以無涯爲足責，唯以有涯隨無涯，而內外相對反，爲「殆」。然人若以生爲有涯，而更使其心知自處於此生中，而不知其涯；或以心知之無涯，觀具此心知之生之亦當無涯，則此「殆」又自可去，如前所說。今通觀莊子養生主全篇之言，其旨實趣向乎是。依此義以釋爲善無近名爲惡無近刑二句，明較易通；而依此義以釋下文緣督以爲經，及庖丁解牛諸段之義，亦同易通也。

按下文所謂「緣督以爲經」之督，乃指人身中之背脈，而貫注於人身上下者，「以爲經」，卽依乎此督脈爲中道，以經貫此人身之上下之意。此卽所以喻人之養其生命之道，要在其心知之依一中道，自處於此生命之內部，以通貫此生命之上下，而更無阻礙。然人之生命之流行，又恆有生理上心理上之阻礙。人之生命心知，與此爲阻礙者相遭遇，便使其流行不得暢遂，而此生命心知，卽爲此阻礙之物所折損。庖丁之解牛之喻，則要在言其刀之解牛，能不與骨節之阻礙相遇，更不受折損。故能用刀十九年，而刀刃猶如新發於硎。此則唯賴於庖丁之解牛之刀，能以無厚，入於骨節之間隙，以其心知之神，遇此間隙；先不見一整箇的質實之全牛，而見此牛之全體，皆處處有間隙，足容此刀之游刃於其中。庖丁於是可由其視官之「知止」於此間隙之所在，更不以目視，只依其神之所遇，以更行其神於此間隙之中，以運其刀；而卽以此間隙之所往，爲此刀所依之天理或道路；更因此天理道路之固然，以用其刀。則以刀之無厚，入於此間隙，而恢恢乎游刃有餘，亦更不遇骨節，以折損此刀矣。此刀之通過此牛，亦如督脈之經貫於人之生命之上下矣。

人之感有生理上心理上之阻礙，依上文所說，初正原於人之有涯岸之成心等，隨從於無涯岸之生命心知之流行之後。人之成心之所是者如此，而所遇之物如彼，今與之相違，則其物成吾人心知與生命之流行之阻礙。人之心知與生命，卽以感此阻礙，而自折損，更及於其生命所在之身體與形骸。然其根原，則在吾人固定膠結之成心，先自爲其生命與心知之流行之阻礙。凡生命心知之阻礙，皆折損及生命心知，亦如牛之骨節之爲刀之所遇，卽成此刀之阻礙，以折損及此刀之自身也。人欲去此爲阻礙之固定膠結之成心，以致此生命心知之通流，亦如庖丁解牛之當順其間隙之虛處，使其刀通行，而無阻。此則非以有涯隨從於無涯之後；而是於有涯觀有涯，於無涯觀無涯。骨節有涯，而其間隙之虛處，游刃有餘地，卽不見其涯，而爲無涯。今使刃游於虛，不與骨節相遇，卽以有涯還有涯，於有涯觀有涯；亦以無涯還無涯，以無涯觀無涯。是卽不以有涯隨從於無涯也。人果能去其成心之從於其生命心知之流行之後者，則如生有涯，心知在此有涯中與之俱行；如心知無涯則生命亦無涯，亦與之俱行；皆非以有涯隨從無涯矣。以有涯隨從無涯，則無涯如爲有涯者所桎梏，有涯者亦終將爲無涯者之所崩裂，則二者互相傷折。今不以之相隨，則無此傷折矣。由此以觀養生主後段言：澤雉十步一啄，百步一飲，此卽言澤雉生命之自然流行也。其「畜於樊中」，則於生命之自然流行有礙。故樊畜澤雉之「十步一啄，百步一飲者」，亦是以有涯，限其啄飲之行，使原無此樊爲涯限者，成有涯，亦以有涯隨無涯也。若乎前段所謂右師之獨足，則天之所爲，非人限之使成獨，亦非以有涯隨無涯，而限無涯之所成。故與雉之畜樊中者不同。此天之所爲之獨足，雖無可責，然雉之畜樊中，則是以樊之有涯，形成其生命流行之限定桎梏，故爲「不善」也。

至於養生主最後老聃死秦失弔之之一節，則意在謂人之「老者哭之，如哭其子，少者哭之，如哭其母」，雖不蘄哭而哭，乃出乎自然，然不當以之待老聃。因老聃非一般之人。養生主文以「適來，夫子時也；適去，夫子順也」言老聃，乃言其能隨其心知生命之流行，而來去無礙，其「生若天行」（用刻意篇語）者也。則人之哭之，如人間之哭母與哭子；是不知老聃之生若天行，卽遁天而倍增一不須有之哀情，忘老聃之所受於天，而成之「生若天行」之德，而自桎梏於哭母哭子之哀情之中。人之自桎梏於此哀情之中，卽遁天之刑也。人若能契此老子之來去無礙，以「安」於其「來」之「時」，以「處」其「去」之「順」，則一般之哀樂，於此固不當入。吾人果契於老聃之來去無礙，而亦能無礙，則吾人之心亦將不復懸掛於其所膠固者，而帝之所以懸掛吾人之心知於一處者，亦得脫解。故曰：「古者謂之帝之懸解也」。此懸既解，則其觀老聃與吾人之生命心知之流行來去，乃於其去後，亦非必卽視爲更無所有，而一切皆盡。當視如薪盡，而火可不盡以更傳於他薪。此卽喻人之形骸雖亡，其生命心知之未必盡，而未嘗不可更表現於他也。吾人不能由薪之盡，以知火之必盡，亦不可由有涯之形骸之死，以知其生命心知之盡。故曰「不知其盡」。此亦同是不可以有涯從無涯，而觀無涯之旨。至於問如此生命心知不盡於此形骸，將托何形骸以存？則此可不問，亦不可實知。亦如此薪之火之傳於何處，非此薪之所知，其盡亦非此薪之所知。吾人在生時雖自謂有死，然當吾人死時，亦不能實自知其死。唯當吾人自他薪之火，以觀此薪已成灰，方可言此薪盡，而火不在此薪。故亦唯有以尚生之人，觀他人之形骸，已無其生命心知之表現，方可言此人已死。然此乃以尚生之人之觀點，而說彼已死之人之形骸之語。至彼已死之人之自己，則固不能實自知其已死也。人若只本其形骸有不能表現其生命心知之時，謂其生命心知之必有盡；亦如人之本一薪之有盡，而謂其火必有盡而不可傳。是則不知一薪雖有涯，而火可無涯；即不知形骸雖有死有涯，而生命心知可無涯。必以此之有涯，斷彼之無涯，亦是以有涯從無涯，而觀無涯，未能分觀有涯與無涯也。是亦不知吾人前所謂人之「知」原在其「生」之中，固不能實知其生之涯者也。秋水篇曰：「計人之所知，不若其所不知，其生之時，不若未生之時。以其至小，求窮其至大之域，是故迷亂而不能自得也」。正謂以至小之有涯之生，不能窮：此生之始終，其在知之外者之無涯岸也。大宗師篇曰：「孟孫氏不知所以生，不知所以死，……且方將化，惡知不化哉；方將不化，惡知已化哉」。郭象注曰：「已化而生，焉知未生之時哉?未化而死，焉知已死之後哉」。則謂人能實知其生之涯者，妄也。人若能實知其生之涯，則其知已超于此涯之外，而其知無涯矣。然知果爲無涯，則具此知之生，又理當爲無涯矣。則人之由其形骸，見其無生命心知之表現，而謂之爲死，以謂其生有涯，而謂其心知能知：「涯外之無涯者」之必無，皆是以有涯從無涯，而觀無涯，而使其生命之有涯、與心知之無涯，互爲對反之論；亦皆不知就其生以觀此生，知此心知當內在于其生命，而與此生命相俱以共流行，以爲養生之道者也。

第十一章　莊子內篇中之成爲至人神人眞人之道（下）

六　人間世之「乘物以游心、託不得已以養中」義

養生主之旨，在自養其生，而不求功名於外。人間世之旨，則言人之未忘功名，卽足以礙其事功之成，以言處人間世之不易。此不易，在根本上，仍在吾人心知之用於處人間世時，恆未免乎成心之累。人以有成心，而有其自視爲是爲善者，足以自恃，而居之不疑，更自得其名聞；而人卽據其所自恃，與已有之名聞，自以爲善，而亦欲人之以爲善，以感化此人間自任。世之儒墨，固皆志在化世，而或不知「于心知之所知，有所自恃，而居之不疑、與已有之名聞」，正皆足爲其化世之礙。則人果欲處此人間世，而求化世，固必當先變化其自己，而先有一善運用其心知，形成其心志之工夫。此工夫，則又正在善去除其對己、對人之成心、與功名之心。無己無功亦無名，以自宅心於其心之所安，與所不得已，而不求奈何其所不能奈何者，以游於人間世。是卽此篇之大旨也。

至於就此篇文之次第爲論，則其首顏回見仲尼之一節，謂顏回欲以其所聞者爲則，以化衞君。而孔子則告顏回以恃己所聞，以教人，則人必不受；乃告以爲學之要，在先存諸己，而不在以所存諸己

之未定是者，表暴於人之前，以自彰其名，自耀其知。存諸己爲內德，而表暴於人之前爲名。內德顯於外之名，卽德蕩於外，而不存於己。自耀其知，則必顯己之是，以爭人之非。名與名相軋轢，知與知相爭，而己自以其仁義繩墨之言爲美，人亦必以爲非美，而惡其美。則於此時人若欲對惡己美者，以目光射之，以色平之，以口更自經營其言，而以容更表現其言；而成心在後，必使人從我，則又無異以火救火，以水救水。人惡己之美，而己又必欲人從我。二者互相激蕩，以至無窮，則欲感化人者，必死於暴人之前矣。此卽自彰其德以成名者，其禍之所必至也。是見人之所以自處其「內德與外彰之名」之不易。故曰「名實者，聖人之所不能勝也」，言有實德而能免於以名臨人之禍，聖人猶難爲之也。

此上是本篇第一節之旨。至於下一節，爲顏回既聞孔子之言之後，卽知其不當逕以其所知之是，爭人之非，亦不當自彰其德，以免於好名之過。乃有其自「端而虛」，自「勉而一」之言。於是孔子更告以此他人之有自恃、自滿、自揚之色，常人莫敢違者，非漸漬之所能化，更不能期之以大德。則此「端而虛、勉而一」之功，雖可以免害，然不足以化人，人仍將「執而不化」，外合，而內不相訾應，以受感化。由此而顏回更言其「內直外曲」，及「成而上比」，爲其所以感化人之道。內直卽與天爲徒，而忘人己之分，不求人之是之善之，而學爲童子。外曲卽與人爲徒，卽敬備人臣之禮，以恭敬人。「成而上比」，卽徵引古人之言以爲敎，以見我無敎人責人之心。大約儒墨之所以感化人君與敎世之道，亦不外一面徵引古聖先王之說，一面與人爲徒，事君盡禮。「與天爲徒」，「學爲童子」，卽道家之忘人己之義。然孔子更答顏回曰，用此三者，亦只可無罪，仍不能必然使人感化。由此而孔子乃更進而言心齋之道，以爲「通人己之隔，以化及於人」之道。此心齋之旨，則要在虛心一志，至乎其極，使其心之宅，足以待物而攝人，使人自止於其心之宅；而此心光之白，得自生於虛室。則人與鬼神，皆將來心，而宅於心之舍。斯可以言化及人矣。此是其大意所存，今更略釋其文句如下。

按孔子言心齋曰：「一若志，無聽之以耳，而聽之以心；無聽之以心，而聽之以氣。聽止於耳，心止於符，氣也者，虛而待物者也。惟道集虛。虛者，心齋也」。此卽謂心齋之功，唯在一其志，而盡其心之虛，至無心，而只有待物之氣。實則此無心者，唯是無一般之心。由心齋之功，至於至虛，只有氣以待物，仍是此心之事。德充符言「以其知，得其心；以其心，得其常心」。其言由知以至心，以至常心，正與此篇所謂以耳聽，以心聽，以氣聽三者相當。則心之虛，至於只以氣待物，卽謂只以此由心齋所見得之常心，以待物也。人不以一般耳目之知與一般之心聽，而只以此虛而待物之氣或常心聽，卽足以盡聽人之言，而攝入之。是卽不同於「聽之以耳者」，止於知其聲，亦不同於一般「聽之以心」者，只求其心之意念，足與所聽者相符合；而是由心之虛，至於若無心，使所聽之言與其義，皆全部攝入於心氣之事也。此時一己之心氣，唯是一虛，以容他人之言與其義，通過之、透過之。今以此爲待人接物之道，卽道集於此虛；而所待所接之人物，亦以此而全部集於此己之虛之中，故能達於眞正之無人無己、忘人忘己之境。顏回乃曰「回之未得使，實自回也；得使之也，未始有回也。可謂虛乎？」而孔子曰「盡矣」。按此得使，卽前文得爲使者之使。在未爲使者之先，有回、有我；而在爲使者與人相接之後，更無回、無我。此方爲虛。此卽謂「初有我，而在與人接之時，更無我」，方爲虛之至。此卽言虛，不只是一人獨虛之功，而實歸在與人相接之時，將人之言之義，全部攝入於我之虛，而忘己，忘人，方爲至虛。此卽較前文之言端而虛，只就端正自虛言虛者，更進一層，而亦學者之所不可忽者也。

至於下文謂孔子之言「入游其樊，無感其名；入則鳴，不入則止，無門無毒，一宅而寓於不得已，絕迹易無行地難」一段，則不外言人不當只慕此虛或心齋之名，更當入游其中，以有自得，而自鳴，非徒慕其名。當知此虛爲心之宅，無門亦無所毒害，故當安於此宅；而其待物接人，又當皆出於「不得已」。此不得已之言，兼見於莊子多篇。如大宗師言「以知爲時者，不得已於事」，刻意言「不得已而後起」，庚桑楚言「動以不得已謂之德」「不得已之類聖人之道」。此心自有所不得已，則此心非徒不踐世迹，亦外無行地，而唯自盡其內心之不得已者而行，則皆眞而無僞，卽非復爲世間之使者，亦爲此「不得已」之「出於天者」之使。此由宅心於虛，更有不得已之出於天者，以無知知，如以無翼飛；則大不同於世之以有知知，如有翼飛者矣。此無知之知，如虛室中無物，而光自生白，此卽無異吉祥之止於心之止處。若吉祥不止於此止，則爲空止與空坐。蓋無此出於不得已者，則人不能爲天使，亦如虛室之未生白，而吉祥不來止。是卽無異此心之坐放而坐馳。故必於徇耳目內通，外於一般之心知，以有心齋之後，仍有其不得已者以待物，如本無知以知；然後可款接鬼神與人，於此心之虛室，虛舍之中；此虛室虛舍之中，同時有萬物之化在，以爲萬化之樞紐也。

至於再下葉公子高一節，更言人之不免有人道之患，而患其功之不就，亦不免由患得患失，而有陰陽之患，如冰炭之在心，而冷熱不定於懷。孔子之答，則指出義命之所不得已者，以申上文之不得已之義。蓋此心卽在至虛之極，亦自有不得已之情。在此處，人卽唯有自事其心之不得已者，而不更顧得失，亦不以得失生憂慮哀樂。故曰：「天下有大戒二，其一命也，其一義也。子之愛親，命也；臣之事君，義也；……無所逃於天地之間。是之謂大戒。是以夫事其親者，不擇地而安之，孝之至也。夫事其君者，不擇事而安之，忠之盛也。知其不可奈何而安之若命，德之至也。爲人臣子者，固有所不得已，行事之情，而忘其身，何暇至於悅生而惡死？」此卽言子之愛親之命，與臣之事君之義，同爲人所不可解於心，亦不可逃於世者。於此處，人唯有視之爲不可更加以奈何者，而安之、受之。人知此忠孝之行事，爲吾心之不得已，而不能不有者，則人於此不暇有悅生惡死之意，更何有患得患失之心。此卽言人到此，唯有自行其所不得已，以直往。是見莊子之言虛爲心齋，乃所以更見其中有眞而無僞之不得已者，自其中出，使人得以自盡者。此其義，實與儒者所言之心性之所出者，應同爲一物。唯莊子謂必先有虛心，而自外于一般之心知之工夫，然後能見及此不得已者之眞。虛心所以待物，而乘物以游心，亦使物游於此心；而見及此不得已，而行之，卽所以自養其內心。故又曰：「乘物以游心，託不得已以養中，至矣。」「一宅而寓于不得已」。人若能如此，固不外求其報，而唯忘身以求致此「不可奈何，而唯有安之、受之」之命耳。

至於此節中間，「丘復請以所聞」至「可不愼歟」一段，與上下文意不連。此乃不外言人之傳言之或溢美溢惡，而易於過度，乃使人與人間「始乎諒」而「常卒乎鄙」，亦使人與人間「並生心厲」，以「尅核」與「不肖之心」相應，而無已者。疑此段應在孔子答顏淵第一段語「而況若乎」之後。蓋此乃所以告顏淵以「爲人使者而傳人之言」之不易，爲使者之功之難就也。

至於顏闔將傅衛靈公太子一節，則不外言人之處人間世，而欲教人感化人者，要在自正其身，形雖莫若就於人，以順人；又不能入於人，以失己。心則莫若和，而又不能表現爲名聲。否則事人如養虎，將無以達其怒心。此不外言欲感化暴人之不易，而不可輕言教人。至於匠石之齊、南伯子綦二節，則不外言人之顯其才用者之致剪伐，不如櫟樹之無才用，而能自全。支離疏一節，言支離疏之攘臂於朝。楚狂接輿一節，則言臨人以德，爲德之衰，亦召致危殆。此猶前所謂德蕩乎名，以與人爭，必死暴人之前之旨。藉以言無才德之見於外者，似無用而有大用者。凡此諸節，皆文可觀，而義甚淺。亦不出老子「免咎自全」，愼到之「無罪無譽」之旨。蓋非莊子之書，或莊子之徒之言襲愼老之論而爲之者。人間世中唯孔子與顏回，及孔子與葉公子高問答二節文，能步步深入，以契入之所以處人間世之道；其歸在「乘物游心」與「託不得已以養中」之二義，其旨尤爲深閎。此方爲人間世之核心義所在也。

七 德充符之「才全而德不形」義

德充符之旨，要在言德之充於內者，必形於外，亦足感人，而人莫知其所然。此卽言德之充於內者，必有符應於外。此與孟子之言君子之仁義禮智之德根於心者，必能踐其形色之軀，以睟面盎背，施於四體，而見於外，「所過者化」之旨，正有相類處。唯莊子所言至德全德之人，其德充於內，而見於形骸，可藉任何殘缺不完之形骸而表現，而人亦更忘其形骸之異於人。又其德之感人，亦不在其表現爲愛人助人等一定之行，復不在其德之爲一定之德，而在其德之見於其人之態度中，卽有一吸引人、攝住人之力量，以見其德之若爲一能涵攝一切特殊之德之全德、至德。此卽德充符言德之特色所在也。

德充符篇首言「魯之兀者王駘，從之游者，與孔子中分魯，立不教，坐不議，虛而往，實而歸」。孔子乃謂將以爲己師。其故則在其人於「死生亦大矣，而不得與之變，雖天地覆墜，亦將不與之遺」，而視萬物皆一。此不外齊物論與天地萬物爲一而並生之旨。至言其人之「審乎無假，而不與物遷，命物之化，而守其宗」，則是就其不知耳目之所宜，而游心於德之和說。是卽言其心不着於一定之物，而恆存其內心之德之和。此德當亦卽人間世篇所謂乘物游心，而託不得已以養中之德。至於下文常季所謂「彼爲己，以其知，得其心；以其心，得其常心」下文言此常心如止水之能鑑，卽明同於人間世所謂虛而待物之無心之心。此後文言此人能「官天地、府萬物、寓六骸、象耳目」、「一知之所知、心未嘗死」，則其意不外謂此常心之寄寓於形骸，以耳目呈象，以心虛待物，則天地皆其所官，萬物皆藏於其靈府，而爲此常心之一知之所知或所攝，而不在其外耳。

第二段申徒嘉兀者也，魯有兀者叔山無趾一節，則要在言申徒嘉諸人之德，不當索之於外之形骸。然賢者如子產仲尼，猶或未能知之，必俟其自言其有形骸之內之德，有尊於足者存，而後子產仲尼，乃自蹴然改容，而自愧其陋。再下魯哀公一節，言哀駘它爲駝背者，則言其和而不唱，而丈夫處之不肯去，婦人願爲之妾者十數，而哀公欲傳國焉。其故則不在其形，而在其內在之「才全而德不形」。才全者卽於「事之變命之行，不足以滑和，不可入於靈府，日夜無郤，而與物爲春」。此指不以外物之變，而失其內在之靈府之和之言也。德不形，則指「內保之，而外不蕩也」。此不蕩，卽人間世不蕩乎名之旨。德不蕩乎名，則德恆存乎其人；而人與之相接，卽與其德相接，而不能離。此其所以感人之如此其切，至哀公欲傳其國於哀駘它之故也。

至於闉跂支離無脤一節，亦不外言德有所長，人卽忘其形。更言「聖人不謀，惡用知；不斲，惡用膠；不喪，惡用德；不貨，惡用商」。聖人之有所游，而「知爲孽，約爲膠，德爲接，工爲商」。此則謂聖人之游心於德之和，故不重向外之知；亦不用信約，以自外膠黏人與人之關係；更不以德爲自外接人之具；復不以自己之所爲所得，爲交換他人之所爲所得之具，以使人反失其所自有，如以工爲商者之以其所有易其所無，而失其所原有。此皆不外言聖人之只游心於德之和，卽足以使人親悅之，而不待以人間之知約等爲用也。此亦正所以見聖人之德之和，純出於天，故謂之爲「天鬻」「天養」「天食」而「屬於天」也。

八　大宗師中之「天人不相勝」、及真人之生活

莊子內七篇逍遙游，始提出無己、無功、無名之至人、神人、聖人之「乘天地之正，御六氣之辯」者之無待，以標出其爲人之理想。齊物論言吾喪我，以通人我之是非，使我與天地萬物並生而爲一。養生主言調理其心知與生命之關係，去其生命心知之流行之桎梏阻礙，使其流行，依乎天理。人間世言人之本心齋以致虛，而待物，以與人相接爲人間之使者，更乘物以游心，託于其心之所不得已

以養中，以爲天使，而不暇悅生惡死。德充符言全德之人，忘形骸，游心于德之和者，其德之充于內者，而形于外者，亦更能使人忘其形，而直接爲其德之所吸攝。此皆猶未正面就此理想之眞人，而言其與天之關係，或其在天地中之地位，其生活之態度氣象，及其所以修成之工夫，與其對「若爲其生之終」之「死」之道等。此皆于大宗師篇，暢言之，而後此眞人一方不離于天之宗，以官天地，府萬物，以游萬物，而未始有極，及其爲天使，以與天爲徒；一方德充于符，爲人所見，以與人爲徒；再一方不暇悅生惡死，而超于死生之外等義，皆備足于此大宗師篇。養生主篇所言之善養生者，不知其生命之有盡，齊物論之言我與天地萬物並生之道，逍遊遊之言乘天地之正者之無待之道，亦皆同可由此爲大宗師之人物之修道之工夫，表見之態度、氣象，以得其具體之印證；復可由大宗師之言天人之關係，與人在天地中之地位，以有一更確切之說明。此卽大宗師之義，所以最爲深閎濶大，足以囊括眾義，而其文亦最跌宕眞切，足以使人逐步上契于高明之境者也。下文只能略疏釋其凝滯之義，以便學者。至于欲實契其旨，則學者當如人間世德充符所謂自致其心之虛，以讀其文，「以其知，得其心；以其心，得其常心」，方見得其中之「充實而不可以已」者在，然後能與其旨相遇于旦暮。此非吾之言之所能及者也。

此篇首言「知天之所爲，知人之所爲者至矣」。此是說必眞知天之所爲，與知人之所爲，而用種種工夫，方可至于成眞人，非只一以混然之天人合一之境爲論。只說此境，而無工夫，則不能成眞人。此篇之要旨，乃在說修道之工夫，而修道之工夫，則當本于知天所爲，與知人所爲。于此知天之所爲及人之所爲，下文更爲之釋曰：「知天之所爲者，天而生也；知人之所爲者，以其知之所知，養其知之所不知，終其天年，而不中道夭者，是知之盛也」。是爲此篇論知天之所爲、與知人之所爲之宗旨。以其知之所知，養其知之所不知，則爲莊子之修道工夫之本。至下文「雖然有患，夫知有所待而後當，其所待者，特未定也」，則是言「知天之所爲與知人之所爲」之得當，亦有所待而言，故非易事。再下文「庸詎知吾所謂天之非人乎，人之非天乎？」當正是直舉出此問題，以言吾人果能兼此知于天與知于人者，則天與人間亦自有可一之義；否則亦不能兼知天之所爲、與人所爲者矣。固非以此問標出一更上之恍惚不定之境，而以此兼知天所爲與人所爲之道，爲未至其極也。若其然也，則此「至矣」之言不可說，而與後文之其一與天爲徒，其不一與人爲徒，天人不相勝之旨，皆不合矣。

上謂大宗師言知天之所爲，與知人之所爲，乃歸在言人之以其知之所知，養其知之所不知，爲人之修道工夫之本。今欲知何以人之修道工夫之本，在「以其知之所知，養其知之所不知」，宜先知此「以其知之所知，養其知之所不知」爲何義，亦宜先明此所謂「所知」與「所不知」之分別。大率一般所謂所知與所不知之分別，皆自對客觀事物之所知與所不知者而言。客觀事物有我所知者，爲所知，亦有我所不知者，爲所不知。此一般之所知與所不知之義也。然莊子此所謂「所知」與「所不知」，則當是自人之主觀之生命心知之「原」而言。此「原」卽天。謂天之所爲，由「天而生」，乃明指吾人之生命心知之由天生，而原于天。此原卽初爲吾人之知之所不知。下文謂以知所知，養知所不知，而後能終其天年，卽顯見此所養之「所不知」，卽指吾人之有其天年之生命心知之原于天者也。莊子所謂以「所知」養「所不知」，卽以人所有之知，還養其生命之原之天。知此「天生人」而「人養天」，卽兼知「天所爲」與「人所爲」，而爲知之至，知之盛。此大宗師之要旨也。

然世之言知此所不知，卽知吾人之生命心知之原之天者，恆以爲知此天，卽知一絕對超越之上帝之存在與其意旨。此上帝既絕對超越矣，則其意旨之傳于人，必待其有言說之啟示，亦有傳其啟示之僧侶。人亦唯信此僧侶所傳之啟示，乃得上達于天。人或又見莊子之有造物者之名，而亦意其天同于一絕對超越之上帝，唯惜其不知上帝之啟示，而只爲一自然宗教耳。此則不知莊子之所謂天，本非絕對超越于人之上者，亦不待有其啟示，與傳此啟示之僧侶之存在，人方得知天之所爲者。于是或者又由此而謂人既能直接知天之所爲，則天非人所不知。因人既知有天，知此天之所爲，則天與其所爲，固人之所知，亦在此知中，更何得言爲所不知乎。若天與天所爲，非吾人所知，只爲吾人所不知，則吾人又如何能以「知」養之？若天與其所爲，爲所知，則人亦只是以其所知于人者，以養其所知于天者，則只有以所知養所知，無以所知養所不知矣。然若說天亦爲人所知，則天亦可只同于人所知之自然萬物之全，而別無其上之天之眞實存在。此則或歸于以莊子之天爲虛名之論。昔之郭象釋莊子之天，卽向此而趨。今之本西方自然主義之說，以釋莊子之天者，固亦可視莊子之天，卽指客觀之自然萬物之全矣。然此亦與莊子之明言人由「天」生，「天」亦爲人所不知之語不合。吾人今欲兼去此以天爲絕對超越之上帝、與天只爲人之所知、及以天爲客觀自然萬物之全之三說者，則當于莊子言「知天之所爲」「天之所爲、爲人所不知」，人當更「以其所知，養此所不知之天」之語，別求足以釋疑竇之善解。

此善解首在知此人之生命心知之原之「天」之有，並知此「天所爲」之亦爲人知所不知，初未嘗有自相矛盾，亦爲對眞實之人之生，作如實說；更不能于此如實說之外，作其他之推說者。誠然，人若知其生命心知之有原，而名之曰天，此亦是知。此人之知其有原之一知，亦若是超越于此現有之生命心知之上者。人于此，便恆易思其原爲在此生命心知之外之上，另一絕對超越的大生命大心知之上帝。然人之知其生命心知之有原，可不需將此知，絕對超越于人之生命心知之上之外，以更思其當有原，更不需謂此原之在此人之心知生命之上之外，初絕對超越于人之生命心知之存在而存在者。因吾人可說，吾人之知其生命心知之有原，唯由吾人之生命心知之流行，其來也無窮而不竭，以知之。此卽如吾人論孟子言吾人生命心性爲天之所以與我者一段時所說。孟子所見及之吾人生命之心性，可不同于莊子所言之吾人之生命心知。然莊子之所以知此生命心知之有原，則可同其思路。而吾人卽可以論孟子時所說者，喻解之。此喻謂人之沒入于水中，可由感水之不斷流及于其身，而知水之必有原。此卽所以喻人可由感其生命心知之流行也，其來也無窮而不竭，以知其必有原。此原卽是天。則人之知其生命心知之有原，同不待于超越于其生命心知之外、之上，以知之。此知其有原，唯由感其來之無窮不竭而知之，則知其有原者，固不能窮此無窮不竭，而盡知之。則知其有原，固不礙吾人之于此原之有所不知，而亦自知其有此所不知。當人謂其原爲無窮不竭之時，卽已自認其原非其知之所能窮竭，而自認對其原之有所不知矣。此亦正如吾人之沒入水中，而感其流不斷及于身，固一方知此水之有原，亦同時不知此自原而來之水畢竟有多少，而亦可自知其于此有所不知。此固無自相矛盾之可言者也。

至于吾人如必欲辨明此人之對其生命心知之原，必「有所不知」之義，則亦可對人之「知此原之有」之知，以更辨之。人固能知此原之有。然此「知此原之有」之知，亦可說在此所謂「此原之有」之另一層次。在人能知「此原之有」之時，人固必不能同時以此「能知此原之有」爲所知；則此「能知此原之有」之「知」本身，卽雖有而初不爲其所知，亦卽亦正爲其所不知者也。人之自謂其「知此原之有」之「知」亦爲有，必更待于又一層次之知此知。然此又一層次之知此知之「知」，仍是初不被知者也。由此觀之，則卽此人之心之知之自己流出，而爲人所知，亦必先以不被知或爲人之所不知者之資格，而流出。則人之必有其知之所不知，卽就此知之自己流出，其初只爲能知，而不爲被知或所知，已可見矣。至于人之其他之一切生命心知之流行，亦無不先流行，而後被知；當其始流行而尙不被知之時，卽皆非「所知」，而爲「所不知」者也。至于當此知或生命心知尙未流出之時，其所自流出之泉原，固當在吾人之所知之外，而爲吾人所不知者也。

此中唯一剩餘之問題，唯是人可謂「人之知此泉原在未被知之先，而亦存在」，乃是一原則性之「知」。則此未被知之泉原，亦存在于一原則性之知之所涵蓋之下。其不被知，亦只在此原則性之知所涵蓋之下，爲不被知。則知仍在原則上，居于此原泉之存在之上一層次，而以此原泉爲所知。然實則此話可如是說，而亦非必如是說。因此一原則性之知，亦與另一原則性的知其「對此原泉，並對由此原泉所流出者之有所不知」，同時建立。因此原則性之知，若不具體化特殊化，爲對由此原泉而流出者，一一盡知，則亦不能盡去吾人之「不知」。由此原泉與其所流出者之無窮不竭，則吾人亦必永對此「可能流出者與其所自流出之原泉」，有所不知。吾人旣永有所不知，則此「有所不知」，卽亦爲原則性的有所不知。此人之知其有所不知，亦爲原則性的知其有所不知。則人之有所知與有所不知，皆爲原則性的。人之知以外必有其所不知之天，卽可合建立爲一原則。而唯以兼知此天之所爲與人之所爲，方爲知之至，亦可建立爲一原則矣。

人必有所知，亦知其有所不知，然其所不知者，卽是生命心知之原之天；而由此原流出，由天而生者，亦可進而爲其所知。此中，卽有由天而生者與人之所知之相貫注，而可相攝、相養之義。如人有知，與有其他種種生命活動，固皆由天而生。人亦初非先求其生，而知其將生，方出生者也。然人既有此知或此種種生命活動之後，人卽更「知」其有知，「知」其有此生命活動，是卽與此由天而生之知及生命活動之相貫注，而成人之後起之知。此人之後起之知，亦可說爲能往攝受由天而生之知及生命活動，于其自身之中，而自成者。此後起之知，自其原而觀，其初生固亦出于天，與其前之知出于天者，未嘗不同。然本此後知以知前知，與其前之生命活動，則屬于其流之事，非屬于原之事。此卽當屬于人，不屬于天。若人之「更知」此「後知與前知之種種關係」，如吾人上之所論者，則自此「更知」之原而觀，固仍當說是屬于天。然自此「更知」之自身說，則亦屬于流之事，而固當屬于人，非屬于天。凡自流之原說爲出于天者，自流之自身說，卽屬于流，不屬于其原，亦不屬于天，而屬于人，此天人之分異也。

知此天人之分之異，卽知人之一切問題，一切憂患，皆不在其心知與生命活動之原，而在其流。蓋在此流中，卽有同出一原之種種心知與生命活動之流之相錯雜、而相誤解、相衝突之事。此種種錯雜、誤解、衝突，固亦見于人與人之間或人與物之間。然卽由吾人自身之心知與生命活動之有種種，亦卽同時有種種錯雜、誤解、衝突，存乎其中。如人之有知而知物之後，更以此知同化于物，而謂此知爲物，此心亦爲物。此卽人所恆有之誤解，而爲唯物論之說之所由立者也。又人知其有對一一特定之物之知，而不知由其對一一特定之物之知之無窮，以知其知之有原，遂謂其知無原。此又一誤解也。再如人知其知之有原，而謂此原必在人之知之外之上，另一絕對超越而具大知之天神，以爲無天神對人之啟示，人無知天之道路，又一誤解也。此外人對其心知與生命活動，凡自以爲是如何者，實非如何，皆爲誤解。凡此誤解，皆原于人之以其一時之某一心知或生命活動之所知所是，概括另一時之另一心知或生命活動之所知所是者而起。此卽前所謂人之成心也。人固不只據成心以觀其他人物，以造成種種對其他人物之誤解，亦據成心以觀其自己，以造成對其自己種種誤解也。人之有其成心者，又有其特定之所視爲利或所視爲害者。人此時之成心如此，而另一時如彼，則人自己之種種成心，由其所視爲利或害者之不同，而一人之一心之內之意念，亦可自相衝突，如自分人我，互爲是非，皆欲求勝，得成其功，以自爲名，而使此一心自爲冰炭，自成戰場。此卽人生一切問題與憂患所由起，使人恆迷亂而不自得，而其生命心知，恆不得自然流行，而處處皆見有阻礙，求生而生不得其養之故也。此固不必待將吾人之一己與其外之他人他物相連而論，卽可見此人生之一切問題與憂患之所以起之故，在人之對其自己之誤解，對自己之是非之不當，而有之內在之衝突。然復須知，此一切誤解、衝突，乃原自人之既有其原出于天之心知生命諸活動之流，而更相錯雜之故。然剋就此諸活動之流所自出之本原上看，固皆同出于天，初未嘗不相和。因若其初不相和，又焉能次第同自此本原而出？則人之所以去此流上之錯雜、誤解、衝突之道，唯有再沿此流，而還溯其本原，以再接于其所自出之天和，以爲再和此流之所據。此則要在人之逆反其知之逐流而不返，而更折回之，以其人之知還契乎其知所不知之天。是卽以人之知還接于此所不知之天和，如還養此天和，而使此天和日出，以成人之德之和，更成就我與人之和，以和天下；而銷除此人生之內在與外在之活動，由相錯雜而成之一切誤解、衝突之道。此卽莊子言以其知養所不知之歸趣也。

此人之以其知養此所不知之天和，乃以由天而生者，再還契、還接、還養其天和，以使天和日出，如水之流之還流至其原，以開其原，使原之流出也亦更不竭。人無此一功夫，則人將只任其由天而生而出之心知與生命活動，異流錯雜，以相誤解、相衝突。如漩水之不進，而泉原亦不流，其生命遂與其泉原隔斷，而漩水將散流于斷港絕潢，更散沈于泥土。此卽齊物論所謂心之「與物相刃相靡」，而致之「形化而心與之俱然」之心死，爲人生大哀者也。哲人之大慧，則在教人自知此原泉之天之實有，而還契、還接、還養之，以更開之。此則要不外或如逍遙遊齊物論之至人無己，仰天而噓而喪我，以透入；或如人間世之內由心齋以致虛，而更見其所不得已者而透入；或如德充符之忘形骸以游心德之和而透入。而大宗師之下文，則在舉陳此「透入其生命心知之泉原，以知養不知」之眞人之由眞知此義，而有之生活之型範，以爲世之大宗師。故其下文曰：「古之眞人，不逆寡，不雄成，不謩士。若然者，過而弗悔，當而不自得也；若然者，登高不慄，入水不濡，入火不熱。是知之能登假于道也若此」。

上節文言眞人所有之眞知之性質。其言雖簡，其旨則深。此乃要在言眞人之知，其原只在天，而有知之後，更不以之逆寡、雄成、謩士，亦不以此知悔其生活上之事之過者，而自得其生活上事之得當者。須知人固皆有知。其知之生，皆初不自知其知，亦皆爲不知之知。此乃出自天之知。此知之有所知，亦出自天。此所知之內容原有多寡，可助吾人之生活上之事之成，皆人所自然原有者，亦眞人之所自然原有者。然常人在有知，而有所知之後，更將其自己一時所知之內容，與自己他時所知或他人所知之內容，加以比較，而自念其多，卽可以之凌駕其寡者。更自念其知之可助其事之成，而于事成之際，有一顧盼自雄之心。或自念其少而慕人之多（謩士蓋卽此意）。此卽皆爲純屬于人之後起之心知。此一後起之逆寡、雄成外慕之心知，乃由人之據其已有之知，以觀自己他時之知，與他人之知相比較而後有者；卽由此自己之一時之知之流行，與自己他時或他人之另一知之流行，交錯相雜而「觀」時，乃有者。此「觀」，卽不屬人之知之原之事，而爲人之知之流之事。沿此一觀，而人當前之知之流行，乃或由外慕而失己或由顧盼自雄，凌駕于自己他時與他人之知之流行，而礙及于他；亦將以他礙己，而使其本身之知之流行，受一挫折；而更自塞其泉原。則此外慕逆寡雄成之一念雖微，而其害則至大。此念屬流之事，亦人之事，而爲以人滅天，而亦自滅其知之原之事也。

至于過而弗悔，當不自得之句，其反面，則爲人之過而悔，當而自得。過而知悔，依儒學義，未嘗不是。依莊子義，亦不可全非。如人之知逆寡雄成之非，而悔之，亦是悔也；此悔固當有也。然莊子此處所謂悔，蓋專指一種常人所恆有之本今日是與利爲標準，以悔其過往之所爲之悔。人之貪心重者，得此則悔未求彼，得彼則悔未求此；恆以今日之我咎責其昔日之我，有如其恆咎責他人之不從于我。人之此種悔恨，恆念念不已，至于終身。此卽爲一在儒者亦視爲不當有之悔。常人之悔，實大皆屬此一類。莊子此所謂悔，當卽指此一類。此與人之對其眞正之過失之悔，旣由悔而改，卽不更留于心者。實不同之悔也。

按此常人之以今日之是非利害之標準，悔其昔日之所爲，此卽以今日之我之是，判斷其已往之我爲非，而不知其已往之我之未嘗不是。此亦如人之自以爲是者，恆以他人爲非，而他人亦實未嘗不是也。已往之我之有其所是，出于天，今日之我之有其所是，亦出于天，亦皆原自吾人生命心知，而爲其流。然以今日之我之所是，評斷昔日之我之所是而悔之，則出于人，非原上之事，而純爲流上之事。由此悔，而謂昔日之我爲非是，卽使今日之我與昔日之我相衝突，而使我之生命之流行，自己折回，自淤塞，使不得和暢者也。

至于人之行之有當者，亦出于天。然人于此更加以一自得之心知，則此自得之心知，亦爲後起。人于其已當、已得者，更加一自得，卽可謂爲吾人之心知對己之所已得者之有一留戀。此留戀卽亦是黏滯于已往、陷溺于已往。此卽又正阻礙吾人當下之生命心知之流行，而使其不得和暢之事。故眞人必「當而不自得」也。

對于此人之能逆寡、雄成、過而悔、當而自得之念，或心知生命之活動，人固可問其原畢竟有出于天者否。則吾仍將承前文意，答曰：此亦應自有原于天者。因若無其原于天者，則其自身亦不得有。然此心知生命活動雖原出于天，旣出卽是流。出而爲對寡而逆，對成而雄，對過而悔，對當而自得，此仍是流之事，卽人之事。如漩流之水，相衝激而不流，固仍自一原而出。如枝葉之交蔽礙者，仍自一本而出。又如人之癌症之細胞之能毀正常之細胞者，仍自一身而出。然水之成漩流之事，畢竟非水原之事；枝葉之交蔽礙，畢竟非一本中事；人之癌症細胞，畢竟非此身所自生之原始細胞。若以天之事爲人之事，原之事爲流之事，更因其流以咎其原，因其人以責其天；則必以水有漩流，而責其原亦不當有；以人有癌症，而謂其身之原亦不當生。此亦以今悔昔之類也。凡人之以流咎原，以人責天者，其思想之行，正如漩流之水之逆行，當先以自求其順暢，乃可及于更進之義也。

至于再下一段言「古之眞人，其寢不夢，其覺無憂，其食不甘，其息深深，眞人之息以踵，眾人之息以喉。屈服者，其嗌言若哇；其嗜欲深者，其天機淺」。此則就眞人之起居之日常生活，以見眞人之精神生命。蓋人之夢中之事物，卽恆爲人昔日所經驗之事物之組合，而再現者。人昔日之欲望之未遂者，恆于夢中得遂。此卽無異昔日之生活中之經驗與欲望，與當前之睡眠之生活之相錯雜。昔日之生活爲出于天者，睡眠亦出于天。然昔日之生活中經驗之再現于睡眠而成夢，而藉睡夢中之想像以遂其未遂之欲望，卽爲昔日之生活之強佔此睡眠之生活，亦如人之強佔他人之家室也。此則出于人，而非出于天。人之睡眠之不免有夢，卽見人各時之生活不能分別順天而流行，不免于互相侵佔也。至于眞人之其覺無憂者，則此憂非儒家所謂之「憂以天下」之憂。人之有此「憂以天下」之憂，必同時知其義所當爲，亦恆必與樂相連。吾已于述孔孟文及之。此莊子之所謂憂，應是指一般人之憂其未來之利害得失之憂。此憂則恆不與樂連，而人有此憂時，亦恆不知其所當爲之事之如何。此卽一般人之憂，恆鬱結而不能自解者也。人之有此對未來之利害得失之憂，而其今日之生活，亦遑遑不安；此卽以其未來之生活之事，侵佔其當下之心，亦侵佔其當前之生活之事所原有之地位。故亦爲吾人之今日與未來之生命流行之事，互相錯雜糾結，以相阻礙之事也。至于下文之「其食不甘」者，則其反面爲食而甘。人口能知味，固能甘味。然人于知味之甘之外，又恆更多生一自甘其甘之心。此方爲莊子此所謂甘。是卽人之貪味之始，而爲一後起之心念。人之有此一「甘味之甘」，卽其生命流行之膠滯陷溺于此味之中，以成一偏嗜。則人亦可于此外之味，皆不知其味矣。故人之生命之流行不滯，而亦知味者，必無此莊子所謂「甘味之甘」也。「其息深深」者，卽言眞人之息，恆透至踵，不同衆人之息，只至于喉。衆人之息之止于喉者，以喉以下，皆非此氣之所通；故氣至喉，而更必吐出一氣，以自舒，如勉強屈服于人之前者，未嘗服氣，而不免嗌言，而嘔吐其氣以出也。此則使人所吸入之氣，不能透過其全生命，而更吐出其當吐之氣。然眞人之息，則吸氣至踵，方更吐出其當吐之氣，則其生命如爲天之氣之所通過貫徹後，方更使其生命中之氣吐出，以還入于天。然後其生命乃爲此內外之氣往來不息之一中樞。此固可爲養生之談。然亦爲據以喻眞人之心知爲天與人之氣，往來不息之中樞者。此心知，爲天與人之氣之往來不息之中樞，則亦爲天地萬物與人之存在或生命往來不息之中樞也。若人之心知，不能爲天地萬物與人之生命或存在或氣往來不息之中樞，則此心知之感知天地萬物，卽不能將此存在之境相，加以攝入，以通過其自己之心知與生命而更出。于是其感知天地萬物之境相之存在之後，卽恆有心知之留滯陷溺于其中；遂欲更吐出之，以求去其留滯陷溺。此時人卽或空慕一槁木死灰之境、或無天地萬物之境相可見之天堂之類也。然莊子之言，正大異乎此。依莊子之言，人于天地萬物境相，大可不必懼其有所知，唯當懼「其知之不深，而未能攝入之」。果能攝入之，如隨息而至于踵，更透過此踵而出，以還之天地萬物，則無異境相之自然吐出，亦自無心知留滯陷溺，而亦恒在一超境相、忘境相之境。若只存心于一槁木死灰無境相之境，固非人之所以「既知境相，而又不留滯于中陷溺于其中，以更超此境相、忘此境相」之道也。昔王船山盛論此眞人之息以踵一語之深義。今亦竊慕之，而更本己意，說之如上。

至于下文「嗜欲深者，其天機淺」一語，亦當略釋其義。莊子固未嘗言人能全無欲。眞人有睡眠有飮食，亦屬佛家所謂五欲者也。然人又或以人不能無飮食睡眠之欲，則人亦不能無嗜欲，則似不必專責嗜欲，而不必專任天機。此則由不知在人而言，睡眠飮食之欲，亦出于天，此固易足而無害。欲之化爲嗜欲，則原于人。人之欲之成嗜欲，亦由人之有後加之一念。如人之貪食之嗜欲，由自甘其食之味而起。此自甘其食之味，固爲一後起之念。人之睡眠而甘之，亦可自甘其睡眠而貪睡。此亦後起之嗜欲也。于此，以人與其他動物相較，則其他動物食飽則止，睡足則醒，人則可貪食、貪睡。

此其原之所在，乃在人有心知，而更以其心知留滯陷溺，而膠黏于其眠食之事，而甘之，或自甘其甘之故。此人之心知，不僅能膠黏于眠食，亦可膠黏于其生活上任何之事，卽使其事皆可出于嗜欲。又當人之心知既膠黏于一特定之事時；更可膠黏于此特定之事之同類者，或與之有其他相連之關係者。于是人之緣其對特定之事之嗜欲，而引起之嗜欲，卽可至于無窮，亦深至于無極。當人之心知充一嗜欲之量，卽于其外之天地萬物，皆可無所感知；對其生命中之其他痛癢，無所感知；卽對此嗜欲所以成爲嗜欲，亦可無所感知。則其生命之生機，卽限在此後天所形成之嗜欲之中，而失其超此嗜欲以外之生幾。此能超一嗜欲之生幾之生起，亦出自天，卽天機也。心陷于嗜欲，嗜欲深而天機淺，亦如頭之着于地，而所見之天，自淺小也。則人之睡眠飲食之欲，雖不可無，而嗜欲固當無，亦未嘗不可無，而天機亦固當開也。天固與人之睡眠飲食之欲與男女之欲。然睡眠至多八小時而亦足，飲食三餐，至多二小時，合人之行男女事之時，亦未及半日。則人此外之大半日，果何所事乎。常人于此蓋除其工作之時之外，恆以多餘之時縱其嗜欲，或憂慮其嗜欲之未得。而眞人則以此多餘之時，自開其天機。則其不能免于天生之自然之欲雖同，而其所以爲人者，則已是天淵之別。固非必至于佛家之五欲皆盡，然後人可成爲遠超于世人之上之眞人也。大宗師之下文又曰：

「古之眞人，不知悅生，不知惡死，其出不訢，其入不距，翛然而往，翛然而來而已矣；不忘其所始，不求其所終，受而喜之，忘而復之；是之謂不以心捐道，不以人助天。是之謂眞人」。

此言眞人對生死之態度，大體同于養生主人間世所言之安時處順，不暇悅生惡死之義。唯此更言眞人之生必不當忘其始自天者，亦不當更問其所終。不忘其所始者，不以其知之所知，忘其出于其知之所不知，恆能由其所知，還契還接還養其所不知之原之謂也。不更問其所終者，則以人若問其所終，則無異于自超離于此生命之流行之外，以預測預斷其未來。殊不知此當下之知之原，只在當下之生之中，而與此生俱行，固不能預測預斷其外之必無生或此生之必有終也。此則吾人亦已詳論之于論養生主之一節。故其下文「受而喜之，忘而復之」，卽是謂于生之正有，卽唯當正面受之，然亦不當只順此生之正有者，以向于其未來；更當自忘其現有之生，以復返于其原，然後能不忘其所自始。人若只順此生之正有者，以向于其未來，而不知復返于其原；則人只用其所受于天之生命與心知以接物，而不能自開此原，以更成其流之不竭。人須自開其原，以更成其流之不竭，卽于此「不以人助天」，而任天機自行之謂也。

大宗師言眞人對天人關係、對生活、對生死態度，皆本于以其所知養所不知之義，故亦不外上文之所說。至其下文之「若然者，其心志，其容寂，其顙頯；凄然似秋，暖然似春，喜怒通四時，與物有宜，而莫知其極」，則是言眞人之心志之情調、容貌狀態之凄然暖然，而能攝物應物。此正又同于人間世所謂乘物以游心之義。而其下文言「聖人之用兵也，亡國不失人心；利澤施乎萬世，不爲愛人；故樂通物，非聖人也；有親，非仁也；天時，非賢也；利害不通，非君子也；行名失己，非士也；亡身不眞，非役人也。若狐不偕、務光、伯夷、……是役人之役，適人之適，而不自適其適者也」。此則是言聖人之應物，恆能不失人心，如德充符之有全德者，恆能攝吸人心。此皆由其德之自然充于內，而自然有其符應之見于外者；亦見其德皆出于不得已之中，自然澤及萬世，而非先意在愛人，亦非意在先樂求通物者也。仁者自能親人，亦爲人所親，初非先欲有所親。「天時非賢」，猶言意在得時而駕，以待時者，則非賢者。「利害不通，非君子」，猶言不能通利害而觀之，必就利避害，即非能忘利害之君子也。「行名失己」，即徇名，未能無名者也。「亡身不眞，非役人」，即言其只自役其身，自失其眞。故凡彼意在行名，以失己忘身，即皆役人之所役，適人之所適，而未能自適其適，以自爲眞人者也。大宗師下文又曰：

「古之眞人，其狀義而不明，若不足而不承。與乎，其觚而不堅也；張乎，其虛而不華也；邴邴乎，其似喜乎；崔乎，其不得已乎；滀乎，進我色也；與乎，止我德也；厲乎，其似世也；警乎，其未可制也；連乎，其似好閉也；悗乎，忘其言也。……以刑爲體者，綽乎其殺也；以禮爲翼者，所以行於世也；以知爲時者，不得已于事也；以德爲循者，言其與有足者，至於丘也，而人眞以爲勤行者也。故其好之也一，其弗好之也一；其一也一，其不一也一。其一，與天爲徒；其不一，與人爲徒。天與人不相勝也，是之謂眞人。」

按此節之旨，要在言眞人所以接人之態度與氣象。「狀義而不明」，言其義足以自立自制，而不望人之朋從也。「若不足而不承」，猶言其容寂，淒然似秋，而無意承奉他人也。「與乎，其觚而不堅」者，言其如以觚盛酒與人，不以其堅銳淩人也。「張乎，其虛而不華」，言其心齋之功，足使其心宅于虛，而能待物，更不見華彩也。「邴邴乎，其似喜乎」，猶言其恆與物爲春。「崔乎，其不得已乎」，猶人間世之言接人，皆由「不得已之中」而出也。「滀乎，進我色也」，猶人間世之言回之爲使，至于「未始有回，」有忘己之德，而其所進于人前之色，足以畜人也。「與乎，止我德也」，猶人間世之以止止衆止，亦使人之德止向于此也。「厲乎，其似世也」，言其雖剛，而未全別異于世也。「警乎，其未可制也」，猶德充符之「警乎大哉，獨成其天」，爲天之君子，非如「天之小人」之「人之君子」之爲人可制者也。「連乎，其似好閉也，悗乎，忘其言也」，猶德充符所言全德之人，「悶然而後應，氾然若辭」也。「悶然」「氾然」，所以狀其德之和之存于內，而不溢乎外，以蕩乎名者也。「悗乎，忘其言」，猶言其應答之言，應而不藏也。「以刑爲體者」，卽上之義之足自立自制，淒然似秋之心情也。以禮爲翼者，卽以觚盛酒與人，更以虛待人之禮也。「以知爲時者」，卽隨時而知應，其應皆由不得已之中出也。「以德爲循者」，卽內有其德，而其色外足畜人，並止人之德于此，以化及于人，使皆有「警乎大哉，獨成其天」之德，而使有足者皆得同行，至于所欲至之地也。由此言之，則大宗師之眞人，固未嘗不與世人接，以使凡有足者，皆能循此德而同行。故眞人之所好，雖在自以其知之所知，養其知所不知之天，以「獨成其天」；而未嘗不與世人相接。與世人相接，而世人或不知與天一，而與天不一。故其接世人，亦接此不一；雖不好此不一，而不能不接之，而與之爲一；其所以不能不與世人相接，與此不一爲一者，以其知之所知中，固有世人在也。則彼以其知之所知，養其知所不知之天之時，亦卽不能只與天相接，而不與世人相接。既知有世人，則雖不望人之朋從，而亦望其中之有足者，與我同行，以至于丘；此亦不得已，而無可奈何之義命之所存，如人間世所謂子之愛親之不可解于心，君臣之義之無所逃于天地之間者也。故其人必然一方與天爲徒，一方與人爲徒，而此二者不相爲勝。此亦正由其以人之知之所知，養其知之所不知之事，雖一方爲自上接于天之事，而亦爲接人之事之故也。

至于以下文之一段，卽是論人之不當忘其所自始，此自始卽其生命之卓之眞之所在；以言人終當忘一般之是非善惡，以同化于上述之「返其眞。以爲眞人」之道。故謂「魚相與處于陸，相呴以溼，相濡以沫，不如相忘于江湖；與其譽堯而非桀，不如兩忘而化其道」。此言魚之于陸相濡沫者，其惠少，不如共趣于江湖，而皆得其水，以相忘者，其德之大。此正如人間之堯桀之辨，其事小，不如同化于道，而皆有以返其眞者，其事大也。此固非謂人必不當辨堯桀賢不肖之謂，唯謂此辨之事小耳。

至下文言「大塊載我以形，善吾生乃所以善吾死」，則當連後之「藏天下于天下，而不得所遯」。若人之形者，萬化而未始有極，其爲樂可勝計邪」一節爲說。其旨蓋亦如養生主之言此形骸之死，未必卽此生之盡之旨。人之所以謂形骸盡，而生亦盡者，唯以自視其生只藏于形骸中之故。然德充符篇已言全德者之生命，唯寓六骸、象耳目，其常心固能官天地府萬物。則吾人于此，若能不自視其生命，只藏于此形骸之中，而可以天地爲我官，萬物爲我府；則我之生命，卽藏在天下。生命在形骸，而形骸小或不足以藏生命，故生命可遁于形骸之外，而可說人有死。然人若藏其生命于天下，而與天地萬物之萬化，同其萬化；則天下者，乃物之所不得遯者也。人藏生命于物所不得遁之天下，而恆遊于此天下之中，則亦無死之可說。是謂「游于物之所不得遯而皆存」，斯能「萬化未始有極」矣。今人有一形骸以寄生命而猶喜之；則能知此生命之卓與眞，而不忘其所自始之天，知此天爲「萬物之所係，一化之所待」者，卽藏其生命于天下，以爲其生命之所游，亦無異以天地萬物之萬化之形，爲其人之形，則其人之樂，豈可勝計哉。此正莊子之言超生死之極旨，亦皆爲實道、實理、實事之所在，而待大慧以眞知其解者也。故其下文，更有贊道之文曰：「夫道有情有信，無爲無形，可傳而不可受，可得而不可見。自本自根，未有天地，自古以固存；神鬼神帝，生天生地。在太極之先，而不爲高；在六極之下而不爲深；先天地生，而不爲久；長于上古，而不爲老。……狶韋氏得之，以挈天地；伏戲得之，以襲氣母；維斗得之，終古不忒；日月得之，終古不息；堪坏得之，以襲崐崙；馮夷得之，以遊大川；肩吾得之，以處大山；黃帝得之，以登雲天；顓頊得之，以處玄宮；禺強得之，立乎北極；西王母得之，坐乎少廣，莫知其終；彭祖得之，上及有虞，下及五伯；傅說得之，以相武丁，奄有天下，乘東維，騎箕尾，而比于列星」此段文或爲後人所加入。此中言道，可傳而不可受，可得而不可見，即謂道初唯是一一人各自以其生命心知體證而自得之之道，自得之于己，而與己並生之天地日月，即可謂皆得此道而成。然此段文要在讚嘆歷代之得道之人。蓋人之大慧之所往，達于至極之境，慧語盡而慧心之流行未盡，即唯有寄于讚嘆之辭也。

大宗師再一段，南伯子葵問女偊一節，則言眞正成爲得道之聖人之不易。此賴于人之既有聖人之道，又有聖人之才。故女偊曰「子，非其人也，夫卜梁倚有聖人之才，而無聖人之道；我有聖人之道，而無聖人之才。吾欲以敎之……以聖人之道告聖人之才，亦易矣。吾猶守而告之，參日而後能外天下；已外天下矣，吾又守之七日，而後能外物；已外物矣，吾又守之九日，而後能外生；已外生矣，而後能朝徹；朝徹而後能見獨；見獨而後能無古今；無古今，而後能入于不死不生；殺生者不死，生生者不生。其爲物也，無不將也，無不迎也，無不毀也，無不成也，其名曰攖寧。攖寧也者，攖而後成者也。南伯子葵曰：子獨惡乎聞之？曰聞諸副墨之子，副墨之子聞諸洛誦之孫，洛誦之孫聞之瞻明，瞻明聞之聶許，聶許聞之需役，需役聞之於謳，於謳聞之玄冥，玄冥聞之參寥，參寥聞之疑始」。此眞天下之大慧之文也。聖人之才，天所生之天才也。天生聖人之才，而不自知爲聖人之道，而只知聖人之道者，又無此才，亦不得爲聖人。聖人之才者，「天而生」者，爲知之所不知者也。知聖人之道，則知之所知者也。必以知之所知，養其所不知，而後爲知之至。故女偊亦必以其所知之聖人之道，告有聖人之才之卜梁倚，而守之，然後卜梁倚得庶幾爲聖人也。聖人之才者，「天而生」者，即可遇不可求也。天之生聖人之才，爲知所不知之事。有聖人之才者，亦初必不自知其有聖人之才也。凡人之自謂其有聖人之才者，皆妄自尊大之人，其必無聖人之才，亦固無疑也。此亦唯有待知聖人之道者，然後能知人之孰爲眞有聖人之才者，而教之以聖人之道。然知聖人之道者，又未必能遇有聖人之才，而教之以聖人之道。此則聖人之所以難有也。莊子之是否聖人，雖非吾所敢必，然不能不謂其已知天生之聖人之才，不同于人所知之聖人之道。必以此人所知之聖人之道，與天生之聖人之才相結合，然後人得爲聖人。此卽莊子之大慧也。雖然，若聖人之才，爲人知之所不知，則女偊又安能知其必無聖人之才？則女偊果能有聖人之道，亦固可不自問其是否有聖人之才，而唯本其所知之聖人之道，以自學爲聖人而已；而不必只持其所知聖人之道，以待天下之有聖人之才者矣。女偊若悟及此義，以自學爲聖人；旣能學之，則亦固當有學之之才也。此則儒者之言人皆可以學爲堯舜，聖人可由學而成，人皆有學聖之才性之勝義所存，而蓋爲莊子所尙未及者也。觀莊子之托女偊之言，謂聞之副墨之子以至于於謳、玄冥、參寥與疑始，言則美矣，義亦深矣；然猶疑其始，曷不亦言信其始哉。

至于此下之子祀子輿一段，只言人于其死後當任造化之所爲，而視天地爲大鑪，造化爲大冶，以鑄吾此生之一金。此乃教人自善其生死之言。然其喻可歧解爲自然主義之視人如物之說。此則不合于上述莊子之勝義，亦不合于齊物論「天地與我並生，萬物與我爲一」之旨。觀莊子此段之文，蓋不過意在使人于未死之時，先知此造化，亦知此造化之在我，非眞以造化爲大冶，一身如一金之謂也。今若只就此文表面之義，加以解釋，則莊子之妙旨盡喪。是不可不知者也。再下一段，子桑戶言畸人者，畸于人而侔于天。此所謂畸人，蓋謂自世俗觀之為畸于人者。此節乃本前文天人不相勝之旨，以言莊子之學。莊子之學固兼與人為徒，非只畸人之學也。

顏回問仲尼一段，與養生主老聃死一段同旨，前于論養生主處，已引及其中方將化之一段，而釋之。其下文「有駭形而無損心，有旦宅而無情死，」則形卽心與情之旦宅。故此二語，與德充符言「全德之人，形有駭異，而心未嘗死，」及上文莊子言「游于物之所不得遯而皆存」之旨通。意而子一節言不知道者或待造物者之重造其人，乃能知道。此猶謂人之不知道者、亦可化為知道之人，卽不必慮其不知道也。顏回一節言坐忘，乃齊物論言喪我、人間世言心齋之旨。最後子輿與子桑友一節，言子桑病而嘆，極見一愴涼之情。此則要在言安貧與死之不易，亦嘆學道之難也。

九　應帝王所歸之「未始出吾宗」義

應帝王之篇前數節，言帝王之無為之治。「泰氏其臥徐徐，其覺于于」，卽大宗師之眞人，「其寢不夢，其覺無憂」之旨。至謂「其德甚眞，而未始入于非人」，則言其政為眞人之政也。肩吾見狂接輿一節曰君人不在經式義度，卽為政所重，不在仁義禮法之謂。天根游于殷陽，見無名人問治天下，而無名人不答，後答以「遊心于淡，合氣于漠，順物自然，而無容私焉，而天下治矣」。此類似老子言無爲之政道。然以「游心于淡，合氣于漠」爲說，則不同老子之不明言心者。此游心合氣，即人間世之虛爲心齋，以氣待物之旨也。陽子居一段言「明王之治，功蓋天下，而以不自已，化貸萬物，而民弗恃，有莫舉名，使物自喜，立乎不測，而游乎無有者也」。此不外兼無己、無功、無名、游心于虛，以言爲政之道者也。

應帝王之篇，以鄭有神巫之一節，爲最有深旨。其謂鄭之神巫能知人之死生、存亡、禍福、壽夭若神。鄭人見之皆奔而走，唯列子見之而心醉，歸以告其師壺子，並以爲其道勝壺子。壺子曰，「而以道與世亢必信，夫故使人得而相汝。嘗試與來，以予示之。明日列子與之見壺子，出而謂列子曰：噫子之先生死矣，弗活矣，不以旬數矣。吾見怪焉，見濕灰焉。……壺子曰：鄉吾示之以地文，萌乎不震不正，是殆見吾杜德機也。……明日又與之見壺子。出而謂列子曰，子之先生遇我矣，有瘳矣，全然有生矣。吾見其杜權矣。……壺子曰：鄉吾示之以天壤，名實不入，而機發于踵，是殆見吾善者機矣。……明日又與之見壺子，出而謂列子曰，子之先生不齊，吾無得而相焉。……壺子曰：鄉吾示之以太沖莫勝，是殆見吾衡氣機矣。……明日又與之見壺子，立未定，自失而走。……壺子曰：鄉吾示之以未始出吾宗。吾與之虛而委蛇，不知其誰何。因以爲弟靡，因以爲波流故逃也。列子自以爲未始學而歸」。此一節後之成玄英有註，乃本佛家有、無、亦有亦無、非有非無之旨以說之。然吾今則擬說此中所論，亦是心知與生命之關係之問題。鄭之神巫，能知人之生死，而鄭人見之皆奔而走者，以人之生命，原畏他人之本其心知，以自外斷定其生命之未來故也。蓋他人以其心知自外斷定吾生命之未來，則吾之生命之未來，被他人心知所斷定，而成定局死局，亦無異于頑物。人不願為頑物，故必不願其生命之未來為他人心知所斷定。人之生也，亦固皆以其生命之前程，為非人所能斷定，可由其自己決定者，然後可自安于生也。故人之求巫問卜，以知其運之吉凶禍福者，亦兼意在知其如何可由凶而吉，由禍而福，以為趨避之計。此趨避之計，則固不為巫卜之所預斷者也。若其亦皆為巫卜所預斷，巫卜之來，人亦必駭而走者也。然在另一方面看，人之心知又必欲預斷一切。故人亦有為巫卜之學與巫卜之事，以預斷天下人之生死禍福者。此即見人之心知，恆必欲預斷而限定生命之前程于其下。被預斷被限定者，有窮有涯，而能預斷限定之之心知，則宛若無涯而無限矣。然為巫卜者，亦有其生命，其生命亦當有涯有限，則為巫卜者以其巫卜之術，以預斷他人之吉凶禍福，即以有涯之生命隨從其無涯之心知，而更本此無涯之心知，以預斷他人生命之涯之事也。列子見神巫而心醉，即列子亦欲為神巫也。列子之不畏神巫，蓋以列子之不以其生命之利害禍福為念，然終不能不羨慕此神巫之心知。此即雖能忘其生之利害禍福，而不免慕此心知，而未嘗知此神巫之心知，亦唯屬之神巫之生命也。則列子縱亦學得此心知，此心知亦只屬于列子之生命者也。此人之生命中，固有可知者，亦有不可知者焉。常人之生命為習氣所拘，其心為成心所定，而恆有其定限，故恆可知，亦未嘗不可為他人之知其生理心理之狀態者，所預斷。然眞修道者之生命心靈，則可不爲此習氣成心所拘，而不可知，亦有不爲他人之所得而預斷者。壺子之忽而示神巫以地文，如槁木死灰，忽而示神巫以生機之發于踵，由壤以至天，忽而示神巫以太冲莫勝，不偏有，不偏無，非死非生；忽而示神巫以「未始出于吾宗」，亦生亦死，「虛與委蛇」，亦有亦無，「不知其誰何」，忽起忽落，以波隨第靡。此中之第三第四，皆已出于可知者可預斷者之外。至于第四所言列子之「未始出吾宗」之工夫，亦莊子之未始出吾宗之工夫。此工夫卽生命之流行至于善生善死、善有善無，以萬化無極之工夫也。人有此工夫時，而欲以心知知之，則任何心知必以此生命之萬化，更無特定之着處。欲求着處而不可得，則此心知唯有逃走，或自沈于此生命之萬化中，以只在此生命中行，而不能自居于外，以預定預斷此生命矣。此卽神巫之所以遇此壺子之示之以「未始出吾宗」，而不得不逃之故也。神巫逃又安往乎，亦只有逃入壺子之所宗而學「未始出壺子之所宗」者而已矣。列子則惟有恍然自失矣。故莊子下文謂其終自以爲未始學而歸也。

至此篇「無爲名尸，無爲謀府，無爲事任，無爲知主」，則見壺子之用心，在本無爲以出爲，類老子無爲無不爲之旨。然下文謂「體盡無窮而游無朕，盡其所受于天而無見得，亦虛而已」，「至人之用心若鏡，不將不迎，應而不藏，故能勝物而不傷」，則仍歸在至人之重自己之盡其所受于天，以用心若鏡。用心若鏡，則不以之預測預斷。故應帝王之篇，終于七竅鑿而混沌死之一喻。七竅鑿，所以喩心知之散逸于外。此心知散逸于生命之外，而生命亡。故生命心知皆必返于其本，以接其天之不可知者，此卽混沌之所存。故不可鑿此混沌，使之死也。

第十二章　綜述莊子外雜篇之義，並附論韓非子及管子中之道家言

一　綜述莊子內七篇大旨

總上所論內七篇之大旨，吾人卽可見莊子之思想，要在教人面對天地萬物，而爲逍遙遊所謂無己、無功、無名之至人、神人、聖人。而欲達此一爲人之目標，則須齊彼物論，以和人我之是非，與天地萬物並生爲一；以更調理其生命與心知之關係，不以有涯隨無涯，而使心知與生命俱行，去其心知生命流行中之桎梏阻礙，使其流行皆依乎天理；方得游于人間世，以虛而待物之心與人相接，爲人間之使者，更乘物以游心，託不得已以養中，以爲天使；以成一游心于德之和，而忘形骸之全德之人，或眞人。至于爲眞人之道，則要在以其知所知者，養其知之所不知者，一面與天爲徒，一面與人爲徒，更藏其心知生命于「物所不得遯而皆存」之天下，以有其生命之萬化而未始有極，卽以此爲聖人之道，以待聖人之才，而不知其有此才者；使知聖人之道，以知養才，成爲聖人。此聖人實卽眞人至

人，而亦具應帝王之至德者。人具至德，而宅心于「太冲莫勝」與「未始出吾宗」者，則非神巫之心知之所能測，即所以見此人之心知當存于生命流行之中，而如自藏于一渾沌之生命之中。此即莊子內七篇之總旨。由此可見莊子之學之中心問題，亦即人之如何自調理其生命與心知之關係之問題。而環繞此中心問題者，又有其他種種眞實之問題。內七篇多能切就此中之問題，順義理之次第而說之，不爲浮華之泛論。其中以齊物論，人間世之孔子與顏回葉公子高問答諸節，及大宗師之南伯子葵以前諸節，尤爲切至。合此七篇，即見莊子之學自始至終，乃一爲人之學，而歸于一人之成爲眞人、至人、神人、聖人之道之陳述者。此與老子之言道，始于法物勢中之道及地道，更及于天道之能容公，方返至內在之修道之功者，顯然異趣。老子之修道之功，要在以虛靜柔弱自處，以凝翕其精神，以契生而不有之玄德，而以無爲無不爲之道治天下。此亦不同于莊子直下先標出一爲人之理想，更即以調理其生命心知爲工夫，使生命心知共依天理流行，更以虛而待物、乘物游心，託于不得已者以養中；以兼爲人使與天使，兼與人爲徒，亦與天爲徒，而見天人之不相勝于眞人之種種具體生活中者。莊子應帝王篇之以游心于淡，合氣于漠，順物自然，而無容私之道治天下，亦念念不忘使人不得爲「非人」。故以莊子內七篇中論政之言，與莊子其他之言相比，其份量所佔至輕。老子之書之言及無爲無不爲之政之言，則與老子言修道成德之言相比，份量幾等，而或過之。莊子之言爲人之道，重人對其自己之生命與心知之調理，以充實其內之不可已者，而上與天爲徒，外與人爲徒，實正近乎儒家之孟子先有諸內，而上知天，外化民之精神。此與老子之言道，乃先觀物勢之道，而地道，而天道，方反于內在之修道成德者，其思想方向，正互成一對反。莊子內篇之言恆特稱顏回，亦多託諸孔子為說，亦見其于儒家之旨初有所承。至其與儒家之不同者，則當先由其言心知非必一道德心性，言生命恆自其超出身體之形骸之宇宙的意義觀，此皆具詳前文，今不復贅。然要之莊子重人之心知生命即近儒，老子之先法天地，即初寧是近墨之法天也。

以上述之觀點，觀莊子之外雜篇，則其言明較駁雜不純，不如內七篇所言者之一貫。內七篇各有篇名，與今之外雜篇之只以首二字為篇名，乃由編者所為者不同。今觀外雜篇與內篇大不同者，則就文章體裁而論，外篇多直接論說義理，雜篇多雜記故事，以說義理，而不相連屬。內篇則既非直接論說義理，而是藉故事以說義理；然自有次序，以連屬成篇。自文章內容而論，則外篇之論理析義，設問答問，多不見逐步深入之層次，又恆偏尙一義，逕情發揮，不見節度；而于其所偏向之義之說明，亦恆不足以答人之疑難。外篇著者益多意在求文之暢達，故多浮泛之語，不能深閎。王船山謂「外篇文義雖相屬，而多浮蔓、卑陋之說」是也。雜篇則時有精義，王船山所謂有「微至之語，較能發內篇未發之旨」（皆見王船山莊子解雜篇之序文中）是也，然多含意未伸，其理不暢。至于就所論之道以觀，則外雜篇之言，吾意蓋恆是就莊子內篇所言之道，更合之于老聃慎到等所言之道，而更將此道加以客觀化而恢張廣說，遂不如內篇所言者之切近于吾人之生命與心知。吾嘗先將外雜篇，節節撮其所言之義以觀。今可更總述其與內篇所重之義之不同者于下。

二　外雜篇言天地萬物之道之義

上言莊子內篇言道，皆吾人之自處其生命心知之道。而人之由道而行所成者，則爲至人眞人之德。故內篇之文，實以德爲主。如逍遙游、人間世、大宗師、德充符皆要在言德。此道此德，皆人自身之道之德，非天地萬物之道之德。而在外雜篇中，則多言自然之天地萬物之道。如天運篇問「天其運乎？地其處乎？日月其爭于所乎？孰主張是？孰維綱是？孰居無事，推而行是？意者有其機緘，而不得已邪？意者其運轉而不能自止邪？雲者爲雨乎？雨者爲雲乎？孰隆施是？孰居無事，淫樂而勸是？風起北方，一西一東，上有彷徨，孰噓吸是？孰居無事，而披拂是？」此卽純爲直對客觀天地萬物，而有其何以運轉變化之疑。然下文尚未明說此皆由一客觀之道使之然。則陽篇言「天地者，形之大者也；陰陽者，氣之大者也；而道者爲之公。」則明指有道爲天地陰陽之公。田子方篇又言「至陰肅肅，至陽赫赫，兩者交通，而成和，而物生焉。生有所乎萌，死有所乎歸，始終相反乎無端，而莫知其所窮；非是也，孰爲之宗？」此「是」，依前後文觀，明應指道，而亦爲明言此道之存于客觀之陰陽之交通、天地萬物之變化始終之環之中，以爲天地萬物之變化之「宗」者也。按莊子內篇齊物論言環中，乃自人之應是非之心，處于「是亦一無窮，非亦一無窮」之環之中言，故人能得此環中，卽可應是非之無窮，而皆因其「是」以觀之。外篇則陽言「冉相氏得其環中以隨成」，亦是此義。然此所謂道之居于天地萬物之變化始終之環之中，卽爲將此內篇所謂心之所得以應是非之「環中」，客觀化，而視之爲「存于萬物之變化始終之環之中，而爲其宗」之客觀宇宙論上之說矣。

內篇言道，唯在大宗師「道有情有信」一節，言道在太極之上六極之下一段，似有以道在宇宙論上居至大至高之地位之意。然此段文可是後人所作，其內容亦只是讚嘆道與得道之人，無其他理論內容。然在外篇如天地篇言「泰初有無，無有無名，一之所起，有一而未形。物得以生謂之德。未形者有分，且然無間謂之命。留動而生物，物成生理謂之形。形體保神，各有儀則謂之性。」則此中言泰初乃由無而有道，則此道卽明爲宇宙論上之一天地萬物之所自始之原矣。

知北遊曰「有先天生者物耶，物物者非物，物出不得先物矣。」此先天地生者如爲道，則此道亦爲宇宙之開始之道也。以此道爲先天地生，正老子之旨也。再如至樂篇種有幾一節，言「萬物皆出于機，皆入于機」，歷舉萬物之化生歷程爲說。此「出入于機」卽萬物之道，則此道亦客觀宇宙中萬物之次第發生之道矣。

知北遊又曰「昭昭生于冥冥，有倫生于無形。精神生于道，形本生于精，而萬物以形相生。故九竅者胎生，八竅者卵生」，此亦以道爲萬物之形所自始之原。至其言道在螻蟻、在稊稗、在屎溺，以言道之周、遍、咸，而無乎不在，更以物物者，與物者無際：「彼爲盈虛非盈虛，爲衰殺非衰殺，爲積散非積散」，則亦是自道遍爲萬物之盈虛等所以然，而言道之大。此外如天地篇言：「行于萬物者道也，道覆載萬物，洋洋乎大哉」。知北遊言道爲天地之本根，「六合爲巨，未離其內；秋毫爲小，待之成體」。天道篇謂「老子曰：夫道于大不終，于小不遺，故萬物備，廣廣乎其無不容也，淵淵乎其不可測也。」則皆是自道之于客觀之天地萬物無所不包，以言道之大者也。

復次：外篇則陽中對客觀萬物之變化，言及季眞之莫爲，接子之或使之論。按此萬物之變化，畢竟有無使之者，或爲之者，原是人所有之一問題。上引天運篇于天地之變化，問孰主張是？孰維綱是……？即此問也。大約主「或使」者，近乎論有超越外在之主宰、或有鬼神能定命之說、或一切萬物之變化，皆應有定其命者之說。主莫爲者，近乎謂一切變化出于自然，而無命、或無主宰或鬼神能定命之說。莊子寓言篇言「莫知其所終，若之何其無命也；莫知其所始，若之何其有命也。有以相應也，若之何其無鬼耶；無以相應也，若之何其有鬼耶」。此蓋兼意在對治接子之或使之有命之說、與季眞之莫爲之無命之說，及有鬼神與無鬼神之二說。而墨子之主有鬼神而無命，亦應在其所對治之列。蓋天地萬物之變，其始終反覆無窮，則自其有終以觀，似有歸，亦若有鬼神命之，以與其終者相應。故可言有命，有鬼神。然人又莫知其所始，溯其始之前，更有始，則亦不見有使之有此始之命、及定此命之鬼神，與之相應。則又不可必說有命、有鬼神。今通此始終相反而無窮以觀，則只見一由始而終、由無而有，又由終而始，由有而無之一道而已。對此萬物之始而出乎無有，終而入乎無有，庚桑楚又曰：「出無本，入無竅，有實而無乎處，有長而無乎本剽。有實而無乎處者，宇也；有長而無本剽者，宙也。有乎生、有乎死，有乎出、有乎入。入出無見其形，是謂天門，天門者、無有也，無有一無有，聖人藏乎是。」此卽謂自物之出入而觀，則物雖實，而居于宇之虛，是卽無實處可居也。其前後更不見其本與剽，是卽其出于無、始于無，而亦入于無，終于無，更無「實本」爲其所自出，亦無「實剽」之竅，以爲其所入也。今透過此物之出入于宇宙、而始終于宇宙，以觀物，則物既實而亦虛，有名而亦無名。若必言實有「或使」之者，則不知實有之必入于虛無；必言莫爲，則又不知物之由無有之天門而出入，此無有亦無有。卽不可執定此「虛無」，持「莫爲」之論；亦不可執定此「無有」中別有實有，而持「或使」之論。唯當視此「無有」之天門，爲物之緣此而有其出入之道者。此卽聖人之心之所藏也。此外，則陽篇又曰：「或使則實，莫爲則虛。有名有實，是物之居；無名無實，在物之虛。或之使、莫之爲，未免于物。……言之本也，與物終始。道不可有，有不可無；道之爲名，所假而行。或使、莫爲，在物一曲，夫胡爲乎大方。」此卽謂物或有或無，或實或虛，能有則若或使，能虛又若莫爲。則或使莫爲之論，皆只在一般之可言可意之物上說，而未及于道。蓋物之來往也無窮，故能使此物之來往無窮之道，不在有，亦不在無，不在實，亦不在虛，而在其既有而無，既無而有之中；而此道之名，乃所以指此行于物之有無之中者。故此道乃假于「有」「無」，而貫于其中，以爲道。則固不可用表物之名以表之，亦非一般之知物之知之所能知者也。

此上所述外篇自客觀宇宙言道之旨，在則陽篇最能暢其義。依此義以說道之有無虛實，有名無名，語皆近老子之謂先天地而生萬物者爲道，而以常有常無說之之旨。然亦未嘗不可說：吾人只須本莊子內篇之言心知之虛以待實之道，與其言心知生命之流行之道所成之德，而將其此德此道，通于天地萬物，以觀天地萬物之變化；卽可形成此上之說。天地篇所謂「以道泛觀，而萬物之應備。故通于天地者，德也；行于萬物者，道也」。卽「以道泛觀」，便成此「德通于天地，道行于萬物」之論之謂也。莊子外篇此類之言，要在直對萬物之化而說。老子言道，則初爲對物勢之轉而說。物勢之轉，乃由柔弱而剛強，剛強而死亡，則此中自亦有物之由無而有，由有而無之義，而其道亦爲常無常有之道。然此卽物勢之轉以言道，初乃先自地上之萬物之質之柔剛，勢之強弱看，便與莊子之直自萬物之變化始終上，說其「由無而始其有，由有而終于無」者，不見萬物之有柔剛之「質」，而不重其強弱之「勢」者，正有毫厘千里之別。唯以莊子言人之自處其生命心知之道，重在自化除其生命心知中之成心之爲阻礙者。于其成心之阻礙既化之後，卽能見天地萬物之直下只爲變化之流，見「天道運而無所積」(天道)，而不見其質之剛柔、勢之強弱，亦能直下知得萬物之出入于天門之無有，以成其變化。則其歸于兼以有無、虛實、有名無名說道，雖與老子同，而其所以歸于此者，固又與老子之論有不同。則必謂此莊子由老子出，或老子言由莊子而出，皆揣測之辭，而亦無必然之理由者也。

依此重客觀宇宙言道之義，而知北遊一段記舜問乎丞曰：「道可得而有乎？曰：汝身非汝有也，汝何得有夫道？舜曰：吾身非吾有也，孰有之哉？曰：是天地之委形也。生非汝有，是天地之委和也；性命非汝有，是天地之委順也；子孫非汝有，是天地之委蛻也；行不知所往，處不知所持，食不知所味，是天地之彊陽氣也，又可得而有耶？」此似大宗師篇造化爲大治，人爲鑄金之言，而又過之。此乃純客觀的視人生性命，爲天地之委墮之物，與內篇之天人不相勝之旨，實不合。人果只爲天地委墮之物，又何神人、眞人、聖人之可言？故就其文義而觀，其旨最爲惡劣。唯有謂此類之言，其旨在教人忘我，而與天地並生，更觀其對主觀心靈所啟發之意義，則亦不悖莊子內篇之旨耳。

三　道之超知義、不可言說義，及通言默義

由道之不屬有無，而非無名，亦非如物之有名，則道有超于名言之外之義。一般之心知，初只及于物，而後更以名言說物；則道超于名言之所及，亦有超于心知之義。內篇齊物論，固亦已有道非辯之所能論，亦非言所能盡之說。人間世亦言唯由心齋以去一般之知以致虛，然後心有道以待物。所謂「唯道集虛」是也。大宗師言以知養所不知，爲眞人之道，則眞人之道，固當由知「所不知」，然後知之者也。此得道者必須能超一般言辯與一般心知之義，內篇固已有之。然內篇人間世，未嘗

輕此虛而待物之心知。大宗師言「知所不知」，固亦是知也。然在外篇，則無論自此道之表現于吾人之生命心知上說，或自其表現于天地萬物之變化出入有無之中說，皆特偏重言此道非心知所及之義。乃或謂凡言見道、聞道、知道者，其言皆非是。此亦卽特偏重道之超知之義。其言亦以此之故，似更幽深玄遠，而又或不免于抑揚過當。天地篇曰「至道之精，窈窈冥冥；至道之極，昏昏默默。視乎冥冥，聽乎無聲。冥冥之中，獨見曉焉；無聲之中，獨聞和焉。」又曰：「深之又深，而能物焉；神之又神，而能精焉；故其與萬物接也，至無而供其求，時騁而要其宿。」此後數語，猶是人間世以虛待物之旨。然前數語特重說無知，已偏在由無知以見道，或覩無以見道。在宥篇亦有「覩無者天地之友，覩有者昔之君子」之語。道通有無，只說覩無，言固不免有偏也。知北游篇，有光耀問于無有一節，謂言無有尙非至極，必「無有」而「無無」，乃爲至極。其旨可在由無無，以還至有，亦可偏尙在無無有，以達于至無。至外篇知北遊所設寓言，謂「知」北遊于玄水之上，無爲謂問之，以「何思何慮則知道？何處何服則安道？何從何道則得道？」，「三問而無爲謂不答也，非不答也，不知答也。」……知更問狂屈，狂屈曰：「予知之，將語若，中欲言，而忘其所欲言」，知不得問，見黃帝而問焉。黃帝曰「無思無慮始知道，無處無服始安道，無從無道始得道。」然黃帝旣言之後，更說唯「無爲謂」之不答者，乃眞是；「狂屈」欲答而不答，則似之；而彼之言此三語，已非知道矣。此一故事，固甚有意趣。然亦正偏在言道爲超心知所及，而不可言之義矣。

此知北遊下文，更明引老子「知者不言，言者不知」，及前識道之華之言。此明是本老子之旨作解。老子之學，以退斂爲先，故首趣向于去一般之言與知。知北遊又設妸荷甘與神農學于老龍吉，謂論道卽非道，亦當藏其論道之狂言，以歸于言「道不可見，見而非也；道不可言，言而非也。道無問，問無應」。然莊子內篇之于知與言，固未嘗有此無知、亦無無知之言也。秋水篇亦言，至精無形，非言意之所及。此亦皆偏在本莊子之無知無言，而爲推類至極之論。外雜篇中如徐無鬼之言「其知之也，似不知之也，不知而後知之。其問之也，不可以有崖，不可以無崖。」則固言人亦當有知，亦有「不執一邊而非有崖，亦非泛然無崖」之善問之問。此則較近莊子內篇之本旨也。

至于寓言篇之「不言則齊，言與齊不齊」，則是說言與「齊」異，亦與「默」異。然人又可「終身言，未嘗言；終身不言，未嘗不言」，則言與默亦同。知言默之亦異亦同，則巵言日出，而又「和以天倪」者也。則陽篇謂「言而足，終日言而盡道；言而不足，終日言而盡物。道物之極，言默不足以載，非言非默，議其有極。」列禦寇篇言：「知道易，勿言難。知而不言，所以之天也；知而言之，所以之人也。」」外物篇更有得意忘言之論，謂「安得忘言之人與之言哉」。此皆或爲通言與默之異同之論，或爲直超言與默之論，或爲兼用言與默之論，或爲求與忘言者言之論，皆有其深趣。是皆較知北遊篇之「道無問，問無應」者，再轉進一層爲說，以更近于內篇之旨者也。

四　遺世忘世義

內篇之言莊子理想之人如至人、神人、天人、眞人，固高于一般之世人。高則恆孤獨。然內篇並不重其爲獨之意。大宗師言見獨，乃指修道者內心所見之絕對而言，非孤獨之意。故內篇人間世亦言處人間世之道，大宗師言當「與人爲徒」之旨。然外篇之言，則恆從得道者高于世人處，一直說去，而要在說其爲遺世獨立者。如在宥篇斥世俗之人之「喜人之同乎己，而惡人之異乎己」，而說「出入六合，游乎九州，獨來獨往，是謂獨有。獨有之人，是謂至貴。」；又謂得道者「與日月參光，與天地爲常；人其盡死，而我獨存乎。」天地篇言「修德就閒，千歲厭世，去而上僊，乘彼白雲，至于帝鄉。」此乃一往遺世獨立之情懷。衆人皆死，而我獨存，亦自私之至也。至于天地篇言老子忘己忘人，以入于天，天運篇言至仁無親一節曰：「以敬孝易，以愛孝難；以愛孝易，而忘親難；忘親易，使親忘我難；使親忘我易，兼忘天下難；兼忘天下易，使天下兼忘我難。」此層層轉進以言忘，固承內篇言忘之意而說。然內篇亦言不忘其所不忘。外篇田子方亦言「忘乎故吾，吾有不忘者存」。此天運篇文，則偏在言忘，而極于使天下忘我，此純爲求與世相忘之懷。則陽篇言有德之人「非相助以德，相助消也。」有德之人，相助互消忘其德，猶「不言而飲人以和」之旨。此固尙合于內篇德充符之所言，有德者恆自忘其德，大宗師言「人相忘乎道術」之旨。然自忘其德可，望人皆相忘乎道術亦可；而求必世人之忘其德則未必可。庚桑楚篇，言庚桑楚居畏壘之山，畏壘之民欲俎豆之于賢人之間，而庚桑楚乃爲之大不釋然，而自歎藏身之未能至于深眇，並寄嘆于世間「千世之後，必有人與人相食」，言世之不可一日居也。徐無鬼篇，更有「神人惡眾至」，唯一人「以目視目，以耳聽耳，以心復心」之言。此卽偏在必求世人之必忘其德，亦與外物篇之言「聖人之所以駴天下，神人未嘗過而問焉」之旨同。然與莊子德充符之全德之人，爲人所心悅誠服，而亦未嘗自以爲憾者，正有所不同；而見此外雜篇之言，更出于一往遺世忘世之情懷者也。

五　生死義

莊子內篇養生主、大宗師，言至德之人于生死，能「安時而處順，」忘生死、超生死、而任化。化非卽歸于無。然化之所之，則不問也。外篇中言生死，固亦多有此旨。如達生篇首言「達生之情者，不務生之所無以爲；達命之情者，不務知之所無奈何」是也。但亦有偏讚死之樂于生者，亦有偏重求長生之義者。如至樂篇以人死之後，「無君于上，無臣于下」爲至樂。並謂莊子妻死，乃箕踞鼓盆而歌。此皆推超生死之義，至于其極，而不近人情之言。此與內篇言老聃死、秦失弔之，尙三號，而後出，大宗師言子桑死時之若歌若哭，猶近于生命之自然之情者，明大不同。內篇德充符言無情，亦只言不以好惡內傷其身；固非全無情，亦非輕生，而更以死爲至樂大慶也。按愼到、田駢、彭蒙之徒，唯以無累爲至極，故有塊不失道之言，天下篇謂之爲死人之理。誠以無累而同于塊爲道，則人死而形同于爲塊，若其有知，亦當至樂而自慶。然此非莊子內篇之旨也。

此外則雜篇中如庚桑楚，旣無意于以其道濟世，乃與南榮趎言，「全形抱生之道」，「衞生之經」，其言皆明引老子之以柔弱養生、學嬰兒之言。老子之學，至少在第一步乃以自居柔弱，後身以求身先，外身以求身存爲本。故後之言長生、衞生、養生之學者，皆以老子爲宗。外篇中此類之言，蓋亦皆老學之徒作，與上述之讚美死爲大樂大慶者，明相對反，而亦皆與莊子內篇言兼忘生死，而任化者不同。若此二者之言，皆莊子所說，則亦必須使之更相銷，方可合于內篇之義。否則莊子之說此自相對反之言，誠馬遷所謂滑稽亂世矣。

六　凝神于物義

莊子內篇言其神凝之神人，乃純自其凝于自己之生命之內部說。故逍遙遊言神人能「大浸稽天而不溺，大旱金石流土山焦而不熱。」養生主言庖丁解牛以神遇，亦自其心神之自隨刃而遊于牛之節之間之虛，以依乎天理說，乃所以喻人之神之自隨其生命以流行而無礙。莊子外雜篇言神，固亦多具此旨。然更多推至人之如何用此神，以成其生活上之如何對外物之事上說。如達生篇首言「壹其性，養其氣，合其德，以通乎物之所造。夫若是者，其天守全，其神無郤，物奚自入焉。夫醉者之墜車，雖疾不死，……其神全也，乘亦不知也，墜亦不知也，死生驚懼，不入乎其胸中，是故遻物而不慴。」此一段言神全于內，純爲內篇之旨。然由神之全于內，而能遻物而不慴，更至神之凝注于物，又可成其生活上之事。故達生下一節，即以痀僂者承蜩之技爲喻，而痀僂者自言其所以能至此，乃由其「吾執臂也，若槁木之枝，雖天地之大，萬物之多，而唯蜩翼之知；吾不反不側，不以萬物易蜩之翼」，即以釋「用志不分，乃凝于神」之旨。下一例更舉津人之操舟若神，亦由其操舟時之能忘舟，如善游水者之能忘水，以其生命與舟爲一，而更無矜持之心，亦更不見此操舟之事之外之任何事，然後能操舟若神。此承蜩與操舟之神，皆不只有其心與身體之生命之相通貫、共流行，亦有其身體之生命與外物之蜩及舟水之共流行。再下一例，在田子方篇，言眞善畫者之解衣般礴，而更無他事在心。此皆是言此凝神之功，其所以能成人之生活之事，在其亦能以物以器，自凝其神。達生篇以梓慶削木爲鐻之事喻。其言梓慶爲鐻也，「未嘗敢以耗氣，必齊以靜心。齊三日，而不敢懷慶賞爵祿；齊五日，不敢懷非譽巧拙；齊七日，輒然忘吾有四枝形體也。以天合天，器之所以凝神者，其是歟？」此則明言人凝神于外界之器，亦即以器凝神。凝神于器，以器凝神，亦所以超一般之心知，而任此靈臺之常心之運，得忘物我內外，以成其適而忘適。故下文又言「工倕旋而蓋規矩，指與物化，而不以心稽，故其靈臺一而不桎。忘足，屨之適也；忘腰，帶之適也；知忘是非，心之適也；不內變，不外從，事會之適也；始乎適而未嘗不適者，忘適之適也。」

由此凝神于物于器，而人可于神所凝之物之外之天地萬物皆不見，而不用其神，此即所以凝神，以成此神之大用。故知北游篇大馬捶鉤一節，言于物無視，非鉤無察，故能捶鉤，亦是于他物不用其神，乃能有「非鉤無察而捶鉤」之「用」之謂。是即以神之無用成用。田子方篇則由言射，至于言伯昏無人之不射之射。伯昏無人「登高山，履危石，下臨百仞之淵；背逡巡，足二分，垂在外……揮斥八極，神氣不變。」是爲不射之射。謂之不射者，言外無所射，而皆忘之，而後人能自立于危崖，而神氣不變。此亦唯以無其他之念在心，然後能有此立危崖，而不變神氣之大用也。至于雜篇外物篇，更有一節言莊子對惠子嘗以足之行地，喻無用之用。其言曰「夫地，非不廣且大也，人之所用，容足耳。然則廁足而墊之，致黃泉，人尚有用乎。惠子曰，無用。莊子曰，然則無用之爲用也，明矣。」此其言無用之爲用，則要在言人必有無用，而可用之大地，然後能廁足。其旨與上述之喻似有異。因人乃正以其不能步步只凝神于其廁足之地，而行于上，方待有此地之廣大，爲其皆可廁足之地，以使之行于地而不慄也。然此一喻，亦同足證人之心中必有所不用者存于心，然後能存其心于某一用。人之行于地，亦必待有所不行之地，然後有其所行之地。則此用之必依于無用，亦與前述之例中，人之得凝神于物而用神者，由其能不用之于他物，固亦有相同之旨在。而此與內篇逍遙遊言「無用之用」其旨亦可通也。

七　外雜篇言「主于內以應外」之同于內篇者，及其「內順外俱運」，所成立之人道治道

由內篇以言莊子之學，要在人之如何自處其心知與生命，以自成爲眞人、至人、神人之至德、全德。莊子外雜篇中，固亦多專就人之如何自處其心知與生命，以成其德，成其人之言。如達生篇之所言，即皆全屬于此。故王船山以外雜篇中，以達生爲最深至。至于此外如外物篇之言「外物不可必，心若懸于天地之間，利害相摩，生火甚多，衆人焚和」，又言至人之「不留行」于外，言「道不欲壅，壅則哽」。至其言人心當有天遊，使「天之穿之，日夜無降」，乃純就人而言其生命中當有天之往來。天自往來，則天而又天，即非只以人限天之天。是即達生所謂「不開人之天，而開天之天」，秋水所謂「無以人滅天，無以故滅命」、知北游所謂「瞳焉若初生之犢，而無求其故」之說。然此天之天固穿于人心之中，而不在其外也。至于如庚桑楚言「宇泰定者，發乎天光，備物以將形，藏不虞以生心，敬中以達彼。若是而萬惡至者，皆天也，不可納于靈臺。」以及下文所言「兵莫憯于志，寇莫大于陰陽；非陰陽賊之，心則使之也。」則此皆重人心內在之意念起伏，而忽冷忽熱之陰陽

之患，而不重外物之患之言。此亦同于人間世之重此內在陰陽之患，而次外在之人道之患之旨。外物之患，人道之患，至于萬惡至，其爲人之所不能免之「命」或「天」之所存者，卽列禦寇篇所謂「外刑」也。外刑固非人所必能免。然由意念起伏，而忽冷忽熱之陰陽之患，而致之刑，則列禦寇篇所謂「內刑」，而爲眞人之所當求自解免者。人能自解免于內刑，于外刑之至否，唯任諸天、任諸命，則人能外應變化，而內不自失。如徐無鬼所謂「河之恃原而往者，外之風吹之，日蒸之，終不能損之」。知北遊篇所謂「外化而內不化」，「安于內之不化，亦安于外之化」之古之人，所謂「貴在于我而不失于變，萬化未始有極」（田子方），而異于一般之世人無此內在之我，而亦不能應外應化者也。此有我之自存于中，然後有以應外之旨，亦天運篇所謂「中無主而不止，外無正而不行，聖人不出亦不隱」之旨。此皆個人之以內之主應外，而不失己之旨。純屬人之自處其生命心知之道，而皆合于莊子內篇之本旨者也。

然莊子外雜篇之其他之言，則喜由內之能應外處，言內隨外而俱運之旨，而不必重此內必爲主之義。由此而偏重在人道之順天地之道，而與之俱運之一面，更進而重聖人之所以順天下、和天下、治天下之政治之道。如天運篇之于「天道運而無積，地道運而無所積」之後，天道篇更言「帝道運而無所積」；天地篇由「天地雖大，其化均也；萬物雖多，其治一也；人卒雖眾，其主君也」，以言人之足以配天之玄聖素王之道，更以主道爲天道，臣道爲人道。天地篇又言人之受天者，尙不能配天。此則皆重在此人之順天地萬物之道，與之俱運而相配，以言人道與其治道矣。

外雜篇中，言此人道、治道之論，在以天或天地之道或道德，爲最高一層次，而更以之涵攝儒家法家之仁義禮法于其下。如天道篇言「先明天，而道德次之；道德已明，而仁義次之；仁義已明，而分守次之；分守已明，而形名次之；形名已明，而因任次之；因任已明，而原省次之；原省已明，而是非次之；是非已明，而賞罰次之。」此乃以道德爲治本，亦不廢「仁義、禮法、數度、形名、比詳」，爲治之末之論。此明是儒法之學已大盛之後，爲道家之學者，更以道德爲本，而兼加攝取之論。觀天地、天道、天運諸篇之言，類此者頗多，不一一舉。天道篇言玄聖素王、言繙十二經，以兼六經六緯而說，明爲秦漢人以後之言。秦漢人本黃老言政治，其說亦不外以道德爲本，而攝儒法言治之具于其下。則此諸篇之文，固皆出于秦漢者也。然莊子內篇大宗師言眞人之與人爲徒之旨中，亦原有「以知爲時」，「以禮爲翼」「義而不朋」等。引此義而申之，以用之于客觀之政治，固亦可有此「以道德爲本，仁義禮法等，爲次爲末」之治道思想也。

八　世愈降而政愈衰之說

然莊子外雜篇又有另一流之治道思想，乃純自歷史上稱道上古之政，以責當今之政之言。此則意不在于用道德以涵仁義禮法于其下，而意在見純任道德之政，超于一切後世之仁義禮法之上者。在內篇應帝王言「有虞氏藏仁義以要人……不及泰氏」，逍遙遊只言堯讓天下于許由，更言堯之受神人所陶鑄，窅然喪其天下。此固已是求超于堯之仁義之政之上。然在外篇，天地篇則更言堯之師許由，許由之師齧缺，齧缺之師王倪，王倪之師被衣，愈推愈遠，而其德益高。外雜篇言天下之德之政之衰，則更不自堯舜起，而自黃帝起。如天地篇言黃帝之游赤水，而遺其玄珠，知北遊篇言黃帝之與「知」論道、在宥篇言黃帝問道于廣成子、徐无鬼篇更言小童教黃帝，以治天下之道，如牧馬要在去害馬者，卽謂黃帝勤求道，而尚未嘗知道也。天運篇則明言天下之政之德之衰，乃自黃帝始，而日益衰。故謂「黃帝之治天下，期在使民心一；堯之治天下，期在使民心親；舜之治天下，而使民心競；禹之治天下，而使民心變」。自此以降，至于當世，「人有心而兵有順，殺盜非殺人，人自爲種而天下耳，是以天下大駭，儒墨皆起。」此則明言天下之政之德，愈至後世而愈衰。此段文言殺盜非殺人，乃晚期墨學之論。後又言三皇之知，而三皇之說出于晚周。則此文顯爲後期之道家言。胠篋篇亦謂容成氏、大庭氏、至伏戲氏、神農氏，方屬于至德之世。然繕性篇乃更以天下之政之德之衰，始于燧人伏羲。至于馬蹄篇，言「至德之世，其行塡塡，其視顚顚；當是時也，山無蹊隧，澤無舟梁……同與禽獸居，族與萬物並。」，則更不言有人君，而純以上古無文化，而人與禽獸共生于一原始之自然，爲至德之世矣。此更是將至德之世，推至遠古，而意在超軼于後世之有仁義禮法之政治之外之思想。故馬蹄篇謂「道德不廢，安取仁義，毀道德爲仁義，聖人之過也。」胠篋篇亦以仁義聖知出而有大盜，盜仁義聖智，以害天下，而謂「聖人不死，大盜不止。」此亦即徐無鬼所謂「世之捐仁義者寡，而利仁義者衆也。」。駢姆亦謂仁義爲道德之駢枝，聖人與盜跖之行，同爲離道德之淫僻之行。至于禮法，在馬蹄、胠篋、駢姆諸篇更明加斥棄。此與天運、天道、天地諸篇，尙次仁義禮法于道德之下者，明有不同。蓋一在以道德下涵仁義禮法，一在由超仁義禮法，以至于至德之世。至天地篇之言「至德之世，不尙賢，不使能……端正而不知以爲義，相愛而不知以爲仁。」天運之言于仁義法度，當視如芻狗，應時而變。此又是立于二者之中，以會通此二者之言。今如亦欲會通二者，而謂其所以欲人超仁義禮法，以達至德之世，卽所以更涵攝應時而變之仁義禮法于其下，固亦無不可。然就文義論文義，則此仍是二層次二方面之論，而不必出自一人之手者。則謂此二者，乃表示後之道家思想之不同方向之發展，而彼此異趣者，亦固未嘗不可。由言道德之可攝仁義禮法，卽通于漢人以黃老言政之說，如淮南子以道德爲本，而次仁義禮法之說。至于專自此至德之世，超于仁義禮法以用心者，卽更見此至德之世，不能復于當今之世。則亦唯有如天地篇所言之抱甕灌園，而不用後世之機事，以起機心者，可謂略近乎修混沌氏之術之至德之世之人。學者于此，若嘆此至德之世不在當今之世，而遺世獨立，則或只歸于隱逸，或學爲神仙，或望山林皐壤，而自「樂未畢，哀又繼之」（知北游）以至「悲人之悲」，「悲人之悲人之悲」（徐無鬼），則皆人所自然形成，而爲人所不能免之種種思想也。

九　任性之自然之說

莊子內篇言德不言性，而外雜篇則恒言性命、情性，更有于人之情性之自然，當放而任之之說。此要在自爲政者之當養民而說。而其反對仁義禮法之言，亦多自其可傷人之情性之自然爲說。如駢拇篇以仁義爲殘生損性，馬蹄篇以伯樂治馬傷馬之性，喻仁義禮樂之傷人之性。在宥篇言如何使天下不淫其性，不遷其德。天地篇言帝王之德，在「滅其賊心，以皆進其獨志。若性之自爲，而不知其所由然」。庚桑楚篇言「道者，德之欽也；生者，德之光也；性者，生之質也。性之動謂之爲，爲之僞謂之失；動以不得已謂之德，動無非我謂之治。」亦是連自任其性，以言德，言治之旨。則陽篇言「聖人之愛人也終無已，人之安之亦無已，性也。」此亦是聖人與人之安之，皆只所以自得其性，而自任其性之旨。此外如在宥篇言天下之道，雲將東游一節，言處無爲而物自化。天地篇言「不同同之之謂大，有萬不同之謂富」，「以道汎觀」，以成其「事心之大」。天道篇言以兼愛無私之心爲仁，乃無私之中仍有私。其意蓋謂不如超仁義而任放之更無私。秋水篇之言以大知觀于遠近大小，以知「時無止」，「分無常」，「終始之不可故，」「其生之時不若未生之時」，故不可以至小窮至大之域；更言「以道觀」「以俗觀」「以差觀」，而超于一切貴賤小大是非之辨；以任「牛馬四足是謂天」，而以「絡馬首穿牛鼻是謂人」，亦是歸于任放之旨。此有似于莊子齊物論之通是非物我。然與齊物論之和是非，重兼因其是，以合物我爲一體，而不重任放者，又正亦有毫釐之別。故秋水篇後文更有夔憐蚿一節，莊子與惠子觀魚樂之一節。夔憐蚿一節謂風之于物，「指我則勝我，鰌我亦勝我」，即能任物之勝之之謂。觀魚樂之一節，自儵魚出游從容，而即見其樂。後之達生篇言「以己養鳥」不如「以鳥養鳥」亦任鳥性之旨。大體相同之言，又見至樂篇。凡此等等，重人與萬物之任其情性、得其情性之旨，亦皆任自然之意。此固皆可說本于內篇之眞人、至人原不以己宰物，亦不重己對物之功，而善虛心以待物之旨，所引繹而出。然內篇之旨，則要在言此等義，而使人自成爲至人眞人；而外雜篇，則偏在言此等義，以使我以外之人與萬物，由我之不以宰制爲功，以自得其性，而任其自然以自生自化。此則見內篇與外雜篇之旨，各其所畸輕畸重之不同。外雜篇言任性之自然以爲德、爲政之旨，更契于老子所喜言「我無爲而民自化，我好靜而民自己」，言「生而不有，爲而不恃」，以己之不有，成人之有之旨，亦益近乎淮南子呂覽之以任生、安生，爲一客觀的政教之標準之論矣。

十　揚老抑孔之說之衍成

內篇與外雜篇之不同之又一點，卽內篇于孔子未嘗多所非議。唯德充符托無趾語老聃曰：「孔丘于之至人，其未耶」。又大宗師謂顏淵言坐忘，孔子謂「請從而後」。則顏淵見道若先于孔子。再則德充符篇言孔子將引王駘爲已師。此皆謂孔子于道或尙未至極，而正求道之語。除此以外，在內篇中固皆多是將莊子之旨托諸孔子，則其尊孔子可知。又內篇于儒墨之是非，唯在齊物論中涉及，而更言通是非、和是非之兩行之道，則亦未必以儒墨皆全非也。然在外雜篇中，在宥篇卽引老子語，而釋「不淫其性，不遷其德」之言。老子未嘗言性，則此引老子言，明出于老子之後。在宥篇于此外更多發揮老子言虛靜歸根之旨者。天地篇言「道淵乎其居，漻乎其淸，立之本原，而知通于神，故其德廣，……深之又深，神之又神」。此乃以老子之言「靜居」于「淸漻之境」之「深」，以爲德廣之所據之說。亦卽天下篇所謂老子之「以深爲根」之學，非莊子直下游于變化之無窮，其深者皆充實而不可已，任神明之往，以自成其「宏大而辟、深閎而肆」之學也。本篇又言孔子之問道于老子，而老子告以忘已、忘人，以入于天。此乃偏重在忘，非莊學言忘之全旨，此上已說。而其以孔子問道于老子，則明尊老子于孔子之上。內篇言老聃死，而其語多託諸孔子爲說，未有此孔子問道老子之言也。至于天道篇之言孔子見老聃繙十二經，則此明爲緯書已出後之言，上已及之。天運又言孔子五十一而不聞道，及老子之高倨，而斥孔子自以爲聖人之可恥，並以孔子所誦之六經爲陳迹。山木又言孔子圍于陳蔡，引大成之人「自伐者無功」爲說，亦本老子語。此外田子方言老子告孔子以「陰陽之成和」，見道「爲之宗」之語。知北游篇亦有孔子問道于老聃之語。田子方言「中國之君子，明于禮義，而陋于知人心」，亦言孔子見老聃而問道。庚桑楚篇更以老子爲庚桑楚師。寓言篇言老子爲楊朱之師。則陽篇言孔子之見聖人之僕，而聖人之僕乃不願見之。外物篇言老萊子之召孔子而訶之。則此中道家之老子，老萊子之地位益高。言老子之爲庚桑楚、陽朱之師，爲孔子所問道，則老之勝孔，益若確然無疑。至于下此之漁父盜跖之篇，則漁父可責孔子，盜跖亦可罵孔子，而孔子之地位，乃不如盜跖矣。是卽見外雜篇之文，明爲沿內七篇之偶有之抑孔子之言，而更次第抑之，再將內篇偶及之老子，次第揚之之所成。至外雜篇中之揚莊子，而抑惠施與公孫龍之言，與鄙薄儒墨，視爲不知恥之言，亦往往而在。至于外物篇以「儒以詩禮發冢」之故事，鄙薄儒者，亦刻薄至極。然外雜篇秋水，亦稱孔子之能有聖人之勇以知命寓言稱孔子行年六十而六十化，達生之言「用志不分，乃凝于神」，「無出而藏，無入而陽」之言，亦託于孔子。田子方篇亦言顏淵之畢竟不如孔子之知道，又一節托于莊子見魯哀公之語，則暗示魯國唯孔子一人爲眞儒。凡此等等又皆未嘗非孔子，亦未嘗非儒。是見外雜篇之言，決非一人一時之書。如皆莊子一人所著，亦誠馬遷所謂滑稽之說，或莊子之遊戲文章耳。

附論　韓非子解老喻老及管子心術內業中之道家言

一　韓非子解老喻老篇言道與理之義及不制于虛之虛

上文述莊子外雜篇言，乃視之爲道家言之集輯，而觀其所具之觀念與思想之方向。然由先秦至漢初，爲道家言者亦甚多。據漢志所載有三十七家，而其書多佚。馬國翰嚴可均等所輯約十種，皆斷簡殘篇，不見宗旨。今存之文子、關尹子、列子、鶡冠子、亢倉子，自柳宗元以降，皆疑爲魏晉以後之僞書。在秦漢以前之道家言，除老莊之書外，唯韓非子中之解老、喻老二篇、管子書中之內業、白心二篇，各表示道家思想之流，若干新方向之觀念，而接近漢世爲黃老之學者。今擬即就韓非子管子中之此諸篇文，略指出其若干新觀念之發展如下。

韓非子解老喻老之文，是否韓非子所著，不可知，其主道、揚權之言，本道家虛靜之功，去喜怒之形于外者，以免爲臣下所窺，亦不任一時之喜怒，以便專任法術以爲政。此固亦見此虛靜之功有用于爲政。在後文專論韓非子時，當再及之。韓非子即未爲此諸篇之文，而後人爲之，亦可視爲順韓非子之政法思想之發展而有者也。至于解老喻老二篇，隨文註釋，則同書生之業，亦似與韓非子之亟于用世，言多急切者不相類。然亦可為韓非早年為學時之所作，或他人所著，而其所言之義，亦與韓非子之思想有相通之處，後人乃編入韓非子書者。然此亦不礙吾人今視之為道家言，而觀其義之所及也。

韓非子之喻老之文，多舉故事，不如解老之多言義理。解老之言義理，則恆以「道」「理」二字，連用成名。此在莊子書中，固亦有之。如謂「道無不理」（繕性）。然莊子多言道而罕及理。唯荀子乃特重言理。道初為人之所行，而由內之主觀通于外之客觀者。理則初指客觀事物之條理。韓非之連道理以成名，則重在卽事物之理以說道。如其言「道者，萬物之所然也，萬理之所稽也。理者，成物之文也。道者，萬物之所以成也。故曰道，理之者也。物有理不可以相薄，故理為物之制。萬物各異理……而道盡稽萬物之理，故不得不化；不得不化，故無常操。是以死生氣稟焉，萬智斟酌焉，萬事廢興焉。……凡道之情，不制不形，柔弱隨時，與理相應。萬物得之以死，得之以生，萬事得之以敗，得之以成。道譬諸若水，溺者多飲之則死，渴者適飲之卽生」。又言「凡理者，方圓、短長、麤靡、堅脆之分也。故理定，而後可得道也。故定理有存亡、有死生、有盛衰。夫物之一存一亡，乍死乍生，初盛而後衰者，不可謂常。唯夫與天地剖判也具生，至天地之消散也不死不衰者，謂常。而常者無攸易，無定理。無定理，非在于常所，是以不可道也。聖人觀其玄虛，用其周行，強字之曰道，然而可論。故曰道之可道，非常道也」。

此二段文之言理，皆尅就物之方、圓、短、長等成物之文而言，亦卽就物之特定之形相性質而言，故謂之定理。凡物皆各有其定理，則不可相薄。薄古訓爲迫。一物之有此理，不能迫他物亦有此理，而此理卽爲物之限制。物有其理之限制，而爲一有限之存在，遂有存有亡、有生有死、有盛有衰，亦卽自行于此存亡、死生、盛衰之道途之上，而必有其由存而亡、由生而死、由盛而衰之變化。故有理之物必不得爲常存、常在者，而是只在道上之一段落中存在者。唯此道能盡稽萬物之理。則理爲物之制，卽道爲物之制。物依定理，而有其死生存亡，卽無異物之行于此道、得此道，以死生存亡。物之行于此道之一段落之初爲盛、爲生、爲存，至其極而衰、而死、而亡。故曰：「道如水，多飲之者死，適飲之者生」。然凡物之有定形、定理者，皆自衰自死、自亡于此道上，則此道無此定形、定理，亦無所謂衰亡與死。物有定形定理者，爲可見可說之實物，道無定形定理者，則非可見可說之實物，故唯有觀其玄虛，用其周行。「玄」言其不可見，「虛」言其非有定形定理之實物。「周行」，言其不同特定物之「由存至亡」、「由生至死」以「直行」，而成其一段落中之起止；乃是更能由他物之再生而存，以由止而更起者。其行爲一「由起而止、由止而起」之圓周之行，故曰「周行」也。

此解老文之連物之理以言道，並敎人知道，初不外敎人由知道，以使其心不爲有定形定理之物所限，以「空竅」爲「神明之戶牖」（喻老），更由此以遍觀萬物之理，而見其皆有道之周行于其中。此卽解老他段文以「無爲」「無思」爲「虛」，以使「意無所制」之旨。然此心之虛，又正所以成就人之思慮萬物之理者。故解老他段文謂「神靜而後和多，和多而後計得，計得而後能御萬物」，而得如「聖人盡隨于萬物之規矩」。規矩卽理也。此義則老莊之言虛靜者亦有之。老莊致虛靜，固亦所以成其觀萬物，而應之之事者也。然解老下文言「以無爲無思爲虛者，其意常不忘虛，是制于爲虛也。虛者，謂其意無所制也。今制于虛，是不虛也」。則此言爲老莊所未及，而自有一理趣。此乃謂虛而常不忘虛，卽制于虛，而非眞虛，故亦須更虛此「制于虛」之「虛」，而虛此「虛」。此在義理上言，與後之佛家之言空者，當空有，亦當空空，其本旨正不殊。佛家之只言空有者，爲小乘，必更點出空空之義，乃爲大乘之眞空。則解老文之言及此虛「虛」之義，亦卽點出道家言虛之大乘義者，而當視爲道家思想之一發展者也。

二　管子心術、白心與內業言心中之心、及精氣神之修養

管子書中各篇，成書在何時初不易定，葉水心謂此書「漢初學者，講習尤盛；賈誼、晁錯，以爲經本」（據戴望管子校正卷首所錄管子文評）。則此書當是晚周及秦漢之際之書。其中之心術內業二篇，則多兼申老莊之義，而非只解老莊。而其特重養心之術，名爲內業，卽別于外業。此可謂爲意在建立一道家內心之學者。先秦儒道，皆以「中」指內心，莊子之言養中，老子之言守中，皆指一內心之學。莊子天運篇言「中無主而不止，外無正而不行，由中出者，不受于外，聖人不出。由外入者，

無主于中，聖人不隱」。則陽篇言「自外入者，有主而不執；由中出者，有止（編者按：「止」原文作「正」）而不距」。類似此語者，又見公羊傳宣公之年。蓋同時代之語，而互相襲用者。此二語在莊子文之意，不外言由內心出者，外得所止，則內外自無距離，而道得行。若外不受之，則聖人不出，而自處于內。由外入者，如此主不受，卽不止于此主，則聖人不隱。隱者，藏也。言不隱者，卽言不藏亦不存之于內心也。內心之所出，爲外所不受，其道自不得行；然人仍可自處于內，而內有所主，而使外得所止，以爲聖人。欲使此內有所主，卽當有一內心之學。荀子解蔽篇有治氣養心之術之名，並論及心術之公患，蓋管子心術之名之所出。莊子庚桑楚篇言「業入而不舍」，或卽內業之名之所自出耶。

此管子心術內業之篇，原文義旨本明，今略顯出其要旨。按心術篇首言「心之在體，君之位也；九竅之有職，官之分也」。此與孟子以心爲大體，而主乎耳目爲小體，荀子言心爲天君以治五官，莊子之言心爲百骸、九竅、六藏之眞宰眞君，老子言心能使氣，初無殊別。其後之文言「毋先物動，以觀其則，動則失位，靜乃自得」，以及全文中言虛靜以養心之旨，大皆道家之公言。其言「虛其欲，神將入舍，掃除不潔，神將留處」。卽莊子人間世「虛室生曰……鬼神將來舍」之旨。其言「虛無無形謂之道，化育萬物謂之德」，亦老莊之常談。唯其言「大道可安而不可說」（心術）。「我心治，官乃治；我心安，官乃安。安之者心」（內業）中特用一安字，以言其不可說，則點出道爲人內心所安悅，亦能使五官得安悅者，其文甚美。下文言「心以藏心，心之中又有心焉。彼心之心，意以先言，意然後形，形然後思」。

又言「故曰思之，思之不得，鬼神教之」「思然後知」。則其言心之義，頗有所進于前。吾前嘗言莊子之言心，有一般之心知，更有爲靈臺靈府之心。故人之一心，自有上下、內外二層之別。由人心之能自覺，而能自反省，而自思其心意之已形者，則此心意之已形者，與能自思自反省自覺之之心，自爲二層。前者居下、居外而可有形，後者純居上、居內而必無形。今各名之爲心，即可說心自藏心，而心中又有心焉。人依此心中之心，以思其已形之心意，此思皆自無形出。自無形出者，當其未出未形時，則尙未屬于此思之人。故其忽然而出，忽然而來，可說爲從天所降，亦可說爲出乎幽冥之鬼神。據白心篇言，吾能「先知吾情，君親六合，以考內身」，則吾之心情中，固可有此忽然而出忽然而來之思，而人亦當自「敬迎來者」。此則賴乎人之先和平其形氣，以自反于內心之中。此內心之中爲性。和平之形氣反于中，即保此性，以使形性不貳。此即人所當有之白心或保心之道。故心術終言「和以反中，形性相葆，一以無貳，是謂知道」。能知此道，以敬迎忽然而出而來之思，自不能定其何時來、何時往，故終言「責其往來，莫知其時」。然人能和以反中，則思之不得者，自可忽然如自天降，如鬼神來教。故繼言「索之于天，與之爲期，不失其期，乃能得之」。是爲此篇文之終結。統此文以觀，則知道者，必當知「由和以反中。以知其心中更有深藏而內通之心，此心亦能忽然而出思，以外通而開藏，而人亦當敬迎其來」之道也。此其大旨，固皆不出老莊之義，然其明點示心中有心，而可說二心，並言人能反其中，則能一而不二，則文義皆多一曲折與反復，即亦爲見道家思想之一發展之文也。

至于管子之內業一篇首言「凡物之精，此則爲生，下生五穀，上爲列星，流于天地之間，謂之鬼神，藏于胸中，謂之聖人」。此乃承老子之重言「精」之旨而說。精之一字，初指所擇之米之潔白明瑩者。此與神之指能變化流行成其感應之事者，其義有一靜一動之不同。今以精之流行爲鬼神，精之藏于胸中，而後爲聖人，則是以精爲本以說神聖。此固老子之旨。而其下文言「是故民氣，杲乎如登于天，杳乎如入于淵，淖乎如在于海，卒乎如在于己，不可止以力，而可安以德，……敬守勿失，是謂成德。德成而智出，萬物果得」。則蓋指聖人之有精氣，自有其神之流行，以上登天而下入淵，在外之海，亦在內之己，而上下內外，無所不至；故當安之以德，敬守不失，以至德之成。唯依此德之成而後智出。聖之古訓，原爲心知能通之名。此卽謂必先有精藏于聖人胸中以出氣，如神之流行無所不至，乃得成其心之聖智也。

至于其下文言「凡心之刑（通形），自充自盈，自生自成」。則是言心知之有其表現流行，純出自動，亦卽本其自具之精氣神，而能自動。下再言其所以失之，必以憂樂喜怒欲利。故必「去憂樂喜怒欲利，心乃反濟」。此則是言唯以心之自陷于情之偏向，心乃失其自充、自盈、自生、自成之流行。故必去此情之偏向，乃得更流行以成其濟度。下文更言「彼心之情，和安以寧，勿煩勿亂，和乃自成」。此卽接于心術篇言，由和以養「中」或「內心」之旨。此卽是道，故下文更言道曰：「道所以充形……卒乎乃在于心」。蓋此道養此心，心居身形之內，故言道所以充形，亦終在于此心。此非客觀天地萬物之道也。後文更言「凡道無所，善心安愛。心靜氣理，道乃可止」。蓋靜其心，理其氣，卽是道。旣靜其心，旣理其氣，卽行道至盡，而道亦止于是。非謂心靜氣理之時，別有一道，來止于此心氣中也。心之不靜，由意念與形聲之在心。故後文又言「彼道之情，惡意與聲；修心靜意，道乃可得」。此亦同于心術篇言當由一般心意之「心」，反至其內之「心中之心」之旨。然靜意又賴後文所謂「與時變而不化，從物不移」，方能自正。能自正而能靜意，則此心更能自定。「定心在中，耳目聰明，四肢堅固，可以爲精舍」。此則言心靜以至定心之功，在使此心爲精之舍。下文言「精也者，**氣之精者也**。氣，道乃生，生乃思，思乃知」。此卽謂依靜心定心之道，乃得有此氣、有此精或精氣。下文又言「知乃止矣……過知失生，一物能化謂之神，一事能變謂之智」。則知當止于物，止而過用其知于物，則傷其生氣。中不靜，心不治。故必能化其物，變其事，方見有神智。由此乃更言「神明之極，昭知萬物，中守不忒，不以物亂官，不以官亂心，是謂中得」。此所謂「中」乃指心之裏層，應卽心術篇「心中之心」，亦卽此文之精氣。能守之爲「中守」，能得之爲「中得」。依此中守、中得，以有神明之知，而物不亂五官，五官不亂心，卽後文之「神之在身」之證也。神出于精氣，神在身，而除去物之亂官，官之亂此心舍者，而精氣亦自來。故言「敬除其舍，精將自來。精心思之，寧念治之，嚴容畏敬，精將至定」。此則言神在身，而能除彼亂此心舍者，使心成精心；更得寧念，則此精亦自定。此則爲由定心而定精。定心定精，「心無他圖」，是爲「正心在中」，卽能以其智權度萬物，使「萬物得度」矣。

內業篇「何以解之，在於心安，心以藏心，心之中又有心」之一節，與心術文同。今觀此文之全旨，則蓋在言此「心中之有心」，卽一內在之精氣神。故謂「精存自生，其外安榮。內藏以為泉原，浩然和平，以為氣淵」。安榮指心安，而外發為榮。精存則為內藏之泉源，能成氣淵者。唯此精存為泉原、為氣淵，然後「中無惑意，心全于中，謂之聖人」。後文遂言「全心在中，而心氣之形，明于日月，氣意得而天下服，心意定而天下聽，摶氣如神，萬物備存」。此則言由精氣之內存，以有全心」之心氣之表現。此中之意、亦此心之意；而有摶氣之神，以備存萬物；則聖人之心意之所以為聖人之心意，純賴有此內在之精氣，自運自摶以為神。聖人之心意或心思，能無所不通，則謂之為其心之中又有心，其思乃從天而降，如為幽冥之鬼神之所教可也；而謂之原自有其精氣，以表現為神明之極，亦可也。故下文更有重疊心術文：「思之思之，又重思之，思之而不通，鬼神將通之」；再繼之曰「非鬼神之力也，精氣之極也」。則聖人所以能心中有心，更思無不通者無他故，亦卽以其有內藏之精氣，能自運自摶以成神明之極之故耳。至內業後文言「內靜外敬，能反其性，性將大定」。則此「性」，應卽指此精氣神之能自充自盈、自生自成，而能由心定精定而定者。其言「止怒莫若詩，去憂莫若樂，節樂莫若敬」。則在言儒者所尚之詩禮樂，皆所以定性。餘文皆平實，亦無大精義，今併略。

總而言之，則此內業之文言「安心」「正心」「定心」與「全心」，言「靜意」、言「止道」

言。「知止」，皆頗與大學之文相似。內業與心術之言「和平」「反中」，言「中得」「中守」，皆頗似中庸。蓋皆一時代之思想。然大學必先「止至善」，而後有定靜安慮；中庸先言「天命之謂性，由「中之大本，」以出「達道之和」，則純出自儒者重至善、重天命之傳。心術內業二篇之文，則要在以和反中，于心中更見其所藏之心，或內藏之「精氣」，以爲人之生命之本，而歸在養此精氣，以有神明之智之學。則又各有其理趣。考此精氣神之三名，在老子則重精而偶及氣，在莊子內篇則重神亦偶及氣，外雜篇乃兼及精、精氣或精神。管子之內業文，則通精氣神而爲論，又皆自是人之心靈生命之內部說。漢世之養生之家、神仙之家、道教之流，言精氣神之旨，亦要在自吾人之生命心靈之內部說，觀管子此二篇之文，蓋爲其先導。故不能不一加論述也。至于對此精氣神之觀念，當如何理解其淵原，何以精當爲氣與神之本？後文論神仙思想及道敎思想之發展處，當更述淮南子言精神與氣之義以明之。

第十三章　荀子之成人文統類之道（上）

一　荀學簡史

荀子之學自謂承孔子，而恆將孔子與周公並稱，蓋特有取于周之人文，故不同于孟子之承孔子而恆稱堯舜之始創人倫之道者。荀子書有堯問篇，蓋荀子門人所記，謂荀子之善行，孔子不過，而力辨荀子非不如孔子。漢世之傳經之儒，多自謂遙出荀子之門。如魯詩傳自浮丘伯、韓詩傳自韓嬰、毛詩傳自毛亨、禮傳自后蒼、左氏傳傳自張蒼、穀梁傳傳自申公，皆可上溯至荀子之門。汪中荀卿子通論，已備言之。吾于論孟子時；已謂董仲舒嘗非難孟子性善之論。劉向校書爲孫卿書錄稱美荀子，並言董仲舒大儒，作書稱美荀子（見嚴可均輯全漢文。王先謙集解亦載于書末）後王充更有疑孟之篇。則荀子之地位初在孟子上。唯揚雄嘗自比于孟子之闢楊墨。又董子言性爲天質之樸，亦兼通善惡。揚雄言性主善惡混，皆兼綜孟荀爲論。王充言性三品，謂人性或善、或惡、或居其中。亦是由綜孟與荀，而更進之說。自漢至唐，儒者皆重五經。孟子注只趙岐注一種，亦如荀子只有楊倞注，其學皆未大顯于世。韓愈原道文，乃謂孟子醇乎醇，荀與楊大醇而小疵，則稱孟而稍抑荀。然韓愈言性之論，則略同王充之說。宋初學者，則多將孟荀與揚雄文中子並稱。唯宋元學案安定學案，有安定門人徐積，評及荀子性惡之論。蘇軾荀卿論更推李斯焚書坑儒之罪，至其師荀子之言性惡。程子更大責荀子言性惡之說，謂「其學極偏駁，只一句性惡，大本已失。」朱子編近思錄，亦引其言。（註）由宋及明，學者乃大皆以孟學爲孔學之嫡傳，荀學爲雜學。爰及于清，戴東原言心知，淩廷堪言禮，其旨實多同于荀子，而皆未嘗明宗荀。唯汪大紳二錄、三錄，宗孟子而絀荀，然亦有取于荀。姚鼐著李斯論，駁蘇軾將李斯之過，歸罪荀子之說。錢大昕、郝懿行，並辯荀子之學，未嘗大違孔孟。盧文弨、王念孫等，更對荀子文，多所校注。汪中爲荀卿子通論，既綜述荀子傳經學之功，又爲荀子年表。清末王先謙，聚盧王等之校注，爲荀子集解。其書前二卷爲考證，其中亦備錄錢、郝至汪中之文。清末章太炎爲國故論衡，以佛家唯識宗義，論孟荀言性，則謂其各得性之一偏，頗類似漢之董揚于孟荀之言性之評論。然其時之譚嗣同仁學，則一方重孟子言民貴之義，一方責荀子之尊君，言君統，並以二千年之言君主專制皆荀學之流。此又非荀子之所及料者也。然民國以來，學者于荀子正名之論及其言心與天之義，恒持之與西方之哲學思想相比較，而漸見其價值，而孟荀之地位，又略等矣。此即中國荀學之簡史也。

註：清人熊賜履學統卷四十二列荀子學爲雜學，並錄程朱責荀之言，可供參考。

二　總述荀子之道之別于墨孟莊之道

吾人前論孔子立仁道，墨子立義道，孟子立人之興起其心志之道。道家之流，則田駢、彭蒙、慎到，言順應物勢之道。老子由法地、法天以法道。莊子內篇則言人自調理其生命心知，以成爲聖人、眞人、神人至人之道。荀子之言道，則屬儒家之流，而又不同于孟子只重在別人于禽獸，而兼重在言人所以別于自然之天地萬物者。故王制篇謂「水火有氣而無生，草木有生而無知，禽獸有知而無義；人有氣、有生、有知、且亦有義，故最爲天下貴也」。則人之尊乃對一切自然之天地萬物而見。而人所以尊，則不同孟子之自主觀心性說，而是自其有客觀之「義」說。荀子之義即禮義。禮義之道，即人文統類所以形成之道也。人文之統類成，而人在自然之世界之上，自開一人文之世界。此人文之世界，在人之自然生命與其心所知之其他自然物之間，亦在己與人間，同時爲通貫古今，而自有其歷史者。故言此人文統類如何形成之道，不同于只言己與人相處之倫理，亦不同于只言人如何自興起其心志，以爲賢聖之道；更非言人之當法地法天以爲道；復非言人自調理其心知生命，以成眞人至人之道。此必待于人之究心于種種人與自然之各類之物，及人與各類之人間之事之種種特殊關係，與古今歷史之變，然後能知如何形成人文統類之道，以使人于自然世界外，實開出一人文世界。故此人文統類之形成，一方在建立各類之人倫關係以盡倫；一方在使各類之人所分別創造之人文，更相制限，以相配合、相統率，而皆得成就，以盡制。而盡制之事，卽政治之事。盡倫者爲聖，盡制者爲王；盡倫盡制之道，卽聖王之道也。墨子言聖與王，重其力爲義，與天下人民之利。孟子言大而化之之謂聖，能保民與民者爲王。老子以聖人無常心，以百姓心爲心，卽是王。莊子以「游心于淡，合氣于漠」之聖，「順物自然，而無容私焉」爲應帝王之道。其中唯墨子重在于事上見義以生利，餘皆重在于心上言道。而荀子言聖王，則重在盡倫盡制，以成客觀人文之統類，則非重在一一具體之事，亦非只重在心，而重心之知通統類，行成統類，使世由偏險悖亂，而致正理平治，以成就人文世界之一一具體事，使皆合于禮義，而後人得最爲天下貴。故荀子禮論更謂「禮者人道之極也。」此卽荀子言道之特質所在也。

三　荀子言天與人分職之學

上文只粗陳荀子之思想方向中之道，今更從細處看，則當先從其面對道家思想之重知天地萬物之道，更別人于天地萬物，而言「道者，非天之道，非地之道，人之所以道也」之旨說起，方能更及于其如何具體的言人文統類之道。此上所引之語，見荀子儒效篇。此外，荀子天論篇爲分別人道與天地萬物之道，最重要之文。在此文中，荀子固未嘗不言萬物與人之同爲天所生，人之五官爲天官，心爲天君；

然人之所以爲人，則在人之如何用此天生之五官與心，而有人之所以成就其對天地萬物之人事，而當知當行之人道在。由此而天所生之其他萬物與人之由天而有之五官與心，卽皆只爲荀子所言之人道之一背景上之根據。至此人之道之自身，則不在此背景之根據上說，亦不在先反省回顧此根據之畢竟何所是上說。而只在本此根據而有「人爲之事」上說。簡言之，卽此荀子之道，乃人以天爲根據，如由上而下，以向前向外走出之道，而非對此根據，先向後向內，更如由下而上，以求契合之道也。

本上述之意，以觀荀子天論之首言「天行有常，不爲堯存，不爲桀亡，應之以治則吉，應之以亂則凶」之言，則可見其所言之天，卽人向前向外所見之天。而其言天有常行，亦非重言此「常行」本身，而重在言吾人所以應之之道。此天之常行，近人或謂其卽自然界之恆常不變之規律，而謂荀子重此規律之存在，爲有科學思想。然觀荀子整個之天論篇之旨，與其整個之學，則其所重者，明不在正面的對天而說其有恆常之規律。此所謂天有常行，大可只是說天之行或自然現象，總是如此如此相續，亦經常如此相續。此經常如此相續，自可涵其相續有規律之義。此規律亦可說爲其經常如此之所以然之理。然荀子之明言，則只舉此天之行之經常如此之事，而說。其說天之行之經常如此之事之目標，要在顯出人之于此無所施其力，亦非人之治亂吉凶之原。故下文卽全轉到人之應此天之行之治亂之道上說吉凶矣。是正卽吾人上所謂荀子之所謂天，只爲人道之背景上之根據之說也。

荀子謂「天之行經常如此」，自亦涵有人對天不可妄作祈求希慕之義。故荀子謂「君子當敬其在己者，而不慕其在天者，是以日進也；小人錯其在已者，而慕其在天者，是以日退也」。按孔子言「君子求諸己，小人求諸人」。君子求諸己，卽盡其在己之義。而荀子則推擴孔子之此義以對天，以言君子不特當敬其在己而不求諸人，亦當敬其在己而不希慕于天。則荀子之言人不當慕其在天者，固非只本于天之常行中之規律，非人之希慕所能改變之故；而亦本于儒者求諸己，盡其在己之教；故人當對天自盡人事也。

荀子重人之對天而盡人事，而人事之所成者，卽非自然界之天地萬物所原有。然此亦不涵有：人之地位在天地之上之義，亦不涵有人對其外萬物，求加以控制，征服自然，而表現人之權力之義。荀子謂「天有其時，地有其財，人有其治，夫是之謂能參」。此要在言人事與天地之事相配，以成三。其言「天地生君子，君子理天地」，卽言人與天地之關係，爲一對等交互的，以其事互相回應之關係。此皆明不涵人之位在天地之上，控制萬物、征服自然之思想，如近人之說也。觀荀子之禮論，明言天地爲禮之三本之一。在荀子之禮中，固有對天地之禮。唯以此是人所當有之人文中之一事，非以此爲人之希慕祈求于天之事耳。故荀子天論之旨，雖以天人分言，固亦不與其他儒道思想言天人之和者，必然相衝突者也。

荀子天論言「不爲而成，不求而得，夫是之謂天職。如是者，雖深，其人不加慮焉；雖大，不加能焉；雖精，不加察焉：夫是之謂不與天爭職。列星隨旋，日月遞炤，四時代御，陰陽大化，風雨博施，萬物各得其和以生，各得其養以成，不見其事，而見其功，夫是之謂神；皆知其所以成，莫知其無形，夫是之謂天功。**唯聖人不求知天**」。荀子對天之不爲而成，不求而得之生物之職之功，固加以正視。故于天之功之深、大、精與神，與萬物之由各得天之和以生，如莊子之所喜言者，固亦未嘗不加承認。唯以此天之職之功，人不當與之爭，人亦不能更加其慮、其能、其察于天之上，以有所助益于天，而分天之職與功。人唯當于天職與功之外，更盡人之職，以成人之功，而不求知天之行自身之所以然。此人之盡其人事，「其行曲治，其養曲適，其生不傷」，即爲人之所以理天地而知天。故曰「大天而思之，孰與物畜而制之；從天而頌之，孰與制天命而用之；望時而待之，孰與應時而使之；因物而多之，孰與騁能而化之；思物而物之，孰與理物而勿失之。願于物之所以生，孰與有物之所以成。故錯人而思天，則失萬物之情」。此只求有于物之成，以爲進一步之人之事之根據，而不于天之所以生物上錯思，以求知天之生物之所以然，亦如君道所謂「于天地萬物也，不務說其所以然，而致善用其材。」此卽荀子之異于莊子等道家之言者。然荀子既言萬物之各得其和以生，亦將謂人之生命由得和以生。此人之生命得和以生，固亦是在吾人生命以內之天。則于此天，何以必不當有以知之，如莊子之所論及者？又荀子既言天之功之深、大、精與神，與萬物之皆得和以生，人又何以不可就其深、大、精、神，與萬物得和以生處，隨處加以觀玩、欣賞、體會，以使吾人之心與生命，亦趨向于深、大、精、神與和？豈此二者中，皆卽必無學問之可說？然荀子則蓋正以此二者中無學問之可說，故只言人之就「各得其和以生」之「萬物」之「成」者，與天所「見象」，地所「見宜」之呈于人前者；更繼之以人爲之事，以「畜」此天所生之物，「分制」而「用」此由天所命賦于人之物，而「應」天之時，以勝其能而化其物，以治理其物，即人之「有于物之所以成」後之人道所在也。知此上所說，則知荀子之學之所以與莊子之學分途之關鍵矣。

至于荀子之學與孟子分途之關鍵，則在荀子雖言天生人，人有其天君之心，然其所重者，只在本此已有之心而用之，以成人之事。故不重更向內反省此心之所以爲心之性，亦不能知孟子所言之心之性之善。其所以更言性惡，則亦唯由荀子重人之所爲之進于天生之故。蓋人之所爲既有進于天者，則人之性縱是無善無惡，對人之欲進于天之理想而言，亦猶可說爲惡。何況在人求其有所進于天，而修其善行善德之時，更明覺其天生之自然之欲等，恒若導人向一相反方向而去。此即荀子之所以言性惡之根本理由所在。吾已論之于原性篇，今可不贅。

四　荀子言心與道之關係

荀子言人爲之事與善行善德之所以成，在人之能用其天官與天君之心，而心爲天官之主。故荀子之學要在教人用心以知道行道。此必待于先解除此心之蔽。故荀子有解蔽篇，以說吾人之如何用心之道及心與道之關係。此荀子言心，而視此心爲一具虛壹而靜，亦具自行、自止等，以自主宰之作用者，吾已論之于原論中原心一章。今所當略重復補充者，則在言心與道之關係。此爲吾之前文所未多及者。今按此荀子所謂心與其所謂道，初爲如何之一關係，亦令人困惑。荀子「正名篇」言人不可「離道而內自擇，」於「解蔽篇」先論心術之公患，卽進而言人必「兼陳萬物，而中縣衡焉。何謂衡？曰道。」更言「心不可不知道。心不知道，則不可（肯可）道，而可非道，……亂之本也。……心知道然後能守道，以禁非道，……治之要也。」則治亂之本，全在心之是否知道，其所肯可者在道或非道。自此心旣能「肯可道」，亦能「肯可非道」；旣能知道，亦可不知道言；則道似只當視爲一客觀對象，與此心之知與不知、肯可與否，無必然關係者，有似墨子告子以義純爲在天在外之說；而顯然不同于孟子卽仁義之心，言道所在者。然若道只爲一客觀對象，此畢竟爲何種之對象？在吾人之經驗中，固有客觀外在之人物，爲經驗的對象，然初無此道之一對象。若說此道爲柏拉圖式客觀理型，或形而上之道體，則荀子顯無此義。於此似可說此道，卽所經驗的諸客觀現象事物中，共同的法則規律，而爲吾人所知，以形成吾人之知識者。由此而吾人似可謂荀子所謂道，卽在人文歷史之事物中，所發現之普遍法則或規律。此卽可用以解釋荀子之何以重百王之統，何以重法後王之禮制之粲然者，又何以重聖王之師法；並見荀子之學之標準，純然在外。卽與孟子之學，重心性所在，卽道之所在者，全相對反矣。

然吾人循上述之思路，以解釋荀子，雖似順而易行，卻可引起更多之問題。卽如荀子之心與道全無必然之關係，道純在心外，爲其客觀對象，則此心是否有其「自用其心以知外在之道」之一道路？如有，則此道路應爲心之道，而不可說只在客觀之對象。又道如只爲一所知之對象，則旣知之，卽可完成吾人之知識，人應只有所謂知道，而無所謂行道。然荀子明重行道以成治去亂，其知道乃所以爲行道，此又何故？又人之行道，道在人所行之內，則人之知道，此道亦當在此知之內。道旣兼爲所知與所行，則道應爲貫通於此知與行者，不可只說爲一知識之對象。又人於道當不只有一知識的心，亦有一意志行爲的心；而心亦不只以其「知」與「道」相關係，亦以其「意志行爲」與「道」相關係。又如荀子之所以重百王之統、後王之禮制、聖王之師法，純以此「統」、此「禮制」、此「聖王」之存在，爲一客觀外在之人文歷史事實，或經驗世界之事實；則此事實之本身，並不涵具吾人之必當法之之義。人各有有所知之歷史事實，或經驗世界之事實，如皆可法，則何以必以聖王爲法？更可問：何以必以人爲法，而不以自然界之萬物爲法？則荀子之法人中之聖王以爲道，只爲荀子個人思想上之偶然，而毫無其一定之理由可說者。然荀子之言道必以人道爲本，必法聖王，又似非無其一定之理由者。由此種種之問題，則吾人對荀子所謂心與道之關係，卽不能不別求善解以通之。

此所以通之之善解，吾意是一方固須知荀子之言心與道之關係，固不同於孟子之卽心性之流行以言道者。然荀子亦非以道爲外在於心之客觀對象，由心之知種種人文歷史之事實而發現者。此道初在此主客內外之中間，而爲人心循之以通達於外，以使人心免於蔽塞之禍者。故此道在第一義，初當爲心之道，在第二義方爲心所知之人文歷史之道。此道一方連於心之能知能行之一端，一方連於其所知所行之一端；亦卽屬於此二端，又爲初屬於心之一端，以爲一心之道者。此說其爲一心之道，並不礙此心之或不自知其有道，而可不知道。此亦如孟子之言人之仁心仁性之流行卽道，而人亦可不自知其有此流行，其中有此道也。故吾人不能據上引一段文，謂人心「可不知道，而肯可非道，或可有蔽塞」等，以證荀子純以道爲外在於心，遂言荀子無所謂心之道。就荀子「解蔽篇」之後文而觀，荀子明於心之「能」或「作用」中，見心之自有此由內以通達於外之道。唯此心之道，初爲一知物之道。既知物，然後有此心所行之道，以合爲心之能知能行之道，更有此知所接之人文事物、行所成之人文事物之道。此中則有曲折之義。下文將對荀子若干段文加以重講，以次第說明此中之曲折之義。

荀子「解蔽篇」文爲世所共加注意者，爲「故治之要在於知道」一語以下二節。由此二節，可見荀子言心，與道家言心之同而異之處，是卽爲後文分言人心與道心之張本。此二節文之要義，卽在由心之能、或心之作用，以見心之自有其由內通達於外之道者也。茲先照引原文如下：

人何以知道？曰：心。心何以知？曰：虛壹而靜。心未嘗不藏也〔原作臧，古字通〕，然而有所謂虛；心未嘗不兩也〔原作滿，依後文應採楊注改〕，然而有所謂壹；心未嘗不動也，然而有所謂靜。人生而有知，知而有志；志也者，藏也。然而有所謂虛。不以所已藏害所將受謂之虛。心生而有知，知而有異。異也者，同時兼知之。同時兼知之，兩也。然而有所謂壹。不以夫一害此一謂之壹。心臥則夢，偷則自行，使之則謀；故心未嘗不動也。然而有所謂靜。不以夢劇亂知謂之靜。未得道而求道者，謂之虛壹而靜。作之則將須道者虛，則入；將事道者之壹，則盡；將思道者靜，則察。知道察，知道行，體道者也。虛壹而靜，謂之大淸明。萬物莫形而不見，莫見而不論，莫論而失位。坐於室而見四海，處於今而論久遠，疏觀萬物而知其情，參稽治亂而通其度；經緯天地，而材官萬物，制割大理，而宇宙裏矣。

心者，形之君也，而神明之主也。出令而無所受令。自禁也，自使也；自奪也，自取也；自行也，自止也。故口可劫而使墨云，形可劫而使詘申，心不可劫而使易意，是之則受，非之則辭。故曰心容，其擇也無禁，必自見。其物也雜博，其情之至也，不貳。………故曰心枝則無知，傾則不精，貳則疑惑，以贊稽之，萬物可兼知也。

此上所引之前一節文，言心之本身兼有能知之作用，以使人知「須道」、「事道」、「思道」，而「知道」、「行道」、「體道」，意在言人當如何善用其心知。此中荀子言心之虛、靜與一等，皆道家所常言，而初非孔孟之所常言。然荀子言心之虛，乃與心之能藏並言，要在教人善用此心之虛，以求其有所藏。此與道家如莊子言本心之虛，以直接「待物」，並言心之知物，如鏡之照物，當「應而不藏」者，又不同。道家言以心應物，當「應而不藏」，故或喜言心之能「忘」，其極至於言「坐忘」或「形忘」。此卽顯然與荀子言心，兼重此心之能藏者不同。荀子言心之虛，使人能「不以所已藏者害所將受，」卽言心以其能虛之故，便能不斷更有所藏也。此心有所藏，卽有其所「志」，此志指記憶，正爲人用心能成就種種人事之故。荀子重人事，固必重心之本其虛，以更有所藏也。

按道家之所以重心之應而不藏，與重心之能忘，乃由感於心之執其過去之藏者，以應當前之事物，卽不免本成心，以應當前之事物，而恆有所不當。故必去其成心，而忘其過去之所藏。莊子言「去知與故」，（「刻意」）「不以故自持」，「瞳焉若初生之犢，而無求其故」，（「知北游」）「故莫若釋之而不推」，（「天地」）皆教人忘其過去之所藏亦不以之爲理由根據，以從事推論，以使人更得游心於當前所遇之天地萬物之中之道也。然荀子則重言人在當前天地萬物之外，別有所成。依荀子之意觀之，人之心之能有所藏、當有所藏，是一事，執所藏而化爲成心，又是一事。固不必因慮此人之執所藏，而有成心，以謂心之不當更有所藏也。人心既有此能藏之一作用，固亦當使之盡其用，以有其記憶，與所累積之對物之知識也。由此而人心之虛之一面，卽只爲所以使人「不以所已藏，害所將受，」不斷更有所藏，而亦爲成就此心之能藏之作用，與其記憶知識者矣。

至於心之能一，道家亦常言之。如莊子「人間世」言「一若志」。然道家言一，恆言天地萬物之所一，或我與天地萬物爲一。儒家孔子則言「吾道一以貫之，」孟子言「夫道一而已矣，」皆未嘗以「一」與「兩」「多」兼重。荀子言心之一，則要在與心「未嘗不兩也」並說。心之「兩」，卽心之「能兼兩一而知之，更不以此一害彼一（卽「夫一」）」之作用。以統一之心，而能知「兩」，於「兩」中之任一，皆知其爲一，而同時兼知之，則爲荀子之所重。此中荀子與道家之不同，蓋在道家於天地間之兩或多，恆同時知其可相化相易，以成一。故不重其「兩」或「多」。荀子則純就人之心之知兩之際着眼。於此着眼，則於爲「兩」者之自身，可相化一點，可不問。蓋不問其自身相化與否，我之知「兩」時，所知者仍爲「兩」。我能就其兩而分別知之，則可成就對「兩」之知識，而較只知其可相化爲一，或只知兩中之一者，所成就之知識爲多。則荀子之重人之有所成者，固必重知兩之爲兩之知識，重「知兩」中之「對此一之知」與「對彼一之知」之不相害矣。

至於心之能靜，亦道家所常言。然荀子則兼與心之能動合言。道家重心之靜，一方亦意在自超拔於心之「偸則自行」、「夢劇亂知」之妄動；一方則以靜爲心之虛之初步。盖必由靜以致心之虛，由虛以待物，人之知，乃能明通於物而物我無間。然荀子以心之靜與動合言，則要在言於心之動而知物時，當更求其心之靜。此靜實卽同於用心之專注。心有所專注於物，則亦自能免於心之「偸則自行」、「夢劇亂知」之妄動。然人免此妄動之後，卽能更專注於物，以細察一物之內容。故曰「靜則察」。此心之專注，或荀子所謂靜，亦實無異人之求知時其心之定於物。此專注與莊子言「用志不紛，乃凝於神」之旨亦相近。凝神卽亦是專注也。然莊子言凝神之旨，要在由凝神，更隨物之變化而變化，與之俱運，以使心游於物；亦使吾人之生命與天地萬物之生命，通而爲一。荀子言靜則察，則要在由心之專注於一物，而更對此一物之內容之各方面，以及其與他物之特殊關係，皆分別加以考察，以成就對此物之更多之知識。此卽荀子言心之靜之爲專注，與莊子言凝神之不同也。

上言荀子之心有此虛壹而靜之作用，乃就心之如何知物以成知識之事爲釋。然荀子謂「人何以知道？曰心。心何以知？曰虛壹而靜，」則此心之虛壹而靜之作用，似只是人由之以知道者。人遂可以此心之虛壹而靜之作用，只爲人所由以知道之一手段；而此道，則只爲此心所求知之客觀外在之對象，乃初爲人所不知者。然如此解釋，則心初無道，亦初不知道爲何物，而於「解蔽」言道心之旨，亦不可通，其與人心之別，更無從論起。然吾人實當說所謂知道之心，初卽此知循虛壹而靜之道，以更求自用其心之心。由心有虛壹而靜之作用，亦卽見此心知循此虛壹而靜之道，以自用其心。則荀子之問「人何以知道？曰心。心何以知？」卽問心如何而可稱爲知道之心？其答曰「虛壹而靜，」猶言心之眞能知虛壹而靜者，卽爲知道之心。此卽無異言此「虛壹而靜」，同時爲此心所知之道。則所謂「未得道而求道，謂之虛壹而靜，」卽言虛壹而靜，爲人求之卽能得道者。而此語亦無異言「虛壹而靜」，卽爲得「道」之道，而亦卽是道。如後文言治心之道，卽心之自治之道。若如此解，則於道果爲何物，直下先有一着落，不致第一步，卽望空玄想。此所謂道，皆初只是此心知之進行所循之道路，而由內以通達於外者。卽不能說此道初爲人所不知之一客觀外在之對象，而人亦自有「實能循此虛壹而靜之道以用心」之道心，以與一般之人心之未能實循此道者相別矣。茲試申其旨如下。

按人心之必虛，而後能藏物於心知中，此義易知。然人心本其虛，以次第藏物於心知中，乃一相續歷程。在此歷程中，此心即是行於一「由虛以不斷去藏」之道路上。此連於後文言，即「須道者虛」。此四字以今語釋之，即人如須有一其心之通達於外而知物之道路，首即當有此心之「虛」，以不斷去藏。物自爲客觀外在，然通達於客觀外在之物之道路，乃在此心之虛而能藏。此虛而能藏之道路，固不爲客觀外在之物也。人必依此心之虛而能藏之道路，以於物有所知。故知道者，即當知依此道，以成其對外物之知，故爲人首所須，而言「須道者虛」也。

然人欲成其心之通達於物而知之之事，只是以此虛爲始點。人如欲完成其知物之事，必於「虛而次第藏物」之外，更對物一一加以辨別，不使彼一害此一，而相混亂。此即同於謂此心當更行於「不以夫一害此一」之道路上，然後心能自本其心之虛，以於物兼知而盡知。故曰「一則盡」。此求兼知盡知，即此心於次第藏物之外，更次第辨物，而自事於求兼知盡知。此心之「循此不以夫一害此一，以求兼知盡知」之道路而行，即此心之所以自事之道。故曰「事道者之一」。此與「須道者之虛」不同。然人之心固可一方面虛以藏物，一方又求兼知盡知；則此二道固可相貫，以爲人之成其對外物之知所當依之一道也。

至於此心更能於其所知物專注其心，加以細察時，則此心即更循一由細察物而思之之道路而行。故曰「思道者靜，則察。」思道即依道而思；而靜以察，正爲此思之進行時所依之道。此與須道者之虛、事道者之壹，皆不同。然此心乃可兼由虛以藏物，更分別求兼知、盡知物，再就物細察而思之者；則此三者亦可相貫為一道，總為人之所以成其對外物之知，所當依之一道也。故荀子文於須道、事道、思道，即合為一人之知道之事。則劉師培荀子補釋謂「欲須道之人，可由虛而入道；欲事道之人，可由壹而盡道；欲思道之人，可由靜而察道」亦不誤。今案，心以虛，而能無盡藏，故大；不以此一害彼一，故清；靜而察，故明。統為一大清明。此大清明三字，亦當非泛用。至於由此大清明心之知道而更進，則為由知而行，以行道體道之事矣。關於此上所謂道，皆自人之用心以通達於外之道路上言道。此當為荀子所謂道之第一義。至於由循此虛壹而靜之道路以用心，所知之關於人文政治歷史之道，則當是第二義。是為由人之如此如此用心，而更知及於人文政治歷史者。當俟後論。

此上所謂知道而更行道之心，即於其自身之對物之行為反應，更能自加以決定主宰之心。心之由虛而藏，而不以此一害彼一，以使其對此一與彼一之知，自相制限，更求靜以察一；即此心之知中之行，而見此心之能自作決定，而自作主宰。由此，而心能自禁、自使、自行、自止，以能直接對其行為反應，有自覺的選擇；又在選擇之時，人亦不能禁止何者為所必然不能加以選擇者。於此見心之能自「容」其有選擇之事。本於心之虛故能容，本於心之能藏而能記憶，即能自覺自見。故言「心容，其擇也無禁，必自見。」此與上文心之虛而能藏之義相照應。如心自搖蕩生枝蔓，則不能自見自知，而同於無知。故曰「心枝則無知」。又在選擇之時，人必須有各方面之物同時在念。故曰「其物也雜博。」然不可只傾倚於一面之物，故曰「傾則不精」。不傾於一面之物，卽上文同時兼知，不以此一害彼一之旨也。再在選擇之後，必歸於最後之一決定，而專注於一事物，更細察之、思之。故曰：「其情之至也不貳，貳則疑惑。」此卽明是就先陳之此一彼一中，決定其一，爲所專注之一，更有「靜則察」之事。此中前後文之章句，固皆互相照應者也。

此心之所以能由虛而藏一，而不以此一害彼一，最後歸於擇一而專注於一，以專察此一，專思此一。是卽人之所以能成事之本。故下文言「萬物可兼知也，身盡其故則美；類不可兩也，故知者擇一而壹焉。」今按後文「好書者衆矣，倉頡獨傳者壹也；好稼者衆矣，而后稷獨傳者壹也；好樂者衆矣，而夔獨傳者壹也；好義者衆矣，而舜獨傳者壹也。倕作弓，浮游作矢，而羿精于射；奚仲作車，乘杜作乘馬，而造父精于御。自古至今，未有兩而能精者也」一節，卽順此義而說，而與前後段文不相連，疑爲誤編。宜移于此句下以觀，合以見人當于其心所兼知之萬物中，擇一而專之。人心原能兼知，卽人心原能不以此一害彼一。至于其擇一而壹之，則是本此兼知而更自決定，以專注于一類之事，以求于此一類之事，「身盡其故，」或盡知其所以然，以使其能精于此一類之事者也。

人心原能兼知萬物，而又能擇一以精于一事，則人之各有所專精之事，更相配合，卽人之所以組織此人文社會之本。此乃荀子所最重之一義，其書中隨處皆有發揮。然此中亦有一問題，卽人之專精于一事者，可更不求知其他之事，以至不知人于有所專精之事外，應尚有能配合此諸人各所專精之事者。此能配合諸人各所專精之事者，則不能只是專精于一事者；而當爲能兼知各專精之事之價値，並知如何將此人各所專精之各類之事，統之于一道，而有一合道之心者。然此一合道之心，則非人人所能有。此合道之心之培養，亦非易事。此則由于人之旣專精于某一類之事，人卽恆可自限于某一類之事，以用其心之故。由此而吾人可知荀子所以辨人心與道心之切實義。

五　荀子如何辨人心與道心

荀子言人心道心，乃連于其養心之論者。荀子言「人心之危，道心之微。」古文尙書改「之」字爲「惟」，更加「惟精惟一，允執厥中」二句；而宋明儒以之爲堯舜禹相傳心法。朱子中庸序乃謂人心爲人欲，故危殆而不安，道心爲天理，故微妙而難見云云。然以之注荀子文，則不相合。王先謙集解引王念孫說，案以「此非蔽于欲而陷于危」，其言甚是。至於其引王念孫語謂「處以專壹，且特加戒懼之心，所謂危之也，」則有其意趣，而未能盡切。細察荀子「解蔽篇」前後文之意，竊謂此所謂人心卽專精于一事，而不能通于他事之心；而道心則爲能兼知不同之人所專精之事之意義與價値，旣能兼知之，更求加以配合貫通之道者。此道心、人心之分，初非自道德意義上分，而是自其人文意義上分。此卽吾之所以嘗言荀子所重之心，乃成人文統類之心也。（拙著中國哲學原論卷上「自序」）

今試本此義，以解釋荀子于此下二節之全部文句。則知吾此言之非苟說。荀子曰：

> 農精于田，而不可以爲田師；賈精于市，而不可以爲市師；工精于器，而不可以爲器師，精于物者也。（據盧文弨王念孫校，後文五字移此）有人也不能此三技，而可以使治三官，曰精于道者也。精于物者以物物，精于道者兼物物。故壹于道，以贊稽物。壹于道則正，以正志行察論，則萬物官矣。昔者舜之治天下也，不以事詔而萬物成。處一危之，其榮滿側；養一之微，榮矣而未知。故道經曰：人心之危，道心之微，危微之幾，唯明君子而後能知之。故人心譬如槃水，正錯而勿動，則湛濁在下，而清明在上，則足以見鬚眉而察理矣。微風過之，湛濁動乎下，清明亂于上，則不可得大形之正矣。心亦如是矣。故導之以理，養之以清，則足以定是非，決嫌疑矣。小物引之，則其正外易，其心內傾，則不足以決麤理矣。
>
> 空石之中，有人焉，其名曰觙。其爲人也，善射以好思。耳目之欲接，則敗其思；蚊虻之聲聞，則挫其精。是以闢耳目之欲，而遠蚊虻之聲，閑居靜思則通。思仁若是，可謂微乎？孟子惡敗而出妻，可謂能自彊矣；有子惡臥焠掌，可謂能自忍矣；未及好也。闢耳目之欲，可謂能自彊矣；未及思也。蚊虻之聲聞，則挫其精，可謂危矣；未可謂微也。夫微者至人也。至人也，何彊？何忍？何危？故濁明外景，清明內景。聖人縱其欲，兼其情，而制焉者理矣。夫何彊？何忍？何危？故仁者之行道也，無爲也；聖人之行道也，無彊也。仁人之思也恭，聖人之思也樂，

此治心之道也。（王先謙集解引郭嵩燾說，于本節文句讀，有校正。但無關大旨）

此上二節，古今釋者多未能貫通之而說。實則其中明有一貫之義。其言農工賈之只精于物，而不能爲師爲官，正在其只有人心，而未有道心。此所謂人心，即能專注于物，而于物能精察之心。人有此心，亦可成就其所專精之事，此心亦人所不可少。但若只有此心，則不能爲師爲官。爲師爲官者，必須能調理衆農、衆工、衆商，與其所爲諸事之關係。則其心必不能只如一農一工之專精于物以物物；故必須能兼通觀此諸人對諸物之諸事，以知其相互間之關係，而後有加以調理之道。則其能調理之之心，即爲居上一層次之道心。此道心與人心之不同，即「知物物者」與「知兼物物者」之不同。亦即「只專門精察一事物、或一類事物之心」，與「兼知諸事物或諸類事物，而實不以此一害彼一，而兼知之心」之不同。此後一心即所精在道之心也。此精在道之心，乃能統攝此一與彼一以爲道，而此心即又爲壹於此道，而爲「可由兼知更兼求此一類事物與彼一類事物之互不相害而兼成之」之心。故爲一贊稽物，而初不偏倚傾側於一類事物者。言贊即贊助兼助之意，言稽即稽察。贊稽物，即兼諸物而稽察之，求其不害而兼成也。下所謂正志，即心之方向之不偏倚傾側也。心之志能不偏傾，以再分別就此一與彼一，以行其分別之稽察，則一一之事物，皆得完成其任務，盡其職能，如各得爲一官。故曰「正志行察，則萬物官」也。此中，人用道心以調理諸人之不同類之事之關係者，雖不專精於一特定之事，然不同之事，則由此調理而得成。故曰「不以事詔而萬物成。」此非道家之無爲無事。

不以事詔，唯是不以特定之事詔而已。

至此下文「處一」與「養一」中之「處一」，當卽專精於一物一事，而欲成就之之人心；乃專「處」於一定事物之內，而未能通達於他事他物者。「處一危之，其榮滿側」之危，若作危險或戒懼之義解，則於「其榮滿側」之語，必迂曲以講之。此於文理不順，而與後文之「何危」之義亦不合。今按說文段注謂危字指人在崖上，卽初爲居高而凸立之義。人居高凸立，卽覺有危險，而生戒懼。此皆是引申義。如所謂「危冠」「桅杆」卽凸立而高標之冠或杆。孟子所謂「孤臣孽子，其操心也危，其慮患也深，」此危亦只是兢兢業業而凸聚於一處之心，無危險義。故「處一危之」之危，當卽心凸出而凝聚，以處於一事一物之內，而高標其意義與價値之心。於此人卽自易見其「榮之滿側」。如此解則文理至順。至下文所謂「養一之微，榮矣而未知，」正與上之「其榮滿側」相對反。則此「一」當是指「一於道」之心之一。此「一於道」之心，乃處於所調理之諸事物之上或之間，以求其兼成，而其本身若初未嘗成一特定之事物者。故此心初不自凸出高標於外，而爲一隱微之心。人之用此隱微之心，更存養得此心，自有調理諸事，以使之俱成之功效，而亦有其榮。然此榮不同於人心之「處一危之，其榮滿側」者，而初不易知。故曰「養一之微，榮矣而未知」也。微非必微妙微細之微，唯是隱微不易知其榮或價値之所在而已。故下文更引道經之言爲證，而言此人心道心之分，唯明君子能察之。蓋君子爲師爲官，不只專精於一事，故不可不知此二心之不同，而當有「治心之道」以成道心也。

然君子之治心之道，則又正在如上文所謂使心不偏傾，以正其心之方向或志。故當視此心如槃水，而正置之。正置而心不偏傾，則於此一彼一，皆能兼知，而兼照見之以成其淸明也。皆加以照見，則能皆加以兼成，使不相害。兼成兼利爲是，相害則非。至人在於有利又有害、有是又有非之處，則當權衡其輕重以定嫌疑。此權衡固爲荀子言道之一要義所存。故言「兼陳萬物而中懸衡焉。何謂衡？曰道。」（「解蔽」）又言「道，古今之正權也。」（「正名」）心能如權衡之正，卽心合於道也。然心不淸明，於事物不能兼加以照見，則不能得權衡之正，以定嫌疑。心欲保其淸明，則又賴於心之不偏傾。心偏傾，則見此一物不見彼一物。心之偏傾於此一物，則心爲此一物所引，而小物亦足以引心偏傾，以失其正。原爲一平衡之心，今以其一端向外物之偏傾，則其另一端卽向內偏傾而不用，其淸明半沈沒於下，而昏濁浮於上；乃於原當兼知之他物，無所知，於物之全形大形之正，亦不能知；卽於麤理，亦不能知不能決，何況理之精者乎？

由上所論，可知荀子言養心，要在養得淸明不偏傾，自正置，以對一一之物，更分別察之，而兼知之，求兼成之，以兼物物之道心。此卽異於一般人心之專精察於一物一事，而其心恆不免偏傾於此一物一事者。只用此人心，可使人專精於物，而不能兼物物，則人可爲農爲工爲商，而不能爲師爲官。人欲爲師爲官，卽不能不養其道心。人之養其道心之功，要在存得此心之淸明而不偏。故此養其道心之功，亦非祇自強制其心，以凸聚於一處，或執一定之道德標準，以爲待人待己之事。由此強制等工夫以養道心者，並不能養得通於衆事而知大理之道心，而仍祇是養得一專精於一事一物或知小理之人心而已。故下文乃以空石之人與孟子有子之行事爲例。其言空石之人，善射好思，肯闢耳目之欲，固爲能忍情欲之人也。如人心爲人欲，則其人正爲求去此人欲者也。然其用心只專精凸聚於一處，則有耳目之欲起，蚊蝱之聲聞，皆可擾亂其用心之專精，故祇能避世不接物，而閑居以靜思，然後通。如今之全不能經事務之純粹學者專家，固亦自有其榮。然此亦正是荀子所謂祇知用人心以偏向一端，非能有道心之微者也。孟子執定一禮，謂其妻不合此禮而欲出之；有子自惡其貪臥，而自焠其掌，亦皆於一道德標準，有所專執專注，而能自彊，以自有其榮者也。然其用心亦偏向一端，亦非能有道心之微者也。其故，則以養道心要在使心清明，一無偏傾，以成其正大；而不在祇自強制其心，以自忍自彊，使其心偏向一端，趨於凸出而高危。心趨於凸出與高危，則其外之蚊蝱之聲，皆足亂之，而其所自以爲是者，亦不必爲是者之全。如孟子之祇執其一定之禮遂欲出妻，而忘其自己之亦有不合禮者在；與有子之必惡其貪臥竟焠掌，而忘其傷父母之遺體；卽皆似是而實未得是之全者也。人欲養其道心，以使外物不足以亂之，而得是者之全，正不必如此忍情欲，而強制其心，以不偏向一端、而趨於凸出高危，方爲至人之用心也。故曰至人之用心「何彊？何忍？何危？」。其言「縱其欲，兼其情，制焉者理也。」此非一般所謂放縱情欲，唯是不強忍情欲，以使心偏向一面，而以「

理」兼使各方面之情欲，皆得其所而已。

上文「濁明外景，淸明內景」二語，若孤立而解，亦無意趣。玆按如道心爲大淸明之心，則濁明應卽指人心之明，以偏向有蔽而不免昏濁者。王先謙集解引俞樾據大戴記「曾子天圓」篇「金水內景，火日外景」之言，以注此二語，甚是。此卽謂「淸明」者，如金或水之照物，而其影在水金之內部者，故曰「淸明內景」，景卽影也。濁明則如火日之照物，而影在物外，亦在火日自身之外者，故曰「濁明外景」。火由燃薪等而成。薪雖無明，而自體爲濁物，然能發出此明之用，故曰濁明。以此推日之自體，亦卽與火同類，而亦爲濁明者也。以濁明言人心者，蓋謂人心之祇專注其明於物，而限其明於物者，則於其外皆無知，卽心之明之內部有昏濁也。心內部有昏濁而照物，則如火日照物，其所成之物之影，皆爲外景。此蓋卽所以喩人於此對物所形成之印象觀念，卽皆如在物外，而爲其外景也。故人必有淸明之心，內無昏濁者，然後能兼照兼見物之大形或物之全。此卽淸明之心。此心能見物之全，則物皆爲心所映照，其影或印象觀念等全在內，而物亦如在心內，如金水照物，物如在金水內也。於此方可說物爲此心之所眞知也。心有昏濁，則雖有明，只同於火日之祇有濁明。以濁明之心照物，心有所專注，而自限其中，故必待自忍、自彊，使其心凸出高危而後能就。以淸明之心照物，而有道心之微者，則反此。無彊、無忍、無危，而若無爲。故曰「仁者之行道也，無爲也；聖人之行道也，無彊也。」無彊、無爲，則其思之事，亦祇自恭己以自正，而思之事亦樂矣。此方爲眞正之「

好思」，而彼空石之人、孟子、有子之行之不免於「彊」「忍」「危」者，則非眞能及於好思者。故前文有「未及好」「未及思」「未可謂微」以斥之也。

此上釋荀子「解蔽篇」本心之作用而言之養心之道。此養心之道要在養出一能「清明而不偏傾，求兼知物而兼成之，而權衡得其當」之道心。清明而無不照，則大，故此知道之心，卽大清明之心。此大清明之心能兼知萬物，則於此所謂「萬物莫形而不見，莫見而不論，莫論而失位」等語，皆可一一得其所照應之前文而解之。「莫形而不見」者，直就此大清明之虛而能見處說也。「莫見而不論」者，自此大清明之心能壹，而不以此一害彼一而兼知之，亦能兼論之處說也。「莫論而失位」者，則就其對一一之物，皆能分別的靜加精察，使之分別得其位，而又互不相害處說也。至下文之「坐於室而見四海，處於今而論久遠，」則其根據在此心之虛而能藏，故能不忘其昔時之所見於他處者，而能記憶之、記錄之。由古今人之記錄累積，而成歷史，則人可由知歷史，以「坐於室而見四海，處於今而論久遠」矣。「疏觀萬物而知其情」，則主要當是連「莫見而不論，」「不以此一害彼一」說。論之而不以此一害彼一，卽分疏而觀之，以知其情也。「參稽治亂而通其度」，則主要當是連「莫論而失位」說。物各得其位、其事則治；物失其位、其事則亂。事物之得位與失位，固有其所得所失之「量度」或「度制」。亦唯以事物之安排，溢出某一量度或度制，或不及某一量度或度制，方稱爲得位或失位、治或亂。故於事物之如何爲得位或失位，如何爲治或亂，必待有一定之量度或度制，作標準，爲第三者，作權衡以參之，並分別止于事物，加以稽察，以求知之。故曰「參稽治亂而通其度」也。人能用心至此，則此心通於四海古今，而可「經緯天地；」不以此一害彼一，亦可使萬物各得其用，各盡其職，卽可「材官萬物」矣。此心亦可由知事物之所以得位失位，或事物所以治、所以亂，而知「所以使之各得其位，而不相犯，以互爲制限，以各分割得宇宙全體之物之位之一部，合以成其事之治」之道或大理矣。此心者，亦卽能自將此道或大理之各方面，相制限分割，以用於宇宙全體，而包括之者。故下文有「制割大理，而宇宙裏矣」之言。荀子「正名篇」所謂「心也者，道之工宰也；道也者，治之經理也。」卽由心能成就此道之各方面之相制限、相分割，以成治之條理說。工以成制限，宰以成分割，故曰工宰也。王先謙集解謂工宰卽主宰，而以「心者，神明之主也」爲釋。若然，則與道何關？卽不得上文之旨之故也。

「解蔽篇」後文言凡觀物有疑一節，則不過自反面言人不能有清明之心以知道，而定是非決嫌疑之害。其文旨淺而易明，無大深義，今不更釋。

六　治心之道、與所知之事物之道、及知道與行道之關連

上文釋「解蔽」之言人如何由虛壹而靜以養得一大清明心，以成一知道之道心之論。但人於此可

有一問題，卽謂上述荀子言，祇告吾人以有此大清明心或道心之「道」或治心之「道」，而未告吾人何謂吾人之所知之「事物之道」。此二道似應屬於二層次。就荀子之文所謂「萬物莫形而不見，莫見而不論，莫論而失位，疏觀萬物而知其情，參稽治亂而通其度」之語，以觀吾人所知者，唯是吾人之所知之萬物或萬物之治或亂之事，此中並未以「道」爲吾人之所知也。此可謂爲一眞實之問題，亦理當先問，而後求答，方能對荀子言心與道之關係，有更眞實之了解也。

吾人之答是就「解蔽篇」文而論，荀子確祇言及人之如何由虛壹而靜以有此大清明心之「治心之道」，而初未就此大清明心所知之事物之道而論之。此二道亦確可說屬二層次。然吾人又不能由此以說，此大清明心所知之道中，卽不能包涵其「如何由虛壹而靜以有此心」之治心之道。因人心可自覺，則亦可知其由有治心之道，而後有此大清明心。則此治心之道固卽爲心所知之道。又吾人之由此大清明心，而知疏觀萬物、參稽治亂，固是知彼萬物與其治亂之事。然吾人所以能知彼萬物之治亂，則由吾人知循治心之道以行，更有此大清明之心之故。則此萬物之治亂，乃由吾人知循此治心之道而行之所見得，亦卽吾人之行於此道，而在此道上所遇者，故亦卽在此道上。則不得說吾人於此祇知萬物之治亂，未嘗知道矣。

溯此人之所以有上述之問題，關鍵在言知道，人恆易想此道爲一所知之對象，在知之外，如所知之事物之爲一對象，在知之外。如此設想，則人恆易想，此道應祇在彼所知之客觀萬物中。然人之知道，儘可於開始點，祇是自知其知其行之當如何進行之次序方向等。在人知其知當如何進行，遂如何進行；此人卽已知循此「當如何進行之道」而進行。此中亦有此知之自身之進行於此「所知之道」上。此道卽必不在此知之外，而在此知之進行之中。人之知循一道而進行，如循荀子所謂虛壹而靜之道進行，並於用其知以知物時，求不以所已藏害將受，不以此一害彼一，更能專注其心以求能精察，則有其大淸明心之形成；亦有萬物之治亂之爲此心所知等，以爲吾之知自循其道而知得之對象。於此對象，固可說其初在心外。然自其爲心所可知言，卽在此可知之內，亦不能說其在此知所循以進行之道外。因其在可知之內，卽在此知所循以進行之道上也。

復次，吾人在知物如何而有其治亂，如何而各得其位以治，或各越其位以亂，致物更皆不得位之時；吾人亦可更有一使之得其位而治之，或使之不越位以去其亂之意志行爲。此卽一般所謂知後之意志行爲。此一意志行爲，則依於吾人知物有治亂之時，可同時有一求治去亂之心而起。今若無此求治去亂之心，與知物有治亂俱起，則求治去亂之事不能有。此求治去亂之心，亦可說與知物有治亂之心不同，而爲另一心。故可分別說。如謂前者爲人之仁心，後者則單純之知識心。單純知識心之存在，固不涵蘊此仁心之存在也。此是自邏輯說。但在實際上，人固俱時有此二心，爲一心之二面。在實際上，此二心恆相連而起。故人在知家國天下之由何而治、由何而亂時，人亦恆卽同時本此所知，以求治去亂。蓋亦因物若皆亂而失位，則吾人對物之位，亦不能確知，知識亦不成也。故人知物之治亂之所以然之理，卽實際上恆連於求治去亂之當然之理，與人之實往求治去亂之行。反之，人有仁心而不知治亂所以然之理，則此仁心雖以仁爲道，仍無使其自身通達於外，以去亂成治之道路。此道路，仍賴「知治亂之所以然之理」而後建立。人之知治亂所以然之理，既在實際上恆連於求治去亂之當然之理及求治去亂之行；則此二者間，卽應原有一相通達之道路，而可說之爲一道。荀子盖卽自此着眼，而其言理，乃不分當然之理與所以然之理爲二，其言知道直接連於行道、體道，不以人有知與行，而分道爲二也。在人之實往行「道」之時，人卽有一自己命令其自己之心。此卽荀子所謂能「出令」而「自禁、自使、自奪、自取、自行、自止」之心。今所謂意志行爲的心是也。知道之心卽連於行道之心，則知道之道心，卽同時爲一行道之道心。此道之全體之意義，卽亦應爲兼通於吾人之知之事與行之事者之全，不可說其祇是一知識之對象者也。此行之事若爲求治去亂之事，則又必連於對先所知事物之治亂之狀態，加以保持或改變之新事，以生新物，以更爲人之所知，再爲人之所依之以有其行者；……如此相續，至於無窮。由此而道之全體，卽爲一既貫注於吾人之知行，亦貫注於所謂客觀事物，與吾人對此事物所爲之新事物者。則此道初固祇在吾人之知與行之中，及知所接、行所成之事物中，以由內而外，而向前伸展進行，愈進而愈見其所接、所成、所貫注之事物之多、之大、之廣者也。

吾人如識得此上所說，則吾人於荀子所常言之「道貫」「道體常而盡變」之義，則可有切實之了解。吾人之思此「道貫」「道體常而盡變」之義，應先視此道如吾人自己之門前之一道路，一直向前通達，以貫注於無數之道旁之房舍田野山林，與一切道旁之事物者；而不可祇視之如一對面山上之橫路，而吾亦不知如何到此橫路者；更不能視爲對面山上之一切物之背後之一道路，如在吾人所見之一切物之外者。若吾人於此只想一對山之背後有一道，而又不知其道旁有何物，則此道卽爲無所貫之道，如地圖上之一直線，卽爲空虛之道路。於此卽謂此道路可喻一常久永恆之形而上的道，亦爲有常而無可變通之道，卽不能合於荀子所謂「道貫」之義、「道體常而盡變」之義。至於吾人於此道如祇視爲對山之一橫路，則我固可見此橫路之有其路旁之物，而此路有其所貫通之事物；此路卽可喻吾人由衆多客觀事物而發現之普遍法則規律之類，可爲人所知，以形成人之經驗知識者。然若此路只爲客觀事物之路，則非必我所得行之路。此亦不合荀子所謂道爲可知又可行之義。凡可知可行之道路，必爲我可由之而走出者。此祇可喻如我之門前之道路，而可由近而遠，以次第前通，而無遠弗屆者也。

吾人若細觀荀子所謂道，正如吾人所上述。故吾人之知道行道，卽自吾人由虛壹而靜，以使此心爲大清明之心始，亦由知虛壹而靜之治心之道始。吾人之知此治心之道，卽是吾人之知道之始。吾人知此治心之道，以實使此心虛壹而靜，卽吾人之行道之始。由此而至疏觀萬物，知其治亂，卽進一步之知道。求治去亂，則爲進一步之行道。此中人所疏觀之萬物，愈觀愈多而愈廣，吾人求治去亂之事，亦愈多愈廣。卽吾人之知道行道之事，愈多愈廣，而愈見此道之所貫通者之多與廣者。此中之萬物有不同種類，則吾人知道之事，卽亦隨此不同種類，而分爲種類；而對不同種類之事物，由何而治，由何而亂，吾人亦當有其不同之知；吾人之所以應此治亂之行，亦當爲不同之行。吾人卽可說有不同種類之道，爲吾人之所知所行。然此不同種類之道，亦可說是由一道之所分化而出之特殊之道，如一大道旁之小道。而吾人之求知「此不同種類之事物之關係與如何得成治，以免其亂」之「所循之道」，卽爲「貫通此不同種類事物，與吾人之分別應之之特殊之道」之大道。此大道之可以說爲一，亦必當歸于一者，則在吾人之由虛壹而靜，以養此大清明心之道，在原始處是一，此大清明心，亦卽應是一。此能知此大道之大清明心，卽知道之道心。此知道之道心之日廣日大，次第及于不同種類之一一之物，亦皆恆爲一知道之道心；其由知道而行道，亦恆爲一道心。此固不礙萬物有種類之不同，有此一彼一之不同，人之應此一彼一之行，亦有其種類之不同也。蓋此大清明心之道心，所以得爲一心，亦正在能兼知萬物中之有種類之不同，此一與彼一之不同，與應之之行，亦當有種類之不同之故也。

第十四章　荀子之成人文統類之道（中）

七　道、人道、聖王之道、貫於古今歷史之道、及荀子何以非斥諸子所言之道

吾人上文說荀子之所謂道，即始于一由虛壹而靜、以養其大淸明之心，而成其道心之道。知此道，行此道，養得此道心，即能一方知萬物之治亂之所以然，亦一方有存其治而去其亂之行。分而言之，則此中人之知萬物之治亂之所以然，是知道；而存治去亂之行，即行道。此中知道必連于行道，而道卽皆必旣爲我所可知，而亦我所可行者，否則不足以言道。由此而吾人可了解荀子何以必以人道爲道，不以天道地道爲道，而說「道，非天之道，非地之道，人之所以爲道也」之故。（「儒效」）蓋天之道，天自行之；地之道，地自行之。人雖可由天地之生物、天之運轉、地之載物等，以知天道地道，然人固不能行于此天道地道。人亦當與天地分職，任天地之自行其道，而不能代其職，或代行其道也。荀子之道，卽其所謂大理。大理卽人道卽人理。何以大理必須是人道人理，我初亦不解。人

不過天地萬物之一。則總此人理與天地萬物之道之理，以爲理爲道，豈不更大？人能知此理此道，其知豈不更爲大知？今人之學問若以此大知爲理想，豈非更大之學問？然荀子則更不如此說。荀子言人之學之知，必曰止于此人道，人道之極在爲聖以盡倫，爲王以盡制，而人之知與學，必以聖王爲至極。故曰「可知，人之性也；可以知，物之理也。以可以知人之性，求可以知物之理，而無所疑止之，則沒世窮年不能徧也。其所以貫理焉，雖億萬，已不足以浹萬物之變，與愚者若一。……故學也者，固學止之也。惡乎止之？曰：止諸至足。曷謂至足？曰：聖也。聖也者，盡倫者也；王也者，盡制者也。兩盡者，足以爲天下極矣。故學者以聖王爲師。案以聖王之制爲法，法其法，而求其統類，以務象效其人。嚮是而務，士也；類是而幾，君子也；知之，聖人也。」（解蔽）「聖人也者，道之管也，天下之道管是矣，百王之道一是矣。」（儒效）。吾初見荀子祇重人道，人道以聖王爲極，亦不知其何以必如此說之理由，亦實嘗求諸荀子書而不得，而以爲此不過荀子自限其學于人道、人中聖王之道使然。但既知荀子之所謂道，爲必可知兼可行之道，則知荀子之此言，正爲一必然之結論。因人固可知物之理而盡量求知物之理。如荀子之所謂農工商之專精于一事者，亦固當于一類事物之理，盡量求知之也。然人之于一類事物之理，盡量求知之，確是一無盡之歷程，則人之能知之性或求知之欲，于此必無究竟之滿足處、止息處。則荀子之言人如祇求知物之理，終「與愚者若一」之言，並不誤。荀子之言此處無人之能知之性之滿足處、止息處，亦未嘗誤。然人之能知之性，亦未嘗不在某方面要求有一滿足處、止息處。問題祇在是否人有其他之知，可以爲其止息處。依荀子之言知，則人能本其對自心之知，對其自己與他人之人倫關係之知，以求知如何處此人倫關係，以盡此倫；更進而求建立此人倫世界中之制度以盡制，卽爲使吾人之知有止息者。何以此可爲知之止息處？此須自吾人對人倫關係之知，乃在吾人對其他之物之知，上一層面看。蓋人對其他之物之知無窮，無一人能盡知他人之所知，則亦無人能統貫此我與他人之所知者，以爲一。此「統貫爲一」之事不能成，則亦無「統貫」可爲人之知之止息處。人之各有所專精之事，亦各有其專精之知，人固不當與人爭職，卽亦不須盡他人所專精之知，以統貫之爲一也。然今不自我與人之所知言，而自我與人皆是一能知者言，則我全部對物之所知者，止息于「我」之心知之中；他人之全部對物之所知者，亦止息于「他人」之心知之中。而吾人之對此人與我之倫理關係之知，如何盡此倫理關係中之道之知，則在其上一層面。我對與我有各種倫理關係之人，如父子兄弟朋友，當以何道待之，如對父當孝，對子當慈，方爲盡倫，固我所當下能知，而更無疑義者。則吾知此盡倫之道之知，固當下可有一止息處，而非一切屬下層面之「人與我對其他之物之知」所能搖動者。荀子既以知此人之盡倫之道，爲人知物之知之上一層面之知之止息處，遂謂盡倫之道或倫理爲大理。此乃以人知物之理之事，祇分別屬於一一之人之心知，而此倫理，則爲在上一層面，聯繫「此能分別知物之理」之「一一有心知之人」者，亦卽爲一「在上一層面，統貫各人所分別知之物理」之一「大理」也。對此大理言，每一人所分別知之物理，卽相對的成爲小理矣。小理屬于各人，每一人不能知、亦不必知他人所知之小理，故不能、亦不須于此求統貫。然人與人之倫理關係，則爲能統貫一切有心知之人者，亦爲人所當共知之大理所在。能統貫者謂之道，不能統貫者，卽不能謂之道。則唯有此倫理之大理，可稱爲道，而一一所知之其他之物之物理，唯是小理者，不可稱爲道，卽一必然之結論矣。

人之倫理關係有種種，則人當知之倫理之道，亦有種種。于一切與我有倫理關係中之人，我皆能與之相接而知之之時，卽同時知當如何應之之道，而更一一行之，「一則盡」，故能盡倫。盡倫乃人所能。世間之人固無限，然其次第與我相接，在任何時皆爲有定限之人。對此有定限之人，我皆循一定之當如何應之道，以應之，固爲可能者也。此卽見人之盡倫而爲聖人，乃可能之事，則聖人可爲作人之至足之理想矣。

上言人對人之倫理關係有種種，其要者則不外家庭中人之倫理關係，此爲父子兄弟夫婦；其次則社會中人之倫理關係，其要者爲朋友；再次則爲天下國家之政治中之倫理關係，其要者爲君臣；更次爲一切社會中有不同職業者，如士農工商之人間之倫理關係。荀子所謂聖人之盡倫，則要不外求與我有此各種倫理關係中之人，皆各得其位，而不相礙，更能以其所爲之事，相輔相成，以致天下之治；而免除一切由人之不得其位、或各越其位，侵犯他人，而有之天下之亂。此則必須兼有維繫此各種倫理關係中之各得其位、以成治而去亂之種種禮制與政制。故爲聖者爲求盡倫，必兼求盡制。聖人心能制制大理，故能盡制。盡制，則聖而王矣。故說聖爲至足可，說聖王爲至足亦可也。

總此荀子言道之極于聖王之盡倫盡制之義，爲人所當知當行之義，及前所說人之知，必極于有大清明心或道心，以知萬物之治亂，而有成其治、去其亂之行；則吾人可說，荀子之道，卽「一貫于我與人之關係中，以使我與人面對萬物，以有其知行，而學聖王，以成天下之治，使人與物各得其位」之「統類之道」。我與人之知行之相續，合以形成一古今之歷史人文之相續。故荀子之道，又卽一貫于古今之歷史人文世界之道。此中我與他人所對之其他自然界之萬物之類，可統爲一度向。我與人不同類之倫理關係，又可統爲一度向。我與人對自然界之萬物之不同類之知行，更可統爲一度向。由此所成之古今之歷史人文之種種變遷之勢，再可統爲一度向。則荀子之道或聖王之道，卽爲具此四度向之一「通主觀與客觀、通當然之行與實然之知、通差別特殊與平等普遍、通恆常與變化」之全體之道。在此全體之道中，萬物祇爲吾人對之有知有行者，故祇言天地萬物之道，對足以盡道，而祇爲道之一偏。故天論篇曰「萬物爲道一偏，」「莊子蔽于天而不知人，」未盡道也。一物更不足以盡道，故曰「一物爲萬物一偏。」祇專精于一物之農工商，而不能爲師官者，固不可言有知道之心也。至于愚者之知一物之一偏，則所謂「愚者爲一物一偏，」（皆見「天論」）更不足以知道。此則學專精于一物，而尚未至者也。凡祇見萬物所同有之一偏之理者，亦皆不足以言知道。故老子之祇見萬物之皆有詘退之一面，而以退爲進，以詘爲申，以爲人之道，乃「有見于詘無見于信，」（「天論」）非知道者也。愼到祇見萬物之皆有勢可隨，遂隨勢之後以行法，以「貴賤不分」；（天論）申子重君勢以行術；而皆不知有賢者之智，人可先勢以行，爲羣衆之導，以免「羣衆無門」者；（天論）愼子之「有見于後無見于先，」（天論）「蔽于法而不知賢，」（解蔽）申子之「蔽于勢而不知智，」亦皆非知道者也。此外，墨子有見于人間之愛利，當具普遍性，而不見禮制政制上當有之差等性，是「有見于齊無見于畸，」將使爲上者之「政令不施」（天論）也。墨子祇重經濟生活中實用之事，而不知人與人賴有禮樂之文，以維繫人倫，是「蔽于用而不知文」（解蔽）也。宋子祇見人之欲多之害，遂倡人之情欲寡，而不知人情欲雖多而能制之以理，人亦皆可得其所欲；是「蔽于欲而不知得，」（解蔽）「有見于少無見于多，」使「羣衆不化」（天論）也；是即謂宋子祇教人寡欲，未知所以富民而化衆之道也。至于惠子之有見于人與人間，須有言辭以表意，遂祇在言辭上騁辯，而忽言辭之所表之意，所指之萬物之實，並忽言辭須連于人之實際之行，是「蔽于辭而不知實」（解蔽）也。凡此人于此全體之道，見其一偏，便視爲足以盡道者，皆是以「「道之一隅」爲道之全，「蔽于一曲，而闇于大理」者也。故曰「由用謂之道，盡利矣；由欲謂之道，盡嗛矣；由法謂之道，盡數矣；由勢謂之道，盡便矣；由辭謂之道，盡論矣；由天謂之道，盡因矣。此數具者。皆道之一隅也。」（解蔽）此一偏一隅之不足以盡道者，正以道爲「人之面對天地萬物，以用其知，以成智而有其言，而更學爲賢聖之行，」乃所以「使人有禮文之制，以維繫人倫，使人各得其所欲，以使人咸得其位以成治」之故。此道即一「通主觀之心與客觀之物；知事物之實，而行其所當行；使人與我及萬事萬物，各得其平等或差等之位；以體常而盡變」之道也。

至於由荀子「非十二子篇」觀荀子所非之十二子之道，亦可反證荀子之道，爲上述之體常盡變之道。十二子中忍情性之陳仲、史鰌，即祇知個人之自節其欲者。「縱情性」之它囂、魏牟，即皆其心目中祇有此個人之情欲，而不知人與人之關係，當有禮文以維繫之，以「合文而通治」「合大衆、明大分」，人方得異于禽獸者。墨翟、宋牼之「大儉約而僈差等，」即祇知實用，而不足「容辨異、縣君臣」，即「有見于齊無見于畸」，「蔽于用而不知文」者。至于「尙法而無法，上則取聽于上，下則取從于俗，倜然無所歸宿」之愼到、田駢，即祇順勢以爲法，上文所謂「蔽于法而不知賢」者。至于惠施、鄧析之「不法先王，不是禮義，而好治怪說、玩琦辭，甚察而不惠，辯而無用，多事而寡功」，即上述之「蔽于辭而不知實」者。最後言子思、孟軻之「略法先王，不知其統，猶然材劇志大，聞見雜博，……甚僻違而無類」，即猶言孟子之雖志在于大化之聖，亦博通詩書以取譬，然不知聖王之道在依萬物之類、人倫關係之類、知行之類，以統貫之爲一。此荀子之評孟子亦非盡誤。蓋孟子雖善言人之所以成聖人之道，以聖人爲人倫之至，又言王者之化民之德，並略及先王之制度；然于社會中之有貫于種種人倫關係，及當有種種禮制、政制，以形成人文統類之道之種種義，固未能如荀子之能皆一一論及之也。

上述荀子所謂道，爲貫于有人倫禮文政制之社會之聖王之道，卽貫于此人文社會之歷史之道。此所謂貫，是貫此歷史之治亂，而爲其當然之道，亦爲此歷史之所以存在之實然之道。爲當然之道故可行：爲實然之道，故可知。以其爲一道，故所知之道卽所行之道，而道兼通于知與行。所謂爲「當然」之道者，乃言在一歷史之時代之人，共行于此道，以求至乎其極則治，違此道則亂。故此道恆爲一歷史時代之爲治爲亂之標準，或理想之所在也。所謂爲「實然」之道者，則以一時代無論如何亂，亦不能全無此道之貫于其中。因人與人總有若干倫理之道、若干禮文、若干政制、與人之若干對天地萬物之農工商之事；而人亦總有其心與情欲，亦總要求對情欲而制之以理等。自此而言，則此道亦總是實際上多少在任一時代之歷史中存在者。如一時代之人皆全違于此道，則必須人之羣居，全無禮制政制相維繫，亦無其分工合作之對天地萬物之農工商之事，而後可。然若眞至于此，則亦無此人類社會之存在，自亦無人道之可說。則有人類社會之存在處，此道亦必多少在實際上存在，而可說此道之「仍未嘗亡。」故曰「貫之大體，未嘗亡也」。（天論）治亂之分，唯是否能充量體現此已有之實然之道，而不差或差之分也。故曰「亂生其差，治盡其詳。」（天論）唯人之故意匿藏此道，使人不能知之，方爲大惑，故繼曰「匿則大惑」。今欲不匿此道，更求對此道知之而更行之，以求無差，以極其治而去其亂，以成歷史上之治世與盛世，則待于人之共表明此道，共學于此道，以成其教。此則非亂世衰世之一般人之所能至，亦非亂世衰世之學者，未嘗見此道之全者，所能至者也。

以上總論荀子所謂治心之道，卽貫通於所知之事物之道，其言已畢。至於本以上所述，以觀荀子之如何論爲學、修身，以爲聖賢之道，與禮文政制之道，則其言之異於他家者，皆可循上述者，引申其旨而見，下文只分別本荀子原書諸篇，指示要點，及其與他家思想之同異，以便初學而已。

八　為學以「備聖心」、而「化道」之義

荀子言學，以聖王之道爲至足。然此所爲至足，乃自其不同于「人對萬物之知，歿世窮年不能遍」，而是一人可于此得其止息，而可知可行道之而言。人能止于「其所以自待，及待與之有人倫關係之人之道，人卽當下有所止，而有其所自得自足者在。故人時時知此道，時時行此道，人卽步步有所止，步步有其所自得而自足者，故曰至足。此固非謂此人之行于聖王之道，有一特定之休歇之處；亦非謂只以某一特定之聖王之若干特定之言行爲法，而嘗一一行之，卽爲至足也。由此而荀子之言學，卽要在言學之能繼續進行而不已，以使學者今日所學者，有進于昔日所學者，而時時有所增益。此卽荀子首篇言「學不可以已，青取之于藍，而靑于藍，氷生于水，而寒于水」之旨。此所謂藍與水，不必專指人之性，亦不必專指人所從學之師，而唯是遍指人先之所知、所行、所學者；而靑與氷，則所以喻人之繼其先之所知所行所學，而求更有所進益之學也。此求由學以有進于其先，則學于師以知古

先聖王之遺言遺行中之道，以之爲法，自亦包括于其中。而本此所知之道，以反省其自己，變化其原有之性，以使其「知明而行無過」之義，亦自在其中。此皆學者之所以使其生命心知，自化同于道者也。故荀子勸學篇，繼以言「君子博學而參省乎己，則知明而行無過矣」，又言「不聞先王之遺言，不知學問之大也」，而其終則在「神莫大于化道」。此憑藉先王之遺言遺行，以爲師法，有如人之「居必擇鄉，游必就士」，皆善假于「物類之同」者，以自成其學，而歸在自己之「神明自得，聖心備焉」。固非只以法先王之遺言遺行，或同于鄉曲之善士，便爲學之究竟之謂也。

由荀子之學之歸在學者之備聖心，卽與孔孟之敎，期于爲聖，卽原無不同。然以荀子所謂聖王之道，爲成人文統類之道，而經緯萬端。故荀子勸學之旨，重在言「積」而「專一」，以至于「久」之功。欲有「眞積力久」之功，則必至乎歿世而後止。則此學之事，人在生之時，固無休歇處。所謂止者，卽止于此「積與專一以至于久」之道而已。

至于自經籍所載先王遺言之人所當學者言，則勸學篇曰：「書者，政事之紀也；詩者，中聲之所止也；禮，法之大分、類之綱紀也。故學至乎禮而止矣。夫是之謂道德之極。禮之敬文也，樂之中和也，詩書之博也，春秋之微也，在天地間者畢矣。君子之學，入乎耳，箸乎心，布乎四體，形乎動靜；端而言，蝡而動，一可以爲法則。……學莫便于近其人，禮樂法而不說，詩書故而不切，春秋約而不速，方其人，習君子之說，則尊以徧矣，周于世矣。……學之徑，莫速于好其人，隆禮次之。上不能好其人，下不能隆禮，安特將學雜識志，順詩書而已耳。則末世窮年，不免爲陋儒而已。將原先王，本仁義，則禮正其經緯蹊徑也。……倫類不通，仁義不一，不可謂善學。……全之盡之，然後學者也。君子知夫不全不粹之不足以爲美也，故誦數以貫之，思索以通之，爲其人以處之。……是故權利不能傾也，羣衆不能移也，天下不能蕩也。生由乎是，死由乎是，夫是之謂德操。德操然後能定，能定然後能應，能定能應，夫是之謂成人。天見其明，地見其光，君子貴其全也」。

吾人之所以引此上之言，乃意在見荀子之于詩書中，特重禮而又歸于近其人，以外通倫類，自備其德操，以成人而全其學與德之旨。書爲古之史事，詩見古今人之人情，而爲合于樂之聲者。然詩書所載之史事，所見之人情，皆爲散陳之史事人情，則博而不見統類。禮則爲人在種種人倫關係中之禮制政制，能通倫類而統之者，亦應合于人對人之情之「仁」，與人與人之處分別之事之「義」者。故人學禮，卽可更一其德于仁義，亦當求近彼有仁義之德之人，而學之，方能自成其爲人。故學以詩書爲先，禮爲次，近其人爲終。只言詩書，未至于禮，或只學禮，未至于近其人，皆不足爲成人之學也。按墨子喜舉詩書爲說，而重言古先聖王之事之足以生利者。孟子亦喜舉詩書爲說，而重在言古今人所同有之人心人性，並以書所紀之人物，詩所表之人情，興起人之心志。莊子則舉古今人之故事，以喻人之成至德之人之道，此故事或只是假託，不必實有其事，則無異以詩爲書，以書爲詩。莊子不喜世人君子言禮樂，近于墨子。而又言天樂以養天和成至德，則仁義不足云。荀子則獨重文武周公之禮制，以樂附于禮，而以不由禮不足以一仁義，而成君子之人。此則與諸家，皆有不同。然此荀子之成人，必有其德操，非「外力所能移」，則亦如孔子之言「匹夫不可奪志」，孟子言大丈夫之「富貴不能淫，貧賤不能移，威武不能屈」。荀子言禮所以成義，以禮義並舉，不同于墨子之知義而不知義之本在禮者。然荀子亦言禮義足以生利，則墨子以義生利之旨，荀子亦備有之。又荀子言學之歸于全粹，則與莊子之喜言德之全與純，其名義並有相類處。唯荀子所言之學，乃由眞積力久之功而致，其粹乃由「爲其人以處之」而致。故不同莊子之言德之全，與德之純爲至德，乃由人之聞天樂養天和而致耳。

九　修身以學聖之道及榮辱之義

由荀子言學，要在有所增益于未學，假于外以成其內；故荀子第二篇修身之道，不同于孟子教人自知其爲孩提時之愛親敬長之心，與其四端之所在，而自加以擴充之說；而要在教人即其所見于他人之所爲，更反省及于其當前之自己者，以進而求有以自修其身。故修身篇首言「見善，修然，必以自存也；見不善，愀然，必以自省也。」此卽就我之見于他人者，以自修其身之道也。下文又言，「善在身，介然，必以自好也；不善在身，菑然，必以自惡也」。此卽就我自反省于當前之自己者，以自修其身之道也。至于下文之言：「非我而當者，吾師也；是我而當者，吾友也；諂諛我者，吾賊也」，則即就他人對我之是非毀譽，以自修其身之道也。若其次一節言，治氣養生之道，則不外自使其血氣、志氣、智慮、飲食、衣服、居處、動靜、容貌、態度、進退、趨行，皆由于合禮以自正。此明爲一繁密之修身工夫。下文更言人之如何運用其善與不善，以對人而有之教、順、諂、諛之分；及由對人之善與不善之有不同態度，而有之知、愚、讒、賊、直、詐、誕、之分，則皆爲高一層次之德與不德之論。繼言治氣養心之術，在自變化其氣質等。更言君子之能輕外物；以「體恭敬而心忠信，術禮義而情愛人」，以行于天下四方。又言人之學爲聖人，乃人皆可以同至者，不同于一般之「窮其知于物之同異堅白之辯之學」之無止息者。學者皆宜就原書細觀。要之此篇大旨在言君子之當隆禮而尊師，及其他待人行事之道，故終言君子「貧窮而志廣，富貴而體恭，安燕而血氣不惰，勞倦而容貌不枯」以見君子隆仁殺勢而好交，恆以公義勝私欲。則是就此修身所成之德之表現于客觀社會者而言也。

至于荀子修身篇之後不苟一篇，則始于說「君子之行，不貴苟難，說不貴苟察，名不貴苟傳；唯其當之爲貴」。此即謂君子之言行不貴其「察」其「難」之勝人，而苟異于人，以得名。君子亦有其能與不能，固非以其「能人之所難能或不能」，或察辯之過人，即足以爲君子。此下更言君子之所爲與所不爲，其所爲之似非而實是者。如其「崇人之德，揚人之美，非諂諛也；正義直指，舉人之過，非毀疵也；言己之光美，擬于舜禹，參于天地，非夸誕也」。以言君子爲「小人之反」。此與後一段言通士、公士、直士、愨士與小人之別者，當合看。此篇更言君子于世「爲治而不爲亂」，其「所以得其同類」及其所以「能通千萬人之情，與古今百王之道」之故。此外又有一節，專及于君子之養心莫善于誠之義，而終于言「欲惡取舍之權」之「不失陷」，在不「以偏傷之」。總此以觀荀子不苟篇之大旨，卽在言君子對于其言行如何選擇，如何權衡其是非利害，以有其表現于世，已卽有其殊乎世人或小人者；而不在其逕爲一苟異于人之言行，以傳其名。此重選擇于是非之中，權衡于利害之際，原爲墨家之所重。然墨子要在以此立天下之公義，求天下之公利，去天下之公害。荀子不苟篇之旨，則要在以選擇權衡于是非利害之間，以使人得自成爲君子，而亦有君子之所以自見于世者。此中言君子之不貴苟難之行、苟察之言，而求異于人，卽不同陳仲、史鰌、及惠施、鄧析等必求其行其言之異于世者；然亦不同于田駢、彭蒙、愼到之只順勢以同于世者。道家之老子、莊子，亦初皆有自世間隱退，或求超于世外，以自異于世之情；其「以道佐人」，游于人間世，以「與人爲徒」，只爲不得已。故皆與荀子之君子自始在世，不求其言行之苟與世人殊異，又自有其不同于世俗之德行，足爲世範者，仍不同其道者也。

今編荀子書第四篇論榮辱。此一榮辱之問題，連于他人之對我之是非、毀譽、稱譏，與己之在人間世之利害，得失，貧富、貴賤、禍福、吉凶，亦爲人間世永不能避免之問題。孔子言君子求諸己，與小人求諸人之別，言聞與達之別，言「不義而富且貴，于我如浮雲」，皆是謂人不可看重在世間之榮聞。孟子言「仁則榮，不仁則辱」。此榮辱乃仁不仁之異名。孟子謂君子之所性，不在王天下；則並孔子所謂達與榮聞，同視爲非君子之所必能得。而君子修己以盡心知性，存心養性之事，固亦不待乎此達與榮聞。墨子則重在以聖王之賞罰，爲人之榮辱之所在，故使人重上之賞罰，而不重一般之毀譽。宋鈃更言人當于他人之侮，不視爲辱，以「定乎內外之分，辨乎榮辱之境」，而「舉世譽之不加勸，舉世非之而不加沮」。老子則以「知我者希，則我者貴」，「知其榮，守其辱」，以忘世俗之貴賤與榮辱。莊子則由此更進而言聖人之無名，亦不以其名與人爭，卽不自是以爲名，而責人之非，以處人間世。此皆是對此「人對我之有是非毀譽，而我有其在世之榮辱」之一問題而立論。荀子之榮辱之篇，首言「與人善言，煖于布帛；傷人之言，深于矛戟」。又言人之所以自以爲是，而見辱于世者，皆恆由其自以爲是者，與不是者之相雜。又言人之自執其是，以與人鬭者，則其人爲小人，而狗彘之不若。故君子亦不以此鬭之勝，爲榮爲利，而尙此狗彘之勇。故必當知此鬭之實歸于害，歸于辱，而不以此爲勇，更別求其「勇于爲義」之勇。此乃求諸己而不求人，而以己之「自先義而後利」爲榮，以「先利而後義」爲辱。此卽人之內在之榮辱，亦卽荀子正論篇所謂義榮義辱也。至于一般世俗之榮辱，則爲正論篇所謂勢辱、勢榮，固亦非荀子之所重者也。故正論篇又謂君子可以有勢辱，而不可以有義辱；小人可以有勢榮，而不可以有義榮。荀子遂本此以評宋子見侮不辱之說，未嘗分此義榮、義辱與勢榮、勢辱者。然榮辱篇又言「（義）榮者常通，（義）辱者常窮。榮者常制人，辱者常制于人」。則是謂君子之有義榮者，亦常有勢榮；而小人之有義辱者，亦常兼有勢辱。則人之欲求勢榮者，亦同當先有義榮，而人欲去勢辱者，亦同當先自去其義辱。此乃本于儒者重義之旨，更順人之欲勢榮惡勢弱之情，而導以求義榮去義辱之教。乃孔孟之教中所未及。而荀子之所以能及之，則由荀子之原正視人之有欲，亦不以欲之本身必不當滿足之故也。吾人于此亦可更一通論荀子對于人之欲與道義之關係之說。

此荀子對人之欲與道義之關係之說，在荀子正名篇終及禮論篇始，皆嘗論之。此卽謂人之有欲，原爲天生。好榮惡辱，與其他之欲，皆爲天生。有好則有惡，故好利惡害，亦爲天生。天生者卽君子小人之所同者。故榮辱篇曰：「好利而惡害，禹桀之所同也。……人之生固小人，無師無法，則唯利之見耳」。大略篇曰「義與利，是人之所兩有也，雖堯舜不能去民之欲利」。此卽言君子、小人、同有此天生之好利惡害之欲也。至于君子小人之所異，則不在其欲之有無多少，而在其欲是否合道而當于理。卽不在其好利惡害與否，而在其所得之利，是否兼合于義，亦在其權利害之道之是否正。君子之欲，恆合于道，其所求之利，恒合于義，而亦恆能如正名篇所謂知「正道」，而知「正權」，以權利害。人若不知正道與正權，則「重懸于仰，而人以爲輕；輕懸于俛，而人以爲重」。權不正，則「禍託于欲，而人以之爲福；福託于惡，而人以爲禍」。是亦卽「離（正）道而內自擇，則不知禍福之所託」也。人欲知此正權與正道，卽待于前說之本虛壹而靜之心，以平等觀一事之利害、安危、禍福之兩端，而不以知此一遂忘彼一，害彼一，而能兼知之。兼知之而權衡之，卽正道之所在，亦正權，正道之所在也。故正名篇曰：「道，古今之正權也」。人能知正道、知正權，卽能權衡人之只順其欲以行，而不知道義者、與有欲而亦求合于道義者，二者之得失利害。故荀子常謂人能知道義或禮義，則道義或禮義得，而欲亦得；如不知道義禮義，而只順其欲，則恒歸于道義禮義失，而欲亦失。此卽禮論所謂一于禮義，則禮義情性兩得，一于情性或欲望，則此二者兩失也。以兩得與兩失相較，則兩得之勝于兩失者，猶「全盡」與「一無所有」之別也。兩得，則兩者皆得其位，是爲治、爲安；兩失則皆失其位，是爲亂、爲危。凡可致兩得者爲道，則凡可致兩失者，皆非道也。

至于專就此人之求榮惡辱之事而說，則君子求義榮，亦常致勢榮，則兩榮皆可得，是爲道。小人只求勢榮，而不避義辱，而義辱又恒致勢辱，則兩榮皆終不能得，故爲非道。

然荀子榮辱篇之後文，更進一步，言及君子之只求義榮，不只不先求勢榮，又非只由其自慮其若求勢榮，而不避義辱，不必能得勢榮，且將致勢辱之故；而是由其求義榮之時，有一先王之道」，「仁義之統」爲師法，「將爲天下之生民之屬，長慮顧後，而保萬世」以存心，爲其最大之義榮，以自去其庸陋之心之故。在此義上說，君子可全不見有勢榮，而只見有義榮。是爲荀子論榮辱最高之旨所在。至于荀子之論義榮，所以必極至于「將爲天下生民之屬，長慮顧後，而保萬世」存心，此則又由其道爲一貫古今之治道之故。此則大不同于宋鈃之只以忘天下之榮辱毀譽爲教；墨子之以得上之賞爲榮，老子之知榮守辱，而內自成其獨貴；與莊子之無名，而只與天地精神往來，以自貴；而未嘗知此「爲天下生民保萬世」以存心，爲其內在之義榮之所在者矣。

第十五章　荀子之成人文統類之道（下）

十　聖學與王道

荀子之言學爲君子與聖賢之道，在今編荀子書之前四篇。至此學之通于治天下之王道者，則要見于其後非相、非十二子、仲尼、儒效四篇。非相篇言人之所以爲人，不在其形相，而在其心之能辨。故謂「相形不如論心，論心不如擇術」。孟子重論聖賢之心，荀子則重聖賢之本其能辨之心，所擇之術。此所擇之術，卽所擇之道也。此所擇之術，要在由知人與人間之盡倫盡制之道，其中有種種當分辨者，以合爲一統貫之道。此道則通于古今，而可由聖王之文制禮制，類推而知者。故曰「辨莫大于分，分莫大于禮，禮莫大于聖王」。本于後王之禮之粲然者以觀，固更易知聖王之道。故曰：「欲觀千歲，則數今日；欲知億萬，則審一二；欲知上世，則審周道；欲知周道，則審其人。」由聖王之人以知其禮、知其道，而「以近知遠，以一知萬，以微知明」。固非只守聖王所遺之禮文之跡，卽足以知聖王之道之謂也。故非相篇下文又曰「夫妄人曰：古今異情，其所以治亂者異道，而衆人惑焉。彼衆人者，愚而無說，陋而無度者也」。此卽謂就事而言，古今固異，然其所以治亂之道，則未嘗不貫。此則必待人之就古今之事，而說之度之，乃見其道。故曰「聖人者以己度者也。故以人度人，以情度情，以類度類，以道觀盡，古今一度也。類不悖，雖久同理。」此卽言人能以己之情，推度人之情。以同類者推度同類者，而能統諸類，得其貫通之理，以觀古今，而盡其道。吾人之所以重觀後王之法，以知此道者，唯以「文久而滅，節族久而絕」，後王之禮制具在，卽可更由其詳，以知此道；非謂先王之法之必不可法也。非相篇後文又言「凡說之難，在至高遇至卑，以至治接至亂，未可直至也……必遠舉而不謬，近世而不傭；與時遷徙，與世偃仰……故君子度己，則以繩，接人則用枻。……故能寬容。知而能容愚，博而能容淺，粹而能容雜。夫是之謂兼術。」此卽言君子之欲其道之行于世，以至治遇至亂，誠有其上下懸距，而不能相接之處。則遠舉其高者，不可使「世以爲謬」；而其近世之論，又不可陷庸俗；其隨時世而言，固有其不可執爲一定；而其目標，則唯在揖人，以上接于道者，如舟之以枻揖人也。由此一節，卽見荀子之言，未嘗無道家隨時變化，不主故常，及寬容于人之旨。然其目標，則不同于道家之自位甚高，其寬容于人，乃包覆而孩育之；而要在揖人，以由卑而升至高，以共行于由至亂而至治之道也。

非相篇後之非十二子篇，要在評論當世之學術。世之論者恒由此篇以觀十二子之學。此非荀子爲此文之本旨。其本旨唯在由十二子之學，皆不足言總方略，齊言行，壹統類，而不足爲由聖至王之學。故荀子並非之。其非它囂、魏牟之恣情性，陳仲、史鰌之忍情性，要在其知個人而不知社會人文。其非墨翟、宋鈃之上功用，太儉約，僈差等，要在其只知社會之平等，而不知國家之制度之建立，有平等亦有差等。其非愼到田駢之順上從俗，要在其只知對時俗之順應，而不知爲政亦非只順應時俗之事。其非惠施、鄧析，在其言與行之不相涉。其非子思、孟軻，在其聞見雜博而無統；據往舊造說，而未能本「類」加以「說」「解」。此皆非「羣天下之英傑，而告之以太古，教之以至順」，于當前「奧窔之間，簟席之上，斂然聖王之文章具焉，佛然平世之俗起焉」，「坐而言，起而可行」之聖王之道也。有聖王之道者，不得勢則爲仲尼、子弓；得勢則「一天下，財萬物，長養人民，兼利天下，通達之屬，莫不從服，六說者立息，十二子者遷化」，則「舜禹是也」。故「今夫仁人也，將何務哉？上則法舜禹之制，下則法仲尼子弓之義，以務息十二子之說……聖王之跡著矣」。由此觀之，則荀子非十二子篇之旨，不外言學術之關于政治。政治上聖王之道行，則學術自化。聖王之道不行，則當先正學術，以息不正之學術，而明此聖王之道以爲學。此非十二子篇之主旨也。至于其後「信信，信也」以下之文，大皆評論學風士習者，今不贅述。

至于仲尼之篇，則無大精義。首二段要在言霸者之自有其所以不亡之道，而不免以讓飾爭；而王者則能眞致賢以致彊。後文則言人臣之欲進其道于君，而以禮自持之道。儒效一篇，則初舉周公以言聖道之通于王。次言孔子之未能行道，而能爲人師。再後一段，則言君子之所謂賢，不必「偏能人所不能，偏知人之不知，偏辯人之所辯，偏察人之所察」。君子，固有不如農人、賈人、工人者在。

然「議德而定次，量能而授官，使賢不肖皆得其位，能不能皆得其官，萬物得其宜，事變得其應，言必當理，行必當務」，則君子之所長。此正不外吾人前所言之「知道」之義者也。

儒效篇後數節，更言一般人民之德與勁士、篤厚君子、聖人之分，此乃直自人之德之高下之類言，而歸于言聖人爲「道之管」。天下之道、百王之道，皆管于聖人。如知吾人前言「道」之義，則于聖人爲道之管之義，自能明之。後又有數段言俗人、俗儒、雅儒、大儒之別。此乃要在自人之學之高下之類言。合前此直就德而言之人之類，與就此人之學而分之俗人與儒之類，可見荀子重人之德之學，由下以至高之序。此中言俗人只知富利；俗儒只知本詩書，稱先王，而以其學求衣食，實無異于俗人。雅儒則能法後王，隆禮義，殺詩書。大儒則更能知禮制之有道爲之貫，而能「以淺持博，以古持今，以一持萬」，而于「仁義之類、雖在鳥獸之中，若別白黑」；于所未嘗見之事，「卒然起一方」，即能舉此統類之道以應之。大儒即孔子周公，亦即積善而全盡之聖人。至于此不同之儒，用于政治，則「大儒者，天子三公也；小儒（雅儒俗儒）者，諸侯大夫士也；衆人者，工農商賈也」。合此各倫類之人，以成天下國家之政，是君子之言之「壇宇」之範圍，其行爲之「防表」之範圍所在。亦即所以成「總方略、齊言行、壹統類」之「道之一隆」于天下者也。荀子之書言人有類、士有類、儒有類。亦言君有類，如聖君、中君、暴君；臣有類，如聖臣、功臣、態臣、篡臣（臣道）；兵有類，如仁人之兵、王者之兵、功利之兵、危國之兵、亡國之兵（議兵）；德行有類，如勇有士君子之勇、小人之勇、賈盜之勇、狗彘之勇（榮辱）；知有聖人之知、士君子之知、小人之知、役夫之知（性惡）；忠有大忠、次忠、下忠（臣道）；辯有聖人之辯、士君子之辯、小人之辯（非相）；威有道德之威、暴察之威、狂妄之威（彊國）。凡其類之居上者，皆當爲法于其下者，而其下者則當法其上者，以成上類之統下類而壹統類，以合爲「道之一隆」。荀子書中言「隆」之語甚多。仲尼篇言立隆，致士篇言國之隆、家之隆，正論篇言天下一隆，禮論言至隆。又勸學篇言隆禮，修身篇言隆仁，賦篇言匹夫隆之，則爲聖人；諸侯隆之則一四海，皇天隆物。此隆之一字初取義于積土成山之隆。人能存隆之圖像于心，亦可知荀子之道之所似矣。

十一　王者之政制、富國之道、及王道、霸道之分

至于荀子之言政，則首在論王制，次及于富國與王道霸道之分，君道臣道之別，致士于朝之道，以及強兵之道等，此則其各篇之文義明晰，不必一一細論。其王制之首言舉賢，罷不能、誅元惡與任中庸，卽承儒效篇言大儒小儒之效，當見于政，而兼說不肖者與元惡之當退、或當誅。至于對中庸之不待教而化者，則當任之。其言「王公大人之子孫，不能屬于禮義，則歸之庶人；雖庶人之子孫，屬于禮義，則歸之卿相士大夫」，是卽言任官當以賢不肖之分，代親疏之分。此與孟子之尙爲舜之封

其弟之事辯者相較，實更近乎墨子「非賢能則不官」之旨。此下言聽政之道，則謂于「以善至者，待之以禮」，于「以不善至者，待之以刑」。此兼以禮刑待人，則一方承儒者之重禮，一方亦用法家之刑以爲罰。然其下文言「法而不議，則法之所不至者必廢；職而不通，則職之所不及者必墜」，「有法者以法行，無法者以類舉」；則見荀子之重法，亦重以議補法之所不及；重分職，亦重通職。唯有君子能議法、通職以成事。此卽人治與法治兼重之義也。再次言「分均則不偏，勢齊則不壹，衆齊則不使；故有天有地，上下有差，明王始立，而處國有制。夫兩貴之不能相事，兩賤之不能相使，是天數也。物不能澹，則必爭，爭則必亂，亂則必窮矣。先王惡其亂也，故制禮義以分之，使有貧富貴賤之等，足以兼相臨，是養天下之大本也。書曰惟齊非齊，此之謂也」。此卽見荀子之言王制，只重在使天下之人各得其位，而位之貴賤，所以必不可廢，則在惟賴此而後上下可相使。此卽顯然爲主張政治地位之差等之論。此差等之所以不礙平等之義者，則由貴賤皆以賢而定，故似不齊不平等，而未嘗不平等。至于世之主不當有此貴賤之差等者，則維齊而實非齊，亦非平等者也。

王制篇次一節，更言如何使庶人安政，以使君子安位之道。繼言經濟上之不當聚歛，以及王者求彊大，不輕言戰，故與霸者不同。後更言王者之制度，宜從其舊，不當輕改。至其言「王者之論，無德不貴，無能不官；無功不賞，無罪不罰；朝無幸位，民無幸生，尚賢使能，而等位不遺」。其論頗同于墨子。唯荀子之言尚賢使能，重在等位不遺，以見「禮義」；而墨子之尚賢使能，唯所以立義道，以興天下之利，而除其害耳。王制篇繼言王者之法，皆在養民，王者既爲人師，並能通天下之財，以盡其用。再次言此王者之制度，即「以類行雜，以一行萬」，使天地所生之君，更還理天下，以成天地與人間之「始終相成，如環無端」之道。人所以能存在于天地間，使用其他牛馬等萬物者，亦正在能依此王者之制，以分盡其職，而成其羣之一，乃能「多力則彊」，以有其「勝物」之處之故也。

王制更次一節，詳論人用自然萬物之道、及朝廷中分職序官之道。此不外較詳說人所以待自然萬物，與在政治上分官職之義。最後一節，即依此而言王者霸者之安危存亡之所繫，即在上述之道。故謂王者果行王道，則不往取天下，而天下亦自將待此王者；而王者之制，即足以制天下矣。

荀子富國篇要在言經濟上之足國用之道。此篇初言「量地而立國，計利而畜民，度人力而授事」，爲生利、節用、裕民之道。然人之羣居必有分，又必有人君以「管分」，則貴賤不能不有等異。人之宮室、衣服與禮樂，皆不能無差別，以辨貴賤，以使爲君上者，得而「治萬變」、「材萬物」、「養萬民」、「兼制天下」；而百姓之賴其「智」，美其「仁厚」與「德」者，亦即願「爲之勞苦」，「爲之出死斷亡，以覆救之」，「爲之雕琢、刻鏤、黼黻、文章，以藩飾之」。此即言人之生活之貴賤有等，亦百姓所願，非所以爲淫泰。由此而論及在上者之歛民之財，而重稅苛征之不可，君上之不可犯百姓之事，聖君賢相亦當于百姓「兼而覆之，兼而愛之」。此則明用墨子之語。然又謂天地生萬物，固原有餘足以食人，墨子之憂其不足，爲私憂。眞正之患，唯在天下之亂。故又謂墨子之倡節用，使在上者與百姓同勞苦、均事業、齊功勞，將使在上者無威以行賞罰，則亦不能退不肖而進賢，則「萬物失宜，事變失應」，而天下亂。由此而荀子遂謂「知爲人主上者，不美不飾之不足以一民，不富不厚之不足以管下也，不威不強之不足以禁暴勝悍也；故必將撞大鐘、擊鳴鼓、吹笙竽、彈琴瑟，以塞其耳；必將雕琢刻鏤黼黻文章，以塞其目；……然後衆人徒、備官職，漸慶賞，嚴刑罰……則賢者得進，不肖者得退……則上得天時，下得地利，中得人和；則財貨渾渾如泉源，汸汸如河海，暴暴如丘山……故儒術誠行，則天下大而富」。後又言君上對民「不利而利之，不如利而後利之之利也；不愛而用之，不如愛而後用之之功也。利而後利之，不如利而不利者之利；愛而後用之，不如愛而不用之功」。不利而利之，不愛而用之，言只取利于民，今所謂只剝削人民者也。故後曰危國家也。利而後利之，愛而後用之，言上對下先有愛利，然後用民而得其利，則上下平等相施與之道也。愛而不用，利而不利者，上對民有愛利，使民得其利，以藏富于民，而上不用之，以爲己利也。此即荀子同于孔孟之愛民利民以保民，而即以保國而富國之道。此道則正爲國家財貨之原泉之所在。故曰「事業得敍者，貨之原也；等賦府庫者，貨之流也。故明主必謹養其和，節其流、開其源，而時斟酌焉。潢然使天下必有餘，而上不憂不足，如是則上下俱富」。荀子此篇之所以謂墨子之「非樂，則使天下亂，節用，則使天下貧」者，蓋無樂等則不美不飾，上無其威，以行賞罰，退不肖而進賢，則百姓所爲之生產之事皆無功，則使天下亂，而歸于貧也。其言利而不利，愛而不用之功，過于利而利之、愛而用之功，則其由富民以富國之旨甚明。荀子之重先養政之和，而開其源、節其流，以積極的使上下俱富之道，固不同于墨子只消極的求節用非樂，以免于貧乏之道。荀子之讚財貨渾渾如泉之語，亦正見荀子之重人在天地間，由天生之萬物以得其養，而成其生活之豐盛，而使人得皆暢其合于理之欲之旨。依荀子之教，于宋鈃之尚人之情欲寡之說，于正論篇嘗駁其說；則其于老子之言寡欲，固亦不謂然也。

至于王霸篇，則要在言「義立而王，信立而霸，權謀立而亡」，「粹而王，駁而霸，無一焉而亡」，「國者天下之大器重任，不可不擇道」。王者霸者以義信爲道，然必積持之，而後能立義信。後更言人主必以官人爲能，故其等位、爵服、官職事業，皆足以容天下之賢士、能士。又言「上之于下，如保赤子；下之親上，歡如父母」，而以是爲隆正，謂此乃百王之所同。由此更言「主道治近不治遠，治明不治幽，治一不治二。主能治近，則遠者理；主能治明，則幽者化；主能當一，則百事正」。兼欲治遠與近、幽與明、一與百，即爲過。至于不能治近而治遠，不能察明而務見幽，不能當一而務正百，是爲悖。故「明主好要，闇主好詳」。本篇更言儒者之曲辨以爲治，只是隆禮義而審貴賤、齊百官之制度，少稅以使商賈農工及士大夫皆得盡其職。此其言明主好要不好詳，與老莊言帝王之政，在無爲之意略同。然老莊之無爲，要在去爲政之害民者，並以無爲之心量容天下。荀子之言明君之「曲辨」之政，則必有選賢能，尚禮義，正官制，以使士農工商，各盡其職之意。此即明本于荀子之所謂道，重在「不同之人之各得其位以成治」之故也。

十二　君道、臣道、致士之道、師術、及用兵強國之道

荀子君道篇，則要在言君爲治之原。故首言「有亂君，無亂國；有治人，無治法。……君子者，法之原也。……官人守數，君子養原。原清則流清，原濁則流濁」。次則言人君之道，首在「以禮分施，均徧則不偏。君子于天地萬物也，不務說其所以然，而致善用其材。其于百官之事，技藝之人，不與之爭能，而致善用其功。……仁厚兼覆天下而不閔，明達用天地、理萬變、而不疑；血氣和平，志意廣大，行義塞于天地之間，仁知之極也。夫是之謂聖人，審之禮也」。再下則言「君者，儀也；民者，景也；儀正而景正。君，槃也；民者，水也；槃圓而水圓」。下文再言「道者，何也。君之所道也」。此卽謂人道歸于聖王之道，亦歸于君道。更言君者，能羣也。能羣也者，省工賈、衆農夫，禁盜除姦，以善生養人者也；本法度設官，善班治人者也。善尙賢使能，以使人顯其賢能，以顯設人者也；以衣裳黼黻文章，善藩飾人者也。「善生養人者，人親之；善班治人者，人安之；善顯設人者，人樂之；善藩飾人者，人榮之。四統者俱，而天下歸之；……四統者亡，而天下去之」。此所謂統，卽明分職，序事業、材技、官能，以統各類之人，而皆親之、安之、樂之、榮之也。後文更言人主不可以獨，必有輔佐，又必知種種人之材之不同，以爲用人之資。此則要見荀子之君，爲一能由

仁知以使羣中之人皆能生，能得其位，以表現其賢能，而又有衣裳黼黻文章之盛，以藩飾之，以親之安之樂之榮之者。則君之位雖上于人，而其能羣之心，則當宣明，以通上下之情。故正論篇言「主道利宣，不利周密，利明不利幽」，否則「上下無以相有也」。此大體同儒家孔孟言君道之旨，而與法家韓非明言明主務在周密(韓非主道)正相反。後董仲舒春秋繁露深察名號言，君有元、原、權、溫、羣五科，亦似承荀子義，而益以「元」爲說。然荀子則特就君之種種生養人、班治人、顯設人、藩飾人之事爲說。亦卽見荀子言君之能統，正在其「明知」之通于不同倫類之人與不同之事之旨者也。

至于荀子之言臣道，則首言種種之臣，如態臣、簒臣、功臣、聖臣之類。以「內足一民，外足距難，上忠君，下愛民」爲功臣；于能尊君愛民之外，兼能使「政令敎化，刑下如影；應卒遇變，齊給如響；以待無方，曲成制象」，則爲聖臣。聖臣如大儒之于所未見之事，「卒然起一方，能舉統類以應」，亦卽能知道而體常盡變者也。故曰「用聖臣者王，用功臣者強」。後文又言臣之「偸合苟容，持祿養交者」爲國賊。而能以去就生死爭，以輔君，而不惜彊君、矯君、拂君，以至于「抗君之命，竊君之重，反君之事，以安國之危，除君之辱，成國之大利」，則爲社稷之臣。次一節更言事聖君、中君、暴君之道。及何謂大忠、次忠、下忠，與何謂國賊。最後一節，則言臣之于君，有必「爭然後善，戾然後功」，爲通忠之順者。更有「奪然後義，殺然後仁，上下易位然後貞」，如湯武之革命者。革命卽臣之所以對「更無臣道以事之之暴君」之道也。則孟子所謂誅桀紂，卽誅一夫，荀子亦有其義。在荀子正論篇，更詳辨世俗之謂桀紂有天下，湯武簒奪之說。謂天下「至重也，非至彊莫之能任；至大也，非至辨莫之能分；至衆也，非至明莫之能和；此三至者，非聖人莫之能盡。故非聖人莫之能王。聖人備道、全美者也。是懸天下之權稱也」。天下非聖人莫之能有，則桀紂何能有天下哉。

荀子致士篇，則要在言人君所以致士得賢之道。首言人君本其聽人之言，而衡其聽，以顯幽重明、退姦進良之術。此要在于辨姦言、姦說、姦事、姦謀、姦譽、姦愬，與忠言、忠說、忠事、忠謀、忠譽、忠愬之不同。善能辨此不同，以有道法，然後能致士君子于國。人主亦當「誠必用賢」。用賢之道「寬裕而多容，恭敬以先之，政之始也」；更「中和察斷以輔之，政之隆也」；然後「進退、誅賞之，政之終也」。按墨家尚賢，只有賞罰，道家用人只重寬容；荀子兼此二者，而又有中和察斷以相輔之義，則是兼用孔孟之師友之道于政者也。後文更言政以教爲本，而言及師術。謂「師術有四，而博習不與焉。尊嚴而憚，耆艾而信，誦說不陵不犯，知微而論」，必具四者，乃可以爲師。前二者師之德。誦說者，誦說詩書之類。「知微而論」，則能本于道，以通倫類之謂也。至議兵一篇，則不外言用兵以壹民爲本，而貴信不貴詐，然後爲仁人之兵，天下之兵。更論兵之彊弱繫于政。後更論及仁義之師之無敵，及爲將之六術、五權、三至，與王者之軍制。終于謂仁者之所以用兵，由「仁者愛人，故惡人之害之；義者循理，故惡人之亂之」。又謂「仁者之兵，所存者神，所爲者化，若時雨之降，莫不說喜」。則孟子所用以說君子之德之「過化存神」，荀子皆用以說仁義之師。最後則論用兵以「兼幷，易能也」，而唯「堅凝之爲難」。此卽亦歸于政治矣。

彊國一篇，則言人之命在天，國之命在禮。威有道德之威、暴察之威、與狂妄之威之別。後又言有勝人之勢，不如有勝人之道，力術止而後義術行。最後言秦之霸政之治，雖善而無儒，以爲本篇之終。

十三　荀子禮論、樂論大義及其論禮樂之要旨

荀子之學，除言政道之外，歸在論禮，荀子之禮卽涵樂。荀子言禮爲「法之大分，類之綱紀」。故禮制、卽涵政制、法制于其中。其以禮爲一德，則通于義與仁智。然荀子禮論之所謂禮，則要在專就儒者所重之禮儀，而更說其義。而其樂論之言樂，亦就與禮儀相連之音樂，而說其義。周秦諸子墨道法諸家皆言政，墨道二家亦皆有其所尚之德行。然皆輕禮樂。墨法以葬禮與樂，爲無用，而輕禮樂。道家則以道德在仁義之上，更以禮樂之儀文，無關禮意，而輕禮樂。莊子又或言天籟與天樂，以輕世間之樂。此前論莊子時所已及。儒家則孔子固重禮樂。孟子不甚重一般禮儀，然常辯葬禮之「非爲觀美，所以盡人心」，「君子不以天下儉其親」，又言古今之樂，皆可與民同樂之義。而荀子則于墨家之非樂節葬既起之後，更詳論禮樂之義于禮論樂論二篇之中。

禮論首節乃泛說「人生而有欲。欲而不得，則不能無求；求而無度量分界，則不能不爭。爭則亂，亂則窮。先王惡其亂也，故制禮義以分之，以養人之欲；給人之求；使欲必不窮乎物，物必不屈于欲，兩者相持而長。此禮之所由起也」。此是泛說一切禮義之起原。此下言禮義文理之所以養情，亦是泛說一切禮義之禮，非此篇所專論之禮儀禮節之禮。而關於此禮儀禮節之禮，則此篇首言禮有三本：「天地者，生之本也；先祖者，類之本也；君師者，治之本也。無天地惡生？無先祖惡出？無君師惡治？……故禮上事天，下事地，尊先祖而隆君師，是禮之三本也」。

其次一節，則言王之先太祖，諸侯不敢壞，大夫士有常宗，以言其所祀先祖、所立宗廟之不同。再次言禮之儀節之大饗中先生魚、大羹，乃出于貴飲食之本。除此生魚大羹外，其他稻粱庶羞，則重在其「用」。故由此祭祀中之食物，可見禮之兼「貴本」與「親用」之二義。「貴本之謂文，親用之謂理，兩者合而成文，以歸大一。夫是之謂大隆」。此卽無異言用以祭祀之飲食，卽有「貴本與親用之二者合而成文」之「大一」與「大隆」之意義存乎其中也。

再次一節，謂禮儀之次序「始于梲，成乎文，終乎悅校」。故禮之「至備，情文俱盡，其次，情文代勝，其下，復情以歸太一」。此卽由人情與禮文之兼備或代重、或只重情，而對禮作種類之分。再下節謂「禮之中能思索，謂之能慮；禮之中能勿易，謂之能固。」此卽謂禮兼可養人之知慮與誠固之德。下文更言禮「以財物爲用，以貴賤爲文，以多少爲異，以隆殺爲要」。此卽言禮關及于財物，亦關及于人之貴賤、及禮之物與儀節之有多少。又就禮與情用之關係而言，則有「文理繁、情用省」、「文理省、情用繁」、「文理情用，相爲內外表裏」之「隆」「殺」「中」三者之別；而君子則「上致其隆、下盡其殺，中處其中」。此皆言禮之爲人與人之「情用」、「文理」、與「財物」之參伍錯綜關係之所成者也。

更次一節，則主要是專論葬禮之「謹于治人之生死」。故曰：「生，人之始也；死，人之終也。終始俱善，人道畢矣。故君子敬始而愼終，終始如一。……夫厚其生而薄其死，是敬其有知，而慢其無知也。是姦人之道，而倍叛之心也。君子以倍叛之心接臧穀，猶且羞之，而況以事其所隆親乎。故死之爲道也，一而不可得再復也。臣之所以致重其君，子之所以致重其親，於是盡矣。故事生不忠厚、不敬文，謂之野；送死不忠厚、不敬文，謂之瘠」。

又下一節，則言喪禮之謹于吉凶不相厭，故必三日而成服，殯有五十日、七十日，三月而葬。又言喪禮之所以必「變而飾、動而遠、久而平」之故，乃在所以免生者之惡死者而不哀，忘死者而不敬；故必「變而飾之」以「滅惡」，「動而遠」以「遂敬」，「久而平」以「優生」，使生者死者，皆得其治。下文更言葬禮之情貌之變，足以別吉凶，明貴賤親疏之節而止；固非意在「相高以毀瘠」，如墨子所責儒家之喪禮者也。下一節則言喪禮之儀節，皆以生者之事飾死者「大象其生，以送其死。事死如生，事亡如存」，此卽要在說明葬禮之具，皆「略而不盡，貇（同貌）而不功」故「生器文而不功，明器貌而不用」。

再下一節言三年之喪之何以三年。則曰「凡生乎天地之間，有血氣之屬必有知，有知之屬莫不愛其類。今夫大鳥獸，失亡其羣匹，越月踰時，則必反沿過故鄉，則必徘徊焉、鳴號焉、躑躅焉、踟蹰焉，然後能去之也。小者是燕爵（雀），猶有啁噍之頃焉，然後能去之。故有血氣之屬，莫知于人，故人之于親也，至死無窮。……三年之喪，二十五月而畢，若駟之過隙；然而遂之，則是無窮也。故聖人安爲之立中制節，一使足以成文理，則舍之矣。」

更下一節，略說君之喪何以三年，言君爲「治辨之主，文理之原，愷悌君子，民之父母，故相率而隆之」，故君喪亦定爲三年。下文再釋殯何以三月。最後一節，則更言及祭亦出于志意思慕之情，忠信愛敬之至，而後有之禮節文貌。……「事死如事生，事亡如事存，狀乎無形影，然後成文」。

至乎荀子樂論之大意，則首泛言音樂之出乎人之樂悅之情，樂必發爲聲音動靜，而有音樂。「先王惡其亂，故制雅頌之聲，使其聲樂而不流，使其文足以辨而不諰；使其曲直繁省，廉肉節奏，足以感動人之善心；使夫邪汚之氣，無由得接焉」。次言樂「在宗廟之中，君臣上下同聽之，則莫不和敬；閨門之內，父子兄弟同聽之，則莫不和親；鄉里族長之中，長少同聽之，則莫不和順。故樂者，審一以定和者也，比物以飾節也」。此則言「共聽樂」之可使人與人相和，而音樂之形式，亦爲「審一以定和，比物而飾節」，依于此和之原理而成者也。

次一節，更言人聞樂，而執其干戚，習其俯仰屈伸，而人之「容貌得莊，行列得正，進退得齊」。下再言樂之飾喜，如軍旅鐵鉞之所以飾怒，皆人情之自然求表現于外者也。

再次一節，言「聲樂之入人也深，其化人也速。樂中平，則民和而不流；樂肅莊，則民齊而不亂；民和齊，則兵勁城固，使百姓安其處、樂其鄉」。此卽言樂可間接養民德，使國固民安。更下言「正樂廢而邪音起」，卽國之危削之故，而君子固亦當正樂，以使天下順也。

更次一節，言君子「以鐘鼓道志，以琴瑟樂心，動以干戚，飾以羽旄，從以磬管；故其清明象天，其廣大象地，其俯仰周旋，有似于四時。故樂行而志清，禮脩而行成，耳目聰明，血氣和平，移風易俗，天下皆寧」。此卽言樂所養出之心情，可配合于天地四時也。

又下一節，言「樂也者、和之不可變者也；禮也者，理之不可易者也」。「樂合同，禮別異。禮樂之統，管乎人心」。此則自禮樂之分別連于人心之合同之和、與別異之理爲說。後文更言及「鼓大麗，磬廉制，竽笙簫和，筦籥發猛，塤篪翁博，瑟易良，琴婦好，歌清盡，舞意，天道兼，鼓其樂之君邪？故鼓似天，鐘似地，磬似水，竽笙簫筦籥，似星辰日月，鞉柷拊鞷椌楬，似萬物」。此則言各種樂器之亦各有德性，而合以似天、似地、似水、似星辰、日月、與萬物。則各樂器之合奏，卽如見天地日月星辰萬物，在此樂器之合奏中矣。

至樂論最後一節，則是以禮樂之行于鄉者，由于人之和樂之道，存于此中，卽以見王道之易行。

此乃合禮樂之行于鄉者，以言禮樂之化民成俗之效者也。

荀子禮論，其論禮之三本之義，只詳及何以當有對先祖與親及君之喪祭之義，未詳及何以當有對天地之禮之義，亦未及其他人與人間之禮之義。其言樂亦不如禮記之樂記之詳。荀子禮論樂論二文之結構，亦不甚整齊。然合而觀其要旨，則荀子之意，明在言禮樂爲人之內在之哀敬喜樂之情表現于外者。人之行禮，既可養其知慮誠固之德，而行喪祭之禮，尤可以表人對死者之敬始愼終，而終身不忘之心之德。人對其親之喪，更見人之情之同于鳥獸，而深于鳥獸。樂則爲養人與人彼此之和敬和親和順之情之德者。至于禮樂之以財物與以樂器爲用，則見禮樂之事之通于物。葬禮之必三日而成服、三月而葬，父母君師之喪有三年，則皆本于人事人情之必待時與順時而後成。則喪葬禮之事，兼通于人情與天時。其言樂器之分別象天地日月星辰萬物，則見音樂之事，除爲人情之表現外，亦象自然天地萬物，而通于天地萬物之情。由禮之儀節之有貴賤親疏之別，樂之可使宗廟中之君臣上下同聽以和敬，使閨門之中，父子兄弟同聽以和親等；則禮可使人別貴賤親疏之倫，而明倫類，樂又可使一切貴賤上下不同親疏遠近之人相和以通倫類。禮之于君之有三年之喪，則足使人之重君之爲人羣之統。樂之可使民和齊，而兵勁城固，而安其處，樂其鄉，則又足以成人羣之堅凝。此皆爲禮樂之對社會政治之效用之所存者也。至于葬禮之器之貌而不用，乃所以象其生以送其死。若喪禮之所以必變而飾，以滅生者對死者之惡，以及祭禮之「事亡如存，事死如生」，而祭及于遠祖，皆所以通貫彌縫生者與死者之隔，以使人之生者與死者之關係，似斷而不斷，以成此人道之常久者。此即荀子論禮樂之旨之散見于其文者。今更加以綜述，即可見荀子之所以重禮樂，正由于此禮樂之有通天時、天地萬物、人之心情、人之德；而盡人之倫理，以盡倫，及成政治社會之別與和，以盡制之意義，與貫生者與死者之古今之距離，以成此人道之常久，以通貫人類古今之歷史之意義之故也。此正爲吾人前論荀子之「通貫天地萬物與人心，以盡倫、盡制，而貫于歷史之道」之具體的表現所成之「人道之極」之所在者也。至于禮記各篇論禮樂者，對禮樂之各端之義，雖所論更詳，然亦蓋皆本荀子之言而進。故論荀子之道，最後應歸在其言禮樂之諸義。而其言政制與爲學之道，所以處處以禮爲說，固有其不可不如此說之故在也。

第十六章　韓非子之治道（上）

一　韓非子所感之政治問題

法家之學，其原在政事中之有刑法度數。然此政事中之有刑法度數，又與人之社會政治組織俱始，非卽法家之學。中國之法家之學，或謂原于子產之鑄刑法于鼎，或謂原于李悝治盜之有法經。此或可謂明文規定之法之始，然尙不可謂之爲法家之學。申不害言術，商鞅言法，愼到言勢，乃始各以政治上之一基本觀念爲中心以言政，乃可謂法家之學之始。韓非子合法術勢爲言，更標賞罰爲人君之二柄，乃有系統化之法家之理論。至于商君書管子之書，則非管子商君所著。二書之文，亦皆不如韓非子之善于持論，而有立有破者之深刻。今存商君書，純爲言農戰等富強之術。管子書乃後人所集輯之道法家言所成之一叢書，其集輯之時，蓋在秦漢之際或漢初，乃意在兼綜諸家義，以言政治之道者。然不能代表純粹之法家。韓非子之言雖要在論政，然其論政，乃本于其對人生文化社會政治，有一基本之看法與態度。其對其前之儒道墨諸家之學術，雖有所取，而斥破之言尤多。故足以自成一家之言，亦代表一種形態之人生思想與政治思想。故今特加標出而論之于下。

韓非子對人生文化社會政治之一基本之態度與看法，吾意乃原于其特有見于其前儒墨諸家所尙之仁義，或親親尊尊之道，用在政治上，皆不特無必然之功效，且恆可爲亂臣姦民之所假借利用，以敗國家之政。此一切有正面價值之仁義，以及其他德行爲人所共視爲是者，恆可被假借利用以爲非，亦爲孔孟莊荀之所見及。如孔子之惡訐以爲直，惡「鄉原之似中行」等「似是而非」者。墨子之恆言世之君子之言行之多不一。孟子亦言五霸假仁義。莊子徐无鬼篇謂世之「捐仁義者寡，而利仁義者衆」，胠篋篇言及聖知之法，恆爲大盜所盜。荀子則言世之「有勇非以持是」之「賊」、「察孰非以分是」之「篡」（解蔽），與種種之姦言、姦說、姦事、姦謀、姦譽、姦愬（致士）。然孔孟莊荀等以其忠厚之心，與其所理想之人生之美德與政治之道詔世者，並不眞重視其所以詔世之具正面價值之事物，可一一被假借利用之事實。然此事實，則無時無地而無有。由此假借利用，而一切善不善是非毀譽，無不可互相混亂，一切善者是者，皆可爲惡者非者之文飾之具。此卽爲價值世界之顚倒，亦政治上之亂原。韓非子于此人之巧于假借利用之種種事實，見于政治者，則最能正視，亦最能加以暴露而揭穿之。韓非子之正面的價值理想，固多不足，而遠遜于其前之儒道墨諸家之所言者。然自其能面對此種種事實，而一一加以正視、加以暴露而言之，則以前儒墨道諸家，無能及其刻深。韓非子正面所主張之尙權勢、法術之政治，其義又多由對其前儒道家之思想，各引其一端之所成。韓非本人，亦有一由其對人之自私自利之計較之心之認識，而更本之以論政治上求國家內政之統一，而致富強、成霸王之業之道。此卽其所常言之「明王之道」、或「明君之道」，亦皆自有其切義之所存。此則吾于下文當本今存韓非子書，次第論者也。今存韓非子諸篇，自不必盡爲韓非子本人所著，初學可觀張心澂僞書通考、顧頡剛古史辯諸子叢考等書所輯之考證之文。然吾意則以爲凡其旨與他篇一致者，皆應爲韓非一型態之思想家所著。吾今既重本思想型態以爲論，則並納之于韓非之思想之中，固未爲不可也。

所謂韓非于一切人之巧于假借利用之事實，見于政治社會者，最能正視，此可讀韓非之八姦之論人臣之利用其所謂「同牀」「在旁」「父兄」「養殃」「民萌」「流行」「威強」「四方」以爲姦，姦劫弒臣篇之言姦臣取信幸之術，三守篇之言人臣之以明劫、事劫、刑劫、以劫其君之權之術。至其言由此所致之善不善是非與毀譽之混亂者，則如其和氏篇言法術之士之見誅，爲和氏獻璞而見刖；孤憤篇言智術之士、能法之士，與擅事要之當塗之人爭，恆居五不勝之勢，而「其可以罪過誣者，則假公法而誅之；其不可以被以罪過者，則以私劍而窮之」，故法術之士遂恆不見容。六反篇又謂：「畏死遠難，降北之民也，而世尊之，曰貴生之士。學道立方，離法之民也，而世尊之曰文學之士。游居厚養，牟食之民也，而世尊之曰有能之士。語曲牟知，僞詐之民也，而世尊之曰辯智之士。行劍攻殺，暴憿之民也，而世尊之曰磏勇之士。活賊匿姦，當死之民也，而世尊之曰任譽之士。此六民者，世之所譽也。赴險殉誠，死節之民也，而世少之曰失計之民。寡聞從令，全法之民也，而世少之曰樸陋之民也。力作而食，生利之民也，而世少之曰：寡能之民也。嘉厚純粹，整慤之民也。而世少之曰：愚贛之民也。重命畢事，尊上之民也，而世少之曰怯懾之民也。挫賊過姦，明上之民也，而世少之曰諂讒之民也。此六民者，世之所毀。姦僞無益之民六，而世譽之如彼；耕戰有益之民六，而世毀之如此。此之謂六反。布衣循私利而譽之，世主聽虛聲而禮之，禮之所在，利必加焉。百姓循私害而訾之，世主壅于俗而賤之，賤之所在，害必加焉。故名賞在乎私惡當罪之民，而毀害在乎公善宜賞之士。」

此韓非子所謂有益與無益之民之分，固有其所自定之標準，其標準固不免太狹。然世間亦確有人之各本其私，以爲毀譽，以使「名賞加于私惡當罪之人，而毀害在于公善宜賞之士」，此卽所謂善不善、是非、毀譽，之混亂，而成之價值世界之顚倒，而足爲政治之亂原者也。

唯此世間有此種種善不善、是非毀譽之混亂，故韓非又著難言與說難之文，詳論人之言說之難。難言篇謂「言順比滑澤，揔洋洋灑灑然，則見以爲華而不實；敦祗恭厚，鯁固愼完，則見以爲掘而不倫；多言繁稱，連類比物，則見以爲虛而無用；揔微說約，徑省而不飾，則見以爲劌而不辯；激急親近，深知人情，則見以爲譖而不讓；閎大廣博，妙遠不測，則見以爲夸而無用；家計小談，以具數言，則見以爲陋；言而近世，辭不悖逆，則見以爲貪生而諛上；……。」說難一篇，則除一方言知所說者之心，可以吾說當之，而免自危其身之難外；後文則更謂以人之言恆不被知而見疑。故曰「論其所愛，則以爲藉資；論其所憎，則以爲嘗己也；徑省其說，則以爲不智而拙之；米鹽博辯，則以爲多而交之；略事陳意，則曰怯懦而不盡；慮事廣肆，則曰草野而倨侮。」下文更言「非知之難」而「處知則難」。人之情有所偏，愛憎有變，而對同一之事同一之言，而或是之或非之，或毀之或譽之。此皆就世間之是非毀譽之無定，而人恆不免見疑，以論言說之難者也。

此人間之善不善、是非毀譽之無定，有由于一事之善不善是非毀譽，原可自多方面觀者。此則人可皆自多方面觀而定之。然亦有人之假借是者與善者之名，或以是者善者之行，外飾其非者不善者，而使人不能自其言與外面之行而定者。此卽所謂欺詐也。以世有欺詐，而人亦恒疑他人之有欺。人有疑于他人之言行，而更可自爲之解釋。此解釋又恆隨人已往之所習，與其愛憎之情之不同，而或向是處善處解釋，或向非處不善處解釋。則于他人之欺詐者，可不知其欺，于他人之不欺者，亦可以之爲欺。此人之疑慮、與其後自爲之解釋，及此解釋所依之愛憎之情，皆成于人之主觀之心，而非他人所必能知，更非他人所必能由再解釋，而加以去除者。因再解釋之言之本身，亦可爲聞者所再疑，而再自本其愛憎之情，以爲之解釋，而仍再以其是爲非，非爲是，以欺爲不欺，而以不欺爲欺也。由此而世間之善不善、是非、毀譽，卽有永不能定者。于是世間亦永有此一善不善、是非、之互相混亂，亦永有顚倒價値之毀譽之判斷，與「由毀譽不當，而對人加利加害之事之不當」之顚倒價値之行爲。此卽一切「欲求人與人無相欺相疑，皆以正直之心相待，以互知其言行之實」之「正直不欺之士」之所大苦也。吾細觀韓非之爲人，蓋實初亦是一正直不欺之士。其志亦明在使國家之人「去私曲」、就公法」，以使民安而國治（有度）韓非亦爲能本于智慧之明，以燭見天下之充滿此人與人間相欺與相疑者。其孤憤所謂智術之士，卽能知欺詐而燭私僞之姦言姦行者。其所謂勁直之士，卽能知此姦而矯之者也。故曰「智術之士，必遠見而明察，不明察不能燭私。能法之士，必強毅勁直，不勁直不能矯姦」。韓非固深嘆此智術之士、勁直之士之正直公忠而不見用也。至于韓非五蠹篇之所以謂人君之不當貴不欺之士、貞信之士者，則此不欺之士、貞信之士，或專指只貞信于其私友，只止于自不欺，自貞信，而不能知人之欺，更以術御人之欺者。只有此種不欺之士，固不足以爲政。故曰「貴不欺之士者，亦無不欺之術也。」觀韓非之旨，蓋在言必有正直不欺之士，能知人之欺詐、與姦言姦行，而又能矯之者，方可稱爲知術之士、勁直之士，亦卽其所謂法術之士。韓非之學之所以爲韓非之學，亦卽正在知此世間無往而不見有此人之善不善、是非、毀譽之無定，人與人恆相欺而相疑之種種事實，而更處處加以指出；而謀在政治上斷世間之「或然之疑」，而立「必然之信」，去臣民之欺詐之姦、而以君統一國家之權，而致富強，以成霸王之業之學也。

至于此韓非之所以去此政治上之欺詐，與人之姦言姦行，以「去私曲，就公法」之道，則韓非固嘗言「禁姦之法，太上禁其心，其次禁其言，其次禁其事」（說疑）。然此韓非所謂禁其心、禁其言，蓋非以敎化禁其心，與以言禁其言之謂。其意蓋在先使天下之善不善與是非，皆定于法，更使君有權勢，以用術，而本法以行賞罰；則世之毀譽，皆隨賞罰而定，更不以賞罰隨世之毀譽而定，則姦言無所用。法立而君又有權勢，以用術，而行賞罰，則可以立一必然之信于國家，使臣民無所疑惑，而臣民不敢有姦心與姦行矣。此卽其顯學篇所謂「不隨適然之善，而行必然之道」；則姦心、姦言、姦行，自皆得其禁。韓非之言此君之當有權勢，以立法用術，則對其前之學術之思想，亦固必有其所以取捨之道在矣。

二　韓非子言人君之虛靜之功

上所謂必使君有權勢，以用法術，而行賞罰之義，其中關于君之所以必須有權勢，乃韓非所取于慎到者。慎到之言勢，卽言君之不可不有其勢位。韓非之言術，則爲其取于申不害者；而其言法，則又爲其有所取于商鞅者。此中之權與勢，爲君所獨有，乃屬于君之一個體。今存之商君書亦言「權，君之所獨制也」。術爲君之所以對少數人臣者，法爲君所公佈與臣民共守者。法爲國家政治中之公開的普遍原則，術爲其對特殊之人臣之秘密的特殊原則。故曰「法莫如顯，術不欲見」（難三）又曰「其行制也天（法制）其用人也鬼（術）」（八經）君有勢有權，以用法術，而執持其對臣民之賞罰生殺之二柄，則君權立，而國家政治統一，則國之富強可期，而霸王之業成。此韓非之學之兼承慎到、申不害、商鞅之言法、術、勢，以成其學之大體也。

韓非之學，乃兼申不害言術、愼到言勢、商鞅言法；而歸在人君之善執持賞罰二柄，以行權。此中人君之如何執持二柄以行權，尤爲韓非思想之所特重。此執持之道，在人君之有一自宅其心、自用其心之主道。此則要在人君之能使其心自居于虛靜，以觀人之智愚賢不肖者所爲之事，而不動是非愛惡之情。故曰「有賢不肖而無愛惡，有智愚而無非譽」。（安危）此卽所以使爲君者之喜怒好惡，不見于外，以免爲臣子之所窺也。故觀行篇謂「明主觀人，不以人觀己」。二柄篇謂「君見惡，則羣臣匿端；君見好，則羣臣誣能」。主道篇謂「虛靜無事，以闇見疵，見而不見，聞而不聞，知而不知。掩其跡，匿其端，下不能原；去其智，絕其能，下不能意……不愼其事，不掩其情，賊乃將生」。由此君心之虛靜，則一切政治之事，由臣之受其任，而居其名者自爲之。其自爲之事，爲此「名」之「形」。君可只以其「名」驗其「形」之是否與之相合，而更賞罰之。此中君之驗「名」與「形」之是否相合，待于君心之虛靜，然後能知之。然此知之之事則輕，而不同于臣之自任一事者之重。韓非子言君必當使心虛靜。此虛靜之敎，明有出于道家之義者，然亦有本于其師荀子言心主于虛靜之旨者。唯荀子更言心之壹，而不以此一害彼一，以求物之各得其位。荀子言君之道德責任，以爲此乃天下之至重，非聖人莫能當。然韓非子則只重在君之有權以執持二柄，則其君亦不必有此至重之責任感。依韓非之論，臣既各因任授官，各有其職，其成敗之責，亦皆由爲臣者分任之。君之任，惟在驗名與形或實之是否相合。則只須有虛靜之心，知其相合與否，而已足。不必更言人君之存心，當時時以一切事物之一一當其位，爲自己之至重道德責任所在矣。故亦不必言人君之養心，當兼虛靜與壹以爲道，如荀子之所說矣。

至于韓非子之言心之虛靜，與道家如老莊之言心之虛靜之不同者，則在老子之言致虛守靜，要在觀天地萬物之道，亦以自保其謙柔之德。莊子言虛靜，在以此爲心齋，以有虛而待物之氣，亦自去其心中之成心，與生命中之種種隔礙阻滯，使其心更得超越于一般之心知之上，以游于天地萬物之變化之中。韓非言心之虛靜，則唯要在使其心之明，足以核名實，並使其喜怒好惡，不得爲臣下所窺，以免臣下之投其喜怒好惡以爲姦，而造亂。則此虛靜之用，不在成其自己之超知而無知，而在使自己能知爲臣者之「名」與「形」之關係，而兼使爲君者之心，得不被臣民所知。此則全將道家所言之虛靜之用，加以顚倒，以成其在政治上之人君常得自用其權、而自執其權，以免于其權之不得用，而或被奪劫之道矣。此與道家所言之虛靜之心之用，正有天淵之別也。

按外儲說右上引申子曰「上明見，人備之；其不明見，人惑之。其知見，人惑之；不知見，人匿之。其無欲見，人司之；其有欲見，人餌之。故吾無從知之，惟無爲可以規之」又曰「愼而言也，人知女；愼而行也，人且隨汝。而有知見也，人且匿女；而無知見也，人且意汝。女有知也，人且臧女；女無知也，人且行女。故曰：惟無爲可以規之」。又尹文子子言「術者人君之所密用，羣下不得妄窺」「人君有術，而使羣下得窺者，非術之至者也」，此皆大體同韓非之旨。

三　韓非子與申不害之言術與儒家之用賢之關係

至于韓非所承于申不害之言術之論，除申子以「無爲」免人之窺伺其心之言，爲韓非子所徵引外；則申子所以言術，亦原在用人臣以爲政，其遠原亦當是出自儒墨言尊賢尚賢，以用人輔政之旨。申不害言術之異于儒墨者，據韓非子定法篇言：在「因任授官，循名責實，操生殺之柄，課羣臣之能」。此與尹文子之言「先正名分，使不相侵襲；然後術可秘、勢可專」同旨。此其重點在對人臣先任以特定之事以爲名，以考其能而察其實。此則與儒墨之言尙賢尊賢，在使賢者之人立于朝廷者不同。蓋純從政治之事務言，人雖賢不必能任其事。又今以賢見稱者，亦不必長爲賢。然人臣在朝廷之位已定，則亦可相與比周，以傾君之權。故申不害之言術，要在用人臣之能以任事。其術蓋要在使臣自言其所能任之事，而受之以任，而觀其能否爲其所自言，或爲其所居之官職之名，所規定其當爲者。韓非二柄篇言「爲臣者陳而言，君以言授之事，專以其事，責其功。功當其事，事當其言，則賞；功不當其事，事不當其言，則罰。故羣臣言大而功小者，則罰；非罰小功也，罰功不當名也。羣臣言小而功大者，亦罰；非不悅大功也，以爲不當名也。害甚于有大功，故罰。昔者韓昭侯醉而寢，典冠者見君之寒也，故加衣于君之上，覺寢而悅。問左右曰：誰加衣哉。左右對曰：典冠。君因兼罰典衣，殺典冠。其罰典衣，以爲失其事也；其罪典冠，以爲越其職也。非不惡寒也，以爲侵官之害甚于寒。故明主之畜臣，臣不得越官而有功，不得陳言而不當。越官則死，不當則罪。守業其官所言者，貞也。則羣臣不得朋黨相爲矣」。此一節，最見韓非承申不害因任授官，而言治術之全旨。此中能用此治術之人君，在其主觀方面，必不以自己之好惡爲重，故典冠者，與君以衣，而君不感之。在客觀方面，其于人臣亦不見其品德與性情，而只見其「爲依其所自言與所居之官職之名，而有其一定之責」者。于此人臣若有某言，居某職，而有某名，則此言此名，卽如自命人臣，盡其一定之職，爲一定之事。故君如未嘗有所命，而只是「令名（言亦是名）自命，令事自定」。（揚權）人臣自有名，而求自盡其職事，則一切責任在臣，而其所受之賞罰，亦其所自致，故不得以怨君。又人臣旣各有其名，其所爲之事限于其名之所定之事之內，不得踰越以相侵犯，而得各盡其長，以免訟爭。故韓非子用人篇言：「明君使事不相干，故莫訟；使士不兼官，故技長；使人不同功，故莫爭」。由此而人臣彼此之關係，亦由職責之不同而分散，則亦不能比周爲朋黨，以傾君權。此中不害韓非言術之要義也。

此申不害，韓非之術之妙，在重名之自命，使人各任其事，而賞罰亦對一一特定之事而賞罰。故不同儒墨之尙賢使能，只重在得其人者。然儒墨之尙賢，固亦志在使賢能之人在朝，而各盡其職責。荀子尤重政治上之分職，以使人各當于其政治上之位。然依儒家義，此處應對居不同職位之人，有相當之禮，以待之，以養其自尊之心，使樂于自盡其職責。凡居一定官職，以有其名者，亦當有自尊之心，而樂于自盡其職責。然在韓非子，則自爲君者之立場上看，以爲此爲人臣者之由自尊而自盡其職責，乃不可必之事；而意謂只以禮待羣臣，正亦可助其成朋黨以傾君權。故對此等之一切不言，而只以上述之術，爲使人臣不得不自盡其職責之必然之道。然此一思想，固亦由儒墨之言尚賢使能之旨轉變而出，而亦有其在政治上爲更切實，而有效之義旨在者也。

韓非子言人君之用術，更有如何考驗人臣所爲之事，與其所言或自爲名者，是否相當之道。此則要在人君之能衆端參觀，並由他人之言以助其視聽，而告以某一臣所言所爲者之虛實。韓非子論申子之術，嘗謂其只知治不踰官之義，遂謂人臣對其他人臣所爲者，可「雖知不言」。然韓非則評之曰：「雖知不言，是謂過也。人主以一國目視，故視莫明焉；以一國耳聽，故聽莫聰焉。今知而弗言，則人主尙安假借也」。南面篇曰「主道者，使人臣有必言之責，又有不言之責。人主使人臣言者，必知其端，以責其實；不言者必問其取舍，以爲之責。人臣莫敢妄言矣，不敢默然矣」。由此言之，韓非之術之進于申不害者，則在一面本申子之術，以因任授官，以賞罰責其功；而在另一面，又能問人臣，使人臣將其所知于其他人臣者，告之于君；而人臣于君，不得妄言，而有不言之責，亦有言之責。此卽足以助人君之視聽，而使之能衆端參觀，以知人臣所言所行之虛實之極權統治之術也。

四　韓非子與商鞅之言法及墨家言法之關係

韓非嘗言商鞅用法，則其言法之論，近宗在商鞅。然若更溯其原于先秦他家之思想，則先秦思想中，首重法者爲墨家。墨家初以天志爲法儀，亦以天志之義爲法，而墨家所謂義道，卽人人所當共遵之以爲法者也。法要在有客觀性普遍性，與禮要在有種種主觀性特殊性者不同。故重客觀普遍之義或法，卽正爲墨家之精神。後之墨辯言「法、所若而然也」。墨家言尚賢尚同，皆爲政治上之義，亦是政治上之大法。依尙同之政，以一同天下之義于君上，使「上之所是，亦必是之；上之所非，亦必非之」，卽使下皆同于上，若于上，而是其所是，然其所然也。而欲致此，則于民之行之合或不合于上所是之公義者，下亦卽當告之于上；而上更爲之賞罰，使人民之行，皆合于此上之所是之公義，而皆去其私而非義者。此墨子之敎也。商鞅言法，則要在就一一特定之事，而立一定之法，公佈之于官府，更明言其賞罰之何若。此則要在立一兼爲「令」之法。故韓非子定法篇，謂商鞅言法曰：「法者，憲令著乎官府，刑罰必乎民心；賞存乎愼罰，而罰加乎姦令者也」。又謂「商君之法，斬一首者，爵一級，欲爲官者，爲五十石之官。斬二首者，爵二級，欲爲官者，爲百石之官」。此商君之法之詳若何，不可考。蓋皆就一一特定之事，以立一法令，而人之爲此法令所規定之事者，必有其一定之賞；人之爲法令所禁之事者，必有其一定之罰。則此法令，卽有客觀性普遍性而爲公；而本法令以爲賞罰，皆所以成此法令之公，而去人之私。此正同于墨子之所謂于人之行之合公義者必賞，違之者必罰之旨。商君之法，于民之行之違法者，有告姦，使爲姦者得罰，告姦者受賞，不告者亦罰。此與墨子之言民之爲不善，而不合公義者，人知之必告其上；上聞之，必罰爲不善者，而賞其告者，罰其不告者；正有相同處。故商鞅之言法與告姦，是否受墨家之影響，雖不可知；然其精神固相承。其不同者，唯在墨家之宗旨，在立公義于天下，而只提出一尙賢尙同之原則，以爲政，亦只提出民當以所見所聞之善不善者告其上者之原則。又墨家之論，仍有一道德上之仁義觀念，爲其根據，故旣言當告所見之不善于上之外，亦言當告所見之善于其上。商鞅之言法令，則就一一特定之事，以立爲一普遍之法令；又只重敎人告所見之違法令之姦或不善者于上，而不敎人以告其所見之善或合法令之行之善者于上耳。

韓非對商鞅所言法，當由官府公佈固無異論，故難三篇言「法者編著之圖籍，設之于官府，而布之于百姓者也」。故「法莫如顯」，以與「藏之胸中，以偶衆端，而潛御羣臣」之「術不欲見」者相別。韓非于商鞅所謂告姦及嚴罰以止姦，亦同意其說。如其內儲說上稱商鞅之重刑，而使人不犯法，「以刑止刑」之論；並謂孔子亦嘗稱殷法之重刑棄灰于道者。韓非子六反篇，明言「重一姦之罪，而止境內之邪」。然于商鞅所謂法，韓非亦嘗評論其說，謂其賞罰方式之非是。蓋商鞅言斬首可授以官，使官爵之遷，與斬首之功相稱。此則忽爲官之智能，與斬首之勇，乃兩回事。能于戰陣斬首者，其智能不必堪爲官。故曰「今治官者，智能也；今斬首者，勇力之所加也」。卽謂其以爲官作斬首之賞之不當。此則由韓非之重爲官吏者之是否稱其職責，不只視官爵爲賞功之具之故。蓋韓非受學于荀子，而荀子最重官稱其職之義，然後韓非方有其此進于商君之說也。

韓非言法，雖不同于墨子與商鞅，然實同有感社會之是非毀譽之價值標準，與政府之法令不一，爲國家之大患。如其詭使篇曰「夫立名號，所以爲尊也；今有賤名輕實者，世謂之高。設爵位，所以爲賤貴基也；而簡上不求見者，世謂之賢。威利，所以行令也；而無利輕威者，世謂之重。法令，所以爲治也；而不從法令爲私善者，世謂之忠。官爵，所以勸民也；而好名義不進仕者，世謂之烈。刑罰，所以擅威也；而輕法，不避刑戮死亡之罪者，世謂之勇夫。民之急名也甚，其求利也如此，則士……焉得無巖居苦身，以爭名于天下哉。故世之所以不治者，非下之罪，上失其道也，常貴其所以亂，而賤其所以治」。此韓非所言之世所尚之高、賢、重、忠、烈、勇、蓋多原于當時儒墨道思想之流行于社會，亦未嘗不可爲一價值之標準。然韓非子所注意及者，則唯是此諸價值標準之存于社會，使社會之是非毀譽，與政府之名號、爵位、威利、法令不一，而上下異心，足成國家之大患。故必君主以政府之法令，統一一切是非毀譽之標準，而以法令之所在，卽公義之所在，故常言尚法卽尚公義。蓋必尚法尚公義，然後爲臣民者，不得以其所非所譽者爲標準，不得以私術比周而相結，以傾君權，害及國家之統一而亂政。此人民可以其所非所譽者爲標準，而亂政，乃墨子尙同篇所已論者。故墨子謂在上者之賞罰，必與民行之善不善相一致，然後其賞罰爲民所重，而後其賞罰行。然此則待于在上者，盡知民之行之善不善，而純本公義以行賞罰。然墨子未言及如何保證民之所告者之無誤。後之荀子，則以爲明君只治近不治遠，其意蓋謂近者治，而遠者自化。然韓非子則更有見于爲人君之左右者，恒比周而立。則此明君之治近，亦勢有所不可能者。乃改而言尚法令，以防此近習之臣之比周而立。此則無意于治此近習之人，而要在只立一法令，以待此近習之人。此其道，乃要在言不問人之爲如何，皆須看其人之言行之合于法或否，以定賞罰。則近者可罰而疏之，遠者可賞而近之；而近習之臣，卽不得比周以傾君之權，而國家之統一可期，霸王之業可成矣。此則韓非之言之更進于墨荀者也。

五　韓非與愼到之言勢與權

至于韓非之言勢與權，則其所承者，蓋卽愼到之說。愼到之言勢位，亦實有其所見。韓非難勢篇，謂愼到言「飛龍乘雲，騰蛇游霧，雲罷霧霽，而龍蛇與螾螘同矣，則失其所乘也。故賢人而詘于不肖者，則權輕位卑也；不肖而能服于賢者，則權重位尊也。堯爲匹夫，不能治三人；而桀爲天子，能亂天下。吾以此知勢位之足恃，而賢智之不足慕也」。錢熙祚輯校愼子及韓非子功名篇，亦有文與此大同小異。今卽據韓非子所言而觀，則此愼到言乘勢，乃由兼觀自然之龍蛇之乘勢，與政治上之人物之乘勢而得。此自然龍蛇所乘之雲霧，乃一無知之物；而人在政治上所居之勢位，其本身亦初只是一虛位，而爲一無知之物。然人乘其勢位，則有其權以治亂天下。故愼到去賢知，而只言乘勢。以此自處，則爲莊子天下篇所謂「去聖知，而同塊」之不失道。以此教人爲政，則要在不忘乘勢，以求常得自持其權位。此政治上之權位所在，何以卽有一勢在，其故亦甚難言。若由深處言之，此仍在人民原有一尊崇居位之君上之尊君之心理。人所以尊君上，初或由君上之兼爲其親或兼爲其長而尊之，或以其賢其能而尊之。既尊之而君上在人心上，遂處于一被尊之位。今將此人心中所共有之尊位，加以客觀化，而更錫之以名；遂共約而使此居尊位者之衣食住行，皆美于在下者；再共約而遇事卽請其先言先行，爲領導；亦共約而服從其領導；然後實有客觀化之尊位。然既實有此一客觀化之尊位，則後之居其位者，卽非原有可尊之處，人亦本素有之尊此位之心，而尊之。由此世代相傳，而居尊位者之言行，卽有一自然的能領導其下之臣民，而爲臣民所奉行之趨向，而其言行亦有一勢力，使爲臣民者若不得不奉行之；而人民于言行有疑不決之時，遂恆聽任其加以裁決，加以權衡。此卽居尊位者之所以有其權勢之故也。然愼到與韓非之言此位與權勢之相連，則未嘗溯其原至此，而唯就一現有之政治上尊位，恆與現有之權勢相連，而言此位此權勢之在政治上之重要性，謂尊位若不與權勢相連，則尊位亦爲虛位，而亦終不可保。故居尊位之君上，必當有其居位，更乘勢以行其權之道。觀愼子之所論，則要在言居位乘勢之重要，而韓非則更言不能行權，則不能居位乘勢。此行權，卽表現于君之立法用術，以行其賞罰之中。此則韓非之所特重，而別于愼到者也。

韓非承愼到言位勢之意，而又特重人君如何執持賞罰二柄，以行權之道，故于愼到之只言位勢，雖設爲客難，謂其言勢亦當兼知用賢以難之；然又更代申其所言位勢之本身之重要性，以斥儒墨之尙賢聖之說。其大旨在言位勢之本身，原有其一客觀之助治之效用；而居勢位，以抱法任術，而行權，卽亦足以成治。若爲政必尙賢聖，則賢聖千載而一遇，將治少而亂多。若居勢位，以抱法用術，則爲君者不必賢聖，卽中人之資，之爲君者，亦可成治。斯可治多而亂少矣。則此中重要之點，不在得勢者之必然爲有堯舜之賢智者，亦不謂乘勢者，更當有賢智之人以輔之，如難者之論。此中重要之點，在人君者之知此權勢之重要，而更自抱法用術，則中人之君，亦皆能成世之治。此韓非之說與儒墨尙賢聖之說固不同，與難者之兼重勢與賢智之說亦不同。依此韓非之義，只須任勢而抱法術，卽已足夠，不須再益此尙賢智之說，以補其不足也。若其待補以此說，則無異以任勢而抱法術之說爲不足。故文中以兼售矛楯者之言爲例。此兼售矛楯者既謂矛爲莫不陷，而又謂楯非矛之所能陷，卽成矛盾之說。卽今旣謂任勢抱法術，卽足以成治，而謂必補以尙賢智，卽亦矛盾之說也。故韓非子于此必去此「任勢尙法術，與尙賢智並用」之說也。

第十七章　韓非子之治道（下）附論管子書中之治道

六　韓非言權當獨制之理由，與其對人性之各自為計之觀察

本上所述，韓非之言法術勢，對其前之儒、墨、道、中、商、愼之言，皆有所承，有所捨，而亦有所進。此中之權勢爲君所獨制，以用術而御羣臣，法則爲君臣民所共守；而行權以用法術之道，則在持賞罰之二柄。此中之行權以用法術之事，所以必爲君所獨制者，由于韓非子之深有見于權之不可君臣共有。共有，則臣必進而比周聚衆，以傾君權。故揚權篇曰「度量（法）之立，主之寶也；黨與之具，臣之寶也。……有道之君，不貴其臣。……內索出圉，必身自執其度量；毋使民比周，同欺其上。欲爲其國，必伐其衆；不伐其衆，彼將聚衆」。此卽論在權與利之前，君與臣民之間，原不可互信，乃皆各自爲計，而恆不免于相爭者。此卽連于韓非子對人性之觀察。如其書備內篇曰：「人主之患，在于信人，信人則制于人。人臣之于君，非有骨肉之親，縛于勢不得不事也。故人臣者窺覘其君心也，無須臾之休。……爲人主而大信其子，則姦臣得乘于其子，以成其私。故李兌傅趙王，而餓主父。爲人主而大信其妻，則姦臣得乘于其妻，以成其私。故優施傅麗姬，殺申生而立奚齊。且萬乘

之主、千乘之君，后妃夫人，適子爲太子者，或有欲其君之早死者。何以知其然？夫妻者，非有骨肉之恩也，愛則親，不愛則疏。……丈夫年五十，而好色未解也；婦人年三十，而美色衰矣。以衰美之婦人，事好色之丈夫，則身疑見疏賤，而子疑不爲後。此后妃夫人之所以冀其君之死者也。唯母爲后，而子爲主，則令無不行，禁無不止；男女之樂，不減于先君，而擅萬乘不疑。……故輿人成輿，則欲人之富貴；匠人成棺，則欲人之夭死也。非輿人仁，而匠人賊也；人不貴則輿不售，人不死則棺不買，情非憎人也，利在人之死也」。此韓非之言人臣者之窺伺君心，而恆欲奪其權，言人君之不可信人，姦臣亦可得乘妻子以成其私，及后妃夫人之亦可望其君之死，以求其私利等，其所見者皆有史事足證。此可讀：韓非子內儲說所記其時人之爲爭權利，而相嫉妬、傾軋、勾結、欺詐、讒毀、誣陷之百十事。則人君亦捨獨制其權，別無防其權之爲人所侵奪之道。此韓非所見之政治之世界，乃純是「人君與其臣民，互爭權利，以相窺伺」之一無情之世界。故人君之欲獨制其權，亦一息不能已于猜防。韓非之深有見于人性之各自爲其權利計之一面，蓋亦有原于其師荀子之言性惡者。荀子言性惡，而言人之好聲色好利，亦言人有嫉惡之心。嫉惡之心，卽好權，而惡人之有權之心也。然韓非子更進于荀子者，則在言人之好權利，而恆用其心，以窺伺他人，並自藏其計慮權利之心，于深密之地。臣之事其君，固亦自爲其利，而本于其計慮；其欲乘機而奪君之權，亦出于計慮。此卽較荀子言性惡之旨，更進一層。蓋荀子言計慮出于心，而心能知道，以用其計慮，則可爲天下長慮顧後，而保其萬世。此卽言心之計慮之可向于公義公利者也。然韓非言心之計慮，則要在就其連于人之好利、與嫉惡而亦好權之心者以爲言。此則要在言人心之計慮」與「性之自利」恆相結，以成其私的利害之計慮者。此私的利害之計慮，藏于人心之深密之地者，亦不只表現于政治，韓非更隨處言之。故六反篇曰「且父母之于子也，產男則相賀，產女則殺之。此俱出于父母之懷衽，然男子受賀，女子殺之者，慮其後便，計之長利也。故父母之于子，猶用計算之心以相待也，而況無父母之澤者乎」。外儲說左上又曰「人爲嬰兒也，父母養之簡，子長而怨；子盛壯成人，其供養薄，父母怒而誚之。子父，至親也，而或誚或怨者，皆挾相爲而不周于爲己也。……夫賣庸而播耕者，主人費家而美食，調布而求易錢者，非愛庸客也。曰如是則耕者且深、耨者熟耘也。傭客而疾耕耘，盡巧而正畦陌畦時者，非愛主人也。如是則羹且美，錢布且易云也。此其養功力，有父子之澤矣，而心周于用者，皆挾自爲心也」。則此人之「自爲其心」，或爲自己利害計慮之私，至不顧父子之親、君臣之義，固遠超于荀子所謂出于自然之性者之上。吾人今欲知人性之悖仁義而能爲惡之一面，亦非如韓非子之所見，不能至其極。然韓非于此人之自爲心或爲自己利害計慮之私，則只視如一客觀事實而視之；由此而于君與臣民之恆在相窺伺中，以各爲其利、各爭其權等，亦只視爲一客觀事實而觀之，更未嘗爲之感嘆，或謀有所以易此人心之敎化之道。韓非只自認識此一事實，亦敎人君之認識此一事實，自求所以獨制其權之道。韓非眞可謂天下之本一至客觀冷靜之心，以談政治之忍人；然其于此等處所見者之深刻，則正儒墨道之徒，所望塵而莫及者也。

七　用「人自計慮其利害之私」，以使人棄私曲、行公法之道

此韓非所見之人之自計慮其利害之私，不只爲韓非教人君之愼勿信人以失其權之理由，亦爲其言法術所以必能行之理由。韓非之言法術，要在先立一法，而人臣自爲言、自爲名，而更以術驗其形與名之是否相合，而就其功罪，以爲賞罰。此人臣之自爲言、自爲名，自爲其事，初乃所以得賞，固出于人臣之自計。人臣有此自計，則不得不自爲「名」所定之事，自去其姦，以得賞而免罰，得安而去危。則人君于此欲人臣之自爲其名所定之事，以收其功于君，亦不待于望人臣之愛君，而唯待于臣之善自爲計。望人臣之愛君，而盡其能，此君所不可必者也。君賴此不可必者以爲政，是君之危道也。臣之善自爲計者，必自爲其名所定之事，是乃臣之本其自計之心所必爲者也。君賴此臣所必爲者以爲政，卽君之所以自安之道也。其姦刼弒臣篇正深陳此義曰：「是以左右近習之臣，知僞詐之不可以得安也；必曰我不去姦私之行，盡力竭智以事主；而乃以相與比周，妄毀譽以求安，是猶負千鈞之重，陷于不測之淵，而求生矣，必不幾矣。百官之吏，亦知爲姦利之不可以得安也；必曰我不以淸廉方正奉法，乃以貪汚之心，枉法以取私利，是猶上高陵之巓、墮峻谿之下，而求生也，必不幾也。安危之

道，若此其明也，左右安能以虛言惑主，百官安敢以貪漁下？是以臣得陳其忠，而不弊；下得守其職，而無怨。此管仲所以治齊，而商君之所以強秦也。從此觀之，則聖人之治國也，固有使人不得不愛我之道，而不恃人之愛我也。恃人之以愛我者，危矣。恃吾不可不爲者，安矣。夫君臣，非有骨肉之親。正直之道可以得安，則臣盡力以事主；正直之道不可以得安，則臣行私以干上。明主知之，故設利害之道，以示天下而已矣」。此卽謂只須明主以示天下利害賞罰之道，則天下人卽自能本其自計利之心，以知其所擇。此不待臣之愛君，亦不待君之更一一親自督責人臣之爲其所爲之事，卽用人之自計自爲之心，而不用其爲我，以去人之姦私之道也。

此人類在政治關係中，君臣之相與，皆出于交計慮其利害之心，韓非隨處打開洞壁，不加諱言。此中君臣之利害之恆有所不同，韓非亦不加諱言。如孤憤言「主利在有能而任官，臣利在無能而得事；主利在有勞而爵祿，臣利在無功而富貴；主利在豪傑使能，臣利在朋黨用私」。此君臣利害之不同，亦卽臣之可以劫君，而比周朋黨，或結下叛上、結外攻內之故也。于此，君欲其臣之愛君，不可必得；臣欲君之愛臣，亦不可必得；以各有其利害故也。于此而君必欲臣之盡其能、有其勞、有其功，而公忠于國、于君，卽唯賴使臣民自知自計：其若不自盡其能，亦必不能得其所利于君，亦自知自計：其若能盡其能等，必得其所利于君。君亦必須自知自計：舍以必信之法，不能使臣之自知其所以必得其所利之道。是卽韓非所謂「君以計畜臣，臣以計事君，君臣之交計之道」也。君臣交計，而互知其利害之所在，君知其所必爲，臣亦知其所必爲；則其初雖各爲其私計，然終則爲人臣者不可不從明主之法，去私曲而行公法；因不去私曲私心，而行公法公義，則其所以自爲計之私，亦不得遂也。故飾邪篇曰「人臣有私心，有公義：修身潔白,而行公正,居官無私，人臣之公義也；汙行從欲，安身利家，人臣之私心也。明主在上，則人臣去私心、行公義。亂主在上，則人臣去公義、行私心，故君臣異心。君以計畜臣，臣以計事君。君臣之交計：害身而利國，臣不爲也；害國而利臣，君不爲也。臣之情、害身無利；君之情，害國無親。君臣也者，以計合者也。至夫臨難必死，盡智竭力，爲法爲之。故先王明賞以勸之，嚴刑以威之。賞刑明，則民盡死，民盡死，則兵強主尊。」又難一謂君道在「設民所欲，以求其功，……君垂爵祿，以與臣市」。「君有道，則臣盡力，而姦不生；君無道，則臣上塞主明，而下成私」。皆明言君臣之關係，爲一自計利害、及交計利害，而形成之關係。于此，君固不可存幻想于臣之自發之忠愛，臣亦不可存幻想于君之仁恩。故曰「人臣之情，非必能愛其君也，爲重利之故也」。又曰「父母之于子也，生男則相賀，生女則殺之者，慮其後便，計之長利也。故父母之于子也猶用計算之心也。……今學者之說人主也，皆去求利之心，出相愛之道，是求人主過于父母也」。是皆將君臣相結合以利害之事實，打開洞壁，更無隱藏；使君臣間互相正視此一赤裸裸之事實，而更不別爲幻想；而各本一開明的自計交計，以相市于利害賞罰之場之論也。

按在西方十八九世紀之思想家，亦論人之有開明的自利之心者，亦能共守公法而行公義。然在中國，則韓非早已于此人之計較利害之心，加以正視而用之，以爲治道之本。韓非詭使篇言「聖人之所以爲治道者三，一曰利，二曰威，三曰名」。名卽循名以責實之名。名位之名、及法公佈于文字與人臣之對其事之所言，初亦皆只是一名也。名卽「上下之所同道也」。威卽君之權勢之所在，君之「所以行令也」。利卽君之賞之所在，反之爲害。「利所以得民也」。明君立法令，循名責實，而用賞罰以行權；人臣卽自本其計較利害、與自保其名位而畏威勢之心，以奉法，而求其行事或「形」之實合于名。此卽治道之本也。故韓非于人之有自計較利害之私心，不同于儒墨必求所以敎化之，若視爲治道之敵者；然卻有同于道家之言放任，容人之自爲之旨。唯道家之言放任，而容人之自爲，乃在言君德之不當宰制萬民，亦在言人民之原能自遂其生，自得其性，以自成其德等。此韓非之言任人之有此自爲自計其權利之心，而更用此自計自爲之心，以成國家之治，則所以使此君之權勢得常在，以成其宰制萬民之業者。此則又異于道家之言放任，以使人自遂其生，自得其性者。然此亦固無礙道家與韓非子之所言之義，正有其未嘗不可相依爲用者在。亦學者之所不可不知者也。

八　韓非對他家之治道之抨擊

此一韓非之用法術賞罰以行權之政治思想，可謂之曰一徹底之功利主義。問辯篇曰「言行者，以功利爲之的彀者也。」此中之君臣，皆以利自計慮。君以臣盡其勞，爲其功、爲其利；臣以盡其勞，而得君之賞，爲其功、爲其利；而國家則以君臣之交計，以有其富強，爲其功、爲其利。依此徹底之功利主義，以言政，而韓非遂以法術權勢，即足爲治國家之必然之道，而儒墨所言之尚賢尊賢之說，必待賢以爲治之說，尤爲韓非所反對。因人臣之賢否不可必，得賢只爲適然之善。至于望臣民之自善，則猶欲恃「自直之箭」，將「百世無有一」，恃「自圜之木」，將「千世無輪」。依韓非言爲政之道，則根本不重在恃人之爲吾善，而只要在使人不敢爲非（顯學）。此則只須本法術權勢爲治，即足爲一必然之道。而于儒墨之尚賢、尊賢、舉賢以爲政及以惠治民之論，韓非更明言其流弊，如謂「任賢，則臣將乘於賢，以劫其君；妄舉，則事沮不勝」（二柄），此即言任舉之流弊也。又曰「今儒墨皆稱先王兼愛天下，視民如父母。今先王之愛民，不過父母之愛子，子未必不亂也。…且民者固服于勢，寡能懷于義。仲尼，天下聖人也。修行明道，以游海內，海內說其仁、美其義，而爲服役者七十人；蓋貴仁者寡、能義者難也。故以天下之大，而爲服役者七十人，而仁義者一人。魯哀公下主也，……而仲尼反爲臣，……仲尼非懷其義，服其勢也。以義則仲尼不服于哀公，乘勢則哀公臣仲尼。今學者之說人主也，不乘必勝之勢，而務行仁義，……此必不得之數也」。此必不得，即言仁惠之必不能成治也。知儒墨任賢之流弊與仁惠之必不能成治，即見儒墨所尚之賢者之治或人治與德治，只爲適然之善，而無必然之功；亦皆只爲寬緩之政，不足以御今之急世之民（五蠹）。反之，明主而能用法，「賞莫如厚而信，使民利之；罰莫如重而必，使民畏之。法莫如一，而固使民知之。故主施賞不遷，行誅無赦；譽輔其賞，毀隨其罰；則賢不肖，俱盡其力矣」（五蠹）」。此示民以必而信之賞罰之道，則民皆可本其所自具之計慮利害之心，以用其勞、效其力。此卽爲治之必然之道矣。

依此爲治之必然之道，則韓非子固必以儒墨道之言爲無用，亦必以本儒墨道之徒所尚之士爲無用，如由儒變成之文學之士，六反所謂離法之民，不事力而衣食、不戰功而尊之賢能之士（五蠹）；如由墨而變成之以武犯法禁之俠、行劍攻殺之民（六反）以勇于私鬬爲廉貞之士（五蠹）；如由道家之流而轉成之全生而畏死遠難之民（六反）與隱逸之士，如伯夷叔齊（姦劫弒臣）；以及由儒墨道之游士，所轉成之一切游居厚養（六反）牟知僞詐（六反）而尙辯智，之商工游食之人（五蠹）；爲惚恍、恬淡、（忠孝）微妙之言，務爲辯用（五蠹）者；皆韓非所謂爲無用之學、或愚誣之學、雜反之行者，而爲國家之蠹，爲明主之所必去。凡人爲此類之學者，皆爲「二心私學」（詭使）。而韓非子于詭使篇言當時人于「……無二心私學，聽吏從教者，則謂之陋；難致謂之正；難予謂之廉；難禁謂之齊，有令不從謂之勇；無利于上謂之愿；寬惠行德謂之仁；重厚自尊，謂之長者；私學成羣，謂之師徒；閒靜安居，謂之有思；……先爲人而後自爲，類名號言，汎愛天下，謂之聖；言大本稱，而不可用，行乖于世，謂之大人；賤爵祿，不撓上者，謂之傑。」以及八說篇所言「公財分施，謂之仁人；輕祿重身，謂之君子；枉法曲親，謂之有行；棄官寵交，謂之有俠；離世遁上，謂之高傲；交爭逆令，謂之剛材；行惠取衆，謂之得民」，則正爲當時儒道墨之游士之所尙，爲韓非子所痛心疾首，而視爲二心私學，亂政之一統者。故當「禁其欲，滅其迹」（詭使）乃歸于言「明主之國，無書簡之文，以法爲教；無先王之語，以吏爲師；無私劍之捍，以斬首爲勇；其言談者必軌于法，動作者歸之于功，爲勇者盡之于軍；是故無事則國富，有事則兵強，此之謂王資。」（五蠹）又謂「今夫輕爵祿、易去亡，以擇其主，臣不謂廉；詐說逆法，倍主強諫，臣不謂忠；行惠施利，收下爲名，臣不謂仁；離俗隱居，以非其上，臣不謂義……」（有度）。則道家之徒之隱居，儒家之尙忠諫與行仁惠，及一切士之擇主而事，皆不「以吏爲師，以法爲教」之人，而可依法以誅之者。韓非于此舍德教，而唯用法術，而嚴誅賞之政，固亦自知其似忍而無情，以拂于人心。然「人主明能知治，故雖拂于民心，必立其治」（南面）。蓋權其輕重、計其利害，知德教不足以爲政，以法術禁姦，乃能去亂成治也。故曰「所謂仁義，哀憐百姓，不忍誅罰。施與貧困，則無功者得賞；不忍誅罰，則暴亂者不止」（姦劫弒臣）。「民以法禁，不以廉止。父母積愛而令窮，吏用威嚴而民聽從」（六反）。是卽見「法之爲道，前苦而長利；仁之爲道，偷樂而後窮」（六反）。故不得不「用法之相忍，而棄仁人之相憐」（六反）。此「正明法、陳嚴刑」固所以「救羣生之亂，去天下之禍，使強不凌弱，衆不暴寡，耆老得遂，幼孤得長，邊境不侵，君臣相親，父子相保，此亦功之至厚也。愚人不知，顧以爲暴也」（姦劫弒臣）。此卽韓非之所以自辯其說者也。昔儒墨言仁義，而老莊言「大仁不仁」，以超乎仁義而言道德。墨子言仁義所以爲興利除害，而重言利害。荀子言舍仁義不能興利除害，謂以心之思慮權衡利害，則知仁義正爲大利。韓非子則本荀子之言，亦重此心之計慮利害之能；而歸于尚法之似違仁義者，不用「相愛」之似對人爲利者，而用「相忍」之似對人爲害者；更謂其害正所以爲利，其不仁所以爲仁。此則由于其知此相愛之仁，有不足以成治者之「智」之處。故于問田篇韓非自謂其「立法術，設度數，所以利民萌，便衆庶；故不憚亂主闇上之禍患，而必思齊民萌之資利者，仁智之行也。」循前所說之韓非之思想之發展而觀，韓非亦固必如此自謂也。

九　韓非之治道之性質，與其解老之道

此上所述韓非之治道，卽其所謂明主之道，亦其所謂聖人之道，而可成霸王之業者。韓非喜用「明君」，「明主」，「霸王」之名。其言聖人聖主，亦言其智不言其德；故或言「明君聖主」，如在外儲說右上篇；或前言聖人，後則言明君明王，如在姦刼弒臣及安危二篇。然未見其用荀子聖王之名，以指德智兼具者。故其所謂明君聖主，卽只有一理智上之明，而其目標則在成霸王之功者。此一治道，始于國家內政之求安定求統一，以自富自強，終則在爲霸王于天下。此所謂治道，亦對此目標而爲其方法手段上之道，而不足以爲人生文化之道之全。韓非以一切人民，皆屬于國家；則人民之一切

人生文化之事，皆屬于國家。一切人生文化之事，皆有其對國家政治爲利或爲害之效，故亦皆隸屬于政治，亦皆當以此政治之道衡之。于是一切有關人生文化之學術思想、言論、教育，亦同當以此政治之道衡之。由此而凡違此政治之道，如儒墨道諸家之學術思想、言論、與教育之道者，皆在摒棄之列。則此政治之道，卽同時爲居于一切人之人生文化之道、與學術、思想、言論、教育之上一層，而主宰決斷其存在之命運之一至高無上，而可普遍運用之道矣。

依此韓非之政治之道，同時爲至高無上，而普遍運用之道，則吾人于韓非書中之解老喩老之篇，亦可視爲韓非所著，或韓非之徒所作。此解老之言「道爲萬物之所然，萬理之所稽。……故理爲物之制，……凡道之情，不制不形。萬物得之以死，得之以生；萬事得之以敗，得之以成」之義，吾已論之于前文。解老篇曰「物易割也……萬物莫不有規矩；聖人盡隨于萬物之規矩，……則事無不事，功無不功。」謂「積德而後神靜，神靜而後和多，和多而後計得，計得而後能御萬物，能御萬物則易勝敵」。此雖皆泛論天地、萬物之道，然亦正皆可用以爲政治之道，亦可與主道篇言政治之道者，合而觀之。主道篇首言「道者萬物之始，是非之紀。是以明君守始，以知萬物之原；治紀以知善敗之端」。此則明言于此萬物之道，明君可用之于政治也。蓋此萬物之道，乃遍運于萬物之理之中，而爲之制之道。人君之治國之紀，固亦在知國之羣臣與萬民之萬事之所以成之理，而更用法術以行權，而爲之制也。此主道之運于國家之不同之事之中，而爲之制，亦正同萬物之道之爲萬物之制也。萬物有理，而有其一定之規矩，亦如國家之一一事之當各有其一定規矩也。人主之依法術之道，以御臣民，加以賞罰，而生之殺之，亦如萬物之道爲萬物所得之以有其成敗生死者也。揚權篇謂「道者，宏大而無形；德者，覈理而普至；至于羣生，斟酌用之。道者下周于事，因稽而命，與時生死」。人君之依法術之道，以一一之規矩待臣民，而斟酌其賞罰，卽本道以覈理稽事，而普至于羣生，以斟酌用此道，以命令決定臣民之存亡生死，而亦卽此道之「與時生死」也。亦如解老篇所謂萬物之道，爲物所「得之以死，得之以生，得之以敗，得之以成」也。則韓非之政治之道卽亦可謂解老篇中之「天地萬物之道」，具體的應用于人主之治國之道者也。唯此韓非之用此萬物之道，爲人主之治國之道，乃所以致國家之富強，而成其霸王之業；則與老子所言之萬物之道，雖可用于聖王之政，而其深旨則在使人抱道、體道，而成具玄德之聖人者，又截然不同。老子之聖人，以體道抱道爲事，則道本身爲目的。而韓非用此道以成政治上之霸王之業，則此道只爲一手段工具之道，而老子之學亦成韓非之學之手段工具矣。

十　餘論：韓非思想之效用與其悲劇命運

以上所言韓非之學，乃以政治之道爲至高無上，而將老子所謂天地萬物之道，化爲一政治之道之手段工具之後，亦更不見有大于此政治之道之天地萬物之道，以及其他人生文化之道。乃歸于欲棄天下之學，而求「無書簡之文，以法爲敎；無先王之語，以吏爲師」（五蠹）。秦始皇見其書，而李斯更本此「以法爲敎，以吏爲師」之言，以立詔令，而禁天下之諸子百家之學。此卽秦政之所以成。人民以法爲敎，以吏爲師，人主本其威勢，持賞罰二柄，以督天下之民，爲法令所定之事，固亦實可以富國強兵，使秦成其霸王之業，而兼併諸侯；更用民力以建道路、築長城、廢封建、同文字，以成秦之大一統之天下。秦始皇乃自以爲功過三皇五帝，而自稱始皇帝，以期于二世、三世，以至萬世，皆同有此大一統之天下。然韓非李斯之學，雖由秦用之以見其功，韓非本人則首見忌于李斯；斯遣人遺藥，使非自殺，非欲上書自陳而不得。太史公爲老莊申韓列傳，乃悲韓非之「爲說難而不能自脫」；又爲李斯傳，詳記趙高之誣李斯以謀反，而下獄定罪，夷其三族。此亦足證韓非所謂人皆各自爲其利害計之私，其爲禍之慘毒。然秦始皇與二世之有趙高在側，又證韓非李斯之術，終不足以去臣之姦。法術之士亦終無必見用之道。由秦之不二世而亡，則知大一統之業，亦非只一用權勢法術以宰制天下之君，如始皇者之所能保。荀子言「天下至大也，非聖人莫能有也」（正論）。韓非李斯叛其師說，以爲能善用權勢法術者，卽能有之，其身皆不得其死，秦皇亦終不能有天下。此卽證其學之有其根本之缺點在。此根本之缺點，則在韓非之不知人之望國家之統一，求國富兵強，亦出于人之一成公義之心。韓非亦未嘗不恆言政治上之公義。然對此公義心，則必須養之有道，然後可用之于政治。欲養此公義心，則不能只由人主用權勢而致，必待乎知其他人生文化之道與天地萬物之道，而有之其他種種學術種種德敎而致。此則正當本之于韓非之原對之有所承，而後又爲韓非之所摒棄之儒墨道諸家之學。韓非與李斯，皆未知此義，乃只言以法爲敎，以吏爲師。則韓非之死于獄吏之藥，李斯之死于論斬之法，又豈不悲哉。

附論：韓非子以後之治道，及管子書中言治道之方向

上文言韓非與李斯之法家思想，實現于秦政，成中國之大一統，而二人之皆同死于法吏。秦政暴虐，發難亡秦者，首有陳涉。從陳涉發難之陳餘，史記載其好儒術。漢書儒林傳又載「陳涉之王也，而魯諸儒，持孔氏之禮器，往歸陳王。于是孔甲爲陳涉博士，卒與涉俱死」。則陳涉乃與儒者共亡秦者。故明儒李卓吾，謂史當爲陳涉立本紀，視同帝王。又亡秦之項羽學萬人敵，以楚人之力舉兵，而史記又載其「爲人不忍」，亦非刻薄寡恩之法家之徒。劉邦則史載其豁達大度，入關後只約法三章，以歸簡易，而竟得天下。其晚年欲易太子，而商山四皓，以道家之流，而爲太子之羽翼，使其事不成，漢文帝竇太后則好黃老之術。是皆見儒與道之思想，亦足以助成政治上之大業。兩漢之思想，遂成先秦各家思想之再興，而更相融合之一局面，後文當更及。然若專以法家之政術、與他家政術之交涉而觀，則漢制初仍承秦制，人君或外習黃老尙儒學，而陰用法術，以酷吏臨民。今觀桓寬鹽鐵論所記，在漢之昭宣之世，賢良文學之士六十餘人，與政府中丞相、御史、大夫之一大辯論，則凡此政府中公卿，無不盛稱申韓商鞅，而本法家之功利之論，以言政。正見法家思想猶存之政府之中。此關治史者，非今所及。然至純自學術思想之發展而觀，則商鞅申不害、韓非、李斯之思想，亦實漸入于

其時各家思想之互相融合之大流中。此中，法家之特尊君權之思想，可助成天下之一統，亦可固皇帝之地位。漢以後儒者亦特尊君，而不同于先秦儒者之只以君臣爲人倫之一者。漢初言道家之教，恆視之爲人君南面之道，而不同先秦道家之以道家之教，初爲潔身自好而設。此皆可說爲法家特尊君，而重君道之思想之影響。韓非子忠孝篇言「臣事君、子事父、妻事夫，三者順則天下治，三者逆則天下亂。」由尊君而尊父與尊夫之說，並爲漢儒所取，遂有三綱之說。此三綱之說，實不同于先秦儒者論孟禮記諸書言君臣以義合，言「敬妻子」、「夫婦爲牉合」、「妻與己齊」，君仁臣忠、父慈子孝、夫義婦順，乃對等之關係者。故儒家之倫理，由五倫說轉爲三綱說，當視爲法家思想注入儒家之一結果。然法家之政治一元論、君權絕對論，又不爲漢以後之儒者所接受。唯政治必當有一法度，亦不能無賞罰，則爲漢以後之儒者所共許。然賞罰不必限于以官職、貨財、囚戮，加于受賞罰者之當身。名譽上之褒獎、死後之美謚，追封先祖，蔭及子孫，皆可以爲賞。而名譽上之貶抑，死後之惡謚等，又皆可以爲罰。此卽所謂名教之賞罰，爲漢以後儒者之所重。其涵義之深遠，功效之弘大，皆爲先秦法家之徒，所不及知者。又在賞罰二者之中，先秦法家重罰，後之學者，則或重賞，或二者並重，或以重罰爲救一時之弊，蓋無以重罰爲一政治上之原則者。又政治爲人文社會中事之一端，若無禮樂等教化、與人民德行及君主自身之修德爲之輔，而只尚政令與賞罰，亦不足以成治，則在韓非以後之法家學者，蓋早有知之者；歷秦之亡，遂爲漢之學者所共喻。管子一書之編成，蓋卽依此旨而編成之一言政法之書。戴望管子校正引葉水心言管子書「非一人之筆，亦非一時之書……漢初學者，講習尤甚。賈誼、晁錯，以爲經本。故司馬遷謂讀管氏書，詳哉其言也，篇目次第，最爲整比，乃漢世行書」。其編成固當在秦漢之際也。

管子之書托諸管子，自當由于人重視管子治齊，助桓公成霸業而尊王攘夷之功。管子之治齊，有其內政與經濟上之一套措施。國語齊語中所載之管子行事，與管子書中大匡、中匡、小匡、霸形等篇所載，多可互證。管子之書中乘馬數以下，至輕重諸篇之言經濟之論，則蓋多爲秦漢時人之經濟思想。桓公九合諸侯、尊王攘夷，亦賴武力，故管子書亦有兵家言若干篇。秦漢爲順四時以爲政之陰陽家思想盛行之時，故其中又有陰陽家言若干篇。在管子治齊之時代，周之禮教尚未衰，故管子書兼載弟子職，如禮記之有文王世子、曲禮之篇；又多言及禮義，而近儒家言者。如牧民篇言守國之度，在「飾四維，順民之經」，在「明鬼神、祇山川。政之所興，在順民心；政之所廢，在逆民心。敬宗廟，恭祖舊。」四維者禮義廉恥，而牧民篇亦言使民有禮義廉恥之道。五輔篇言「義有七體，禮有八經」。形勢解言「惠者主之高行」，其入國篇言九惠「老老、慈幼、恤孤、養疾、合獨、問病、通窮、振困、接絕」，則同孟子之言文王發政施仁于鰥寡孤獨之旨。此皆管子言之言近儒家者也。道家之老子之書，其文半在言政，韓非子有解老喻老，主道揚權諸篇言虛靜無爲之道，可用之于爲政，前文已述及。管子書亦有白心、內業諸篇，教人致心之虛靜之道家言。管子中之道家言，前于論莊子之附篇文已亦述及。然整個觀之，則管子書仍以言政法者為多，為晚周之法家言之一大結集。此管子各篇之可分為諸家言而觀之，昔人多已及。近人石一參之管子今詮，羅根澤之管子探源，皆嘗本此以重編管子之書，雖不必盡當，然大體固不差也。

今略言管子一書之言政法之旨。其法法篇以明君在上位，則民毋敢立私議，而自貴者。明法篇反對本社會之毀譽為賞罰，而反朋黨。法法篇以赦為小利而大害，毋赦為小害而大利，以惠而多赦，為民之仇讎。明法解等篇言「明主之治也，明于分職，而督其成事」。重令篇言「令重則君尊」，「行令在乎嚴罰」；言重君勢，而以生殺貴賤貧富，為人君之六柄。七臣七主篇言「法令者，君臣之所共立也；權勢者，人主之所獨守也」。明法解言「百官之奉法無姦者，非以愛主也，欲以受爵祿而避罰也」。任法篇言「聖君任法不任智，任數不任說，任公不任私，任大道不任小物，然後身佚而天下治」。「以法制行之，如天地之無私也。是以官無私論，士無私議，民無私說」。此皆不出申韓所言之旨。然法法之篇，首言君主于民之所求與禁令之當節，謂「君有三欲于民，三欲不節，則上位危。一曰求、二曰禁、三曰令。……求多者得寡，禁多者止寡，令多者行寡」。則言人君之求、禁、令三欲之當有節。任法篇言君主之所處者四：一曰文、二曰武、三曰威、四曰德。則君除有威武外，亦當有文、德。法禁篇除言種種對私術之禁外，亦言「聖王之教民也，以仁措之，以恥使之」。法法篇言「政者，正也，所以正定萬物之命也。聖人精德立中以生正」，正篇以刑、政、法、德、道為五正之道。

版法篇言「兼愛無遺，是謂君心；必先順敎，萬民鄉風」。君臣篇言「民別而聽之則愚，合而聽之則聖」，「先王善與民爲一體」。此則皆不同申韓之只偏在敎人君，以法令威武爲政；而更能兼知文德與敎化之重要者。故版法解總其旨曰「四時之行，有寒有暑；聖人法之，有文有武。天地之位，有前有後，有左有右；聖人法之，以建經紀。春生于左，秋殺于右，夏長于前，多藏于後。生長，事之文也；收藏，事之武也。是故文事在左，武事在右；聖人法之，以行法令」。此與董仲舒之言法天道之陰陽四時，文敎與法令，相輔爲用之言，初無大別。言文敎，則必重賢聖，故形勢解言「明主必與聖人謀，必用聖人」。版法解則重賢佐。爲政又必重養才樹人，故權修篇有「終身之計，莫如樹人」之言。樹人用賢，以成敎化風習，然後能正天下。故七法篇言「財蓋天下」、「工蓋天下」、「器蓋天下」；而「士不蓋天下」、「敎不蓋天下」、「習不蓋天下」、「不偏知天下」，皆不能正天下。又言「漸也，順也，靡也，久也，服也，習也，謂之化」。則敎化風習之形成，乃原于「漸」「順」「靡」「久」「服」「習」之功，非一時之立法行令之事。此皆與儒者之義合。至于其樞言之謂「道之在天者，日也；其在人者，心也。愛之、利之、益之、安之，四者道之出。帝王者用之，而天下治」。形勢解言「能心行德」，是謂「夜行」「心行」。七法篇言實、誠、厚、施、度、恕，則儒者養心之道術。其白心內業言養心之精氣神，則爲道家養心之道術。內業言聖人「定心在中，……一物能化謂之神，一事能變謂之智。化不易氣，變不易智。……執一無失，能君萬物……得一之理，治心在于中」。兵法篇言「明一者皇，察道者帝，通德者王，謀得兵勝者霸」。察心術以至于能執一，而兼具神與聖智，則由帝而皇，如爲王所師之神聖(霸言)，而高于王與霸矣。幼官八言「若因夜虛守靜，……人物則皇；……尊賢授德者帝；身仁行義，服忠用信則王；審謀彰德，選士利械，則霸」。諸言之旨可互通。今按申韓之道，初皆以成霸業爲歸，其君只稱明主，明王，而不足當聖王，更不足稱神聖、帝皇。此與管子書之明言聖王或言神聖者王（君臣篇），更及于帝皇者，固有殊矣。按晚周之末，齊秦皆稱東西帝，其時更盛三皇之說。故秦帝一天下，而自稱始皇帝。然管子書，則以唯有養心之道術，以察道明一者，乃能爲帝爲皇，則秦始皇帝不足以當皇帝。唯在漢世，則由陸賈書之言道基，賈誼書之言道術，淮南子、司馬談、董仲舒之言安精養神，以治其心氣之功，皆期在人王之先察道，以明一而得一。則由申韓之純法家言，至管子之書之多法家言，略及于道術，再至漢世學者之以道術爲政本，正見一政治思想之次第向上發展之迹。管子一書，蓋正爲其中間之一過渡也。

國立中央圖書館出版品預行編目資料

中國哲學原論.原道篇.卷一：中國哲學中之『道』之建立及其發展／唐君毅著.--校訂版.--臺北市：臺灣學生，民75

面；　公分.--(唐君毅全集；卷14)

含索引

ISBN 957-15-0353-3（精裝).--ISBN 957-15-0354-1（平裝）

1.哲學-中國

120　　　　81001056

唐君毅全集卷十四

中國哲學原論（原道篇卷一）

著作者：唐君毅

出版者：臺灣學生書局

發行人：丁文治

發行所：臺灣學生書局

臺北市和平東路一段一九八號

郵政劃撥帳號○○○二四六六八號

電話：三六三四一五六・三六三一○九七

傳眞：（○二）三六三六三三四

本書局登記證字號：行政院新聞局局版臺業字第一一○○號

印刷所：淵明印刷廠

地址：永和市成功路一段43巷五號

電話：九二八七一四五

香港總經銷：藝文圖書公司

地址：九龍偉業街九十九號連順大廈五字樓及七字樓

電話：七九五九五九五

定價　精裝新臺幣三四○元　平裝新臺幣二八○元

中華民國七十五年十月全集校訂版

中華民國八十一年三月全集校訂版第二刷

12003-1

ISBN 957-15-0353-3（精裝）
ISBN 957-15-0354-1（平裝）